MARKL BIOLOGIE

Arbeitsbuch Tobias Grümme
Hans-Peter Krull
Ralf Küttner
Matthias Nolte

Oberstufe

Ernst Klett Verlag
Stuttgart • Leipzig

1. Auflage   1 ⁶ ⁵ ⁴ ³ | 13 12 11 10

Alle Drucke dieser Auflage sind unverändert und können im Unterricht nebeneinander verwendet werden.
Die letzte Zahl bezeichnet das Jahr des Druckes.
Das Werk und seine Teile sind urheberrechtlich geschützt. Jede Nutzung in anderen als den gesetzlich zugelassenen Fällen bedarf der vorherigen schriftlichen Einwilligung des Verlages. Hinweis § 52 a UrhG: Weder das Werk noch seine Teile dürfen ohne eine solche Einwilligung eingescannt und in ein Netzwerk eingestellt werden. Dies gilt auch für Intranets von Schulen und sonstigen Bildungseinrichtungen. Fotomechanische oder andere Wiedergabeverfahren nur mit Genehmigung des Verlages.

© Ernst Klett Verlag GmbH, Stuttgart 2010. Alle Rechte vorbehalten. www.klett.de

Autoren: Dr. Tobias Grümme, Münster; Hans-Peter Krull, Kaarst; Ralf Küttner, Limbach-Oberfrohna; Dr. Matthias Nolte, Köln
Beratung: Maria Beier, Körle/Melsungen; Jörg Wolter, Oldenburg
Fachdidaktische Beratung: Prof. Dr. Harald Gropengießer, Leibniz Universität Hannover

Redaktion: Detlef Eckebrecht
Herstellung: Marlene Klenk-Boock

Gestaltung: one pm · Grafikdesign · Petra Michel, Stuttgart
Umschlaggestaltung: one pm · Grafikdesign · Petra Michel, Stuttgart
Illustrationen: Jörg Mair, München; vasp datatecture GmbH, Zürich
Reproduktion: Meyle + Müller, Medien-Management, Pforzheim
Druck: Druckhaus Götz GmbH, Ludwigsburg

Printed in Germany
ISBN 978-3-12-150012-3

Vorwort

Für den Aufbau eines biologischen Wissens und Verständnisses genügt es nicht, auswendig zu lernen. Verstehen statt pauken ist das intelligentere und erfolgreichere Motto. Beste Voraussetzung für verstehendes Lernen sind Konzepte. Die finden Sie auch im Lehrbuch Markl Biologie: Sie sind dort als Überschriften hervorgehoben. Mit den Konzepten wird klipp und klar gesagt, was gemeint ist und worauf die Sache hinausläuft. Aber auch Begriffe und Konzepte muss man sich aneignen. Nur was man erworben hat, kann man auch behalten. Dieses Arbeitsbuch unterstützt Sie, ein biologisches Verständnis zu erwerben und die Bedeutungen der Konzepte zu erfassen. Es zeigt auch, wie die Konzepte angewendet werden. Sie können dabei Ihr Wissen vertiefen und Ihre Fähigkeiten erproben.

Lernen funktioniert dann gut, wenn die Lernportionen die richtige Größe haben. Dieses Arbeitsbuch hat auf jeder Seite eine Aufgabenstellung mit meist mehreren Teilaufgaben. Häufig wird eine Situation geschildert, die Sie kennen oder von der Sie schon gehört oder gelesen haben, und es wird Ihnen Material zur Verfügung gestellt. Und das gute Ende folgt am Schluss dieses Arbeitsbuchs — dort stehen die Lösungen der Aufgaben.

Selbstverständlich ist es langweilig, ohne eigenes Nachdenken die Lösung abzugucken. Der Anreiz ist ja gerade, es selbst zu schaffen und sich so Erfolgserlebnisse und Bestätigung zu holen. Dazu ist manchmal Ausdauer und Anstrengung notwendig. Dann heißt es dranbleiben, nachdenken und noch einmal im Markl Biologie nachlesen. Mit dem Erfolg ist die Anstrengung dann wie weggeblasen. Dann gilt es auch, sich selbst zu belohnen. Es ist wichtig, in der Aufwärtsspirale zu bleiben: erste Erfolge haben, sich wieder mit einer Aufgabe beschäftigen, weitere Erfolge haben, Selbstvertrauen und Erfolgserwartung aufbauen und immer wieder eine halbe Stunde intensiv an einer Aufgabe arbeiten. Nichts ist so erfolgreich wie der Erfolg.

Ab und zu sollten Sie sich auch Zeit nehmen, zurückzuschauen und sich zu fragen, ob, wann, bis zu welchem Grad und weshalb Sie erfolgreich bei der Lösung von Aufgaben waren. Dann heißt es, über den eigenen Bearbeitungs- und Lernweg bei einer Aufgabe nachzudenken. Es lohnt sich, hier einige Fragen an sich selbst zu richten:

- Habe ich Text, Abbildungen und Grafiken gründlich gelesen?
- Habe ich die Arbeitsaufträge richtig verstanden?
- Habe ich auf den Operator geachtet? (Operatoren sind die Wörter, die eine genaue Arbeitsanweisung geben, z. B. nennen, gegenüberstellen, begründen)
- Habe ich die Aufgabe vollständig bearbeitet oder habe ich mich lediglich mit Teilen zufriedengegeben?

Mit der erfolgreichen Bearbeitung der Aufgaben weicht auch die Unsicherheit vor Klausuren und dem Abitur. Sie sind geeignete Lerngelegenheiten, mit denen Sie sich gezielt vorbereiten und sicher machen können. Sie enthalten alles, was Ihnen in Prüfungen begegnen kann: Informationen und Material, Arbeitsaufträge mit Operatoren und Bearbeitungshinweise als Lösungshilfen. Wenn man seine Fähigkeit erprobt hat, Aufgaben zu lösen, ist das Wissen besser vernetzt und auch in neuen Situationen verfügbar. Mit dem Arbeitsbuch können Sie Ihr Wissen durch weitere Beispiele anreichern und so besser verankern.

Es kann hilfreich sein, die Aufgaben mit einem Partner oder in einer kleinen Gruppe zu lösen. Jeder sollte das zunächst selbstständig tun und dann die Lösungen, aber auch die Lernwege zu vergleichen. Denn wie ein afrikanisches Sprichwort sagt: Den Weg verfehlen heißt ihn kennenlernen. Sie können dabei von anderen lernen, aber auch dadurch lernen, dass Sie es anderen erklären. Lernen durch Lehren ist eine besonders effektive Form des Lernens.

Das Buch zum Lernen nutzen

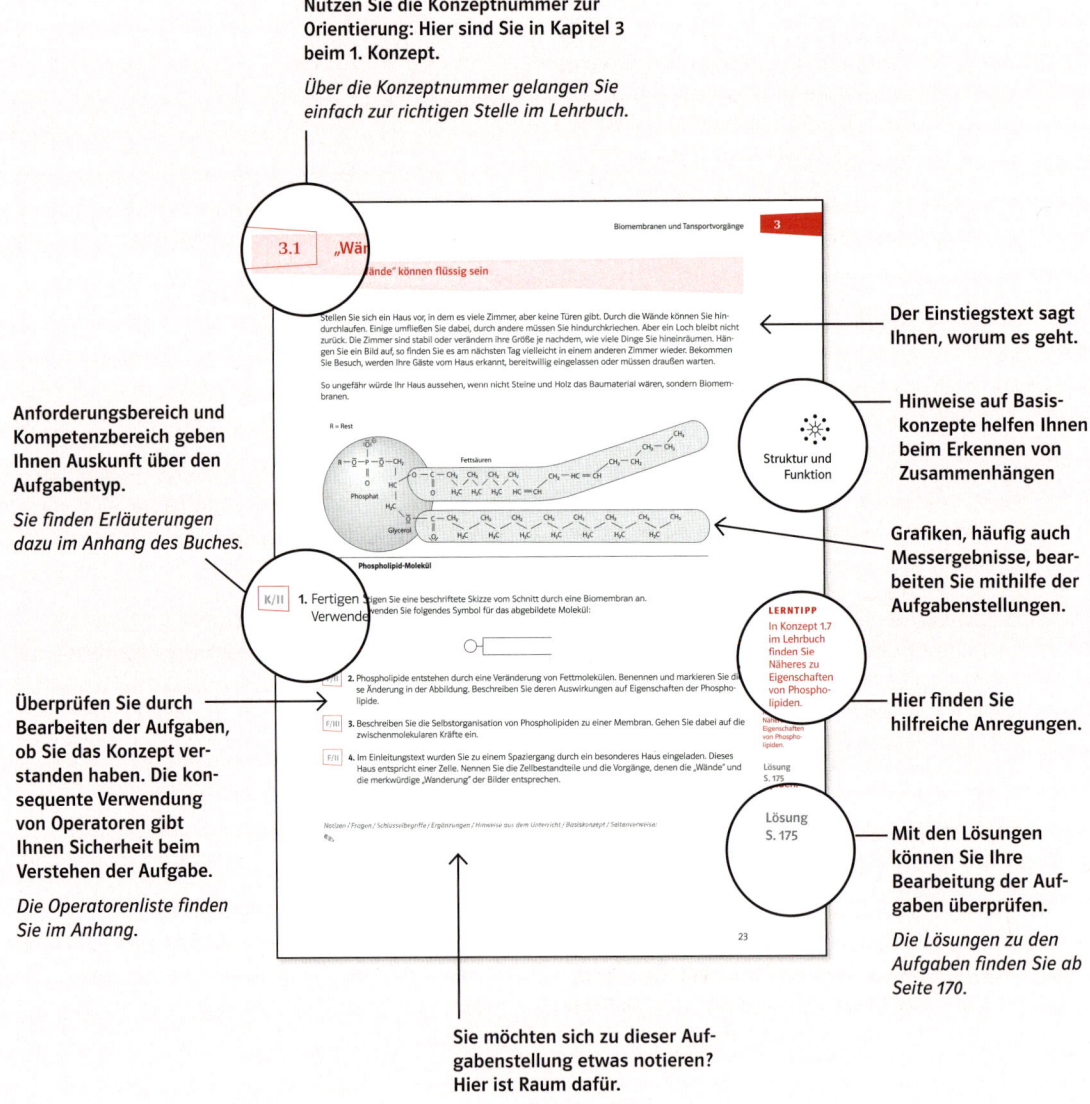

Inhalt

Vorwort — 3
Das Buch zum Lernen nutzen — 4

Zellen — 11

1 Die Makromoleküle des Lebens — 12

1.1 Aminosäuren bilden Peptide — 12
1.2 Zwischen Molekülen können sich Brücken bilden — 13
1.3 Frisuren beruhen auf räumlichen Strukturen von Proteinen — 14
1.5 Kohlenhydrate bilden Panzer — 15
1.6 DNA und RNA sind ähnlich aufgebaut — 16

2 Die Zelle — Grundeinheit des Lebens — 17

2.1 Genaues Zeichnen hilft beim Lernen — 17
2.2 Bakterien sind einfach gebaut und vermehren sich schnell — 18
2.3 Organellen bestimmen die Funktion von Zellen — 19
2.4 Der Zellkern speichert Bauanweisungen — 20
2.6 Proteine werden adressiert — 21
2.8 Mitose kann mikroskopisch betrachtet werden — 22

3 Biomembranen und Transportvorgänge — 23

3.1 „Wände" können flüssig sein — 23
3.2 Proteine verbinden Zellen — 24
3.3 Stoffe verteilen sich durch Diffusion im Raum — 25
3.4 Die Richtung des Wassertransports wird vom Salzgehalt bestimmt — 26
3.5 Aquaporine transportieren Wasser — 27
3.6 Glucose wird gegen ein Konzentrationsgefälle aufgenommen — 28
3.7 Amöben umhüllen Nahrung mit einer Membran — 29

4 Energie und Enzyme — 30

4.1 ATP-Moleküle sind die Akkus in Lebewesen — 30
4.3 Pflanzenasche senkt die Aktivierungsenergie — 31
4.4 Enzymreaktionen haben besondere Eigenschaften — 32
4.6 Die Temperatur beeinflusst Enzymreaktionen — 33
4.7 Enzymtätigkeit wird reguliert — 34

Stoffwechsel — 35

5 Stoff- und Energieaustausch bei Tieren — 36

5.1 Der Blutzuckerspiegel wird reguliert — 36
5.4 Nährstoffe werden abgebaut und vom Körper aufgenommen — 37

5.5	Die Körpermasse kann aktiv beeinflusst werden	38
5.6	Kapillaren sind die Schnittstellen zwischen Blutkreislauf und Gewebe	39
5.7	EPO und Blutdoping steigern den Sauerstoffgehalt im Blut	40
5.8	Bei der Bauchfelldialyse findet die Blutwäsche im Körper statt	41
5.9	Muskelkater entsteht durch kleine Verletzungen	42

6 Zellatmung — Energie aus Nährstoffen — 43

6.1	Glucose ist der Kraftstoff des Lebens	43
6.4	Die Zellatmung läuft schrittweise ab	44
6.5	Der Lactattest informiert über den Trainingszustand	45
6.6	Mauersegler verwenden Fett als Treibstoff	46

7 Stoff- und Energieumwandlung bei Pflanzen — 47

7.1	Pflanzen leben von Wasser, Luft und Licht	47
7.3	Pflanzen finden einen Mittelweg zwischen Transpiration und Gasaustausch	48
7.4	Die Fotosyntheseleistung wird von äußeren Faktoren beeinflusst	49
7.6	Pflanzen transportieren Wasser und Assimilate	50

8 Fotosynthese — Solarenergie für das Leben — 51

8.2	Fotosynthesepigmente sammeln Licht	51
8.4	Der lichtabhängige Teil der Fotosynthese erzeugt energiereiche Elektronen	52
8.5	Aus Kohlenstoffdioxid entsteht Glucose	53
8.6	Frei werdende Energie kann Lichtenergie ersetzen	54

Genetik — 55

9 DNA — Träger der Erbinformationen — 56

9.2	Hitze zerstört die DNA-Doppelhelix	56
9.3	Mithilfe von Fotometrie kann man DNA „wiegen"	57
9.4	Isotope ermöglichen die Aufklärung des Mechanismus der DNA-Replikation	58
9.5	Das Verpacken von DNA wäre bei Prokaryoten hinderlich	59

10 Genetischer Code und Proteinbiosynthese — 60

10.1	Der Triplettbindungstest knackt den DNA-Code für Aminosäuren	60
10.3	Die mRNA wird in eine Aminosäurekette übersetzt	61
10.4	Bei Prokaryoten werden Proteine anders hergestellt	62
10.5	Bakterien regulieren ihre Proteinausstattung selbst	63
10.6	Die „Neue Grippe" nutzt den Menschen als Wirt	64
10.9	Die Fellfarbe wird nicht nur von der Erbsubstanz bestimmt	65

11 Neukombination von Genen bei der Fortpflanzung — 66

11.1	Klonen lässt sich auch über Artgrenzen hinweg praktizieren	66
11.2	Der zeitliche Ablauf der Meiose bei Mann und Frau unterscheidet sich	67
11.4	Verschiedene Gene können bei der Ausprägung einer Eigenschaft interagieren	68
11.5	Variabilität wird durch Platztausch der Gene in der Meiose erreicht	69

12 Gene und Merkmalsbildung — 70

12.2	Monogenetische Merkmale lassen sich durch Mangelmutanten identifizieren	70
12.3	Zwillinge mit unterschiedlicher Hautfarbe sind eine Folge von Polygenie	71
12.4	Eine kleine Genmutation lässt Kinder sehr schnell altern	72
12.6	Genommutationen machen Kulturpflanzen widerstandsfähiger	73

13 Entwicklungsgenetik — 74

13.1	Die Embryonalentwicklung wurde an Seeigeln erforscht	74
13.2	In der Embryonalentwicklung gibt die Mutter vor, wo es langgeht	75
13.5	Nekrose und Apoptose: Zwei Wege führen zum Zelltod	76
13.6	Sexuell übertragbare Viren verursachen Gebärmutterhalskrebs	77

14 Anwendungen und Methoden der Gentechnik — 78

14.1	Insulin war das erste gentechnologisch hergestellte Medikament	78
14.2	Der genetische Fingerabdruck ist nicht immer eindeutig	79
14.4	Manche Sportler gelangen nur mit Gentests ins Team	80

15 Humangenetik — 81

15.1	Im AB0-System werden Blutgruppen codominant vererbt	81
15.2	Die meisten Krankheiten werden autosomal vererbt	82
15.3	Gonosomale Vererbung sorgt für Ungleichverteilung unter den Geschlechtern	83

16 Die Immunabwehr — 84

16.3	Das Immunsystem erschwert die Bluttransfusion	84
16.5	Die adaptive Immunabwehr bekämpft Erreger nachhaltig	85
16.6	Die Stimulation des Immungedächtnisses drängt Krankheiten zurück	86

Evolution — 87

17 Mechanismen der Evolution — 88

17.2	Ein langes Leben steigert nicht immer den Fortpflanzungserfolg	88
17.6	Kleine Populationen verlieren genetische Vielfalt	89
17.7	Selektion verändert Populationen	90
17.8	Die Evolutionstheorie hat eine Geschichte	91
17.9	Naturwissenschaften und Religionen bieten verschiedene Zugänge zur Welt	92

18 Konsequenzen der Evolution — 93

- 18.1 Angepasstheiten sind Kompromisse — 93
- 18.3 Selektion kann häufigkeitsabhängig sein — 94
- 18.5 Sexuelle Selektion erklärt Geschlechtsmerkmale — 95
- 18.7 Infantizid kann die Fitness erhöhen — 96

19 Die Entstehung von Arten — 97

- 19.1 Isolationsfaktoren verhindern Fehlpaarungen — 97
- 19.2 Allopatrisch entstandene Arten können wieder aufeinandertreffen — 98
- 19.4 Die Evolutionsgeschwindigkeit kann schwanken — 99

20 Evolution als historisches Ereignis — 100

- 20.1 Isotope ermöglichen Datierungen — 100
- 20.4 Die Eucyte entstand durch Symbiose — 101
- 20.6 Neufunde füllen Lücken im Fossilbestand — 102
- 20.7 Molekulare Strukturen verraten Verwandtschaftsverhältnisse — 103

21 Evolution des Menschen — 104

- 21.2 Der aufrechte Gang behindert eine schnelle Fortbewegung — 104
- 21.4 Die Hautfarbe des Menschen ist ein Ergebnis von Selektion — 105
- 21.6 Kulturelle Evolution beruht auf Weitergabe von Erlerntem — 106

Ökologie — 107

22 Beziehungen zwischen Organismen und Umwelt — 108

- 22.1 Umweltfaktoren bestimmen die Verbreitung der Stechpalme — 108
- 22.2 Felsenkrabben tolerieren Wasser mit unterschiedlichen Salzgehalten — 109
- 22.3 Der Tagesgang bestimmt die Wasserabgabe bei Pflanzen — 110
- 22.4 Die Verbreitung zweier Rötelmausarten wird durch die Temperatur bestimmt — 111
- 22.5 Wechselwirkungen zwischen Arten beeinflussen deren Vorkommen — 112
- 22.7 Verwandte Arten sind in verschiedenen Gebieten regelhaft verändert — 113

23 Wechselwirkungen innerhalb von Lebensgemeinschaften — 114

- 23.2 Organismen können verschiedene Trophiestufen einnehmen — 114
- 23.4 Malaria — Einzeller erobern unseren Körper — 115
- 23.5 Flechten bilden eine morphologische Einheit aus Pilz und Alge — 116
- 23.6 Fressfeinde können Populationen einer Art verdrängen — 117

24 Dynamik von Populationen — 118

- 24.1 Populationen können unterschiedlich wachsen — 118
- 24.3 Voneinander abhängige Populationen schwanken periodisch — 119

24.4	Bestandsgrößen unterliegen Schwankungen	120
24.5	Tragfähigkeitsberechnungen der Erde sind problematisch	121

25 Stoff- und Energiefluss in Ökosystemen — 122

25.1	In Walen konzentrieren sich Gifte	122
25.3	Schwefelverbindungen durchlaufen einen Stoffkreislauf	123
25.4	Organische Stoffe werden im Boden mineralisiert	124

26 Einblicke in Ökosysteme — 125

26.1	Biome werden von Umweltfaktoren bestimmt	125
26.3	Gewässer werden durch Mineralstoffeintrag unterschiedlich verändert	126
26.4	Die Selbstreinigung eines Fließgewässers verändert die Umweltbedingungen	127
26.5	Algenarten weisen im Meer eine vertikale Zonierung auf	128

27 Die Biosphäre unter dem Einfluss des Menschen — 129

27.2	Der Treibhauseffekt hat zwei Gesichter	129
27.3	Nichteinheimische Tiere besiedeln Europa	130
27.4	Wölfe kehren in strukturreiche Landschaften zurück	131
27.5	Eine zweite Erde kann man nicht borgen	132

Neurobiologie — 133

28 Reizaufnahme und Erregungsleitung — 134

28.1	Input, Integration und Output sind die Hauptaufgaben unseres Nervensystems	134
28.4	Das Ruhepotenzial wird durch eine Natrium-Kalium-Pumpe aufrechterhalten	135
28.5	Aktionspotenziale bedeuten eine Veränderung des Membranpotenzials	136
28.7	Erregungsleitung erfolgt an Axonen auf unterschiedliche Weise	137

29 Neuronale Verschaltungen — 138

29.1	Reflexe sind unterschiedlich ausgeprägt	138
29.3	Neurotransmitter werden im synaptischen Spalt abgebaut	139
29.4	Signale werden am Axonhügel verrechnet	140
29.6	Gifte können einander in ihrer Wirkung verstärken	141
29.8	Chemische und elektrische Synapsen sind unterschiedlich	142

30 Sinne und Wahrnehmung — 143

30.2	Mechanorezeptoren sind ungleichmäßig in der Haut verteilt	143
30.3	Stäbchen dienen dem Hell-Dunkel-Sehen	144
30.5	Sinnestäuschungen helfen Wahrnehmung zu verstehen	145
30.6	Veränderte Körperlage führt zu anderen Reaktionen	146

31 Nervensysteme — 147

- 31.1 Im Zentralnervensystem werden Informationen verarbeitet — 147
- 31.2 Gegenspieler sorgen für Homöostase — 148
- 31.3 Das limbische System unterstützt Funktionen des Gehirns — 149

32 Hormonelle Regelung und Steuerung — 150

- 32.1 Hormone erreichen auf unterschiedlichen Wegen ihre Ziele — 150
- 32.2 Nerven- und Hormonsystem stehen miteinander in Verbindung — 151
- 32.3 Thyroxin steuert die Entwicklung — 152
- 32.4 Der weibliche Zyklus reguliert sich selbst — 153
- 32.6 Geschlechtshormone beeinflussen das Verhalten der Geschlechter — 154

Verhalten — 155

33 Verhaltensforschung und Verhaltensweisen — 156

- 33.2 Bei Verhaltensexperimenten sind die Versuchsbedingungen wichtig — 156
- 33.3 Attrappenversuche klären die Bedeutung von Reizen — 157
- 33.4 Verhaltensweisen bringen Selektionsvorteile — 158
- 33.5 Verhalten enthält genetisch festgelegte und erlernte Anteile — 159

34 Lernen — 160

- 34.2 Tiere können Ereignisse verknüpfen — 160
- 34.3 Prägung hat neuronale Grundlagen — 161
- 34.5 Manche Tiere können Verhaltensweisen von Artgenossen übernehmen — 162
- 34.6 Das Bewusstsein folgt den Entscheidungen — 163

35 Kommunikation und Sozialverhalten — 164

- 35.1 Bienen informieren Artgenossen über Futterquellen — 164
- 35.2 Bestimmte Reize verraten die Gesundheit des Partners — 165
- 35.3 Weibchen wählen die besten Männchen aus — 166
- 35.5 Das Leben in Gruppen hat Vorteile und Nachteile — 167
- 35.6 Weibchen beachten unfälschbare Signale — 168
- 35.8 „Blutsbrüder" zeigen reziproken Altruismus — 169

Lösungen — 170

Anhang
- Operatoren — 230
- Anforderungsbereiche — 231
- Kompetenzbereiche — 232
- Basiskonzepte — 234
- Klausur: Gendefekte können auch Überlebensvorteile bieten — 236
- Bildquellennachweis / Textquellennachweis — 240

Zellen

1. Die Makromoleküle des Lebens
2. Die Zelle — Grundeinheit des Lebens
3. Biomembranen und Transportvorgänge
4. Energie und Enzyme

1 Die Makromoleküle des Lebens — Zellen

1.1 Aminosäuren bilden Peptide

„An erster Stelle stehend" — so lautet die Übersetzung des Namens Protein. Man nennt sie auch Eiweißstoffe, die Riesenmoleküle mit den vielfältigen Funktionen im Körper. In Lebewesen sind sie die dominierende Stoffklasse. Sie stabilisieren Ihre Gewebe, katalysieren Ihren gesamten Stoffwechsel, überbringen als Hormone Botschaften, lassen Ihre Muskeln arbeiten, verteidigen Sie gegen Krankheitserreger und verschließen Wunden. Proteine bilden Seide und können gefährliche Gifte sein. Sie bestehen aus langen, kompliziert gefalteten Ketten, die aus Aminosäuren aufgebaut sind. Um die Proteine zu verstehen, wollen wir uns zuerst mit Aminosäuren und „Kurzproteinen", den Peptiden, beschäftigen.

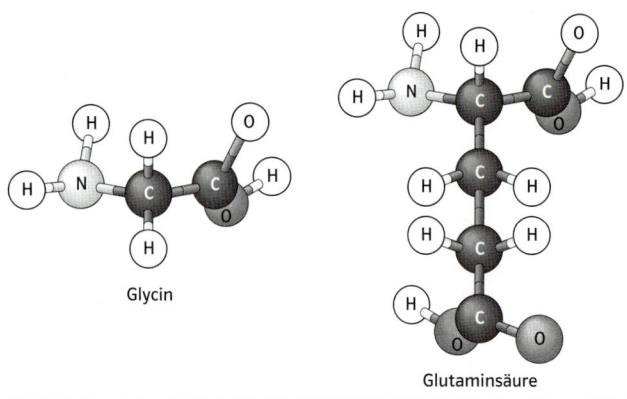

1 Aminosäuren

E/I 1. Vergleichen Sie den Bau der Aminosäuren Glycin und Glutaminsäure.

F/II 2. Die Verbindung zweier Aminosäuren ist der grundlegende Schritt der Bildung von Peptidketten. In der Zelle wird er bei der Proteinsynthese vom Ribosom ausgeführt. Notieren Sie die Reaktionsgleichung für die Bildung eines Dipeptids aus Glycin und Glutaminsäure in Form von Strukturformeln. Beschreiben Sie das Wesentliche dieser Reaktion.

Reaktionsgleichung:

F/II 3. Thyreoliberin ist ein Hormon des Hypothalamus. Das kurze Peptid wirkt bei der Regulation der Schilddrüsenfunktion mit und besteht aus den drei Aminosäuren Glutaminsäure (Glu), Histidin (His) und Prolin (Pro). Ermitteln Sie die Anzahl der möglichen Primärstrukturen, die aus diesen drei Aminosäuren erzeugt werden können, wenn jede Aminosäure nur einmal im Tripeptid vorkommt.

Lösung S. 170

Notizen / Fragen / Schlüsselbegriffe / Ergänzungen / Hinweise aus dem Unterricht / Basiskonzept / Seitenverweise:

1.2 Zwischen Molekülen können sich Brücken bilden

Wenn Sie ein Getränk mit Eiswürfeln genießen, denken Sie wahrscheinlich nicht daran, dass schwimmendes Eis eine absolute Ausnahme innerhalb der Stoffe darstellt. Alle anderen Materialien haben im festen Zustand eine höhere Dichte als im flüssigen und würden zu Boden sinken. Beobachten Sie ein erkaltendes Teelicht: Das Wachs erstarrt von unten.

Für diese Ausnahme, die Dichteanomalie des Wassers, sind die Wasserstoffbrückenbindungen verantwortlich. In flüssigem Wasser gibt es ein Gleichgewicht zwischen entstehenden und aufbrechenden Wasserstoffbrücken. Bei der Eiskristallbildung jedoch werden die Wasserstoffbrücken fixiert und es bildet sich eine Gitterstruktur, in der jedes Wassermolekül von vier anderen Wassermolekülen umgeben ist (Abb. 1). Dabei dehnt sich das Eis im Vergleich zum Wasser aus und seine Dichte wird geringer (Abb. 2).

Die Wasserstoffbrückenbindungen helfen uns, viele biologische Erscheinungen, z. B. Eigenschaften der Proteine und des Wassers, besser zu verstehen.

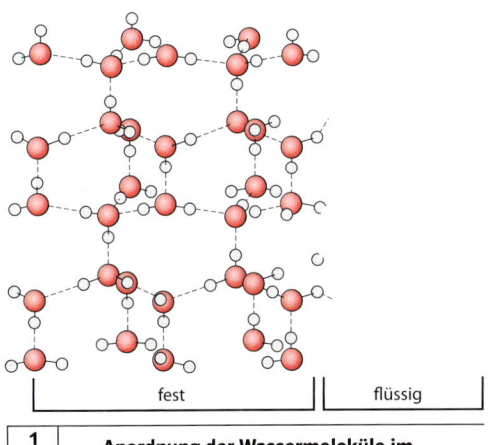

1 Anordnung der Wassermoleküle im schmelzenden Eiskristall

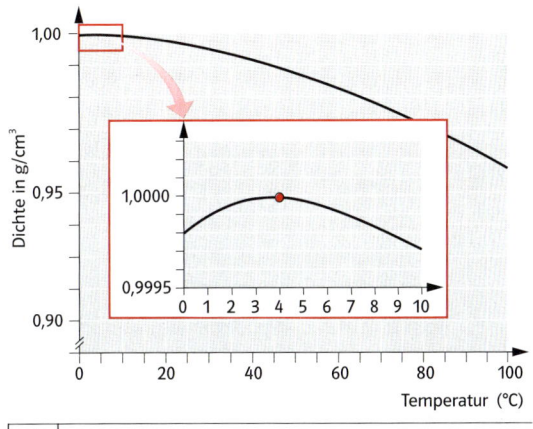

2 Dichte-Temperatur-Diagramm des Wassers

E/II 1. Vergleichen Sie die kovalente Bindung und die Wasserstoffbrückenbindung beim Wasser.

F/II 2. Die Struktur des Gitters im Wassereis zeigt Abb. 1. Skizzieren Sie eine mögliche Anordnung der Moleküle nach dem Schmelzen.

F/II 3. Erläutern Sie die Bedeutung der Dichteanomalie des Wassers für Wassertiere im Winter mithilfe der Abb. 2.

Lösung S. 170

Notizen / Fragen / Schlüsselbegriffe / Ergänzungen / Hinweise aus dem Unterricht / Basiskonzept / Seitenverweise:

Die Makromoleküle des Lebens **Zellen**

1.3 Frisuren beruhen auf räumlichen Strukturen von Proteinen

Struktur und Funktion

Locken oder glatte Haare? Hat Sie diese Frage auch schon bewegt? Für Sie persönlich ist es eine Sache Ihres Geschmacks. Frisuren haben etwas mit den Strukturen von Proteinen zu tun. Haar besteht hauptsächlich aus α-Keratin, einer rechtsgängigen α-Helix, die durch Wasserstoffbrücken stabilisiert wird. Zwei Keratin-Moleküle sind miteinander verwunden und über Disulfidbrücken verbunden, wie es die Abbildung zeigt (Quartärstruktur). Bei Fönfrisuren werden die Wasserstoffbrücken innerhalb der Helix-Moleküle aufgebrochen und neu fixiert.•
Möchten Sie Ihre Haare haltbarer fixieren, empfiehlt sich dagegen eine Dauerwelle.

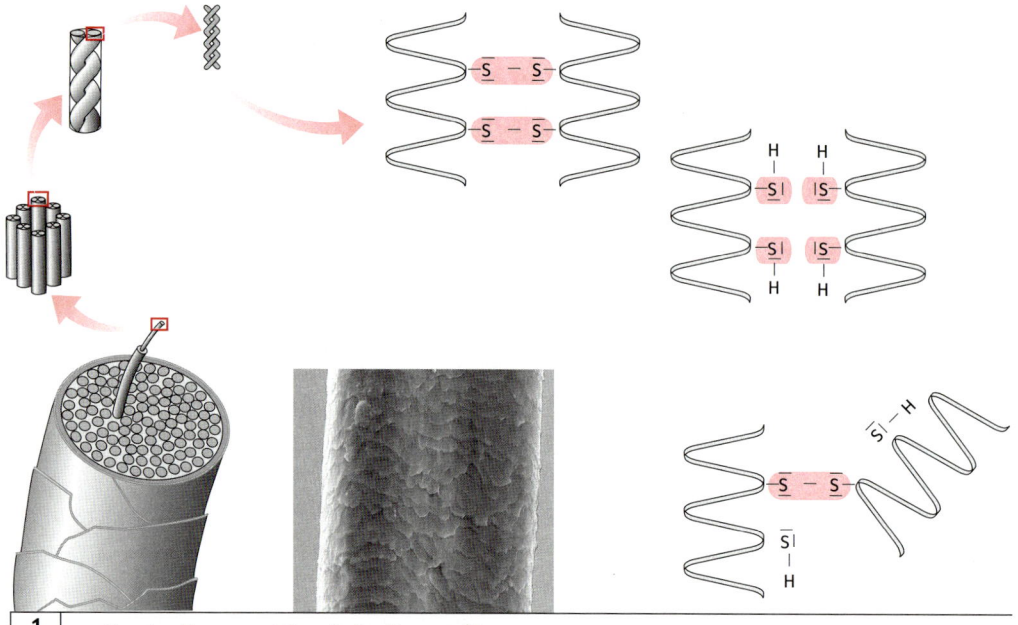

1 **Bau des Haares und Chemie der Dauerwelle**

 1. Stellen Sie die Strukturebenen von Proteinen in einer Übersicht zusammen.

 2. Erläutern Sie die Veränderungen im Haar bei einer Dauerwelle auf der Ebene der Proteine mithilfe von Abb. 1.

Lösung
S. 171

 3. Das Horn des Nashorns besteht aus verklebten Haaren. Der Anteil der Disulfidbrücken bildenden Aminosäure Cystein liegt in diesen Haaren bei ca. 25 %, im menschlichen Haar jedoch nur bei 17 %. Ziehen Sie Schlussfolgerungen zu den Eigenschaften der Haarproteine.

Notizen / Fragen / Schlüsselbegriffe / Ergänzungen / Hinweise aus dem Unterricht / Basiskonzept / Seitenverweise:

Zellen — Die Makromoleküle des Lebens

1.5 Kohlenhydrate bilden Panzer

Der Sieger steht fest! Er hat seinen Widersacher vertrieben. Nun gehört das Hirschkäferweibchen ihm. Nur wenige Menschen haben die Gelegenheit, einen Kampf der so selten gewordenen Hirschkäfer zu beobachten. Die Tiere übertragen die von den Muskeln erzeugten Kräfte auf die stabilen Kiefer. Sie sind die Waffen im Kampf und bestehen genau wie der Panzer der Käfer zum großen Teil aus dem Kohlenhydrat Chitin. Chitin ist nach Cellulose das häufigste Kohlenhydrat auf der Erde und festigt ebenfalls Zellen und Gewebe.

Das Polysaccharid Chitin besteht aus β-Chitobiose-Bausteinen. Es bildet die Außenskelette von Krebsen, Insekten, Tausendfüßern und Spinnentieren. Dabei entstehen vielfältige Strukturen wie hauchdünne, durchsichtige Libellenflügel und durch Kalkeinlagerungen sogar die steinharten Scheren eines Hummers. Chitin ist biologisch abbaubar und kann aufgrund seiner Eigenschaften herkömmliche Kunststoffe an einigen Stellen ersetzen. Aus Chitin kann Chitosan hergestellt werden, das u. a. als chirurgisches Nähgarn und zur Arzneimittelherstellung verwendet wird. Die Wirkung von Chitosan als Schlankheitsmittel ist umstritten.

1 Hirschkäfer beim Kampf

2 Strukturformeln des Chitins und der Cellulose

F/I **1.** Erläutern Sie die Bedeutung von Kohlenhydraten für Lebewesen.

E/II **2.** Vergleichen Sie das Vorkommen, die Funktion und den Bau von Chitin und Cellulose (Abb. 2).

E/II **3.** Nennen Sie Argumente für den Einsatz von Chitin als Kunststoffersatz. Gehen Sie dabei von seinen in der Natur beobachtbaren Eigenschaften aus.

LERNTIPP
Mehr zu Kohlenhydraten erfahren Sie im Lehrbuch in den Konzepten 3.1 und 5.5 sowie in den Kapiteln 6, 7 und 8.

Lösung S. 171

Notizen / Fragen / Schlüsselbegriffe / Ergänzungen / Hinweise aus dem Unterricht / Basiskonzept / Seitenverweise:

1.6 DNA und RNA sind ähnlich aufgebaut

Struktur und Funktion

„It has not escaped our notice that the specific pairing we have postulated immediately suggests a possible copying mechanism for the genetic material." So beendeten WATSON und CRICK ihren Artikel, in dem sie 1953 der Fachwelt ihr Modell zum Bau der DNA vorstellten. Die Nucleinsäuren sind ein Beispiel für das Basiskonzept Struktur und Funktion auf molekularer Ebene.•

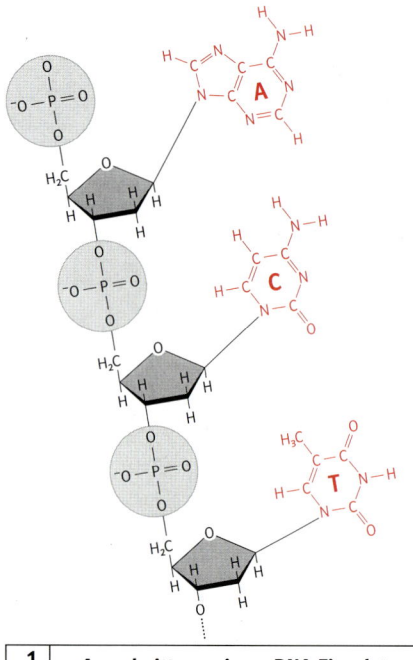

1 Ausschnitt aus einem DNA-Einzelstrang

2 Wasserstoffbrückenbindungen zwischen den organischen Basen

 1. Markieren und benennen Sie in Abb. 1 die Bausteine eines Nucleotids.

 2. Ergänzen Sie Abb. 1 zu einem Doppelstrang. Erschließen Sie die Basenpaarung mithilfe von Abb. 2. Verwenden Sie statt Strukturformeln einfach die Buchstaben A, T, C, G für die organischen Basen, D für Desoxyribose und P für Phosphat.

 3. Vergleichen Sie Bau und Funktion von DNA und RNA tabellarisch.

Lösung S. 172

 4. Erläutern Sie Strukturen der DNA, die die Vermutung von WATSON und CRICK am Ende ihrer Veröffentlichung stützen.

Notizen / Fragen / Schlüsselbegriffe / Ergänzungen / Hinweise aus dem Unterricht / Basiskonzept / Seitenverweise:

Zellen

Die Zelle — Grundeinheit des Lebens

2.1 Genaues Zeichnen hilft beim Lernen

Wozu soll man heute, wo Fotografie und Video allgegenwärtig sind, mikroskopische Präparate zeichnen? Die Antwort ist einfach: um zu lernen. Wenn Sie etwas zeichnen, arbeiten in Ihrem Gehirn wesentlich mehr Nervenzellen zusammen als beim bloßen Betrachten eines Fotos. Sie achten wesentlich mehr auf Einzelheiten und Größenverhältnisse. Außerdem setzen Sie das Gesehene noch grafisch um, sind also motorisch tätig. So bilden sich verstärkt neuronale Netze in Ihrem Gehirn: Sie lernen.

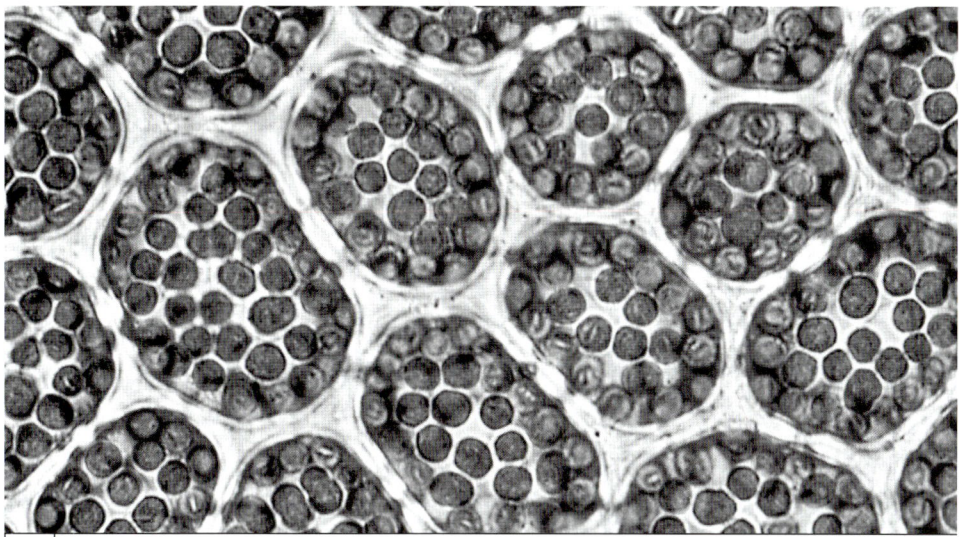

1 Frischpräparat von Blattzellen eines Mooses (*Rhizomnium puntatum*); Vergrößerung: 600-fach

F/II 1. Fertigen Sie auf einem gesonderten Blatt eine mikroskopische Zeichnung von zwei Zellen des Gewebes (Abb. 1) an und beschriften Sie die sichtbaren Bestandteile auf Ihrer Zeichnung. Beachten Sie dabei folgende Regeln für wissenschaftliche Zeichnungen.
a) Verwenden Sie nur Bleistifte, auch für die Beschriftung. Zeichnen Sie klare Linien (kein Stricheln). Verwenden Sie unterschiedliche Härtegrade von Bleistiften, um die Strichdicke zu variieren. Schraffieren und Ausmalen sind nicht erlaubt.
Achten Sie auf die Größenverhältnisse der beobachteten Strukturen zueinander. Zeichnen Sie nicht zu klein! Ihre Zeichnung soll ohne Beschriftung etwa 2/3 bis 3/4 des DIN-A-4-Blattes füllen.
b) Führen Sie alle Beschriftungen in Druckschrift aus. Notieren Sie oben den deutschen und den lateinischen Namen des Objekts und geben Sie die Art des Präparats (z. B. Totalpräparat, Längsschnitt, Quetschpräparat usw.), eine eventuell durchgeführte Färbung und die Vergrößerung an. Geben Sie am unteren Blattrand Ihren Namen und das Datum an.
c) Fügen Sie zur Beschriftung der Zeichnung Hinweislinien ein. Diese sollten parallel zueinander sein und sich nicht kreuzen.

Lösung S. 173

Notizen / Fragen / Schlüsselbegriffe / Ergänzungen / Hinweise aus dem Unterricht / Basiskonzept / Seitenverweise:

2.2 Bakterien sind einfach gebaut und vermehren sich schnell

Mit Salmonellen verseuchte Lebensmittel, Pest oder eiternde Wunden sind Schlagworte, die uns einfallen, wenn von Bakterien die Rede ist. Sie verhelfen dieser so vielfältigen Organismengruppe oft zu einem schlechten Ruf. Schnell vergessen sind die Bakterien in den Böden, die gemeinsam mit den Pilzen organische Stoffe mineralisieren und wieder pflanzenverfügbar machen, und Bakterien, die unsere Abwässer in den natürlichen Gewässern und Kläranlagen säubern oder Pflanzenfressern beim Verdauen der Cellulose helfen. Gern essen wir Jogurt oder Sauerkraut, ohne uns bewusst zu sein, dass zu ihrer Herstellung Bakterien notwendig sind. Auch werden viele Medikamente, wie zum Beispiel Insulin, heute mithilfe von Bakterien großtechnisch produziert. Nur wenige Bakterien machen uns krank.

Vor etwa 2,7 Mrd. Jahren reicherte sich der erste elementare Sauerstoff in unserer Erdatmosphäre an: das Fotosyntheseprodukt von Cyanobakterien. Bakterien sind vergleichsweise einfach gebaute, in ihrem Stoffwechsel jedoch äußerst vielfältige Lebewesen.

Skizze:

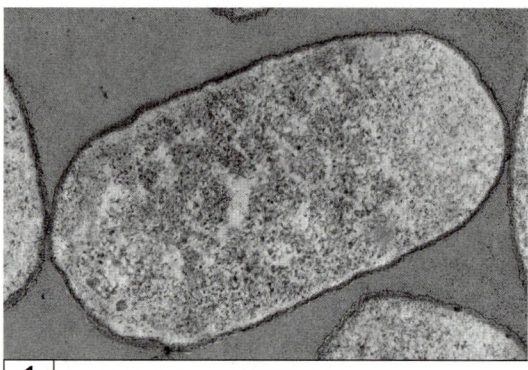

1 *Escherichia coli* — TEM-Aufnahme

F/I 1. Skizzieren und beschriften Sie eine Bakterienzelle aus dem Gedächtnis.

F/II 2. Oft ist es schwierig, aus Schemazeichnungen bekannte Strukturen in mikroskopischen Darstellungen wiederzuerkennen. Ordnen Sie die Bestandteile, die Sie in Abb. 1 erkennen können, den Begriffen aus der Skizze von Aufgabe 1 zu. Verwenden Sie dazu Hinweisstriche.

E/II 3. Das Darmbakterium *Escherichia coli* teilt sich bei optimalen Bedingungen alle 20 Minuten. In dieser Zeit wächst das stäbchenförmige Bakterium und erreicht ein Volumen von ca. $2{,}3 \cdot 10^{-6}$ µl und teilt sich dann erneut. Berechnen Sie die Zeit, die vergehen muss, bis durch Wachstum und Teilung eines Darmbakteriums und seiner Nachkommen ein Volumen von 2 Litern gefüllt wird.

Lösung S. 173

F/II 4. Zwei Liter entsprechen etwa dem Volumen des Magens. Eine Verstopfung des Magens oder der Verdauungsorgane durch Bakterien ist bisher noch nie vorgekommen. Begründen Sie.

Notizen / Fragen / Schlüsselbegriffe / Ergänzungen / Hinweise aus dem Unterricht / Basiskonzept / Seitenverweise:

Zellen   Die Zelle — Grundeinheit des Lebens

2.3 Organellen bestimmen die Funktion von Zellen

Was ist Ihr aktueller Lieblingssong? Haben Sie keinen, dann denken Sie an Ihr schönstes Buch oder einen spannenden Film. Warum mögen Sie dieses Werk? Vielleicht können Sie diese Frage gar nicht so schnell beantworten, weil es Ihnen als „Ganzes" gefällt. Andererseits fallen Ihnen Teile der Melodie, des Textes oder Szenen ein, mit denen Sie Ihre Vorliebe begründen. Nicht anders ist es in der Biologie. Auch hier betrachtet man komplexe Erscheinungen auf verschiedenen Ebenen. Nur so kann man Lebewesen begreifen. Die kleinste für sich lebensfähige Einheit ist die Zelle. Es folgen Gewebe, Organe und vielzellige Organismen. Mit den folgenden Fragen festigen Sie Ihr Wissen zum Bau und zur Funktion der Eucyte.

1 Kürbispflanze

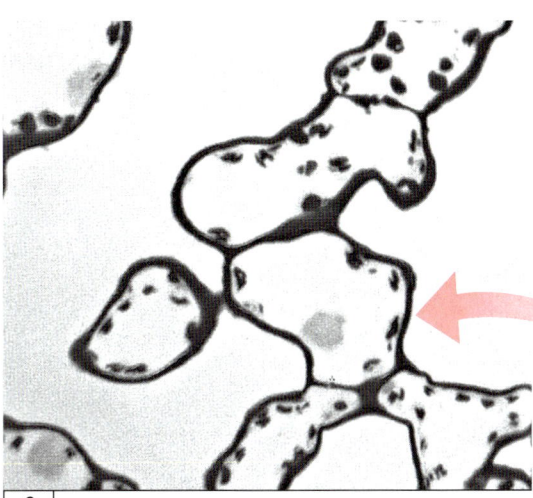

2 Pflanzenzelle

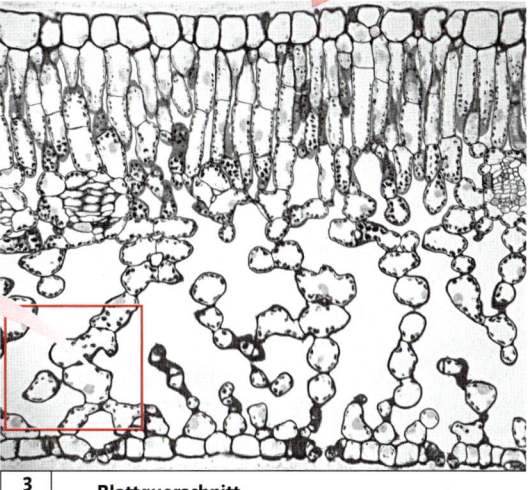

3 Blattquerschnitt

K/II **1.** Ermitteln Sie mithilfe des Schemas auf S. 41 des Lehrbuchs die Zellbestandteile, die in der Mikrofotografie (Abb. 2) zu erkennen sind. Geben Sie mögliche Gründe dafür an, dass viele Organellen unsichtbar sind.

F/II **2.** Stellen Sie die Organellen einer Pflanzenzelle und deren wichtigste Funktionen in einer Tabelle zusammen. Hier trainieren Sie das Basiskonzept Struktur und Funktion.•

F/II **3.** Biologische Phänomene können auf verschiedenen Ebenen betrachtet werden. So können Strukturen auf der Ebene von Zellen, Geweben, Organen und vielzelligen Organismen untersucht werden. Ergänzen Sie die Betrachtungsebenen der Biologie mit Begriffen am Anfang und am Ende der Kette:
…, … → Zelle → Gewebe → Organ → vielzelliger Organismus → …

Struktur und Funktion

Lösung S. 173

Notizen / Fragen / Schlüsselbegriffe / Ergänzungen / Hinweise aus dem Unterricht / Basiskonzept / Seitenverweise:

Die Zelle — Grundeinheit des Lebens

2.4 Der Zellkern speichert Bauanweisungen

Die Bedeutung des Zellkerns für die Vorgänge im Cytoplasma erkannten der Biologe JOACHIM HÄMMERLING und seine Kollegen. Sie untersuchten die Regenerationsfähigkeit der Schirmalgen (Abb. 2). Beim Baden im Mittelmeer oder in anderen warmen Meeren können Sie diese bis 10 cm großen pilzähnlichen Organismen beobachten. Trotz der beachtlichen Größe handelt es sich bei *Acetabularia* um einzellige Pflanzen. Wegen ihres auffälligen Hutes nennt man sie Schirmalgen *(Acetabularia)*. Für die vollständige Ausprägung ihrer Körperform brauchen sie drei Jahre. Werden die Algen verletzt oder verlieren sie Zellteile, regenerieren sie sich ausgezeichnet. Die Pflanzen können einfach in Meeresaquarien gehalten werden. Durch ein besonderes Nährmedium gelang es den Wissenschaftlern, die Entwicklungszeit von *Acetabularia* auf neun Wochen zu verkürzen.

Wie das Darmbakterium *E. coli*, die Taufliege *Drosophila*, die Darwinfinken oder die Erbsen MENDELS sind Schirmalgen „Modellorganismen" der biologischen Forschung. Um solche Lebewesen zu finden, die sich für die Erforschung einer bestimmten Frage eignen, brauchen Wissenschaftler große Sachkenntnis und oft etwas Glück.

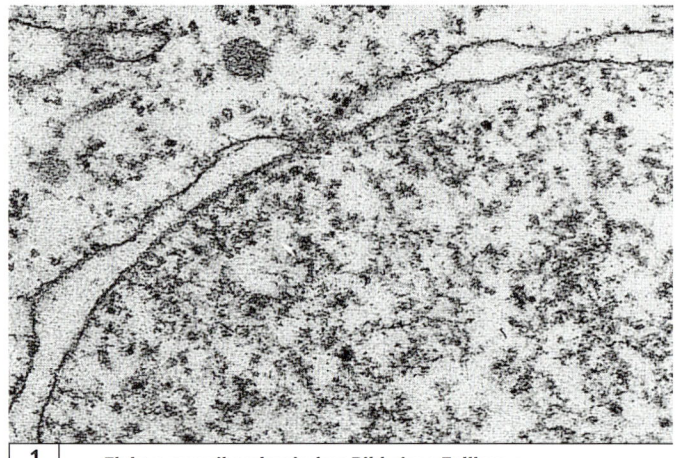

1 Elektronenmikroskopisches Bild eines Zellkerns

2 Schirmalge *(Acetabularia)*

LERNTIPP
Genauere Informationen zum Zellkern erhalten Sie im Lehrbuch in den Kapiteln 9 und 10.

Lösung S. 174

K/II **1.** Beschreiben Sie die erkennbaren Teile des Zellkerns in Abb. 1.

F/II **2.** Beschreiben Sie den im Lehrbuch auf S. 43 in Abb. 2 gezeigten Versuch und leiten Sie daraus Funktionen des Zellkerns ab.

F/I **3.** Die DNA des Menschen wäre aneinandergefügt ca. 2 m lang und findet Platz in einem Zellkern mit 5–10 μm Durchmesser. Erklären Sie dieses Phänomen.

E/II **4.** HÄMMERLING und seine Mitarbeiter erkannten die Funktionen des Zellkerns bei Experimenten mit Schirmalgen. Tragen Sie die Fakten zusammen, die Schirmalgen zu „Modellorganismen" für die Untersuchung der Wechselwirkung zwischen Zellkern und Cytoplasma machen.

Notizen / Fragen / Schlüsselbegriffe / Ergänzungen / Hinweise aus dem Unterricht / Basiskonzept / Seitenverweise:

2.6 Proteine werden adressiert

Der amerikanische Zell- und Molekularbiologe GÜNTHER BLOBEL, Träger des Nobelpreises für Physiologie oder Medizin 1999, entdeckte, dass neu hergestellte Proteine ähnlich wie Briefe adressiert sind und so ihren Bestimmungsort in einer Zelle finden. Als molekulare Postleitzahlen wirken kurze Aminosäuresequenzen am Anfang der Proteinmoleküle. BLOBEL sagte Tunnel in der Membran des ER voraus, an denen die Ribosomen andocken und wo das neue Proteinmolekül sofort in das ER „hineinproduziert" wird. Sowohl die Tunnel für den Proteintransport als auch die Andockstellen der Ribosomen konnte er mit seinen Mitarbeitern nachweisen. Diese Erkenntnisse über Proteintransporte innerhalb von Zellen sind wichtig für ein besseres Verständnis bestimmter Erkrankungen (z. B. Mukoviszidose) und ermöglichen neue Therapien. Die Herstellung und Verarbeitung von Proteinen in verschiedenen Zellbereichen sind ein Aspekt aus dem Basiskonzept Kompartimentierung.•

Kompartimentierung

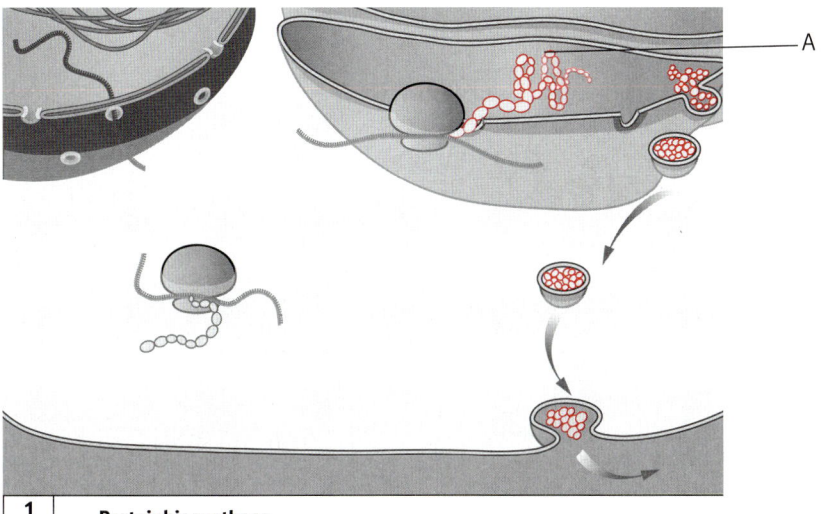

1 Proteinbiosynthese

F/II 1. A sei eine Vorstufe eines Proteins, das aus der Zelle transportiert werden soll (z. B. das blutzuckersenkend wirkende Hormon Insulin). Fertigen Sie mithilfe von Abb. 1 ein Fließschema an, das den Weg von der DNA bis zur Exocytose aus der Zelle darstellt.

F/III 2. BLOBEL ging bei seiner Hypothese davon aus, dass die Signalsequenz der Proteine unmittelbar nach dem Austritt aus dem Ribosom bereits vom ER erkannt werden muss. Für die Erkennung der „Postleitzahl" nahm er Rezeptoren an. Deren Aufgabe sollte es sein, die Ribosomen zusammen mit der herauswachsenden Polypeptidkette an die Membran des endoplasmatischen Reticulums zu koppeln. Erläutern Sie, von ihren Kenntnissen zur Struktur von Proteinen ausgehend, weshalb zum einen die Signalsequenz bei einem fertigen Protein nicht mehr erkannt werden könnte und zum anderen der Transport von Proteinen in das ER kaum noch möglich wäre.

LERNTIPP
Informationen zur Proteinstruktur erhalten Sie im Konzept 1.3 im Lehrbuch.

Lösung
S. 174

Notizen / Fragen / Schlüsselbegriffe / Ergänzungen / Hinweise aus dem Unterricht / Basiskonzept / Seitenverweise:

Die Zelle — Grundeinheit des Lebens

2.8 Mitose kann mikroskopisch betrachtet werden

Legt man eine Küchenzwiebel in ein wassergefülltes Gefäß, bilden sich nach einigen Tagen Wurzeln aus (Abb. 1). Die Wurzelspitzen sind die Zonen mit erhöhter Zellteilungsaktivität und eignen sich daher besonders zur Mikroskopie von Mitosestadien.

Dazu werden die Wurzelspitzen abgeschnitten und mit geeigneten Farbstoffen angefärbt. Anschließend schneidet man die Spitzen in dünne Scheiben (Schnittpräparat) oder zerdrückt sie vorsichtig zwischen Objektträger und Deckglas (Quetschpräparat), sodass das Gewebe auseinandergerissen werden kann. Das mikroskopische Bild der eingefärbten Wurzelspitzen sehen Sie in Abb. 2.

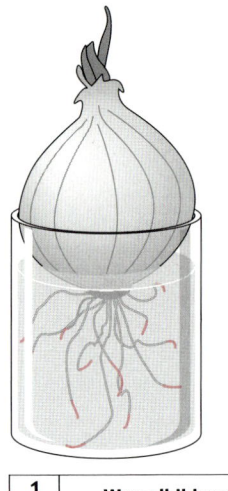

1 Wurzelbildung

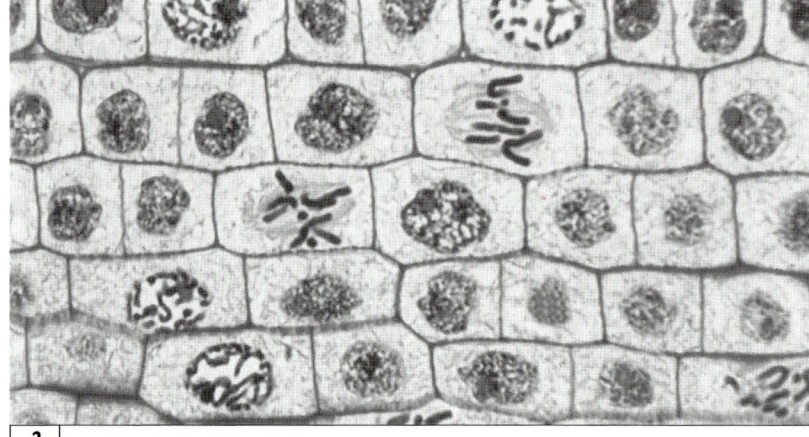

2 Gewebe der Wurzelspitze

F/II **1.** Markieren und benennen Sie typische Mitosestadien in Abb. 2.

F/II **2.** Nicht alle Zellen in Abb. 2 sind eindeutig einem Stadium der Mitose zuzuordnen. Begründen Sie.

F/II **3.** Erläutern Sie die Bedeutung der Färbung bei der Herstellung des Präparats.

Lösung S. 174

F/II **4.** Begründen Sie, welcher der oben genannten Präparatetypen vorliegt.

Notizen / Fragen / Schlüsselbegriffe / Ergänzungen / Hinweise aus dem Unterricht / Basiskonzept / Seitenverweise:

Zellen — Biomembranen und Tansportvorgänge

3.1 „Wände" können flüssig sein

Stellen Sie sich ein Haus vor, in dem es viele Zimmer, aber keine Türen gibt. Durch die Wände können Sie hindurchlaufen. Einige umfließen Sie dabei, durch andere müssen Sie hindurchkriechen. Aber ein Loch bleibt nicht zurück. Die Zimmer sind stabil oder verändern ihre Größe je nachdem, wie viele Dinge Sie hineinräumen. Hängen Sie ein Bild auf, so finden Sie es am nächsten Tag vielleicht in einem anderen Zimmer wieder. Bekommen Sie Besuch, werden Ihre Gäste vom Haus erkannt, bereitwillig eingelassen oder müssen draußen warten.

So ungefähr würde Ihr Haus aussehen, wenn nicht Steine und Holz das Baumaterial wären, sondern Biomembranen.

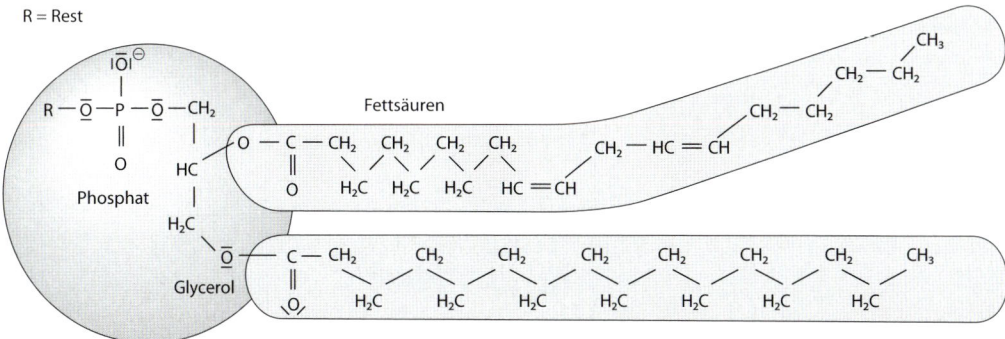

1 Phospholipid-Molekül

 1. Fertigen Sie eine beschriftete Skizze vom Schnitt durch eine Biomembran an. Verwenden Sie folgendes Symbol für das abgebildete Molekül:

 2. Phospholipide entstehen durch eine Veränderung von Fettmolekülen. Benennen und markieren Sie diese Änderung in der Abbildung. Beschreiben Sie deren Auswirkungen auf Eigenschaften der Phospholipide.

 3. Beschreiben Sie die Selbstorganisation von Phospholipiden zu einer Membran. Gehen Sie dabei auf die zwischenmolekularen Kräfte ein.

 4. Im Einleitungstext wurden Sie zu einem Spaziergang durch ein besonderes Haus eingeladen. Dieses Haus entspricht einer Zelle. Nennen Sie die Zellbestandteile und die Vorgänge, denen die „Wände" und die merkwürdige „Wanderung" der Bilder entsprechen.

LERNTIPP
In Konzept 1.7 im Lehrbuch finden Sie Näheres zu Eigenschaften von Phospholipiden.

Lösung S. 175

Notizen / Fragen / Schlüsselbegriffe / Ergänzungen / Hinweise aus dem Unterricht / Basiskonzept / Seitenverweise:

Biomembranen und Transportvorgänge — Zellen

3.2 Proteine verbinden Zellen

Struktur und Funktion

Vielleicht sitzen Sie gerade auf einem Stuhl aus Holz. Dass er Ihr Gewicht trägt, liegt an verschiedenen Stoffen (z. B. Lignin), die in der Wand der Zellen eingelagert sind. Diese Stoffe verleihen den Zellen die Festigkeit, die Bäume beim Wachstum gegen die Schwerkraft der Erde benötigen. Wir nutzen Holz als stabilen Werkstoff. Tierzellen haben keine Zellwand. Ihre Zellabgrenzungen sind allein die Biomembranen, die — wie Sie gelernt haben — als „flüssige Wände" beschrieben werden können. Trotzdem beobachten wir auch tierische Gewebe, die sehr belastbar sind, z. B. Oberhaut, Knochen und Bindegewebe. Die Stabilität von Leder wird für Schuhe und Kleidung genutzt. Für die Festigkeit von Zellverbänden bei Tieren sind Zell-Zell-Verbindungen verantwortlich. Sie haben eine ähnliche Grundlage wie die Ihnen bekannte Zell-Zell-Erkennung: Wechselwirkungen von Proteinen zweier Zellmembranen.•

Mit dieser Aufgabe trainieren Sie, Unbekanntes mithilfe einer Grafik und Ihres Vorwissens zu erschließen. Verwenden Sie deshalb bitte keine Hilfsmittel zur Lösung.

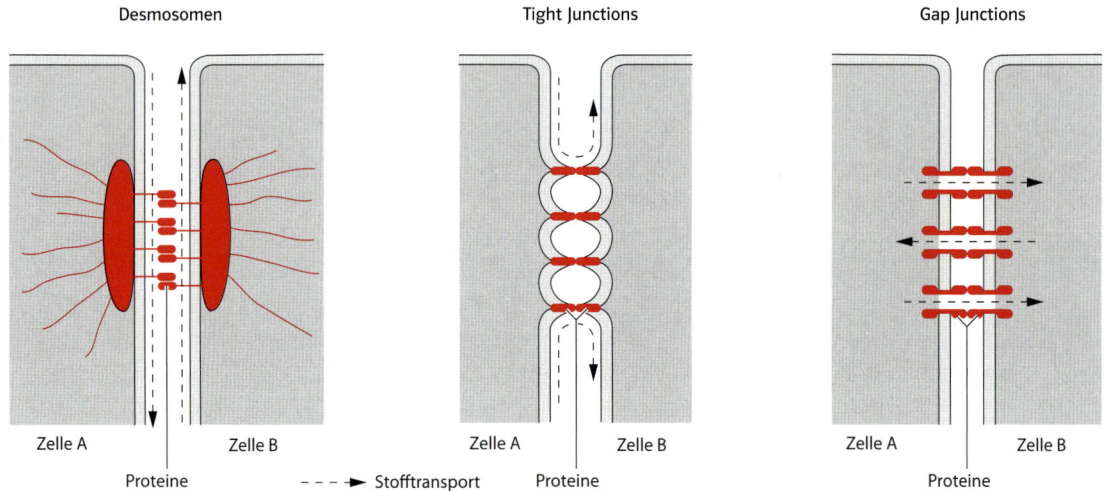

1 Zell-Zell-Verbindungen in der Dünndarmwand

LERNTIPP
Das hier Gelernte können Sie in Konzept 29.8 des Lehrbuchs anwenden.

Lösung
S. 175

 1. Vergleichen Sie tabellarisch mithilfe der Abbildung den Bau und die Funktion der dargestellten Zell-Zell-Verbindungen.

 2. Erläutern Sie die zusammenhaltenden Kräfte bei den Zell-Zell-Verbindungen. Nutzen Sie dabei Ihr Wissen über den Aufbau von Proteinen.

 3. Gap Junctions kommen häufig zwischen Zellen mit schneller Kommunikation untereinander vor. Erklären Sie dieses Phänomen.

Notizen / Fragen / Schlüsselbegriffe / Ergänzungen / Hinweise aus dem Unterricht / Basiskonzept / Seitenverweise:

3.3 Stoffe verteilen sich durch Diffusion im Raum

Sicher hat Sie schon einmal der aromatische Geruch von frisch gebrühtem Kaffee geweckt. Oder Sie sind von dem angenehmen Geruch Ihrer Lieblingsspeise in die Küche gelockt worden. Egal, in beiden Fällen orientieren Sie sich mit Ihrem Geruchssinn, der Sie sicher „der Nase nach" zum duftenden Objekt bringt. So finden z. B. viele Schmetterlingsarten ihre Geschlechtspartner. Die Grundlage der Orientierung ist hier Diffusion. Dieser physikalische Vorgang liegt vielen Prozessen in Lebewesen zugrunde.

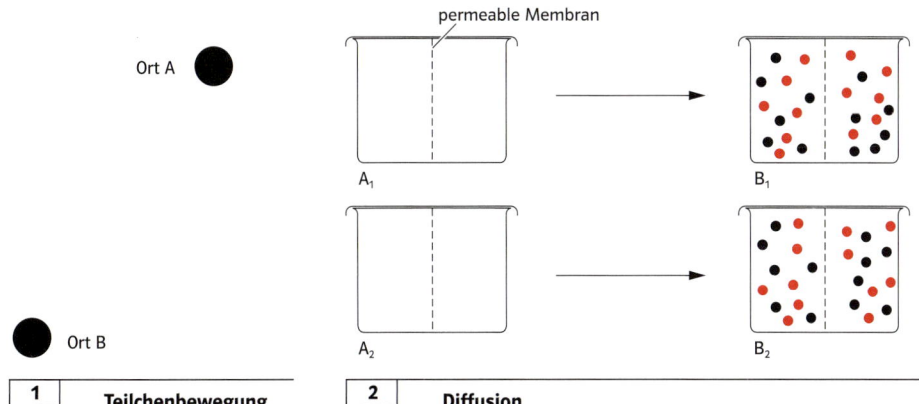

1 Teilchenbewegung   **2** Diffusion

Definition: Die Temperatur ist eine physikalische Größe, die die mittlere kinetische Energie der Teilchen angibt.

F/I **1.** Der schottische Botaniker ROBERT BROWN (1773–1858) beschrieb eine unregelmäßige, durch Zickzackkurs gekennzeichnete Teilchenbewegung. Sie liegt der Diffusion zugrunde und trägt bis heute seinen Namen. Skizzieren Sie einen nach der BROWN'schen Molekularbewegung möglichen Weg eines Teilchens in einer Flüssigkeit von Ort A nach Ort B in Abb. 1.

F/II **2.** Die Geschwindigkeit der Diffusion ist von der Temperatur abhängig. Begründen Sie diesen Zusammenhang. Gehen Sie dabei von der Definition der Temperatur aus.

F/II **3.** Beim Diffusionsprozess stellt sich mit der Zeit ein Diffusionsgleichgewicht ein (Abb. 2). Zeichnen Sie eine mögliche Teilchenverteilung der beiden Gase in die Gefäße A_1 und A_2 ein, aus der sich die Gleichgewichte B_1 und B_2 einstellen. Dabei sollen folgende Bedingungen gelten: In einer Seite des Gefäßes A_1 ist die Konzentration eines Stoffes null. Im Gefäß A_2 sind Konzentrationen auf beiden Seiten größer null und nicht gleich.

F/II **4.** Im Einleitungstext wird die Orientierung „der Nase nach" beschrieben. Erläutern Sie die Grundlagen der Verteilung von Gerüchen in Räumen. Erklären Sie dabei auch, weshalb Sie die Geruchsquelle „der Nase nach" finden können.

Lösung S. 176

Notizen / Fragen / Schlüsselbegriffe / Ergänzungen / Hinweise aus dem Unterricht / Basiskonzept / Seitenverweise:

Biomembranen und Transportvorgänge **Zellen**

3.4 Die Richtung des Wassertransports wird vom Salzgehalt bestimmt

Sie kennen die berühmte Quizfrage: Was ist die größte Zelle? Die Antwort „Hühnerei" oder „Straußenei" ist nicht ganz korrekt, denn genau genommen ist nur der Eidotter eine Zelle. Er ist von der Eihaut begrenzt, einer Zellmembran. Das Eiklar, die Schalenhaut und die poröse, luftdurchlässige Eischale werden nach der Befruchtung vom Eierstock der Henne gebildet und liegen außerhalb der Eizelle (Abb. 1).

Stellen Sie zwei Hühnereier 12 Stunden lang so in Speiseessig, dass sich die kalkhaltigen Eierschalen etwa vom halben Ei ablösen (Abb. 2 links). Spülen Sie die Eier ab. Legen sie das eine Ei in ein Glas mit destilliertem Wasser und das andere in ein Glas mit gesättigter Kochsalzlösung (Abb. 2 rechts). Die Lösung ist dann mit Salz gesättigt, wenn trotz Umrühren noch ein Bodensatz bleibt.

Betrachten Sie die Eier nach 24 Stunden und vergleichen Sie das Ergebnis mit dem Zustand der Eier zu Versuchsbeginn. Wenn möglich, wiegen Sie die Eier vor und nach dem Verbleib in den Lösungen.

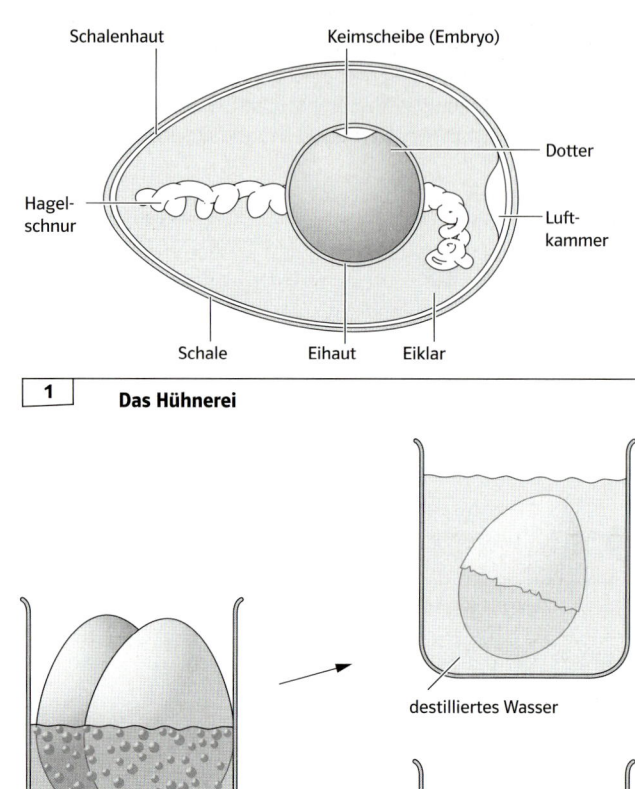

1 Das Hühnerei

2 Das Experiment

LERNTIPP
Konzept 3.3 im Lehrbuch enthält auch Grundlagen für diese Aufgaben.

Lösung S. 176

E/II **1.** Protokollieren Sie die Beobachtung und werten Sie das Experiment aus.

E/III **2.** Analysieren Sie die Tauglichkeit des Versuchs, Osmosevorgänge an pflanzlichen wie auch an tierischen Zellen modellhaft zu zeigen.

Notizen / Fragen / Schlüsselbegriffe / Ergänzungen / Hinweise aus dem Unterricht / Basiskonzept / Seitenverweise:

3.5 Aquaporine transportieren Wasser

Der Wassertransport durch Zellmembranen kann über Kanalproteine, die Aquaporine, erfolgen. Die Aquaporine formen einen wasserleitenden Kanal durch die sonst nur mäßig wasserdurchlässige Membran vieler Pflanzen- und Tierzellen. Beim Menschen ermöglichen Aquaporine u. a. die Regulierung des Wasserhaushalts in der Niere, in den roten Blutzellen, in der Augenlinse und im Gehirn. Ein Fehler bei der Funktion dieser Proteine löst Krankheiten wie eine Form des Diabetes, den grauen Star (Katarakt) oder Gehörverlust aus.

Aquaporine lassen nur Wassermoleküle hindurch, verhindern aber, dass die Zelle Nährstoffmoleküle, Salz-Ionen oder Wasserstoff-Ionen verliert. Obwohl diese Kanäle so feinporig sind, dass nur eine Kette einzelner Wassermoleküle hindurchpasst (Abb. 1), erreichen Aquaporine die erstaunlich hohe Wasserleitfähigkeit von bis zu drei Milliarden Wassermolekülen pro Sekunde und Kanal. Eine 10 x 10 cm große Membran mit eingebetteten Aquaporinen kann somit etwa einen Liter Wasser in einer Sekunde transportieren.

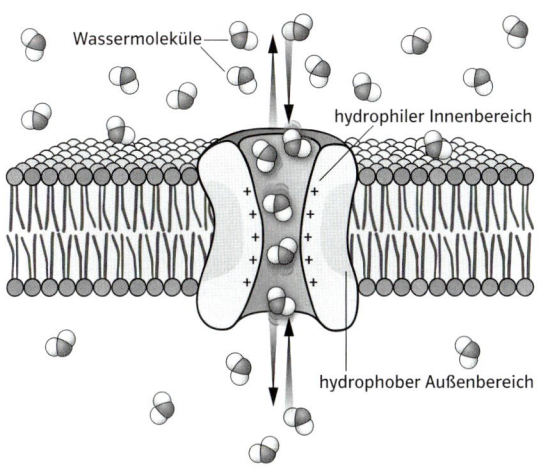

1 **Durchtritt von Wasser**

F/II **1.** Ordnen Sie den Wassertransport in den Aquaporinen den Ihnen bekannten Transportvorgängen zu. Begründen Sie Ihre Meinung.

F/II **2.** Vergleichen Sie den Bau und die Funktion von Tunnelproteinen, wie den Aquaporinen, und Carriern.

E/III **3.** Berechnen Sie die Anzahl der Aquaporine, die notwendig ist, um die im Text beschriebene Wassertransportleistung zu erbringen. Nehmen Sie eine Transportleistung von 1 Liter Wasser pro Sekunde an. Hinweis: 1 mol enthält 6×10^{23} Wassermoleküle; 1 mol Wasser hat eine Masse von 18 g.

Lösung S. 176

Notizen / Fragen / Schlüsselbegriffe / Ergänzungen / Hinweise aus dem Unterricht / Basiskonzept / Seitenverweise:

3.6 Glucose wird gegen ein Konzentrationsgefälle aufgenommen

„Geht schnell ins Blut und liefert sofort Energie." So oder ähnlich lauten die Werbetexte für traubenzuckerhaltige Fitmacher. Vielleicht vertrauen Sie auch bei Klausuren oder im Sport auf die angepriesene Wirkung. Traubenzucker (Glucose) ist tatsächlich der wichtigste Energieträger in unserem Körper. Unser Gehirn kann Energie sogar nur aus Glucose gewinnen. Andere Körperzellen verbrennen auch Fette und in Notzeiten sogar Proteine. Den größten Teil der nötigen Glucose liefert die Endverdauung von Kohlenhydraten wie Stärke im Dünndarm. Ein bestimmter Gehalt an Glucose im Blut, der Blutzuckerspiegel, ist notwendig, um unsere Lebensvorgänge aufrechtzuerhalten. Er beträgt bei Jugendlichen und Erwachsenen 90 – 110 mg pro 100 ml Blut. Sie werden sich jetzt damit beschäftigen, wie Traubenzucker im Dünndarm ins Blut aufgenommen wird.

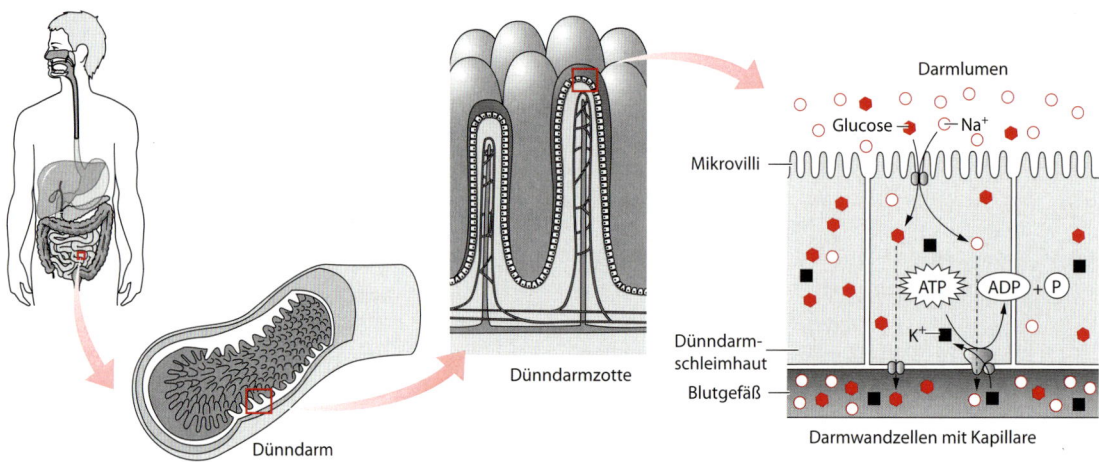

1 Resorption von Glucose im Dünndarm

LERNTIPP
Informationen zur Kohlenhydratverdauung und Regelung des Blutzuckerspiegels erhalten Sie im Lehrbuch in den Konzepten 5.4 und 32.5 sowie auf Seite 36 in diesem Buch.

Lösung S. 177

 1. Stellen Sie Ihr Wissen zu aktiven Transportprozessen in einer Mind Map dar.

 2. Der Glucosegehalt im Dünndarmlumen liegt unter 9 mg/l Darminhalt. Vergleichen Sie diesen Wert mit dem Blutzuckerspiegel. Leiten Sie aus dem Ergebnis Konsequenzen für die Aufnahme von Glucose ins Blut ab.

 3. Beschreiben Sie den Transport von Glucose aus dem Dünndarm ins Blut mithilfe der rechten Abbildung. Aus der Anzahl der abgebildeten Teilchen können Sie auf die Konzentrationsverhältnisse schließen. Verwenden Sie Ihre Mind Map aus Aufgabe 1 als Hilfsmittel.

 4. Beurteilen Sie die Aussage: „Geht schnell ins Blut und liefert sofort Energie" in Bezug auf die Glucoseaufnahme.

Notizen / Fragen / Schlüsselbegriffe / Ergänzungen / Hinweise aus dem Unterricht / Basiskonzept / Seitenverweise:

Zellen — Biomembranen und Transportvorgänge

3.7 Amöben umhüllen Nahrung mit einer Membran

Kompartimentierung

Wie Sie gelernt haben, können größere Partikel und Makromoleküle durch Endocytose und Exocytose in die Zelle gelangen oder aus ihr herausgeschafft werden.•

Amöben sind einzellige weit verbreitete Eukaryoten. Sie leben im Wasser oder an feuchten Orten. Einige von ihnen sind Parasiten und verursachen schwere Krankheiten, z. B. die Amöbenruhr. Amöben fressen u. a. Bakterien. Sie nehmen Beute durch Phagocytose auf (Abb. 1). Die darauf folgenden Vorgänge zeigt Abb. 2 schematisch.

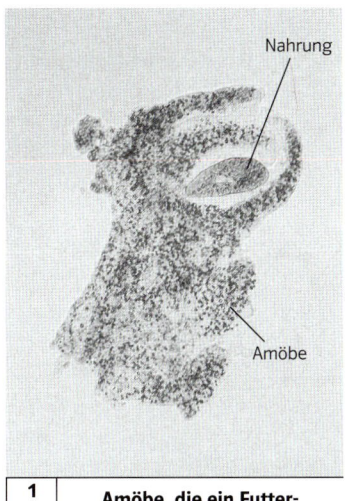

1 Amöbe, die ein Futterteilchen umfließt

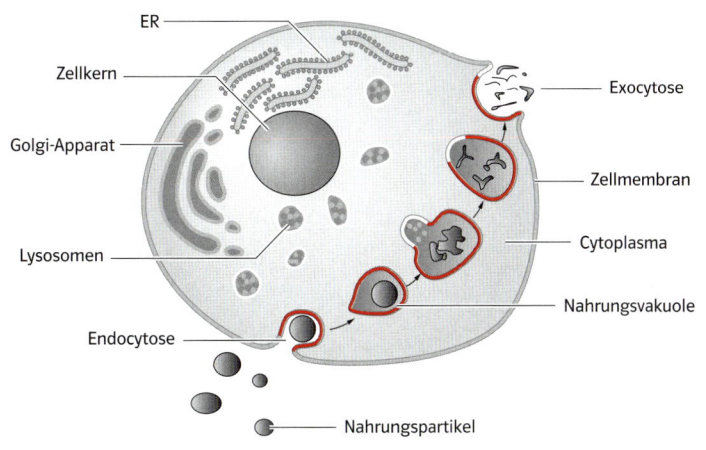

2 Ernährung bei Amöben

 1. Ordnen Sie die Ihnen bekannten Prozesse, mit denen Zellen Makromoleküle und Partikel aufnehmen oder abgeben können, in ein Schema. Beginnen Sie mit dem gerahmten Überbegriff.

> Transportprozesse für
> Makromoleküle und Partikel

 2. Beschreiben Sie die in Abb. 2 dargestellten Vorgänge. Gehen Sie dabei auf die Verschmelzung und die Trennung von Membranbereichen ein.

 3. Diskutieren Sie Möglichkeiten, wie die Verdauungsprodukte aus dem Vakuoleninnenraum in das Cytoplasma der Amöbe gelangen könnten.

LERNTIPP
Bei der Lösung von Aufgabe 2 hilft Ihnen Konzept 2.6.

Lösung S. 178

Notizen / Fragen / Schlüsselbegriffe / Ergänzungen / Hinweise aus dem Unterricht / Basiskonzept / Seitenverweise:

4 Energie und Enzyme — Zellen

4.1 ATP-Moleküle sind die Akkus in Lebewesen

Ihr Handy funktioniert nicht mehr? Kein Problem, Sie laden an der Steckdose den Akkumulator („Batterie") auf und können wieder Musik hören, Fotos machen und auch telefonieren. Geräte mit wiederaufladbaren Energiespeichern sind in unserem Leben allgegenwärtig. Denken Sie an Digitalkamera, MP3-Player oder Bohrschrauber. Immer dann, wenn Energie an einer Stelle zur Verfügung steht, aber an einer anderen Stelle gebraucht wird, sind Systeme notwendig, die Energie speichern und transportieren können. Das gilt auch für Lebewesen. Der universelle „Bioakkumulator" ist das Adenosintriphosphat, kurz ATP. Die Spaltung von ATP zu ADP und einem Phosphatrest liefert z. B. die Energie für Ihre Muskelarbeit, Ihre Hirnfunktion, aber auch für das Leuchten der Glühwürmchen oder den elektrischen Schlag des Zitteraals. In Ihnen wird täglich etwa die Masse ATP umgesetzt, die Ihrem Körpergewicht entspricht.• Sofort wird Ihnen klar, dass dies nur möglich ist, wenn jedes Molekül mehrmals „entladen" und „aufgeladen" wird. Etwa 2000-mal vollzieht sich dieser Vorgang pro ATP-Molekül täglich. Die Abbildung zeigt Ihnen den „Lade- und Entladevorgang" des ATP in Ihrem Körper stark vereinfacht.

Stoff- und Energieumwandlung

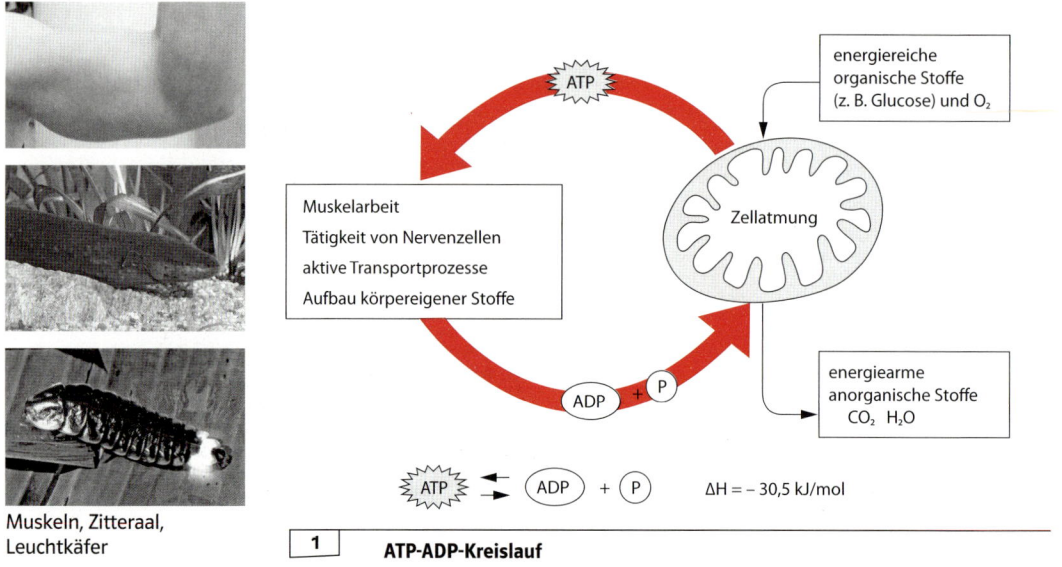

Muskeln, Zitteraal, Leuchtkäfer

1 ATP-ADP-Kreislauf

$\Delta H = -30{,}5 \text{ kJ/mol}$

LERNTIPP
Die ATP-Herstellung wird im Lehrbuch in Kapitel 6 erklärt.

Lösung S. 178

 1. Ordnen Sie den beiden Adenosinphosphatformen die Begriffe „energiereich" und „energiearm" zu.

 2. Beschreiben Sie die im Schema gezeigten Vorgänge. Dabei wenden Sie das Basiskonzept Stoff- und Energieumwandlung automatisch an.•

3. Berechnen Sie die pro Tag durch ATP-Spaltung in Ihrem Körper freigesetzte Energie. Verwenden Sie dazu die Angaben aus Text und Abbildung.
Ein Mol ATP hat eine Masse von 507 g. ΔH gibt die frei werdende Energie an.

Notizen / Fragen / Schlüsselbegriffe / Ergänzungen / Hinweise aus dem Unterricht / Basiskonzept / Seitenverweise:

Zellen — Energie und Enzyme

4.3 Pflanzenasche senkt die Aktivierungsenergie

Glucose (Traubenzucker) ist der Energieträger in Ihrem Körper. Ihnen ist klar, dass bei der Zellatmung dieses Kohlenhydrat mit Sauerstoff in den Mitochondrien zu Kohlenstoffdioxid und Wasser „verbrennt". Nehmen Sie jedoch ein Stück Traubenzucker in die Hand und erwärmen es mit Ihrer Körperwärme auf 37 °C, die gleiche Temperatur wie in den Mitochondrien, geschieht nichts. Weshalb reagiert Traubenzucker in der Zelle bei 37 °C mit Sauerstoff, aber außerhalb der Zellen nicht? Ein einfaches Experiment soll uns helfen, die Frage zu klären.

Führen Sie die folgenden Versuche über einer feuerfesten Unterlage aus.

1. Halten Sie ein Stück Würfelzucker (Saccharose) in eine Streichholzflamme und beobachten Sie etwa 20 Sekunden.
2. Bringen Sie auf ein weiteres Stück Würfelzucker etwas Pflanzenasche (Holz- oder Zigarettenasche) auf und wiederholen Sie den Versuch (Abb. 2).

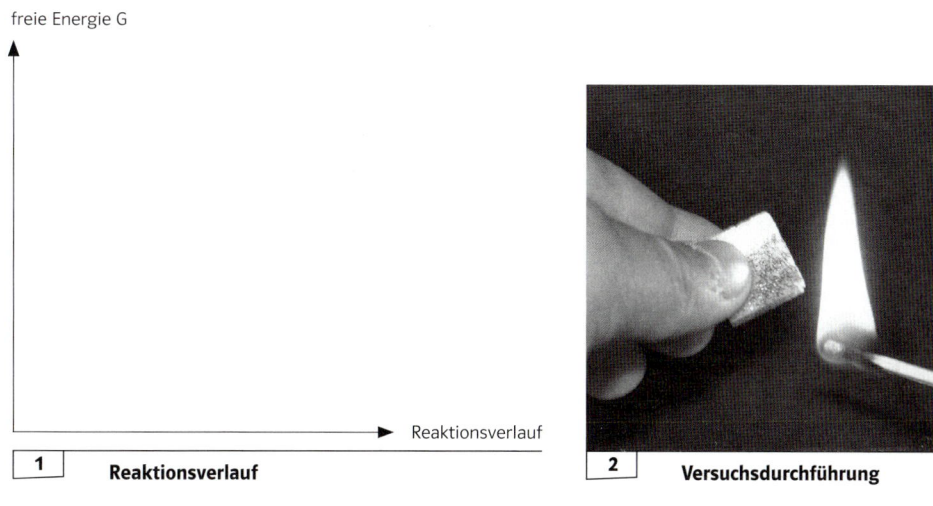

1 Reaktionsverlauf

2 Versuchsdurchführung

F/I 1. Beschreiben Sie die Beobachtungen und werten Sie das Experiment aus.

F/II 2. Zeichnen Sie die Energieprofile für Verbrennung von Saccharose mit und ohne Asche in das Diagramm ein und erläutern Sie die Wirkung der Asche.

F/III 3. Beantworten Sie die Frage aus dem Einleitungstext zur Reaktion der Glucose mit Sauerstoff innerhalb und außerhalb des Körpers.

Lösung S. 178

Notizen / Fragen / Schlüsselbegriffe / Ergänzungen / Hinweise aus dem Unterricht / Basiskonzept / Seitenverweise:

Energie und Enzyme   **Zellen**

4.4 Enzymreaktionen haben besondere Eigenschaften

Wir sind froh darüber, dass unser Wohnungsschlüssel nur an unserer eigenen Tür passt. Dieser Umstand sorgt für Ordnung in unserem Leben, denn nur die Personen gelangen in unser Heim, die den passenden Schlüssel besitzen. Zwei genau aneinanderpassende räumliche Strukturen finden wir auch in der Biologie, wo es um Auswahl und Zuordnung geht. Dieses Schlüssel-Schloss-Prinzip gibt es auf der molekularen Ebene bei Enzymreaktionen, der Zell-Zell-Erkennung u. a. genauso wie auf der Ebene der Organismen. So verhindern passgenaue Geschlechtsorgane von Spinnentieren die erfolgreiche Paarung mit Artfremden.

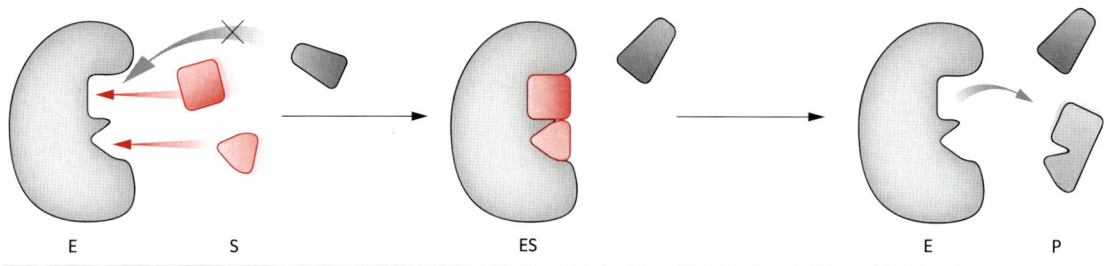

1 Enzymreaktion 1

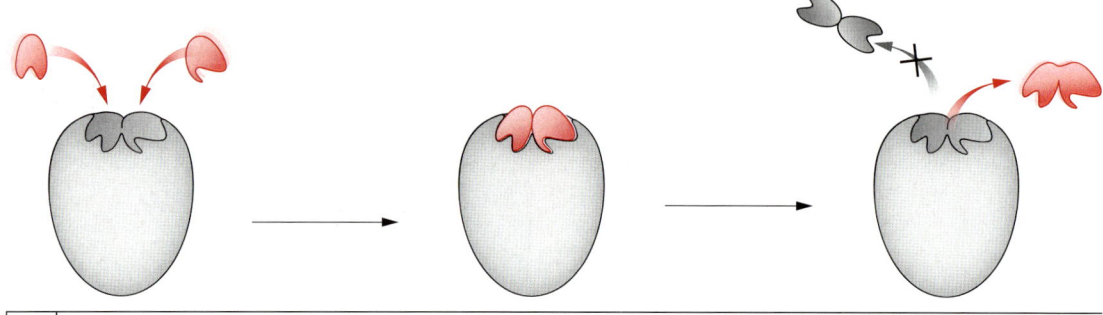

2 Enzymreaktion 2

LERNTIPP
Recherchieren Sie zu Aufgabe 3 auch in Konzept 1.5 im Lehrbuch.

Lösung S. 179

K/I **1.** Beschreiben Sie den Verlauf einer Enzymreaktion mithilfe der Abb. 1.

F/II **2.** Vergleichen Sie die in den Abbildungen 1 und 2 gezeigten Reaktionen.

F/III **3.** Stärke und Cellulose sind Kohlenhydrate, die beide aus Glucosebausteinen zusammengesetzt sind. Stellen Sie eine Vermutung auf, weshalb Sie Stärke (aus Kartoffeln, Getreide u. a.) verdauen können, aber die Cellulose (aus Salatblättern) nicht.

Notizen / Fragen / Schlüsselbegriffe / Ergänzungen / Hinweise aus dem Unterricht / Basiskonzept / Seitenverweise:

4.6 Die Temperatur beeinflusst Enzymreaktionen

Aufgeschnittene Äpfel oder Birnen und Bananen werden nach einiger Zeit braun. Diese Erscheinung ärgert Sie, weil Ihr Frühstück dadurch schnell unappetitlich aussieht. An diesem Vorgang können Sie jedoch einiges über Enzymreaktionen lernen. Vereinfacht läuft die Reaktion des „Braunwerdens" nach dem Schema in Abb. 1 ab. An den Stoffumwandlungen sind Enzyme beteiligt. Die Stoffgruppe der Melanine spielt eine bedeutende Rolle für die Färbung von Lebewesen (z. B. Hautfarbe, Fell- oder Federfarbe).

Führen Sie das folgende Experiment mit einem Stück Bananenschale durch. Verwenden Sie dabei eine feuerfeste Unterlage.

Halten Sie die Außenseite einer Bananenschale waagerecht über ein brennendes Teelicht (Abb. 2). Dabei soll die Flammenspitze genau die Schale berühren. Erhitzen Sie die Schale, bis eine deutliche Veränderung eingetreten ist, etwa 30–60 Sekunden lang.

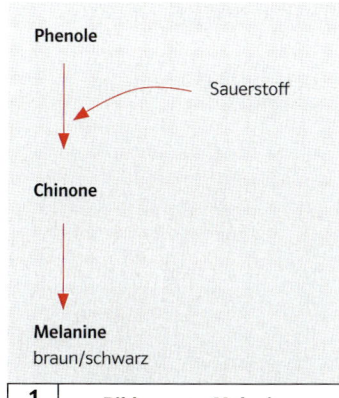

1 Bildung von Melaninen

2 Bananenschale über Teelicht

Skizze:

K/I   **1.** Skizzieren Sie die erhitzte Stelle der Bananenschale und beschriften Sie die Skizze, nachdem Sie das Experiment durchgeführt haben.

F/III   **2.** Erklären Sie das Zustandekommen der Verfärbung mithilfe Ihrer Kenntnisse zu Enzymreaktionen. Die schwarze Stelle am Berührungspunkt von Flammenspitze und Schale entsteht durch Verkohlung der organischen Stoffe und kann bei der Erklärung vernachlässigt werden.

Lösung S. 179

Notizen / Fragen / Schlüsselbegriffe / Ergänzungen / Hinweise aus dem Unterricht / Basiskonzept / Seitenverweise:

Energie und Enzyme | **Zellen**

4.7 Enzymtätigkeit wird reguliert

Nitroglycerin ist Ihnen sicher als gefährlicher Sprengstoff bekannt. Aber wieso hilft dieser Stoff auch gegen Herzinfarkt? In den Zellen aus Nitroglycerin entstehendes Stickstoffmonooxid aktiviert Enzyme, die die Blutgefäße im Herz schnell erweitern.

Das ist nur eines von vielen Beispielen, die zeigen, dass Enzymreaktionen auf vielfältige Weise im Körper beeinflusst werden können. Dadurch ist es möglich, dass sie im Körper in unterschiedlichen Situationen mit sinnvoller Geschwindigkeit ablaufen.

Steuerung und Regelung

Mithilfe der folgenden Fragen festigen Sie ihre Kenntnisse zur Regulation von Enzymreaktionen.•

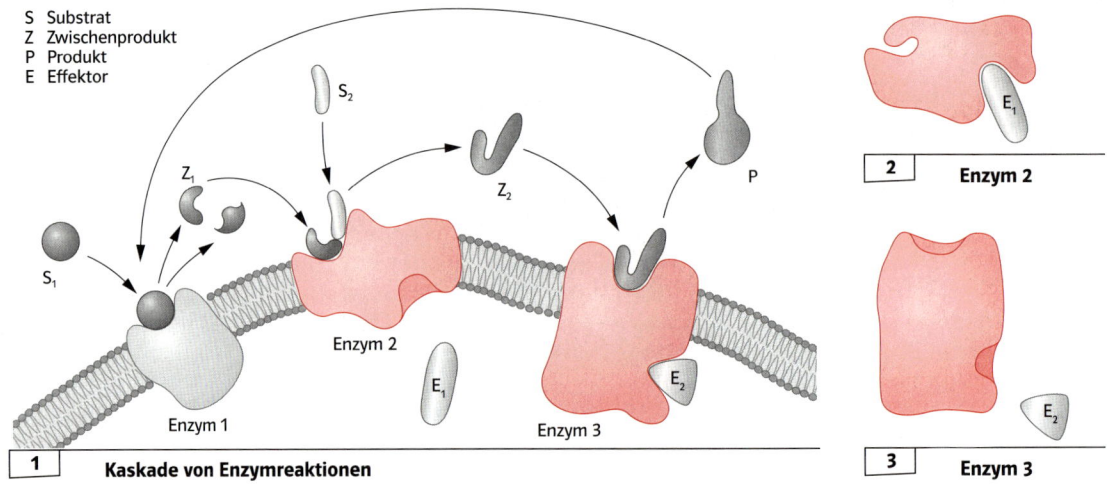

S Substrat
Z Zwischenprodukt
P Produkt
E Effektor

1 Kaskade von Enzymreaktionen

2 Enzym 2

3 Enzym 3

Struktur und Funktion

Lösung
S. 180

 1. Stellen Sie Faktoren, die Enzymreaktionen beeinflussen, in einer Übersicht zusammen.

 2. Erläutern Sie mithilfe der Abbildungen 1–3 die Herstellung des Stoffwechselprodukts P. Gehen Sie dabei auf die dargestellten Möglichkeiten der Regulation ein. Dabei wenden Sie die Basiskonzepte Struktur und Funktion und Steuerung und Regelung an.•

 3. Nehmen Sie an, Stickstoffmonooxid würde in der abgebildeten Kaskade ähnlich wie beim Medikamentenwirkstoff Nitroglycerin wirken. An welche Stelle der Kaskade ist es dann einzuordnen? Begründen Sie.

Notizen / Fragen / Schlüsselbegriffe / Ergänzungen / Hinweise aus dem Unterricht / Basiskonzept / Seitenverweise:

Stoffwechsel

5	Stoff- und Energieaustausch bei Tieren
6	Zellatmung — Energie aus Nährstoffen
7	Stoff- und Energieumwandlung bei Pflanzen
8	Fotosynthese — Solarenergie für das Leben

5.1 Der Blutzuckerspiegel wird reguliert

Haben Sie vor etwa einer Stunde etwas gegessen? Sind sie ruhig und entspannt? Wenn nicht, dann stellen Sie sich eine solche Situation vor. Es geht Ihnen gut und trotzdem gerät Ihr inneres Milieu durch Tätigkeit der Verdauungsorgane aus dem Fließgleichgewicht. Sie spüren davon nichts, denn in Ihrem Körper werden Stoffwechselvorgänge gestartet, die der eingetretenen Veränderung entgegenwirken und die innere Konstanz, die Homöostase, wieder herstellen. Durch die Glucoseaufnahme im Dünndarm erhöht sich der Blutzuckerspiegel (= Glucosegehalt im Blut) über 0,9 mg/100 ml, den normalen Wert. Spezialisierte Zellen im Hypothalamus, einer Gehirnregion, messen ständig die Glucosekonzentration im Blut. Ist sie erhöht, wie jetzt nach der Nahrungsaufnahme, regt der Hypothalamus die Bauchspeicheldrüse, den Pankreas an, das Hormon Insulin zu produzieren und ins Blut abzugeben. Alle weiteren Schritte können Sie dem Schema entnehmen. Die Einstellung des Blutzuckerspiegels ist ein Beispiel für das Basiskonzept Steuerung und Regelung.•

Steuerung und Regelung

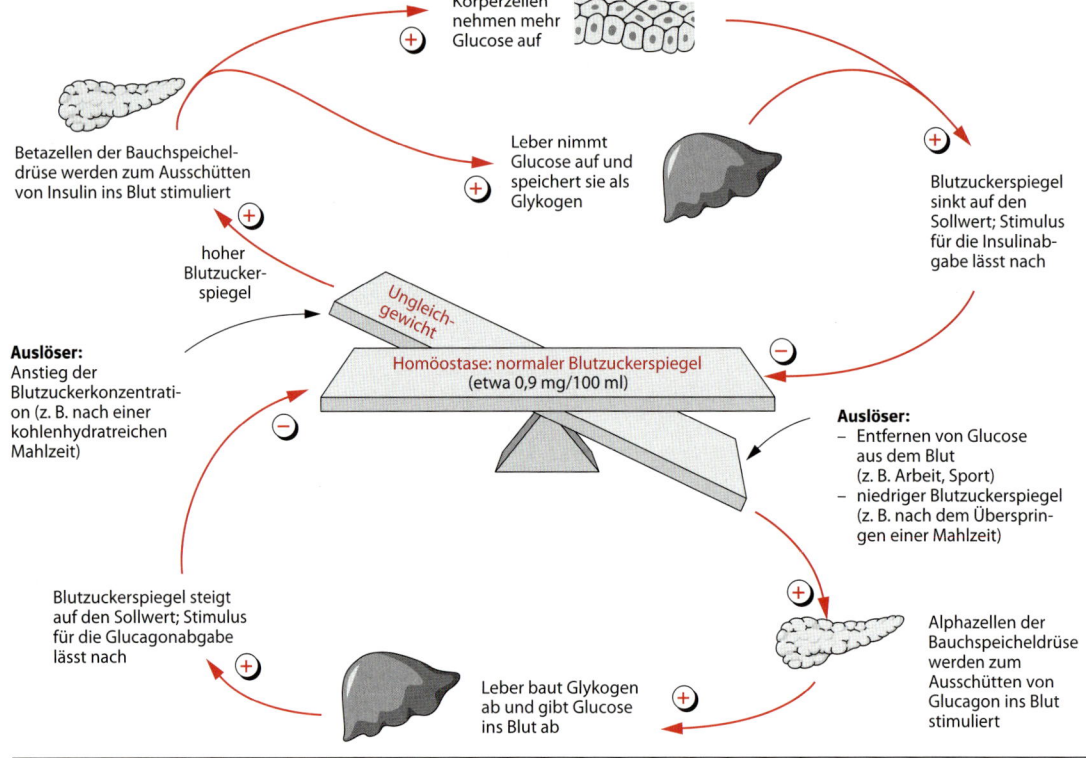

1 Regulation des Blutzuckerspiegels

LERNTIPP
Eine genauere Beschreibung der Regulation des Blutzuckers finden Sie in Konzept 32.5 im Lehrbuch.

Lösung S. 180

F/III **1.** Erstellen Sie mithilfe des Textes und der Abbildung einen Regelkreis zur Regulation des Blutzuckerspiegels. Orientieren Sie sich dabei an der Abb. 2 im Lehrbuch, S. 83.

Notizen / Fragen / Schlüsselbegriffe / Ergänzungen / Hinweise aus dem Unterricht / Basiskonzept / Seitenverweise:

Stoffwechsel Stoff- und Energieaustausch bei Tieren

5.4 Nährstoffe werden abgebaut und vom Körper aufgenommen

„Ein Brötchen passt nicht ins Mitochondrium." Sicher ist diese Antwort auf die Frage nach der Bedeutung der Verdauung sehr salopp und würde in einer Klausur oder Prüfung kaum die volle Punktzahl bringen. Trotzdem lohnt es sich, über die Aussage nachzudenken, um das Wesen von Verdauungsvorgängen zu begreifen.

Beschäftigen Sie sich nun mit der Verdauung beim Menschen. Wir werden dann auf das „Brötchen" und das „Mitochondrium" zurückkommen.

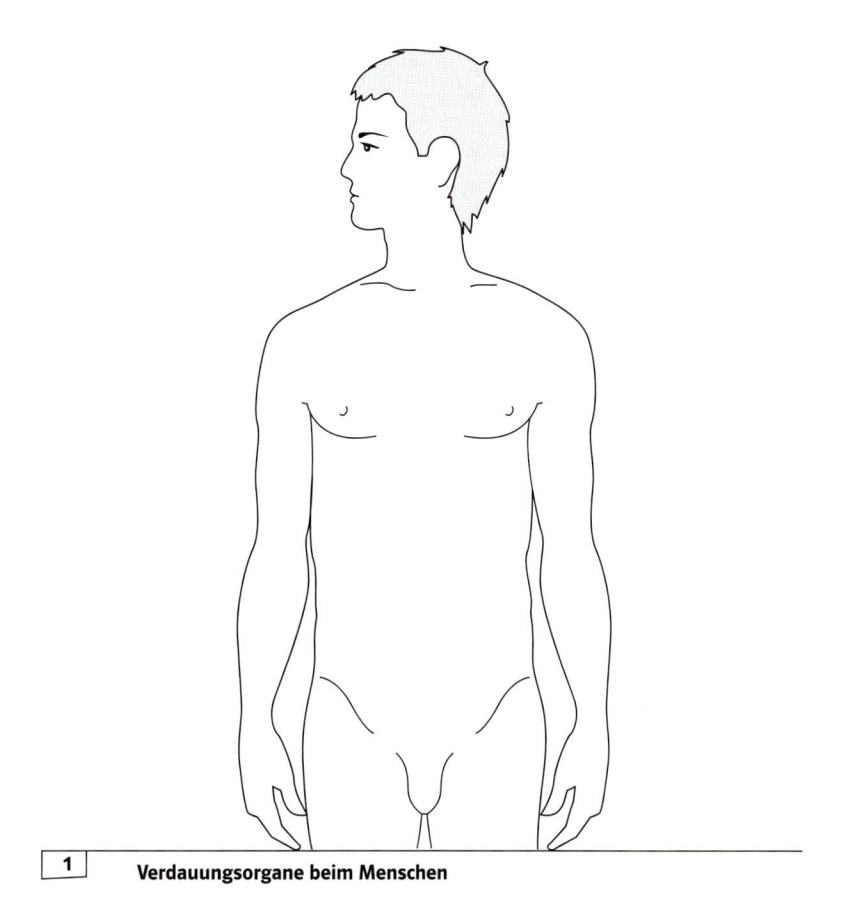

1 Verdauungsorgane beim Menschen

F/I 1. Skizzieren Sie die an der Verdauung und der Resorption beteiligten Organe in den Körperumriss (Abb. 1) und benennen Sie diese.

F/II 2. Der Mensch ist in der Lage, längere Zeit mit wenig oder ohne Nahrung auszukommen. Regelmäßige Mahlzeiten waren in der Entwicklungsgeschichte des Menschen sogar die Ausnahme. Unser Körper verfügt über Stoffwechselmechanismen, die in Mangelzeiten Reserven schrittweise zur Verfügung stellen, um das Leben aufrechtzuerhalten.
Begründen Sie, weshalb Proteine im Körper erst nach längeren Hungerzeiten zur Energiegewinnung herangezogen werden.

F/II 3. „Ein Brötchen passt nicht ins Mitochondrium." Erläutern Sie mithilfe dieser Aussage das Wesen der Verdauung.

Lösung S. 181

Notizen / Fragen / Schlüsselbegriffe / Ergänzungen / Hinweise aus dem Unterricht / Basiskonzept / Seitenverweise:

Stoff- und Energieaustausch bei Tieren — Stoffwechsel

5.5 Die Körpermasse kann aktiv beeinflusst werden

Schönheit ist relativ! Das gilt besonders für die Körperform. Stellen Sie sich die fülligen Damen auf den Gemälden der Alten Meister wie Rubens (Abb. 1) neben den heute gertenschlanken Topmodels auf den Laufstegen in Paris, London oder New York vor. Beides fand bzw. findet der herrschende Zeitgeist schön. „Dick" und „Dünn" ist also Geschmackssache. Fest steht, dass starkes Übergewicht eine mögliche Ursache für einige Krankheiten wie Diabetes Typ 2, Stoffwechselstörungen, Bluthochdruck, Gicht u. a. ist. Auch deutliches Untergewicht kann lebensgefährdend sein. Eine Möglichkeit das eigene Körpergewicht einzuordnen liefert der Body-Mass-Index (BMI). Er wird mit folgender Formel berechnet: $BMI = m/l^2$. Dabei ist m die Körpermasse in kg und l die Körpergröße in Metern. Personen mit einem BMI von 18,5 bis 25 gelten als normalgewichtig (ab 18 Jahren). Sowohl falsche Ernährung als auch das Nacheifern falscher Schönheitsideale können im Extremfall zu gesundheitlichen Schäden führen. Starke Fettleibigkeit und Magersucht sind Krankheiten, die unbedingt ärztlicher Behandlung bedürfen.

1 „Die drei Grazien" von Peter Paul Rubens

Formen des Trainings

Training mit niederer Intensität (55–77% der maximalen Pulsfrequenz)*:
niedriger Energieverbrauch, hoher Anteil an Fettverbrennung, lange Trainingszeiten für einen bestimmten Energieverbrauch

Training mit mittlerer Intensität (70–80% der maximalen Pulsfrequenz)*:
mittlerer Energieverbrauch bei mittlerem Anteil an Fettverbrennung, mittlere Trainingszeiten für einen bestimmten Energieverbrauch, anstrengend, verbessert die Fitness

Training mit hoher Intensität (80–95% der maximalen Pulsfrequenz)*:
hoher Energieverbrauch bei geringerem Anteil an Fettverbrennung, hoher Anteil an Kohlenhydratverbrennung, kurze Trainingszeiten für einen bestimmten Energieverbrauch

*maximale Pulsfrequenz: 220 – Lebensalter

LERNTIPP Informationen zur Lösung finden Sie im Lehrbuch in den Konzepten 1.5, 1.7 und 4.1.

Lösung S. 181

F/II **1.** Erklären Sie den Zusammenhang zwischen Ernährung, Energie und Körpermasse und schließen Sie daraus auf Möglichkeiten, die Körpermasse bewusst zu verändern.

F/II **2.** Ermitteln und begründen Sie die günstige Trainingsform zur Reduzierung der Körpermasse aus den oben aufgezeigten Alternativen.

F/III **3.** Erläutern Sie, weshalb die Phase der Gewichtsreduzierung, des „Abnehmens", nur der halbe Weg zum dauerhaften „Idealgewicht" ist.

Notizen / Fragen / Schlüsselbegriffe / Ergänzungen / Hinweise aus dem Unterricht / Basiskonzept / Seitenverweise:

Stoffwechsel Stoff- und Energieaustausch bei Tieren

5.6 Kapillaren sind die Schnittstellen zwischen Blutkreislauf und Gewebe

In Ihrem Körper übernimmt Blut vielfältige Aufgaben. An den Schnittstellen zwischen Körperzellen und Blutkreislauf befinden sich die Kapillaren. Das in der Biologie immer wiederkehrende Prinzip der Oberflächenvergrößerung wird auch hier eindrucksvoll deutlich.* In Ihnen werden rund 100 000 km Kapillarnetz von Blut durchströmt, dabei entsteht eine Oberfläche von 1000 m² für den Stoffaustausch, von denen aber nur rund 300 m² pro Zeiteinheit genutzt werden. Die Wände der Kapillaren bestehen, wie Sie bereits wissen, nur aus einer Zellschicht und sind sehr dünn (5 µm). Zwischen den Zellen befinden sich mit Wasser gefüllte Poren und Spalten. Diese „Löcher" sind ca. 5 nm weit und deshalb für große Proteine nicht passierbar. Besonders kleine „Löcher" haben die Kapillaren im Gehirn (Blut-Hirn-Schranke), besonders große die in den Nieren.

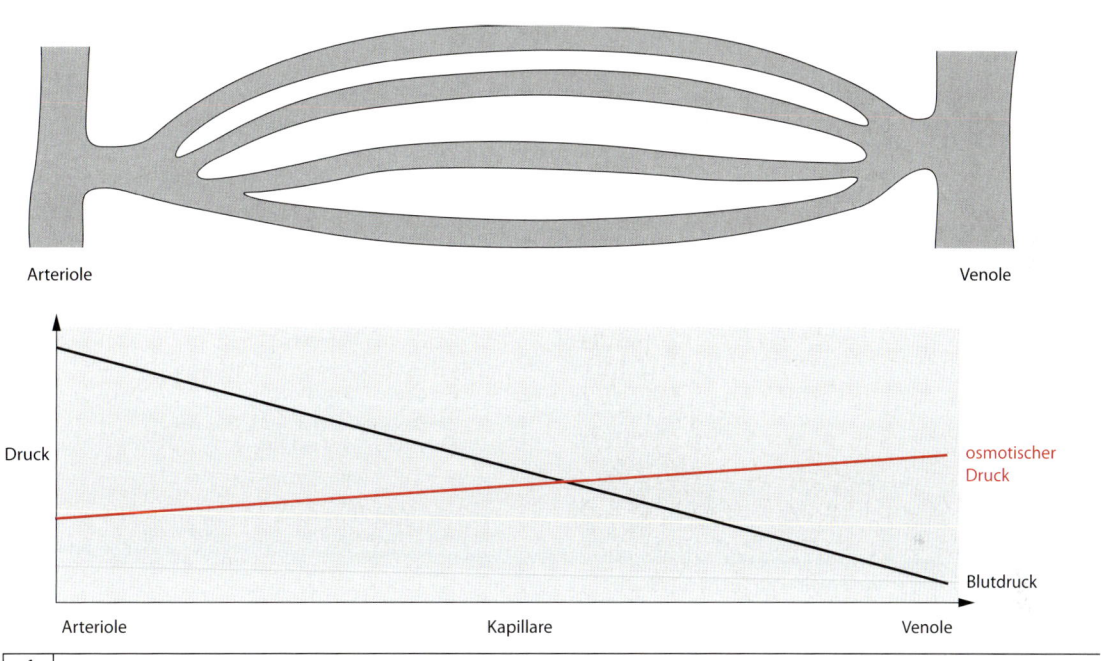

Struktur und Funktion

1 Änderungen von osmotischem Druck und Blutdruck

1. Geben Sie die Funktionen des Blutes an und ordnen Sie ihnen die Blutbestandteile zu, die sie erfüllen. Erstellen Sie dazu eine Mind Map. Lesen Sie auch Konzept 5.7 im Lehrbuch. [F/II]

2. Der Blutdruck und der osmotische Druck des Blutes verändern sich innerhalb der Kapillaren auf dem Weg von der Arteriole zur Venole (Abb. 1). Begründen Sie die Kurvenverläufe für Blutdruck und osmotischen Druck. [K/II]

3. Erläutern Sie den Zusammenhang zwischen der Struktur der Kapillarwände und dem Stoffaustausch. [F/III]

LERNTIPP
Den Vorgang der Osmose können Sie mit Konzept 3.4 im Lehrbuch wiederholen.

Lösung S. 182

Notizen / Fragen / Schlüsselbegriffe / Ergänzungen / Hinweise aus dem Unterricht / Basiskonzept / Seitenverweise:

Stoff- und Energieaustausch bei Tieren — **Stoffwechsel**

5.7 EPO und Blutdoping steigern den Sauerstoffgehalt im Blut

Ein unscheinbares körpereigenes Hormon erlangt im Bereich des Ausdauersports zweifelhafte Berühmtheit: Erythropoietin (EPO) ist ein in der Niere produziertes Peptid-Hormon, das die Bildung von Erythrocyten (roten Blutzellen) in den Stammzellen des Knochenmarks anregt. Erythrocyten transportieren Sauerstoff, gebunden an das in ihnen enthaltene Hämoglobin, aus der Lunge zu den Zellen aller Körperregionen.

Die Steigerung der Hämoglobinkonzentration um 0,3 % erhöht die Ausdauerfähigkeit eines erwachsenen Menschen um 1%. Dabei kann körperfremdes, gespritztes EPO helfen.

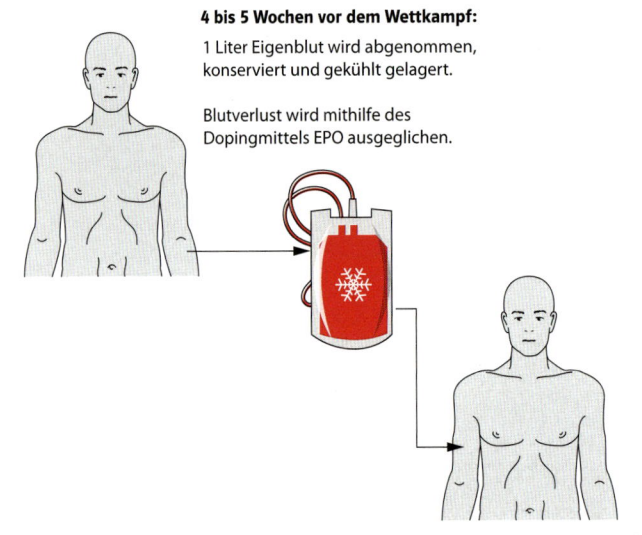

4 bis 5 Wochen vor dem Wettkampf:
1 Liter Eigenblut wird abgenommen, konserviert und gekühlt gelagert.

Blutverlust wird mithilfe des Dopingmittels EPO ausgeglichen.

kurz vor dem Wettkampf:
Transfusion des gelagerten Blutes oder der isolierten Blutzellen

Alternativ kann das Blut eines fremden Spenders verwendet werden.

Bei einem 70 kg schweren Athleten (ca. 5 l Blut) wird so das Volumen der Blutzellen von 2,3 auf 2,7 l erhöht.

1 **Blutdoping — Transfusion für mehr Ausdauer**

Steuerung und Regelung

F/II **1.** Beschreiben Sie den Verlauf der Sauerstoffbindungskurve in Abb. 3 ⓐ auf Seite 98 im Lehrbuch und erklären Sie anhand der Kurve, warum ein Sauerstofftransport mittels Hämoglobin von der Lunge in Richtung Körperzelle ablaufen kann.

F/II **2.** In der Höhe nimmt der Sauerstoffpartialdruck ab. Auf wichtige Wettkämpfe bereiten sich Ausdauersportler im Höhentrainingslager vor.• Welchen Grund hat dies? Beschreiben Sie die physiologischen Grundlagen unter Zuhilfenahme von Abb. 3 ⓐ auf Seite 98 im Lehrbuch.

B/III **3.** Schnelle Leistungssteigerungen erhoffen sich Ausdauersportler durch Blutdoping oder die Injektion von körperfremdem EPO. Beschreiben Sie mithilfe von Abb. 1 die Methode des Blutdopings und stellen Sie eine Hypothese zu Gefahren beider Dopingmethoden auf.

Lösung S. 182

Notizen / Fragen / Schlüsselbegriffe / Ergänzungen / Hinweise aus dem Unterricht / Basiskonzept / Seitenverweise:

Stoffwechsel — Stoff- und Energieaustausch bei Tieren

5.8 Bei der Bauchfelldialyse findet die Blutwäsche im Körper statt

Die Bauchfelldialyse ist neben der „künstlichen Niere" ein weiteres Dialyseverfahren. Dabei läuft die Reinigung des Blutes in der Bauchhöhle ab. Die Dialysemembran ist das Bauchfell, das den Bauchraum auskleidet und die meisten Eingeweide mit einer feinen Schicht umgibt. Damit die Dialyseflüssigkeit in den Bauchraum gelangen kann, muss ein Katheter in die Bauchwand eingesetzt werden. Über den Katheter wird die Austauschflüssigkeit in die Bauchhöhle eingelassen. Der Reinigungsvorgang dauert ca. 4 Stunden. Die nun mit giftigen Stoffwechselprodukten angereicherte Flüssigkeit wird abgelassen. Im selben Schritt wird die Bauchhöhle mit frischer Austauschflüssigkeit befüllt. Die Bauchfelldialyse kann der Patient selbst durchführen. Dazu ist absolut steriles Arbeiten notwendig. Gelingt das nicht, ist eine sehr schmerzhafte Bauchfellentzündung die Folge.

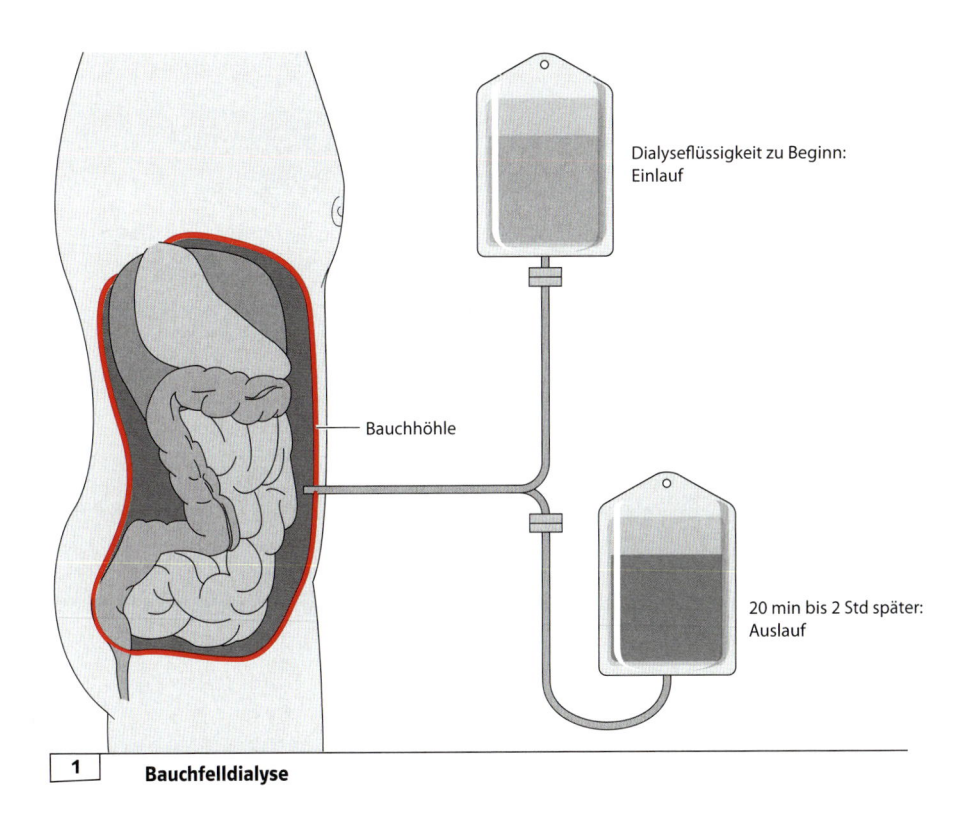

1 Bauchfelldialyse

- Dialyseflüssigkeit zu Beginn: Einlauf
- Bauchhöhle
- 20 min bis 2 Std später: Auslauf

E/II 1. Vergleichen Sie das Verfahren der Bauchfelldialyse (Abb. 1) mit der Blutwäsche an der „künstlichen Niere" (Lehrbuch, S. 102).

F/III 2. Bei der Dialyse soll der Körper entgiftet und Wasser entfernt werden. Lebenswichtige Stoffe sollen jedoch im Blut bleiben. Stellen Sie eine begründete Vermutung über die Zusammensetzung der Dialyseflüssigkeit auf, damit diese den genannten Anforderungen gerecht wird.

LERNTIPP
Die Konzepte 3.3 und 3.4 im Lehrbuch helfen bei Aufgabe 2.

Lösung S. 182

Notizen / Fragen / Schlüsselbegriffe / Ergänzungen / Hinweise aus dem Unterricht / Basiskonzept / Seitenverweise:

5.9 Muskelkater entsteht durch kleine Verletzungen

Kennen Sie die Muskelschmerzen nach anstrengendem Sport? „Das kommt von der Milchsäure", ist eine häufige Antwort auf die Frage nach den Ursachen des Muskelkaters. Heute gilt diese Ansicht als überholt. Elektronenmikroskopische Untersuchungen erhärten die Vermutung, dass mikroskopisch kleine Verletzungen Ursache für den Muskelkater sind.

Durch den Abbau der verletzten Bestandteile der Muskelzelle steigt die osmotische Saugkraft des Gewebes. Langsam tritt Wasser ein, die Muskelfaser schwillt an und wird gedehnt. Dabei registrieren die schmerzempfindlichen Nervenzellen den „Muskelkater".

Der Bau des Muskels ist ein Beleg für das Basiskonzept Kompartimentierung.•

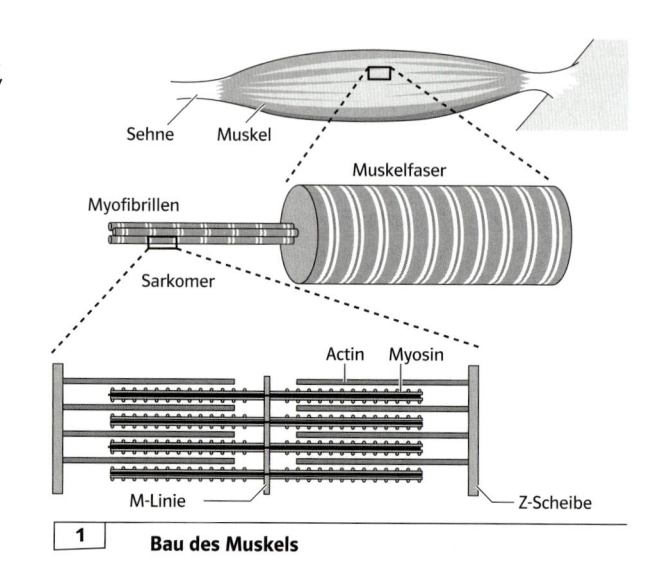

Kompartimentierung

1 Bau des Muskels

Anlagerung von ATP an den Myosinkopf	Myosin löst sich vom Actin	Actin und Myosin gleiten aneinander vorbei
Bildung des Actomyosin-Komplexes	Spannung des Myosinkopfes durch ATP-Spaltung	Myosinkopf entspannt sich Abspaltung von ADP und P

2 Elemente des Fließschemas

F/II 1. Erstellen Sie ein Fließschema zum Verlauf einer Muskelkontraktion aus den Elementen in Abb. 2.

E/II 2. Stellen Sie mithilfe der Abb. 1 und der Einleitung eine Hypothese über den genauen Ort der Muskelkater verursachenden Mikroverletzungen auf.

F/II 3. Der Muskelschmerz nach Überlastung tritt erst am nächsten Tag auf. Begründen Sie.

Lösung S. 183

Notizen / Fragen / Schlüsselbegriffe / Ergänzungen / Hinweise aus dem Unterricht / Basiskonzept / Seitenverweise:

Stoffwechsel Zellatmung — Energie aus Nährstoffen **6**

6.1 Glucose ist der Kraftstoff des Lebens

Weshalb betanken wir unsere Fahrzeuge mit Benzin oder Diesel? Sie kennen die Lösung. Benzin und Diesel sind Kraftstoffe, die beim Verbrennen im Motor ihre Energie freisetzen. Mit dieser Energie wird über das Getriebe das Fahrzeug angetrieben. Eigentlich sollten sie daher Energiestoffe heißen. Der wichtigste Kraftstoff oder Energiestoff der Lebewesen ist Glucose, der Motor sind die Mitochondrien, und das Getriebe sind die Muskeln und Knochen. Der Vorgang, bei dem die im Glucosemolekül enthaltene Energie für das Lebewesen nutzbar gemacht wird, ist ein komplexer Prozess, die Zellatmung. Sie findet im Cytoplasma und den Mitochondrien statt. Dabei wird ATP — die universelle Energiewährung aller Organismen — gebildet.

1 Liter Benzin liefert ca. 38 MJ Energie. 6 MJ davon werden in Bewegungsenergie des Fahrzeugs umgewandelt.

100 g Glucose liefern ca. 1570 kJ Energie. 630 kJ davon werden im ATP gespeichert.

1 Kfz-Mobilität und Körperkraft

E/I 1. Vergleichen Sie die Energiegewinnung eines Kraftfahrzeugs und eines Menschen nach folgenden Gesichtspunkten: Ausgangsstoffe, Reaktionsprodukte, Art der Energieumwandlung, Ort der Energieumwandlung, Speicher der Ausgangsstoffe, Entsorgung der Reaktionsprodukte.•

E/II 2. Berechnen Sie die Wirkungsgrade eines Kfz und der Zellatmung mithilfe der Angaben in Abb. 1. Vergleichen Sie die Werte und beurteilen Sie diese.

F/II 3. Kennzeichnend für die Zellatmung ist die schrittweise Übertragung von Wasserstoff aus der Glucose auf Sauerstoff. Hilfsmittel dazu sind Coenzyme, wie NAD⁺. Erläutern Sie die folgende Gleichung:
$NAD^+ + 2e^- + 2H^+ \rightarrow NADH + H^+$

Stoff- und Energieumwandlung

Lösung S. 183

Notizen / Fragen / Schlüsselbegriffe / Ergänzungen / Hinweise aus dem Unterricht / Basiskonzept / Seitenverweise:

Zellatmung — Energie aus Nährstoffen **Stoffwechsel**

6.4 Die Zellatmung läuft schrittweise ab

Stoff- und Energieumwandlung

Biochemische Vorgänge sind oft recht schwierig zu verstehen. Wissenschaftler, aber auch Sie als Schüler sind dabei in der Situation, Vorgänge, die in der Natur vorkommen, zu entschlüsseln und zu beschreiben. Abb. 1 fasst plakativ das Wesentliche der Zellatmung zusammen. Trainieren Sie mithilfe dieses Schemas ihre neu erworbenen Kenntnisse. Sie wenden dabei auch das Basiskonzept Stoff- und Energieumwandlung an.•

$$C_6H_{12}O_6 + 6\,O_2 + 6\,H_2O \longrightarrow 6\,CO_2 + 12\,H_2O$$

frei werdende Energie: 2870 kJ/mol

ca. 62 % Wärmeenergie
ca. 38 % chemische Energie gebunden in ATP

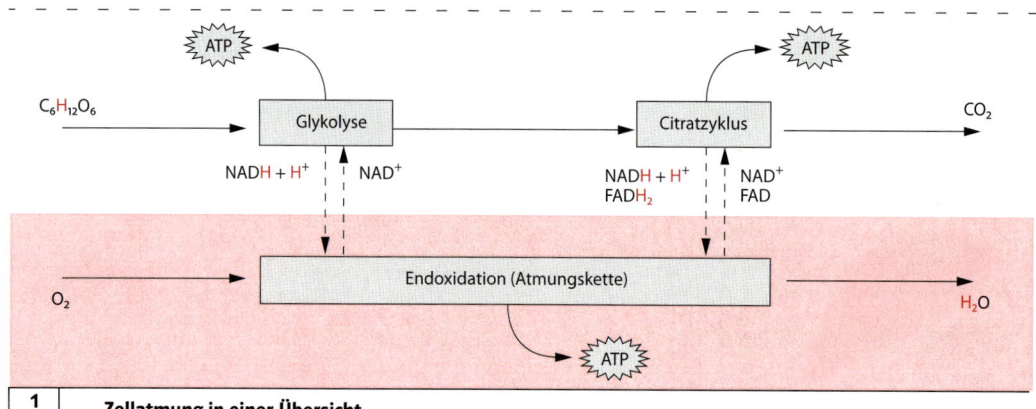

1 Zellatmung in einer Übersicht

Schema: $C_6H_{12}O_6$ → Glykolyse (→ ATP; NADH+H⁺/NAD⁺) → Citratzyklus (→ ATP; NADH+H⁺, FADH$_2$/NAD⁺, FAD) → CO_2; O_2 → Endoxidation (Atmungskette) → H_2O (→ ATP)

E/I **1.** Benennen Sie die Bedeutung von ATP in Lebewesen und geben Sie die Anzahl der gebildeten ATP-Moleküle in den Teilschritten der Zellatmung an. Beziehen Sie Ihre Angaben auf 1 mol Glucose.

E/III **2.** Die Zellatmung ist eine „gesteuerte Knallgasreaktion". Erklären Sie diese Aussage mithilfe des Schemas. Markieren Sie dazu den Weg des Wasserstoffs in Abb. 1 mit farbigen Pfeilen.

E/II **3.** Hauptquelle des ATP ist die Atmungskette. ATP wird hier durch Chemiosmose erzeugt. Beschreiben Sie den Vorgang modellhaft. In der Beschreibung sollen zwei Wasserbehälter, eine Pumpe und eine Turbine vorkommen.

LERNTIPP
Informationen zum ATP finden Sie in Konzept 4.1

Lösung S. 184

Notizen / Fragen / Schlüsselbegriffe / Ergänzungen / Hinweise aus dem Unterricht / Basiskonzept / Seitenverweise:

Stoffwechsel — Zellatmung — Energie aus Nährstoffen

6.5 Der Lactattest informiert über den Trainingszustand

Spielertransfers für viele Millionen Euro sind auch in der Fußballbundesliga keine Seltenheit mehr. Bei solchen Summen erwartet man nicht nur technisch versierte, sondern auch gut trainierte und fitte Fußballer. Ein Verfahren, den Trainingszustand eines Athleten zu prüfen, ist die Lactatleistungsdiagnostik oder kurz der Lactattest.

Beim Lactattest absolviert der Sportler auf einem Ergometer (z. B. Laufband) eine stufenförmig ansteigende Belastung. Die Dauer einer Stufe sollte im Minutenbereich liegen. Die stufenweise Erhöhung der Geschwindigkeit bzw. der Leistung des Ergometers erfolgt jeweils um einen festgelegten Betrag. Über das Ende des Tests entscheidet die individuelle Leistung des Probanden. Vor dem Test und am Ende der Stufen werden Herzfrequenz und die Lactatkonzentration im Blut gemessen und aufgezeichnet (Abb. 2). Aus den Werten der erbrachten Leistung, der Herzfrequenz und der Lactatkonzentration wird die Lactatleistungskurve erstellt.

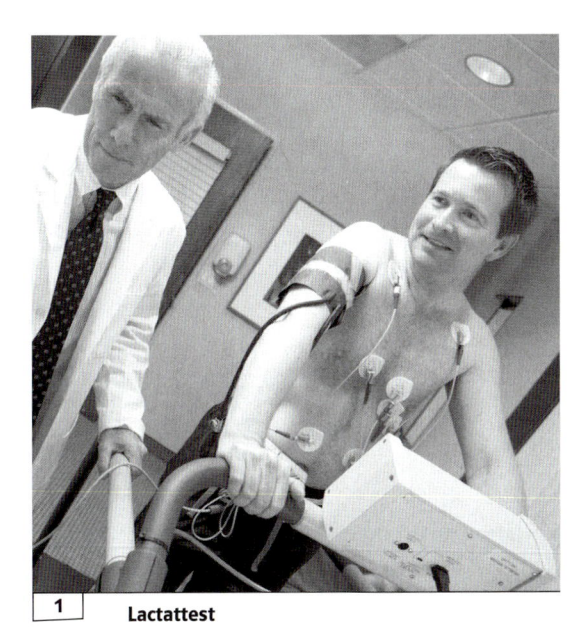

Leistung (W)	Lactat (mmol/l)
100	0,9
130	0,9
160	1,0
190	1,1
220	1,4
250	2,0
280	3,1
310	4,0
340	5,0
370	7,4
400	14,2

1 Lactattest

2 Ergebnisse eines Lactattests

F/I **1.** Erläutern Sie die Bildung von Lactat (Milchsäure) im Körper.

E/I **2.** Stellen Sie die Lactatleistungskurve in einem Diagramm dar. Verwenden Sie dazu die Werte aus Abb. 2.

F/II **3.** Bei der Auswertung solcher Tests spielt die „anaerobe Schwelle" eine besondere Rolle. Sie liegt hier bei einer Lactatkonzentration im Blut von 2–4 mmol/l. Markieren Sie die „anaerobe Schwelle" im Diagramm und erklären Sie mithilfe des Diagramms deren Bedeutung für den Stoffwechsel.

F/III **4.** Beurteilen Sie die Eignung des Lactattests als Indikator der individuellen Fitness.

Lösung S. 184

Notizen / Fragen / Schlüsselbegriffe / Ergänzungen / Hinweise aus dem Unterricht / Basiskonzept / Seitenverweise:

Zellatmung — Energie aus Nährstoffen **Stoffwechsel**

6.6 Mauersegler verwenden Fett als Treibstoff

Mauersegler sind Flugkünstler. Die Vögel fressen ausschließlich fliegende Insekten. Bei längerer kühler Witterung, wenn es nicht genug Insekten gibt, weichen die Vögel nach Südeuropa aus. Die Jungvögel in den Nestern sind an dieses Verhalten angepasst. Sie können 10 bis 15 Tage in einen energiesparenden Halbschlaf fallen und warten auf die Rückkehr der Eltern. Die Flugleistungen gelingen den Mauerseglern auch bei Nahrungsmangel, weil sie Fette als Energiespeicher verwenden. Fette werden als Glycerol und Fettsäuren in den Energiestoffwechsel eingespeist. Glycerol reagiert zunächst mit ATP und wird dann mittels NAD^+ zu Phosphoglycerinaldehyd oxidiert. Phosphoglycerinaldehyd gelangt in die Glykolyse und liefert beim Abbau in Kohlenstoffdioxid und Wasser insgesamt 22 ATP. Die Fettsäuren werden Schritt für Schritt in C_2-Körper zerlegt und in den Citratzyklus eingespeist (Abb. 2). Die wasserstoffübertragenden Coenzyme liefern ATP in der Atmungskette.•

Stoff- und Energieumwandlung

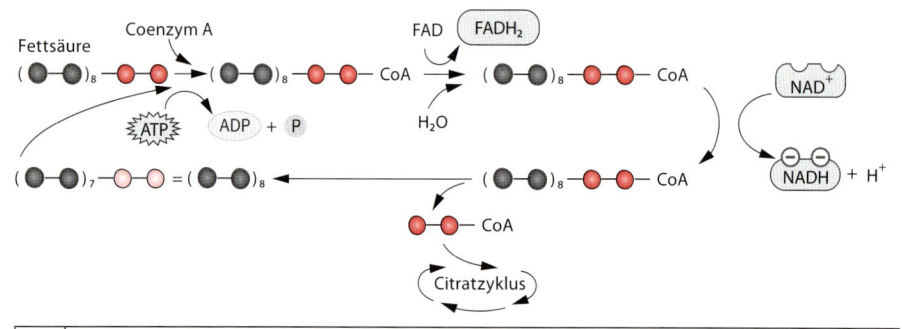

1 Mauersegler

2 Fettsäurespirale

F/II 1. Voraussetzung für die Verarbeitung von Glycerol im Stoffwechsel ist die Reaktion mit ATP. Nennen Sie die Bedeutung dieser Reaktion. Übertragen Sie dazu Ihr Wissen über den Start der Glykolyse.

F/III 2. 1 mol eines Fettes (aus Glycerol und drei Molekülen Stearinsäure $C_{17}H_{35}COOH$) liefert 460 mol ATP. Bestätigen Sie diese Zahl mithilfe des Einleitungstextes und der Abb. 2. (Hinweis: Die Aktivierung von Fettsäure durch CoA und ATP wurde vereinfacht dargestellt.)

E/II 3. Vergleichen Sie die Anzahl der aus 1 mg Fett und aus 1 mg Glucose gewinnbaren Moleküle ATP. Schlussfolgern Sie daraus die Bedeutung von Fetten als Reservestoff für Tiere. Verwenden Sie dazu auch diese Daten: 1 mol Glucose hat eine Masse von 180 g und 1 mol Fett (aufgebaut wie in Aufgabe 2 beschrieben) hat eine Masse von 893 g.

LERNTIPP
Den Bau eines Fettmoleküls können Sie mithilfe von Konzept 1.7 im Lehrbuch wiederholen.

Lösung S. 185

Notizen / Fragen / Schlüsselbegriffe / Ergänzungen / Hinweise aus dem Unterricht / Basiskonzept / Seitenverweise:

Stoffwechsel — Stoff- und Energieumwandlung bei Pflanzen

7.1 Pflanzen leben von Wasser, Luft und Licht

„Gedeihet eine Pflanze nicht, so braucht sie Licht." So formuliert der Volksmund die Abhängigkeit der Fotosynthese vom Licht. Welche Funktionen aber die Gase der Luft für diesen Stoffwechselprozess haben, wurde durch eine Reihe historischer Experimente herausgefunden, deren Ergebnisse in ihrer Zeit spektakulär waren (Abb. 1). Heute sind sie biologisches Grundwissen. Schätzungen gehen davon aus, dass pro Jahr ca. $7{,}5 \times 10^{13}$ kg (= 75 Billionen Tonnen) Kohlenstoff über Kohlenstoffdioxid durch Fotosynthese in organische Substanz überführt werden.

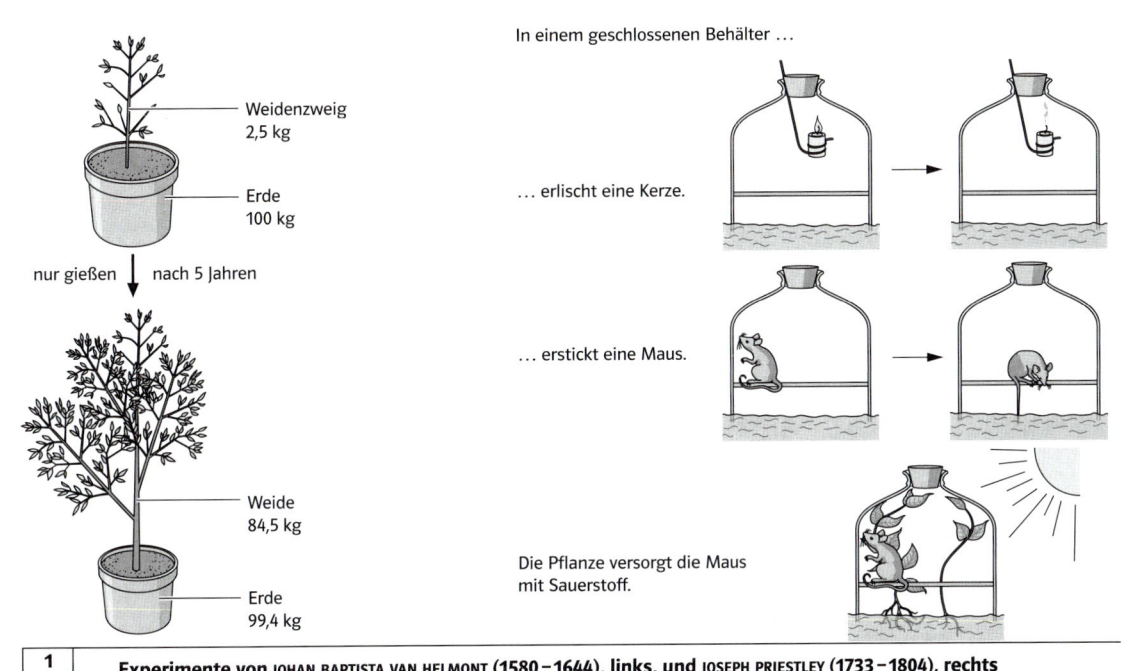

Helmont-Experiment (links):
- Weidenzweig 2,5 kg
- Erde 100 kg
- nur gießen, nach 5 Jahren
- Weide 84,5 kg
- Erde 99,4 kg

Priestley-Experiment (rechts):
In einem geschlossenen Behälter …
- … erlischt eine Kerze.
- … erstickt eine Maus.
- Die Pflanze versorgt die Maus mit Sauerstoff.

1 Experimente von JOHAN BAPTISTA VAN HELMONT (1580–1644), links, und JOSEPH PRIESTLEY (1733–1804), rechts

F/II 1. Werten Sie das Helmont-Experiment mit dem Wissensstand der Zeit aus, in der es durchgeführt wurde. Gehen Sie dabei davon aus, dass die Zusammensetzung der Luft nicht bekannt war und dass eine Pflanze etwa zu 4/5 aus Wasser besteht.

F/II 2. Deuten Sie die Ergebnisse des Helmont-Experiments mit dem aktuellen Wissen.

F/II 3. Erklären Sie mithilfe der Versuchsanordnung PRIESTLEYS den Zusammenhang zwischen Zellatmung und Fotosynthese.

Lösung S. 185

Notizen / Fragen / Schlüsselbegriffe / Ergänzungen / Hinweise aus dem Unterricht / Basiskonzept / Seitenverweise:

Stoff- und Energieumwandlung bei Pflanzen **Stoffwechsel**

7.3 Pflanzen finden einen Mittelweg zwischen Transpiration und Gasaustausch

Sie sind Sportler und nehmen an Wettkämpfen teil. Gleichzeitig möchten Sie sich auch gut auf anstehende Klausuren vorbereiten. Beides können Sie aber nur in Ihrer Freizeit tun. Sie müssen einen Kompromiss zwischen Training und Klausurvorbereitung eingehen. So lernen Sie vielleicht kurz vor der Klausur häufiger und trainieren dafür nach der Prüfung härter. Ähnlich ergeht es den fotosynthetisch aktiven Pflanzen. Sie müssen zwischen Gasaustausch und Transpiration vermitteln. Für Pflanzen an trockenen Standorten können wir es noch schärfer formulieren: Sie haben die Wahl zwischen „Verhungern" oder „Verdursten".

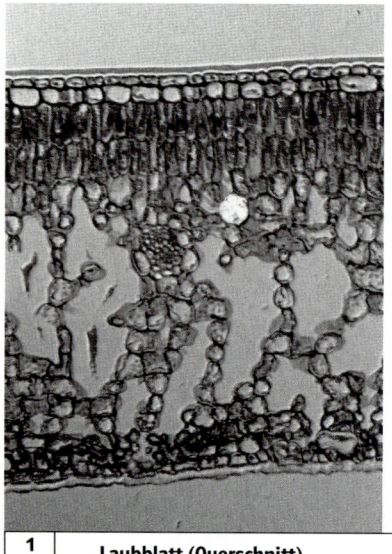

Beschriftung:

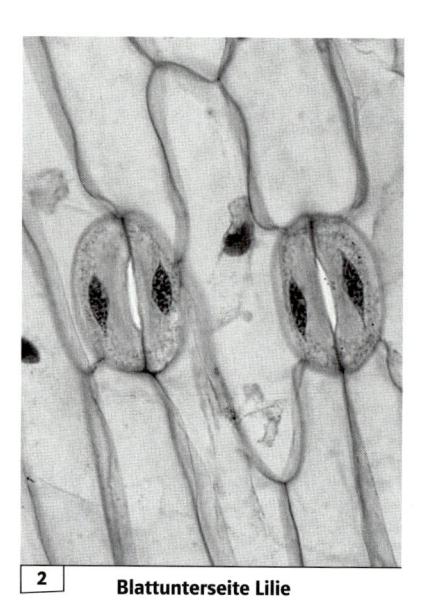

1 Laubblatt (Querschnitt)

2 Blattunterseite Lilie

LERNTIPP
Hinweise zum mikroskopischen Zeichnen finden Sie auf S. 17 in diesem Buch.

Lösung S. 186

F/I **1.** Beschriften Sie die Abbildungen 1 und 2. Markieren Sie mit verschiedenfarbigen Pfeilen die Transportwege von Wasser, Kohlenstoffdioxid und Sauerstoff in Abb. 1. Gehen Sie von einem fotosynthetisch aktiven Laubblatt mit ausreichender Wasserversorgung aus.

F/III **2.** Erläutern Sie, weshalb besonders Pflanzen an trockenen Standorten einen Kompromiss zwischen Gasaustausch und Transpiration eingehen müssen. Erklären Sie die Schlagworte „verhungern" und „verdursten" in diesem Zusammenhang.

F/II **3.** Beschreiben Sie die Vorgänge, die zum Öffnen einer Spaltöffnung führen, auf zellulärer Ebene. Dabei festigen Sie Ihre Kenntnisse zu Transportprozessen aus Kapitel 3 im Lehrbuch.

Notizen / Fragen / Schlüsselbegriffe / Ergänzungen / Hinweise aus dem Unterricht / Basiskonzept / Seitenverweise:

Stoffwechsel Stoff- und Energieumwandlung bei Pflanzen

7.4 Die Fotosyntheseleistung wird von äußeren Faktoren beeinflusst

Schauen Sie aus dem Fenster. Vielleicht sehen Sie eine große Buche oder einen anderen alten Laubbaum. Im Sommer produziert ein solcher Baum als Abfallprodukt der Fotosynthese in der Zeit Ihrer Biologiestunde (90 min) etwa 500 l Sauerstoff, den Tagesverbrauch eines Menschen. Nicht nur deshalb ist die Fotosynthese der wohl wichtigste Stoffwechselprozess auf der Erde. Wir können das Blatt als die Solarzelle der Organismen betrachten. Ohne diesen Stoffwechselprozess gäbe es kein Molekül Sauerstoff in der Erdatmosphäre und kaum organische Stoffe. Lichtenergie spielt dabei eine wichtige Rolle. Sie treibt fast alle Lebensprozesse direkt oder indirekt an.

Die Rolle, die abiotische Faktoren bei der Fotosynthese spielen, lässt sich experimentell gut an untergetauchten Sprossen der Wasserpest zeigen. Gebildeter Sauerstoff steigt auf und wird gesammelt. Wasserpest deckt ihren Kohlenstoffdioxidbedarf über Hydrogencarbonat-Ionen aus dem Wasser.

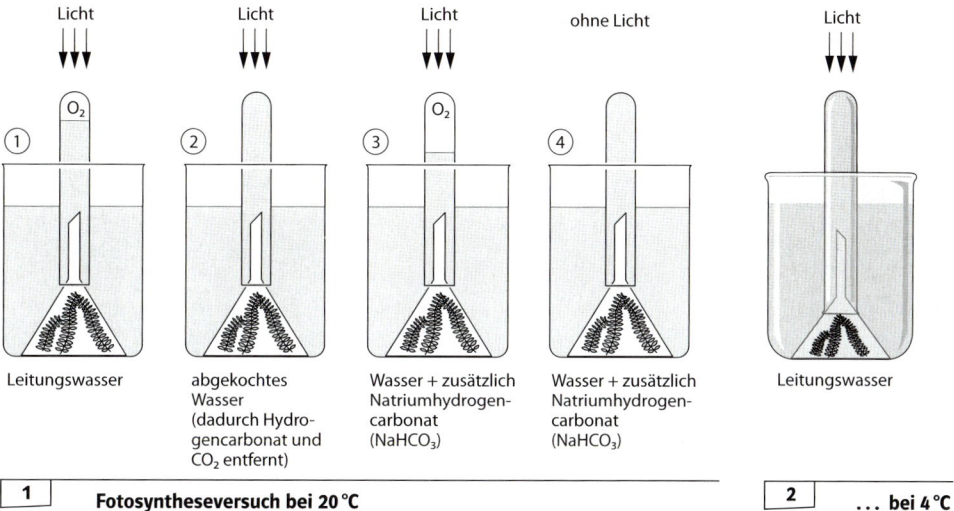

1 Fotosyntheseversuch bei 20 °C

(1) Leitungswasser
(2) abgekochtes Wasser (dadurch Hydrogencarbonat und CO_2 entfernt)
(3) Wasser + zusätzlich Natriumhydrogencarbonat ($NaHCO_3$)
(4) Wasser + zusätzlich Natriumhydrogencarbonat ($NaHCO_3$) — ohne Licht

2 ... bei 4 °C

Leitungswasser

F/II **1.** Werten Sie die in Abb. 1 dargestellten Versuche aus.

F/II **2.** Markieren Sie das erwartete Volumen des fotosynthetisch produzierten Sauerstoffs in Abb. 2. Begründen Sie.

LERNTIPP
Hilfe zur Lösung von Aufgabe 2 finden Sie im Lehrbuch in Konzept 4.6.

Lösung
S. 186

Notizen / Fragen / Schlüsselbegriffe / Ergänzungen / Hinweise aus dem Unterricht / Basiskonzept / Seitenverweise:

Stoff- und Energieumwandlung bei Pflanzen **Stoffwechsel**

7.6 Pflanzen transportieren Wasser und Assimilate

Konstruieren Sie ein Gerät, das aus dem feuchten Erdreich nur mithilfe von Sonnenenergie am Tag 400 l Wasser aufnimmt, es 5 bis 30 m hoch pumpen kann und dort verdunsten lässt. Keine Angst, Sie sind nicht in den Physikkurs geraten. Dieser Auftrag umschreibt die Wassertransportleistung einer 100-jährigen Buche. Der beschriebene Wasserstrom verteilt Wasser und alle Mineralstoffe von der Wurzelspitze bis zum obersten Blatt. Der Transport der Fotosyntheseprodukte (Assimilate) verläuft meist gegenläufig zum Transport der Mineralstoffe und ist eng mit dem Wassertransport verbunden.

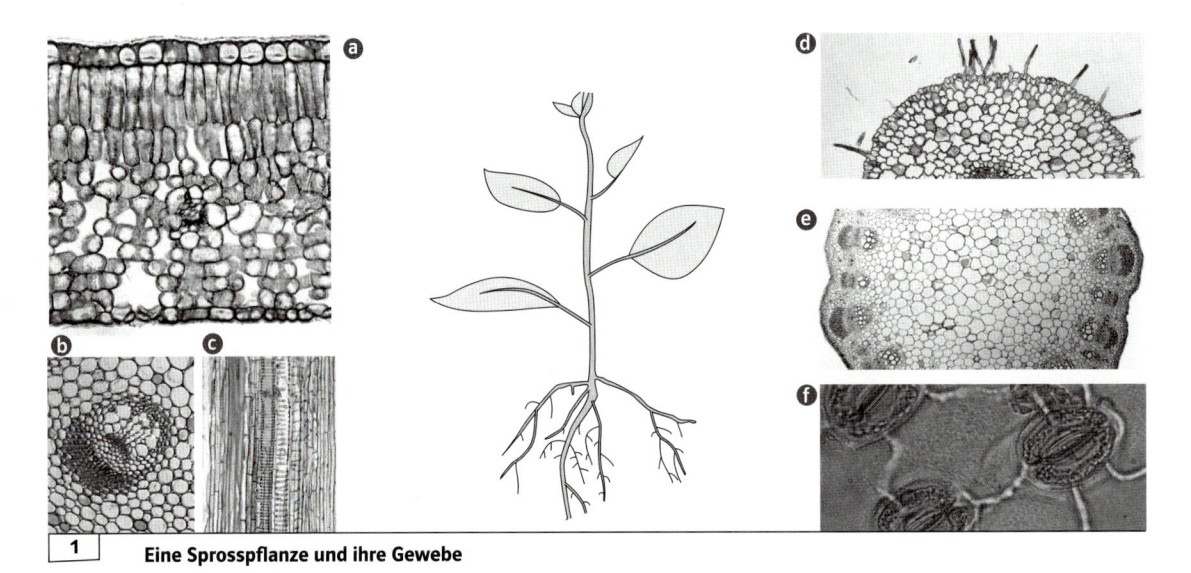

1 Eine Sprosspflanze und ihre Gewebe

F/II **1.** Wenden Sie sich zuerst den Organen und Geweben zu, die gemeinsam den Transport von Wasser, Mineralstoffen und Assimilaten bewerkstelligen. Benennen Sie dazu die in den Bildern rechts und links der Pflanze dargestellten Strukturen und markieren Sie anschließend einen Ort an der Pflanze, wo sie zu finden sind. Verwenden Sie dazu die Buchstaben der Fotos.

F/II **2.** Ordnen Sie Strukturen der Organe und Gewebe die wesentlichen physikalischen Erscheinungen zu, die für den Wassertransport verantwortlich sind.

Struktur und Funktion

F/III **3.** Beschreiben Sie den Zusammenhang zwischen dem Wassertransport im Xylem und dem Assimilattransport im Phloem.•

K/I **4.** Die mit dem Xylem der Pflanzen verteilten Mineralstoffe sind lebensnotwendig. Wie sich der Mangel von nur einem Mineralstoff auswirkt, beschreibt das „Gesetz des Minimums" von JUSTUS VON LIEBIG. Stellen Sie sich vor, dieses Gesetz würde auf die Benotung Ihrer aus beispielsweise 5 Aufgaben bestehenden Biologieklausur angewendet. Beschreiben Sie, wie die Notenfindung verlaufen würde.

Lösung S. 186

Notizen / Fragen / Schlüsselbegriffe / Ergänzungen / Hinweise aus dem Unterricht / Basiskonzept / Seitenverweise:

Stoffwechsel — Fotosynthese — Solarenergie für das Leben

8.2 Fotosynthesepigmente sammeln Licht

Kann man Licht sammeln? Sicher funktioniert das nicht wie das Sammeln von Pilzen, Briefmarken oder CDs. Licht wird nicht gesammelt, weil man das Objekt braucht, sondern weil man die Energie des Lichts nutzen will. So wandeln Solarzellen auf Dächern Lichtenergie in elektrische Energie um, und thermische Solaranlagen erhitzen Wasser. Grüne Pflanzen tun prinzipiell nichts anderes, sie sammeln Licht und verwandeln einen Teil der Lichtenergie in eine andere Form, die chemische Energie. Diese ist in den Bindungen des dabei schrittweise entstehenden Glucosemoleküls gespeichert und steht nun für die Energieversorgung der Pflanzen zur Verfügung. Sichtbares Licht ist eine elektromagnetische Strahlung von 400 bis 700 nm Wellenlänge. Der in Abb. 1 dargestellte Modellversuch soll Ihnen helfen zu verstehen, wie Pflanzen Licht verschiedener Wellenlängen für die Fotosynthese nutzen können.

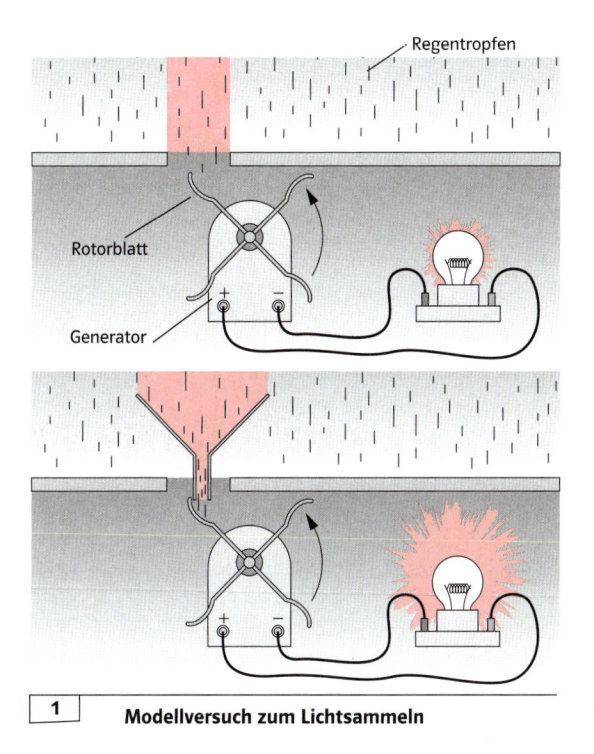

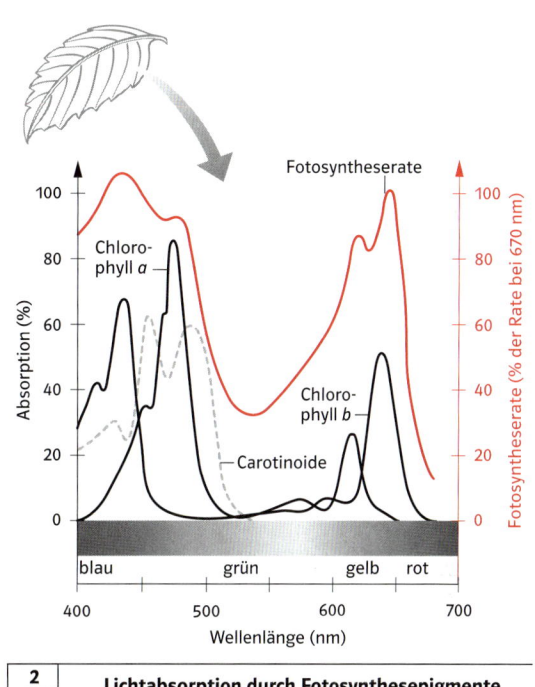

1 Modellversuch zum Lichtsammeln

2 Lichtabsorption durch Fotosynthesepigmente

F/I 1. Nennen Sie die Bedeutung der Carotinoide, der beiden Chlorophyll-Arten und des Reaktionszentrums für die Fotosynthese.

F/III 2. Stellen Sie den Lichtsammelprozess der Fotosynthese dem Modellversuch (Abb. 1) gegenüber.

F/III 3. Erklären Sie mithilfe des Diagramms (Abb. 2) die grüne Farbe von fotosynthetisch aktiven Pflanzenteilen.

Lösung S. 187

Notizen / Fragen / Schlüsselbegriffe / Ergänzungen / Hinweise aus dem Unterricht / Basiskonzept / Seitenverweise:

Fotosynthese — Solarenergie für das Leben   **Stoffwechsel**

8.4 Der lichtabhängige Teil der Fotosynthese erzeugt energiereiche Elektronen

Die Abbildung zeigt Ihnen ein weiteres Modell, das Ihnen helfen soll, die lichtabhängige Reaktion der Fotosynthese zu verstehen.

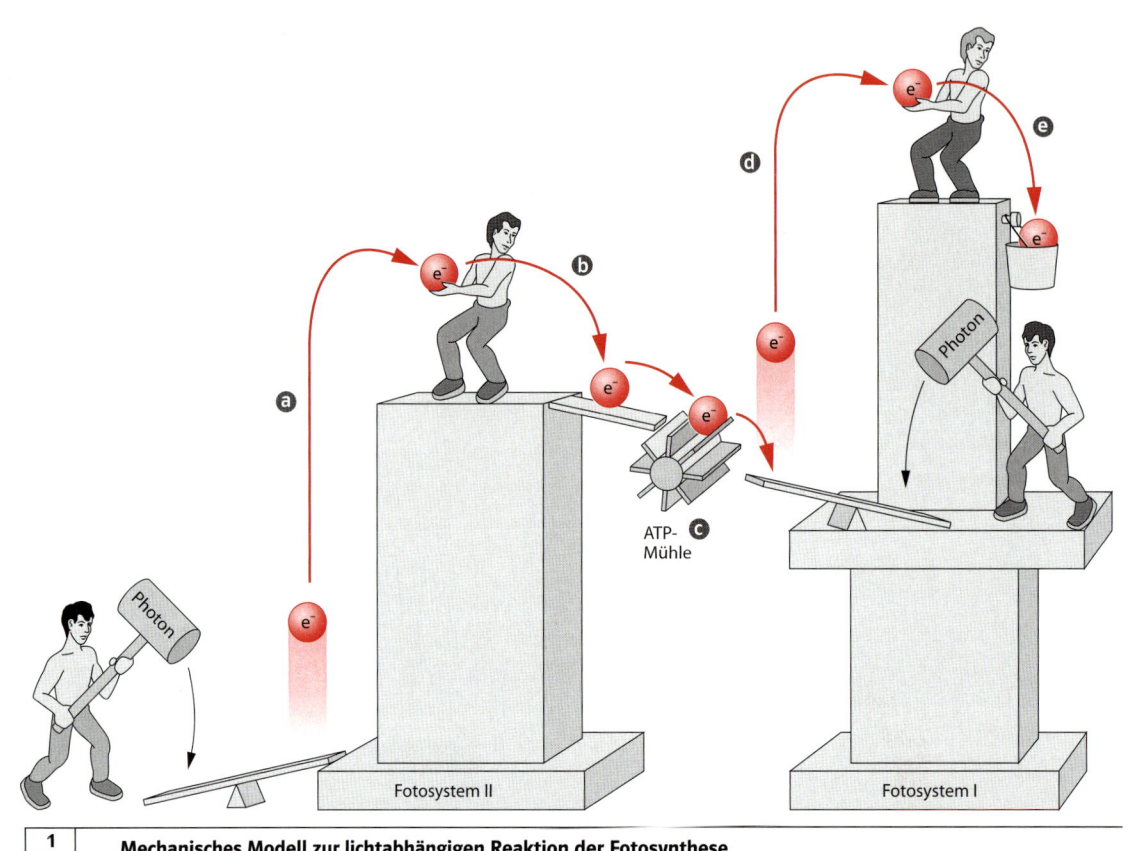

1 Mechanisches Modell zur lichtabhängigen Reaktion der Fotosynthese

LERNTIPP
Die Funktion der ATP-Synthase kennen Sie aus Konzept 6.4 im Lehrbuch.

Lösung S. 187

F/II 1. Entwerfen Sie ein einfaches Schema, das den Zusammenhang der beiden Teilreaktionen der Fotosynthese klarmacht. Verwenden Sie dazu bitte keine Hilfsmittel.

F/II 2. Benennen Sie die Vorgänge der lichtabhängigen Reaktion in Abb. 1, die den Buchstaben ⓐ bis ⓔ entsprechen.

F/III 3. Zur Herstellung von ATP ist Energie notwendig. Erläutern Sie die Funktion der ATP-Synthase unter diesem Gesichtspunkt.

Notizen / Fragen / Schlüsselbegriffe / Ergänzungen / Hinweise aus dem Unterricht / Basiskonzept / Seitenverweise:

Stoffwechsel — Fotosynthese — Solarenergie für das Leben

8.5 Aus Kohlenstoffdioxid entsteht Glucose

Es geht Ihnen sicher wie den meisten, die sich zum ersten Mal mit der Biochemie der Fotosynthese auseinandersetzen. Es ist viel zu kompliziert! Lassen Sie uns zwei einfache Überlegungen anstellen, um die lichtunabhängigen Reaktionen besser zu verstehen. Vergleichen wir die Formeln von Kohlenstoffdioxid (CO_2) und Glucose ($C_6H_{12}O_6$), fällt sofort ein Unterschied auf. Glucose enthält Wasserstoff, Kohlenstoffdioxid nicht. Formal chemisch gesehen ist der Einbau von Wasserstoff in einen organischen Stoff eine Reduktion. Wie geschieht diese Reduktion? Für die Herstellung von 1 mol Glucose aus Kohlenstoffdioxid werden 2 870 kJ Energie benötigt.• Wie gelangt diese Energie in das Glucosemolekül?

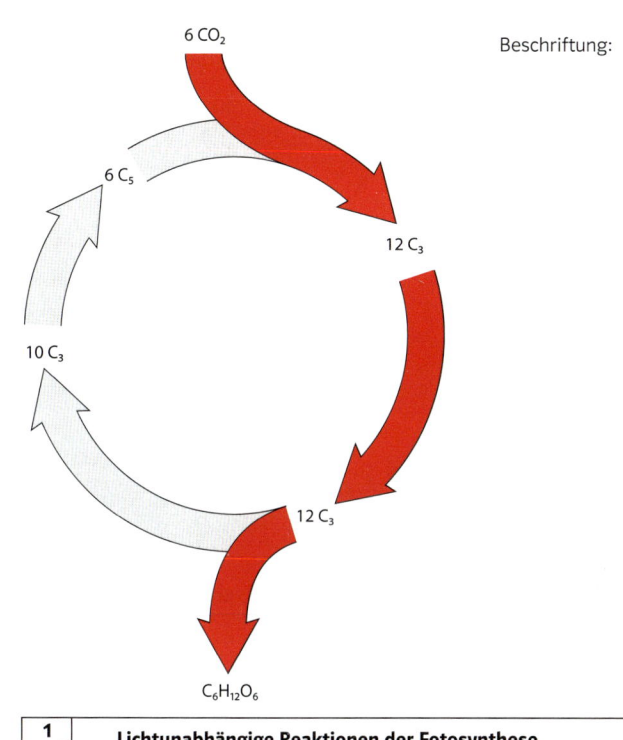

Stoff- und Energieumwandlung

Beschriftung:

6 CO_2 → 12 C_3
6 C_5
10 C_3
12 C_3 → $C_6H_{12}O_6$

1   **Lichtunabhängige Reaktionen der Fotosynthese**

F/II   **1.** Beantworten Sie die Fragen aus dem Einleitungstext. Notieren Sie die Antworten an der richtigen Stelle in Abb. 1.

F/II   **2.** Erklären Sie die Bedeutung der Fixierung von CO_2.

F/I   **3.** Kennzeichnen Sie in Abb. 1 die Verknüpfung der lichtunabhängigen Reaktionen mit den lichtabhängigen Reaktionen durch geeignete Beschriftung.

LERNTIPP
Lesen Sie das Konzept 8.4 im Lehrbuch.

Lösung
S. 188

Notizen / Fragen / Schlüsselbegriffe / Ergänzungen / Hinweise aus dem Unterricht / Basiskonzept / Seitenverweise:

Fotosynthese — Solarenergie für das Leben **Stoffwechsel**

8.6 Frei werdende Energie kann Lichtenergie ersetzen

Wie Sie wissen, gibt es in völlig lichtloser Meerestiefe von über 2500 m isolierte Lebensgemeinschaften an schwefelhaltigen Tiefseequellen, den Black Smokern. Hier leben bis zu 1 m lange Bartwürmer (Abb. 1) gemeinsam mit Muscheln, Krebsen, Fischen und verschiedenen Mikroorganismen. Die Bartwürmer bilden mit einer Gruppe von chemoautotrophen Bakterien eine Symbiose.

Die Bakterien bewohnen Zellen in einer besonderen Körperhöhle der Würmer, Trophosom genannt, und werden über das Blut der Würmer mit Schwefelwasserstoff (H_2S) versorgt. Den Schwefelwasserstoff oxidieren die Bakterien zu Sulfat-Ionen (SO_4^{2-}). Mit der dabei gewonnenen Energie bauen sie Glucose auf, die zum Teil in das Blut der Bartwürmer gelangt und ihnen neben den Bakterien als einzige Nahrung dient. Die Synthese der Glucose in den chemoautotrophen Bakterien erfolgt im Calvinzyklus.

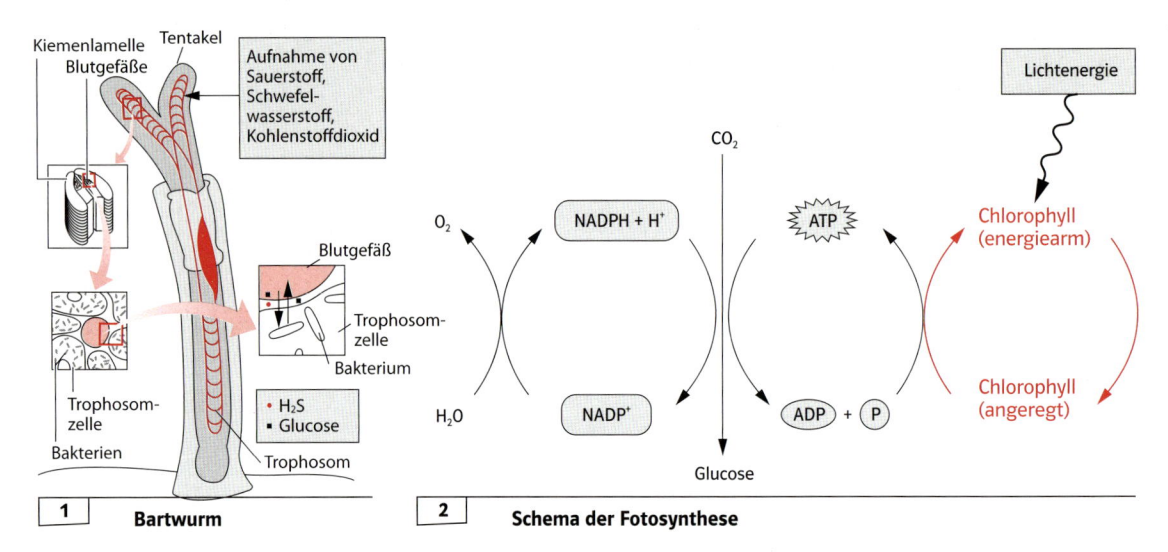

Stoff- und Energieumwandlung

1 Bartwurm

2 Schema der Fotosynthese

F/II **1.** Die Herstellung von energiereichen organischen Stoffen durch chemoautotrophe Bakterien nennt man auch Chemosynthese. Vergleichen Sie Fotosynthese und Chemosynthese.

F/III **2.** Entwerfen Sie ein Schema der Chemosynthese der Bakterien in den Bartwürmern nach dem Vorbild der Abb. 2. Verwenden Sie dazu die Informationen aus der Einleitung.

Lösung S. 188

F/II **3.** Markieren Sie in Abb. 2 und der Lösung der Aufgabe 2 die Bereiche, die den Calvinzyklus darstellen.

Notizen / Fragen / Schlüsselbegriffe / Ergänzungen / Hinweise aus dem Unterricht / Basiskonzept / Seitenverweise:

Genetik

9	DNA — Träger der Erbinformationen
10	Genetischer Code und Proteinbiosynthese
11	Neukombination von Genen bei der Fortpflanzung
12	Gene und Merkmalsbildung
13	Entwicklungsgenetik
14	Anwendungen und Methoden der Gentechnik
15	Humangenetik
16	Die Immunabwehr

9.2 Hitze zerstört die DNA-Doppelhelix

Bereits kurz nachdem WATSON und CRICK die dreidimensionale Struktur der DNA als Doppelhelix beschrieben hatten, konnte gezeigt werden, dass diese Struktur zusammenbricht, wenn die Wasserstoffbrückenbindungen zwischen den Purin- und den Pyrimidinbasen gelöst werden.

Struktur und Funktion

Durch Erhitzen und schnelles Abkühlen der DNA-Probe trennen sich die beiden komplementären DNA-Einzelstränge voneinander. Da sich bei diesem „Schmelzen" genannten Vorgang die isolierten Einzelstränge verknäulen, kommt es zu gravierenden Änderungen in den Eigenschaften des DNA-Moleküls.•

Eine Folge dieser strukturellen Umwandlung ist eine starke Verminderung der Viskosität der DNA-Lösung beim Erhitzen (d. h. die Lösung wird dünnflüssiger). Darüber hinaus ist die Absorption von UV-Licht der Wellenlänge 260 nm um 40 % gesteigert. Freie DNA-Basen besitzen nämlich eine sehr viel höhere Absorptionsrate als die in einer intakten DNA-Doppelhelix aneinandergereihten Basen.

	Adenin A	Thymin T	Guanin G	Cytosin C
Mensch	29,9			
Rind	28,7			
Grünalge	20,2			
Weizen	26,9			

1 Experimentelle Befunde zur Basenzusammensetzung (in %) der DNA verschiedener Arten

LERNTIPP
Mehr zu Wasserstoffbrückenbindungen erfahren Sie in den Konzepten 1.2 und 1.6 im Lehrbuch.

Lösung S. 189

F/II **1.** ERWIN CHARGAFF berichtete 1947, dass die Basenzusammensetzung artspezifisch ist.
Ergänzen Sie in der Tabelle in Abb. 1 die prozentualen Angaben der fehlenden Basen der einzelnen Arten, die Sie aufgrund der komplementären Basenpaarung erwarten.

F/III **2.** Die DNA von Grünalgen und die DNA des Menschen werden in zwei verschiedenen Gefäßen erwärmt. In Abhängigkeit von der Temperatur trennen sich die Einzelstränge der DNA-Moleküle immer mehr voneinander. Die DNA wird geschmolzen.
Im Spektralfotometer werden die DNA-Lösungen mit UV-Licht der Wellenlänge 260 nm untersucht. Mit ca. 65 °C liegt die Mindesttemperatur für die erhöhte UV-Absorption der Grünalgen-DNA höher als die der DNA des Menschen. Erklären Sie dieses Versuchsergebnis.

Notizen / Fragen / Schlüsselbegriffe / Ergänzungen / Hinweise aus dem Unterricht / Basiskonzept / Seitenverweise:

Genetik   DNA — Träger der Erbinformationen

9.3 Mithilfe von Fotometrie kann man DNA „wiegen"

Wie groß ist eigentlich der DNA-Gehalt einer Zelle? So gestellt, lässt sich die Frage nicht einfach beantworten, denn der DNA-Gehalt einer Zelle verändert sich im Verlauf des Zellzyklus. Stellen Sie sich vor, Sie sollen trotzdem den DNA-Gehalt einer Zelle bestimmen. Da wäre es doch schön, wenn Sie die DNA der zu untersuchenden Zelle wiegen könnten. Doch der DNA-Gehalt eines Zellkerns ist so niedrig, dass er nicht mit einer normalen Waage gemessen werden kann. Man bedient sich deshalb der Fotometrie. Dabei nutzt man die Eigenschaft transparenter Festkörper, Licht zu absorbieren. Eine Zelle ist ein solcher Körper. Die im Kern enthaltene DNA sorgt für eine Färbung des Zellkerns. Damit steigt die Absorption mit der Höhe des DNA-Gehalts. Man misst also die Absorptionswerte gefärbter Zellkerne: Durch Eichung mit Absorptionswerten einer bekannten DNA-Menge kommt man zu absoluten Angaben in Picogramm (1 pg = 10^{-12} g). So kommt man zu dem Ergebnis, dass beim Menschen die DNA in den Kernen von Körperzellen 7 pg „wiegt".

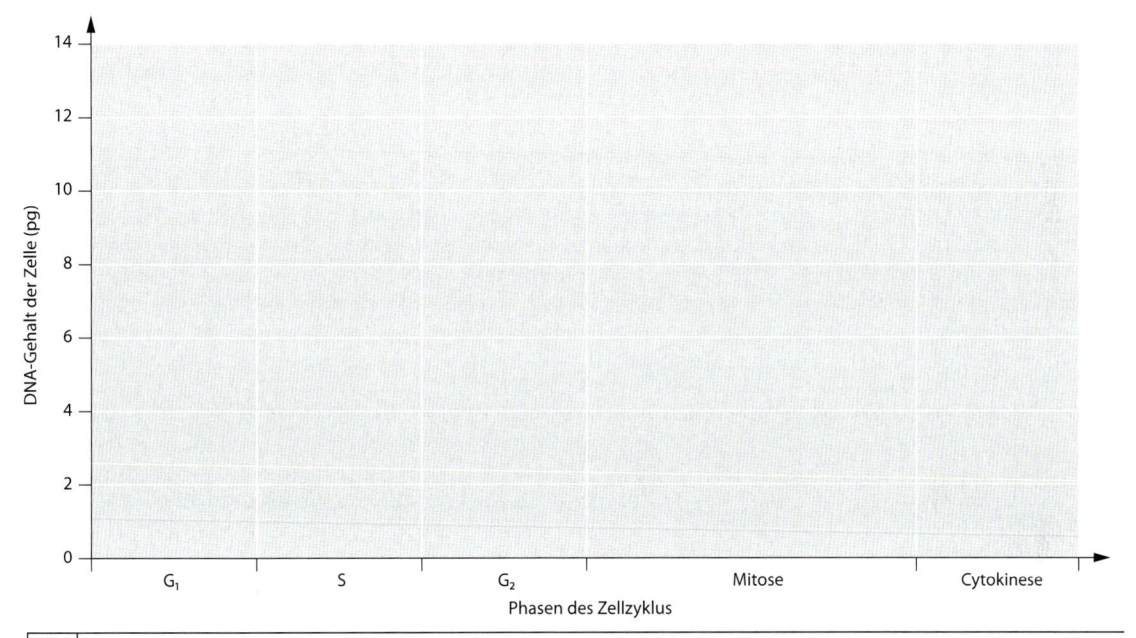

1 Änderung des DNA-Gehalts einer Körperzelle im Laufe des Zellzyklus

E/II **1.** Ermitteln Sie den DNA-Gehalt einer Körperzelle im Verlauf des Zellzyklus. Zeichnen Sie die Verlaufskurve des DNA-Gehalts in das Diagramm (Abb. 1) ein.

F/II **2.** Erklären Sie Ihre Darstellung.

F/I **3.** Geben Sie die Masse der Kern-DNA einer menschlichen Keimzelle (Ei- oder Spermienzelle) an.

Lösung
S. 189

Notizen / Fragen / Schlüsselbegriffe / Ergänzungen / Hinweise aus dem Unterricht / Basiskonzept / Seitenverweise:

DNA — Träger der Erbinformationen   Genetik

9.4 Isotope ermöglichten die Aufklärung des Mechanismus der DNA-Replikation

Auch in Ihrer Schule, in Ihrem Freundes- oder Bekanntenkreis gibt es vielleicht eineiige Zwillinge. Sie tragen nicht nur den gleichen Familiennamen, sie sehen sich auch noch zum Verwechseln ähnlich. Man muss schon sehr genau hinschauen, um sie voneinander zu unterscheiden. Es ist nicht überliefert, ob ein Zwillingspaar MESELSOHN und STAHL bei der Aufklärung des Mechanismus der DNA-Replikation geholfen hat. Und doch waren da chemische „Zwillinge" beteiligt, ohne die das Experiment so nie hätte durchgeführt werden können: ^{14}N und ^{15}N.

^{14}N und ^{15}N sind **Isotope**. Es handelt sich bei ihnen um Atome des gleichen Elements, die sich jedoch in ihrer Masse unterscheiden (wie die meisten eineiigen Zwillinge auch). Wie Sie wissen, sind Atome aus kleinsten Teilchen, den *Protonen* (positiv), den *Neutronen* (neutral) und den *Elektronen* (negativ) aufgebaut. Die Masse eines Atoms wird fast ausschließlich durch die im Atomkern enthaltenen Protonen und Neutronen bestimmt. Die Masse der Elektronen, die um den Atomkern kreisen, ist so gering, dass man sie vernachlässigen kann. Alle Stickstoffatome haben im Kern 7 Protonen. Das ist charakteristisch für sie. (Würde nur ein Proton mehr im Kern sein, wäre das Stickstoff- ein Sauerstoffatom.) Sie merken schon, wenn es nun unterschiedlich schwere Stickstoffatome gibt, dann können sie sich nur in der Anzahl ihrer Neutronen unterscheiden. Und genauso ist es: ^{14}N hat 7 Protonen und 7 Neutronen im Kern, ^{15}N 7 Protonen und 8 Neutronen. ^{15}N ist damit schwerer als ^{14}N. Jetzt verstehen Sie auch die kleine Zahl oben neben dem Elementsymbol für Stickstoff. Es ist die *Massenzahl*, die sich aus der Summe der Protonen und Neutronen errechnet.

Auch vom Element Kohlenstoff gibt es verschiedene Isotope. Neben dem zumeist vorkommenden ^{12}C enthält die Atmosphäre einen kleinen, aber konstanten Anteil des radioaktiven ^{14}C-Isotops. Es ist instabil und zerfällt unter Aussendung von radioaktiver Strahlung mit einer Halbwertzeit von 5730 Jahren. ^{14}C und ^{12}C werden entsprechend ihrem Verhältnis in der Luft von fotosynthetisch aktiven Pflanzen aufgenommen und in Biomasse umgewandelt. Über die Nahrungskette gelangt diese Biomasse auch in tierisches Gewebe. Stirbt der Organismus, so wird ihm kein weiteres ^{14}C von außen zugeführt.

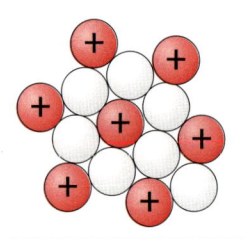

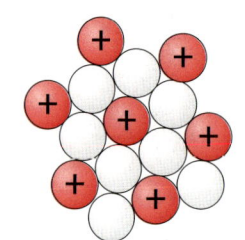

1 Vorstellung vom Aufbau eines ^{14}N-Stickstoff-Kerns und eines ^{15}N-Kerns

LERNTIPP
Das Meselsohn-Stahl-Experiment wird Ihnen im Lehrbuch in Konzept 9.4 vorgestellt. Weitere Details zur ^{14}C-Methode finden Sie in 20.1 in diesem Buch.

Lösung S. 189

F/I **1.** Erklären Sie, welche Bedeutung das ^{15}N-Stickstoffisotop für das Meselsohn-Stahl-Experiment hat.

F/II **2.** Im Rahmen der Altersbestimmung von Pflanzen und Tieren findet die *Radiocarbonmethode* Anwendung. Dabei messen die Wissenschaftler den Gehalt an ^{14}C in dem toten Gewebe und vergleichen ihn mit dem ^{14}C-Gehalt in lebenden Organismen. Erklären Sie, wie man auf diese Weise auf das Alter des toten Organismus schließen kann.

Notizen / Fragen / Schlüsselbegriffe / Ergänzungen / Hinweise aus dem Unterricht / Basiskonzept / Seitenverweise:

Genetik

DNA — Träger der Erbinformationen

9.5 Das Verpacken von DNA wäre bei Prokaryoten hinderlich

Schauen Sie sich in Ihrem Zimmer um. Liegt die Hose auf dem Boden an der Tür, das T-Shirt hängt an der Türklinke? Dann sind Sie wohl unordentlich. Es könnte aber auch einen anderen Grund geben: Sie sind bei der freiwilligen Feuerwehr und müssen bei Alarmierung binnen weniger Minuten in Dienstkleidung im Gerätehaus stehen. Da kann ein unnötiges Wegpacken der Kleidungsstücke wertvolle Zeit kosten.

Die DNA hat in allen Organismen den gleichen Aufbau. Dies hat mit den Replikationsmechanismen, aber auch mit der Proteinbiosynthese zu tun, die in allen Organismen nach den gleichen Grundprinzipien ablaufen. Unterschiede gibt es allerdings in der „Verpackung" der Erbinformation. In der Eucyte wird die DNA zu Chromosomen verpackt, in der Procyte finden wir keinen solchen Prozess, wohl weil sie sich viel öfter teilt.

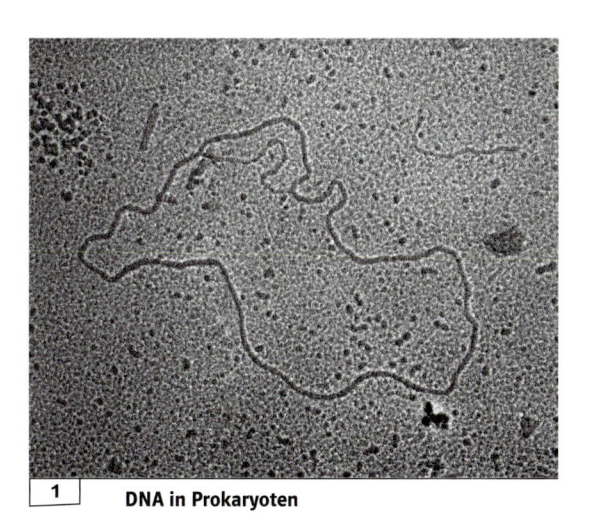

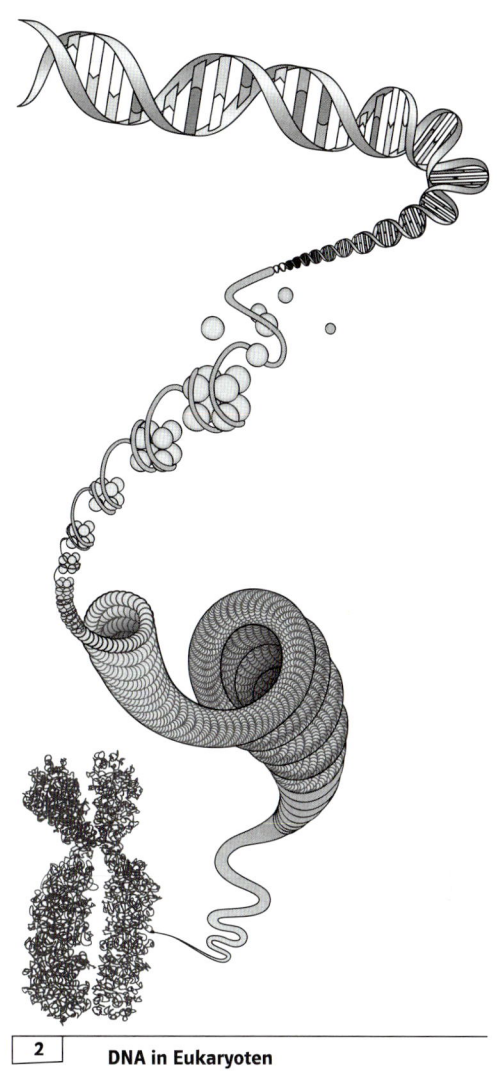

1 DNA in Prokaryoten

2 DNA in Eukaryoten

F/I **1.** Eukaryotische DNA liegt zu Chromosomen verpackt vor. Erklären Sie das Zustandekommen dieser Verpackung anhand von Abb. 2.

F/II **2.** Der Verpackungszustand eukaryotischer DNA ändert sich im Verlauf des Zellzyklus. Begründen Sie diesen Wechsel.

LERNTIPP
Über die Replikation der DNA können Sie sich im Lehrbuch in Konzept 9.4 informieren.

Lösung S. 189

Notizen / Fragen / Schlüsselbegriffe / Ergänzungen / Hinweise aus dem Unterricht / Basiskonzept / Seitenverweise:

10 Genetischer Code und Proteinbiosynthese

10.1 Der Triplettbindungstest knackt den DNA-Code für Aminosäuren

Wie NIRENBERG und MATTHAI den genetischen Code mit dem Triplettbindungstest aufgeklärt haben, haben Sie bereits kennengelernt.

In der unten stehenden Tabelle finden Sie einige Ergebnisse solcher Versuche. Links sind die eingesetzten synthetischen RNA-Moleküle angegeben, rechts die dadurch aufgebauten Peptide.

Mit der Entschlüsselung des genetischen Codes konnte dann auch auf dessen Eigenschaften geschlossen werden. Der genetische Code ist
- **nicht überlappend**: Die Basentripletts werden hintereinander abgelesen.
- **kommafrei**: Die Tripletts folgen ohne Leerstelle aufeinander.
- **eindeutig**: Jedem Triplett ist genau eine bestimmte Aminosäure zugeordnet.
- **redundant**: Die meisten Aminosäuren werden von mehreren Tripletts codiert.
- **universell**: In fast allen Organismen stimmen Codes und zugehörige Aminosäuren überein.

Experiment Nr.	synthetische RNA-Moleküle	damit entstehende Peptide
1	Poly-C	Pro – Pro – Pro – Pro – Pro – Pro – …
2	Poly-G	Gly – Gly – Gly – Gly – Gly – Gly – …
3	Poly-CG	Arg – Ala – Arg – Ala – Arg – Ala – … oder Ala – Arg – Ala – Arg – Ala – Arg – …
4	Poly-GAC	Asp – Asp – Asp – Asp – Asp – Asp – … oder Thr – Thr – Thr – Thr – Thr – Thr – … oder Arg – Arg – Arg – Arg – Arg – Arg – …
5	Poly-GCCC	Ala – Arg – Pro – Pro – Ala – Arg – Pro – Pro – …

1 Ergebnisse verschiedener Versuchsansätze mit dem Triplettbindungstest

F/I 1. Verwendet man Poly-C bzw. Poly-G, erhält man die aufgeführten Peptide mit jeweils nur einer Aminosäureart. Verwendet man RNA, in der zwei Nucleotide abwechselnd vorkommen, erhält man Peptide, in denen sich zwei Aminosäuren abwechseln. Erklären Sie dies.

F/II 2. Auch RNA-Moleküle mit 4 regelmäßig wechselnden Nucleotiden wurden konstruiert. Erklären Sie das Ergebnis von Experiment 5.

B/II 3. Begründen Sie die oben genannten Eigenschaften des genetischen Codes durch die dargestellten Versuchsergebnisse.

LERNTIPP
Der Triplettbindungstest wird Ihnen im Lehrbuch in einer Grafik im Konzept 10.1 vorgestellt. Hier finden Sie ebenfalls die für die Lösung benötigte Codesonne.

Lösung S. 190

Notizen / Fragen / Schlüsselbegriffe / Ergänzungen / Hinweise aus dem Unterricht / Basiskonzept / Seitenverweise:

Genetik
Genetischer Code und Proteinbiosynthese

10.3 Die mRNA wird in eine Aminosäurekette übersetzt

Bei der Translation wird die Nucleinsäuresequenz der mRNA in eine Aminosäuresequenz übersetzt und damit das dem Bauplan entsprechende Protein hergestellt. Die Abläufe lassen sich in 3 Phasen gliedern.

Mit dieser Aufgabe üben Sie, einen Ihnen bekannten Prozess schriftlich darzustellen. Dabei sollen Ihnen die unten stehenden Überschriften und Stichworte eine Hilfe sein.

Start der Translation
- Anlagerung der großen Ribosomen-Untereinheit
- kleine Untereinheit trifft auf Startcodon AUG
- mRNA bindet an kleine Untereinheit des Ribosoms
- Anticodon
- Basenpaarung mit Startcodon

Kettenverlängerung
- Peptidbindung
- tRNA-Bindungsstellen im Ribosom
- Anlagerung einer tRNA entsprechend der Basenpaarung
- Verlängerung der Aminosäurekette (Polypeptidkette)
- mRNA rückt um 3 Basen weiter
- Codon und Anticodon
- beladene tRNA
- unbeladene tRNA

Kettenabbruch
- Ribosom zerfällt in seine beiden Untereinheiten
- Stoppcodon
- Freisetzung der fertigen Polypeptidkette

K/II 1. Beschreiben Sie den Ablauf der Translation anhand der Abb. 3 auf S. 165 im Lehrbuch. Bringen Sie dafür zunächst die den Phasen der Translation zugeordneten Stichworte in die richtige Reihenfolge und bauen Sie diese in Ihren Text ein.

LERNTIPP
Informationen zum Aufbau der Ribosomen finden Sie in Konzept 2.3 im Lehrbuch.

Lösung S. 190

Notizen / Fragen / Schlüsselbegriffe / Ergänzungen / Hinweise aus dem Unterricht / Basiskonzept / Seitenverweise:

Genetischer Code und Proteinbiosynthese — Genetik

10.4 Bei Prokaryoten werden Proteine anders hergestellt

Transkription und Translation bei Eukaryoten haben Sie bereits kennengelernt. Aber wie sieht die Proteinbiosynthese bei Prokaryoten aus? Auch bei ihnen verläuft die Proteinbiosynthese prinzipiell in den gleichen Phasen. Ein paar wichtige Unterschiede in den Abläufen gibt es jedoch, die Sie hier kennenlernen sollen.

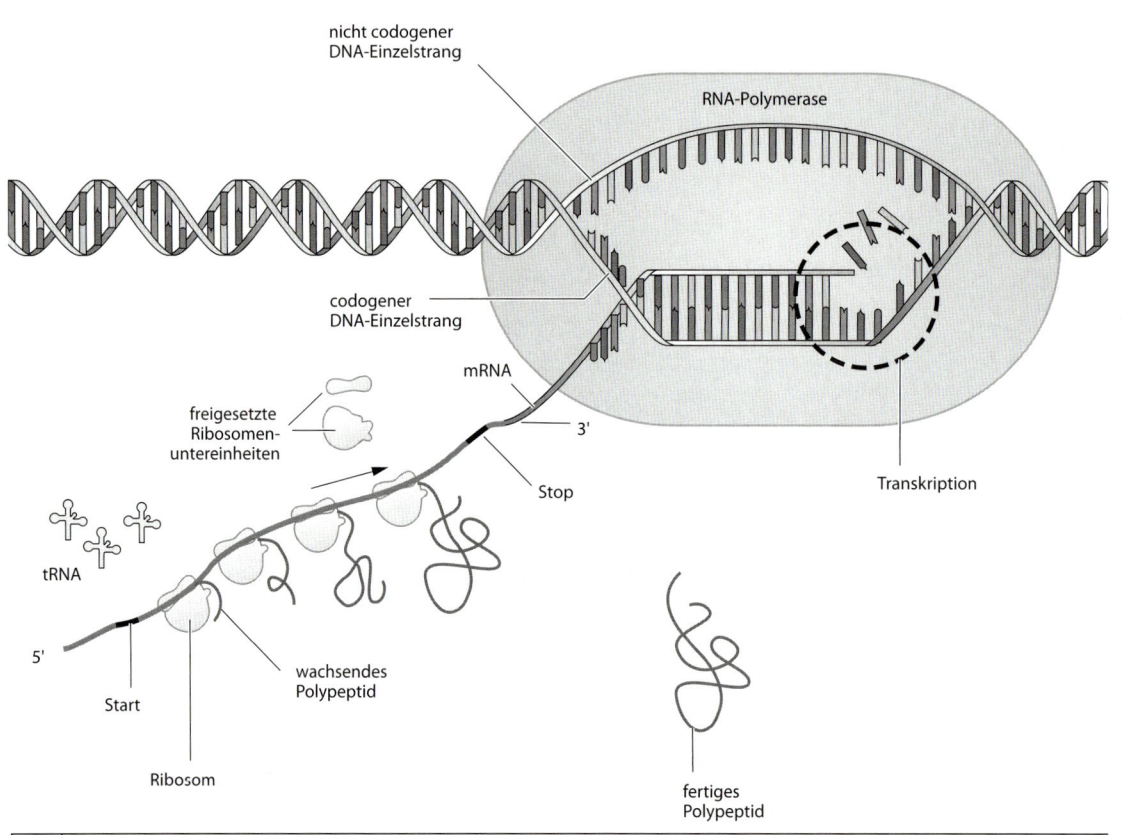

1 Schema der Proteinbiosynthese bei Prokaryoten

F/I 1. Nennen Sie die Unterschiede im Aufbau von Prokaryoten und Eukaryoten und leiten Sie daraus einen wesentlichen Unterschied in der Organisation der Proteinbiosynthese ab.

E/II 2. Vergleichen Sie die Proteinbiosynthese bei Prokaryoten (Abb. 1) und Eukaryoten (Konzepte 10.2 bis 10.4 im Lehrbuch).

LERNTIPP
Zum Aufbau von Prokaryoten und Eukaryoten lesen Sie die Konzepte 2.2 und 2.3 im Lehrbuch. Hinweise zur Proteinbiosynthese finden Sie dort in den Konzepten 10.2, 10.3 und 10.4.

Lösung S. 190

Notizen / Fragen / Schlüsselbegriffe / Ergänzungen / Hinweise aus dem Unterricht / Basiskonzept / Seitenverweise:

Genetik Genetischer Code und Proteinbiosynthese

10.5 Bakterien regulieren ihre Proteinausstattung selbst

Wo ist eigentlich die nächste öffentliche Telefonzelle in Ihrer Nähe? Seitdem das Handy unser täglicher Begleiter ist, nutzen wir Telefonzellen nur noch, wenn wir gerade einmal kein Guthaben auf der Karte oder aber keinen Empfang haben. Mit dem Handy zu telefonieren, ist einfacher und schneller und führt mit geringerem Aufwand zum Erfolg.

Unser Stoffwechsel arbeitet ähnlich: energetisch günstig und materialsparend. Viele Proteine werden im Stoffwechsel der Zellen ständig benötigt. Andere, die nur unter besonderen Bedingungen produziert werden müssen, werden deshalb in ihrer Synthese durch Regulationsmechanismen beschränkt. Besonders wichtig sind solche Regulationsmechanismen bei Bakterien wie *Escherichia coli*, die dadurch flexibel auf Änderungen in ihrer Umwelt reagieren können.•

Steuerung und Regelung

In einem Experiment kultivierte man *E. coli* in einem Nährmedium mit 0,4 mg Glucose und 2 mg Lactose. Glucose wird von *E. coli* als Substrat verwendet und über Glykolyse, Citratzyklus und Atmungskette in ATP umgewandelt. Lactose ist ein Disaccharid, das vom Enzym ß-Galactosidase in Glucose und Galactose gespalten werden kann. Abb. 1 zeigt die Entwicklung der Bakteriendichte mit der Zeit. Die Menge an ß-Galactosidase wird in der unteren Kurve angegeben.

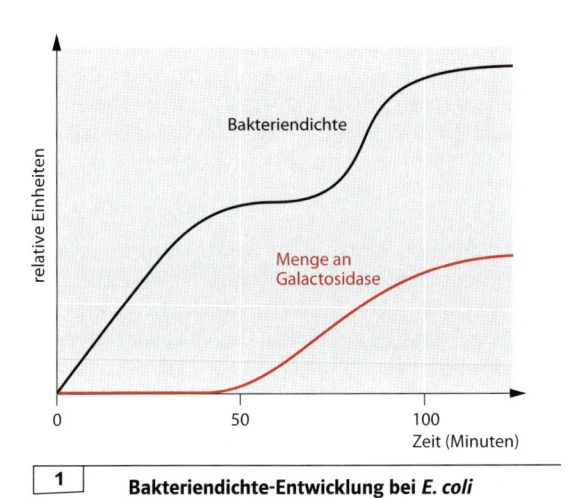

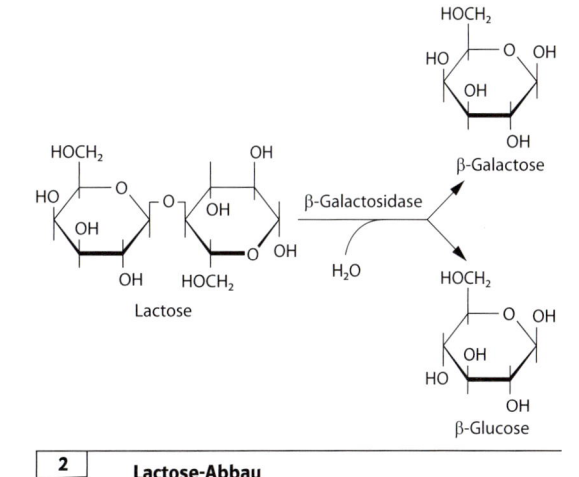

1 Bakteriendichte-Entwicklung bei *E. coli*

2 Lactose-Abbau

F/II 1. Beschreiben Sie die Kurvenverläufe der Bakteriendichte und der Enzymmenge und erklären Sie die Versuchsergebnisse des Experiments mithilfe des Operonmodells.

F/II 2. Stellen Sie die grundsätzliche biologische Bedeutung des dargestellten Vorgangs im Stoffwechsel dar.

E/III 3. Beurteilen Sie, welche Folgen Mutationen (Veränderungen in der Basenfolge) in den Strukturgenen, im Operator- und im Regulatorgen haben können.

LERNTIPP
Das Operonmodell finden Sie im Lehrbuch in Abb. 1 und 2 zu Konzept 10.5. Informationen zu Mutationen liefern Ihnen die Konzepte 12.4 und 12.5.

Lösung S. 191

Notizen / Fragen / Schlüsselbegriffe / Ergänzungen / Hinweise aus dem Unterricht / Basiskonzept / Seitenverweise:

Genetischer Code und Proteinbiosynthese   Genetik

10.6 Die „Neue Grippe" nutzt den Menschen als Wirt

„Verlängerung der Sommerferien in Deutschland?" Wer von Ihnen würde auf diese Frage nicht mit einem freudigen „Ja!" antworten? Doch im Sommer 2009 hatte diese Frage einen ernsten Hintergrund: Im April des Jahres infizierten sich in Mexiko plötzlich einige Personen mit einer neuen Variante eines erstmals 1930 an Schweinen nachgewiesenen Grippe-Erregers (daher der Name „Schweinegrippe"). Ging man zunächst davon aus, dass der Ausbruch der „Neue Grippe" genannten Influenza auf Mexiko beschränkt werden könnte, wurde schon Anfang Juni von der Weltgesundheitsorganisation (WHO) die höchste Gefahrenstufe 6 verkündet: wachsende, flächendeckende und vor allem anhaltende Infektionen und Übertragungen von Mensch zu Mensch in der gesamten Weltbevölkerung. Die „Neue Grippe" war zu einem weltweiten Problem geworden.

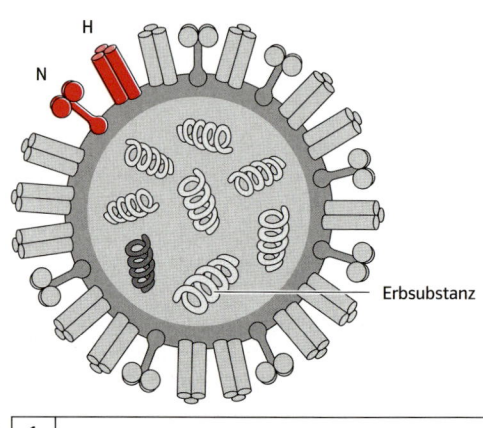

1 H- und N-Proteine auf einem Virus (Erbsubstanz)

Influenza-Viren lassen sich in drei Typen (A, B, C) einteilen. Ihr Genom besteht aus acht RNA-Abschnitten, die genetische Informationen für die Vermehrung und den Zusammenbau der Viruspartikel enthalten. Die Segmente codieren für zehn virale Proteine. Durch ständige Mutationen entstehen immer neue Varianten der Viren. Diese werden nach bestimmten Eigenschaften ihrer Oberflächenproteine Hämagglutinin („H") und Neuraminidase („N") in Subtypen eingeteilt. Hämagglutinin vermittelt bei der Infektion einer Wirtszelle die Anheftung und das Eindringen des Virus. Neuraminidase spielt eine entscheidende Rolle bei der Freisetzung von neu entstandenen Viren aus den infizierten Zellen. Insgesamt kennt man derzeit 16 H- und 9 N-Typen.

Der nun in Mexiko aufgetauchte und sich über die ganze Welt verbreitende Subtyp A des H1N1-Erregers hat sich weiterentwickelt. Er ist eine Mischung aus Schweine-, Vogel- und Menschenvirus und kann sich daher auch von Mensch zu Mensch weiter verbreiten. Er überträgt sich durch feinste Tröpfchen (Tröpfcheninfektion). Da er sich in den Atemwegen einnistet, sind also Tröpfchen aus dem Nasen-Rachenraum gefährlich. Das Virus ist unempfindlich gegen Austrocknung, bleibt bei niedriger Temperatur und niedriger Luftfeuchtigkeit länger infektiös und kann deshalb auch durch Schmierinfektion übertragen werden.

F/II 1. Beschreiben Sie den Infektionsweg und die Vermehrung des Virus A/H1N1 in menschlichen Zellen. Beachten Sie dabei, dass das komplette Virus durch Pinocytose in die Wirtszelle gelangt und ein RNA-Genom enthält.

B/II 2. Geben Sie eine Empfehlung, wie sich die Bevölkerung verhalten sollte, um eine weitere Ausbreitung der „Neuen Grippe" in ihrem Umfeld zu vermeiden.

E/III 3. Zur Behandlung von Influenza-Infektionen werden Neuraminidasehemmer eingesetzt. Stellen Sie eine Hypothese über die Wirkung dieser Medikamente auf und erklären Sie, warum für eine optimale Wirksamkeit der möglichst frühzeitige Beginn der Therapie entscheidend ist.

LERNTIPP
Zur Vermehrung von Viren siehe Abb. 3 zu Konzept 10.6 im Lehrbuch.

Lösung S. 191

Notizen / Fragen / Schlüsselbegriffe / Ergänzungen / Hinweise aus dem Unterricht / Basiskonzept / Seitenverweise:

Genetik Genetischer Code und Proteinbiosynthese

10.9 Die Fellfarbe wird nicht nur von der Erbsubstanz bestimmt

Wie Sie wissen, ist es die DNA-Sequenz, die viele Zellmerkmale festlegt. Es gibt aber auch Ausnahmen. Auch Proteine oder micro-RNAs können den Phänotyp beeinflussen. Hier lernen Sie nun ein Beispiel für das sogenannte „Silencing" kennen.

Steuerung und Regelung

Bei der Maus hat das *Kit*-Gen eine zentrale Bedeutung in verschiedenen Entwicklungsprozessen. Das *Kit*-Genprodukt hat Einfluss auf die Steuerung von Keimzellentwicklung, Blutzellteilung und Melaninbildung. Macht man ein *Kit*-Gen funktionsunfähig, so erzeugt man eine sogenannte „Kit-Nullmutante". Wie der Mensch, so hat auch die Maus einen diploiden Chromosomensatz: Jedes Autosom und damit jedes auf ihm liegende Gen liegt in jeder Körperzelle doppelt vor. Mäuse mit Nullmutanten des *Kit*-Gens auf beiden Chromosomen sterben schon kurz nach der Geburt. Ist eines der Gene die Nullmutante, das andere das normale *Kit*-Gen, so kommt es zu einer verminderten *Kit*-Expression. Die Mäuse weisen dann weiß gefärbte Fellregionen auf. Kreuzt man solche Fleckenmäuse mit Mäusen, die zwei normale *Kit*-Gene tragen (Wildtyp), so entstehen sowohl Nachkommen mit zwei normalen Genen als auch solche mit einem normalen und einem veränderten Gen — und zwar im Verhältnis 1 zu 1. Erstaunlicherweise weisen aber auch die meisten Mäuse mit zwei normalen Genen weiße Flecken auf.

Überträgt man in einem weiteren Versuch die RNA aus Spermienzellen von Fleckenmäusen auf Wildtyp-Zygoten, so wachsen ebenfalls Mäuse mit dem Flecken-Aussehen heran. Die Forscher schließen daraus, dass dieses Merkmal über die RNA vererbt wurde, und sprechen hier von „epigenetischer Vererbung".

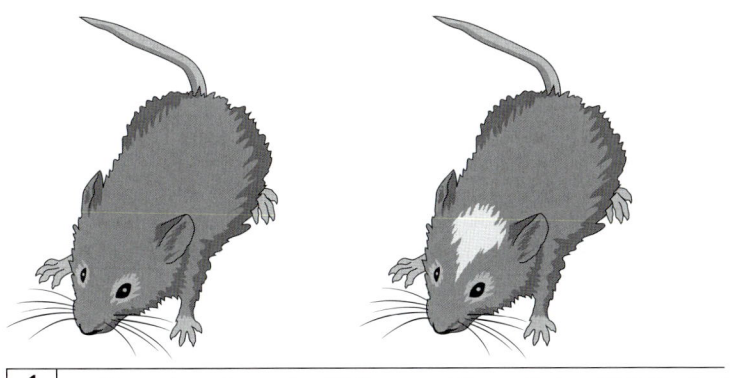

1 Maus mit zwei normalen *Kit*-Genen und Maus mit einer Kit-Nullmutante

F/II 1. Erläutern Sie den Schluss der Forscher, dass es sich hier um eine epigenetische Vererbung über die RNA handelt.

E/III 2. Auch beim Menschen wurde die Existenz von RNA in Spermien bereits nachgewiesen. Diskutieren Sie, ob die Erkenntnisse aus den Maus-Experimenten auch Auswirkungen auf die Erforschung von menschlichen Erbkrankheiten haben könnten.

Lösung S. 191

Notizen / Fragen / Schlüsselbegriffe / Ergänzungen / Hinweise aus dem Unterricht / Basiskonzept / Seitenverweise:

11 Neukombination von Genen bei der Fortpflanzung — Genetik

11.1 Klonen lässt sich auch über Artgrenzen hinweg praktizieren

Die Nachricht, dass britische Wissenschaftler zu Forschungszwecken Embryonen aus menschlichem Erbgut und Eizellen von Kühen schaffen wollten, um auf diese Weise menschliche embryonale Stammzellen (Zellen von wenige Tage alten Embryonen, die sich unbegrenzt vermehren und alle Zelltypen des Körpers bilden können) zu gewinnen, sorgte weltweit für Aufsehen.

Bisher wurden für die Gewinnung embryonaler Stammzellen menschliche Eizellen verwendet, die bei einer künstlichen Befruchtung der Frau nicht eingesetzt und von dieser der Forschung zur Verfügung gestellt wurden. Jetzt sollen menschliche embryonale Stammzellen dadurch gewonnen werden, dass ein menschlicher Zellkern in eine entkernte Kuheizelle übertragen wird. Ziel der britischen Wissenschaftler ist es, Stammzellen genetisch passend zu einem bestimmten Patienten zu erhalten, aus denen neue Körpergewebe (z. B. Leber-, Herz-, Muskelzellen) gezüchtet werden können. So ließe sich dem Patienten das Gewebe dann problemlos transplantieren. Darüber hinaus könnten solche Stammzellen mit dem genetischen Material von derzeit unheilbar kranken Menschen gezüchtet werden. Diese Zellen könnten dann wiederum der Erforschung der genetischen und biologischen Umstände der Erkrankung im Labor dienen.

Skizze:

1 Herstellung einer Mensch-Kuh-Hybrid-Zelle mittels therapeutischen Klonens

F/II 1. Skizzieren Sie die Herstellung einer Mensch-Kuh-Hybrid-Zelle und beschreiben Sie das Vorgehen.

F/III 2. Begründen Sie, warum auf diese Weise embryonale Stammzellen entstehen, die zu 99,9 % menschlich sind, und leiten Sie den wesentlichen Vorteil dieses Verfahrens gegenüber der herkömmlichen Gewinnung von embryonalen Stammzellen ab.

Lösung S. 192

B/III 3. Inzwischen ist die Herstellung solcher Mensch-Kuh-Hybride in Großbritannien erlaubt, in den meisten anderen Ländern der Welt nicht. Nehmen Sie aus ethischer Sicht Stellung zu diesem Sachverhalt.

Notizen / Fragen / Schlüsselbegriffe / Ergänzungen / Hinweise aus dem Unterricht / Basiskonzept / Seitenverweise:

Genetik — Neukombination von Genen bei der Fortpflanzung

11.2 Der zeitliche Ablauf der Meiose bei Mann und Frau unterscheidet sich

Im männlichen Organismus beginnen die meiotischen Teilungen der Urspermienzelle mit der Pubertät. Sie können dann jedoch bis ins hohe Alter stattfinden, da ständig aus den Urkeimzellen reife Spermien gebildet werden. Die Dauer eines Meiosezyklus beträgt etwa 10 Tage. Die ca. 200 bis 300 Millionen Spermien pro Ejakulat behalten für ein bis zwei Tage ihre Bewegungsfähigkeit und können eine Eizelle befruchten. Bei der Frau beginnt die Gametenbildung bereits während ihrer eigenen Embryonalentwicklung (vgl. Abb. 1).•

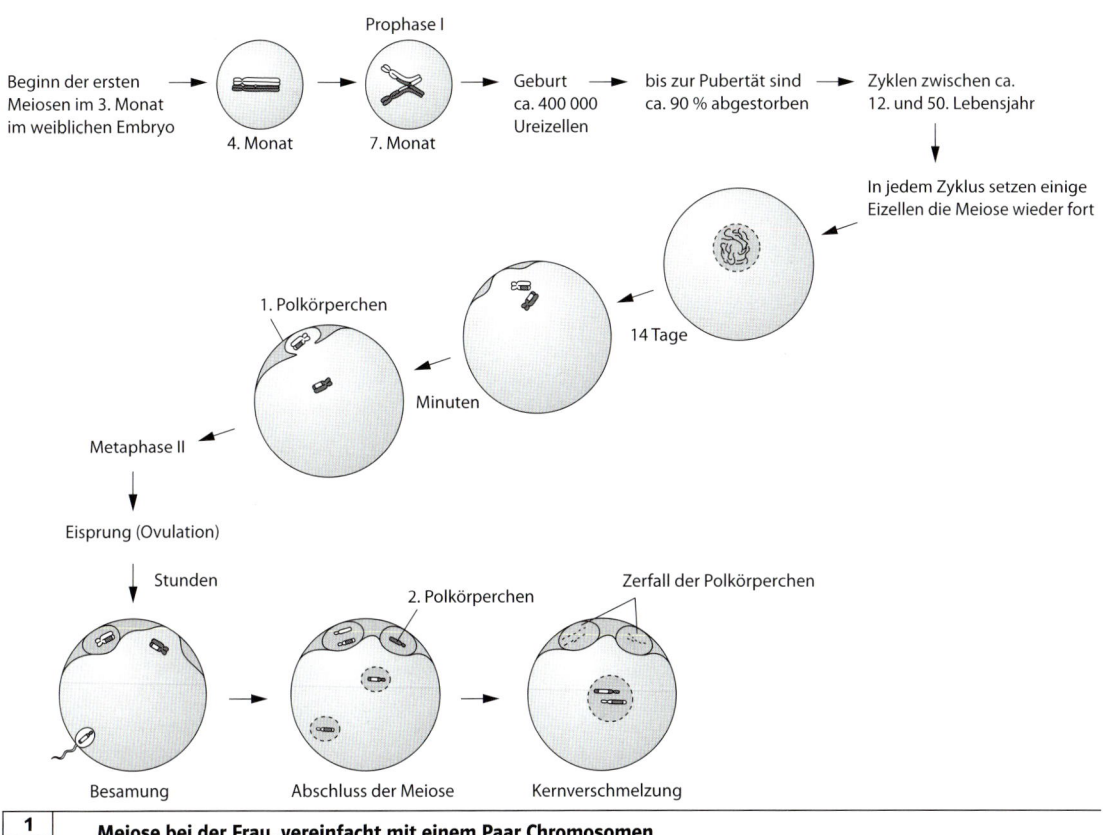

Reproduktion

1 Meiose bei der Frau, vereinfacht mit einem Paar Chromosomen

F/I 1. Erläutern Sie den Ablauf der Meiose und vergleichen Sie die Keimzellenbildung beim Mann (Abb. 1, S. 180 im Lehrbuch) und bei der Frau (Abb. 1).

K/II 2. Beschreiben Sie den zeitlichen Verlauf der Eizellenbildung und vergleichen Sie ihn mit dem der Spermienbildung.

Lösung S. 192

Notizen / Fragen / Schlüsselbegriffe / Ergänzungen / Hinweise aus dem Unterricht / Basiskonzept / Seitenverweise:

11.4 Verschiedene Gene können bei der Ausprägung einer Eigenschaft interagieren

Haben Sie schon einmal den Hühnern auf den Kamm geguckt? Ja, da gibt es Unterschiede. Nachdem Sie diese Aufgabe bearbeitet haben, werden Sie garantiert darauf achten.

Bezüglich der Vererbung der Kammform von Hühnern fanden W. BATESON und R.C. PUNNETT 1905 Erstaunliches heraus. Sie kreuzten eine reinerbige Linie mit rosettenförmigem Kamm mit einer ebenfalls reinerbigen Linie mit erbsenförmigem Kamm und erhielten in der F_1-Generation Hühner mit einer einheitlichen, walnussförmigen Kammform. Werden die Individuen untereinander gekreuzt, so treten in der F_2-Generation die Phänotypen walnussförmig, rosettenförmig, erbsenförmig und ein neuer Phänotyp „Einfachkamm" im Verhältnis 9 : 3 : 3 : 1 auf.

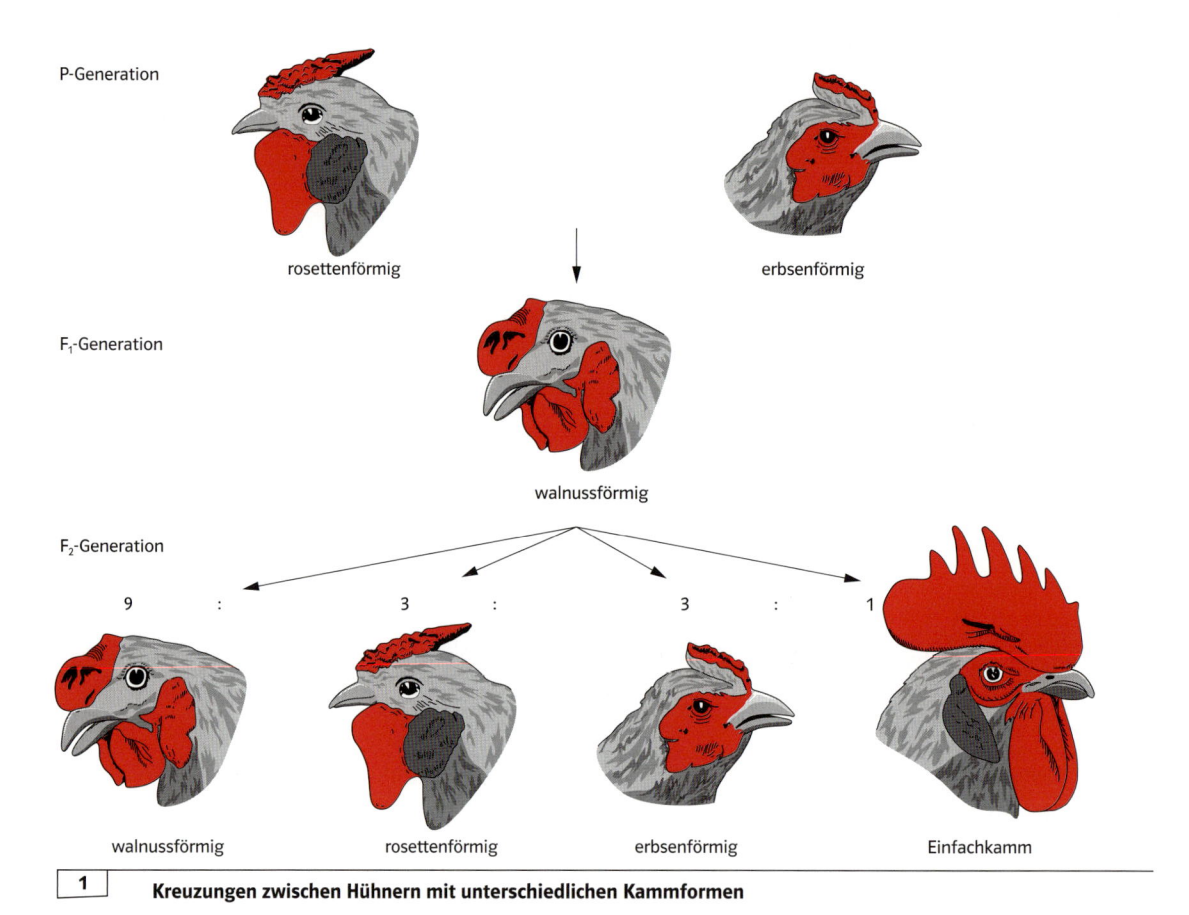

P-Generation: rosettenförmig × erbsenförmig

F_1-Generation: walnussförmig

F_2-Generation: 9 walnussförmig : 3 rosettenförmig : 3 erbsenförmig : 1 Einfachkamm

1 Kreuzungen zwischen Hühnern mit unterschiedlichen Kammformen

Lösung S. 193

F/III **1.** Stellen Sie Kreuzungsschemata für die oben genannten Kreuzungen auf und erklären Sie die Versuchsbeobachtungen unter Einbezug von MENDELS Vererbungsregeln.

Notizen / Fragen / Schlüsselbegriffe / Ergänzungen / Hinweise aus dem Unterricht / Basiskonzept / Seitenverweise:

Genetik — Neukombination von Genen bei der Fortpflanzung

11.5 Variabilität wird auch durch Platztausch der Gene in der Meiose erreicht

Mit diesem Modellversuch können Sie sich ein Bild von der Häufigkeit von Kopplungsbrüchen zwischen unterschiedlich weit voneinander entfernten Genorten machen. Sie benötigen dazu zwei Streichhölzer und ein Trinkglas, auf dessen Boden die Streichhölzer frei liegen können. Die Streichhölzer entsprechen den Nicht-Schwester-Chromatiden homologer Chromosomen (vgl. Abb. 1). Die fünf Farbmarkierungen stellen die „Gene" A, B, C, D, und E auf einer der beiden Chromatiden dar. Die Gene werden somit zusammen vererbt (Kopplungsgruppe).

Die beiden Streichhölzer werden im Glas gut durchgeschüttelt. Das Glas wird umgestülpt, sodass die Hölzer auf den Tisch fallen. An der Stelle, an der das nicht markierte Streichholz das markierte überlagert, findet ein Kopplungsbruch zwischen den entsprechenden Genen statt (vgl. Abb. 2).

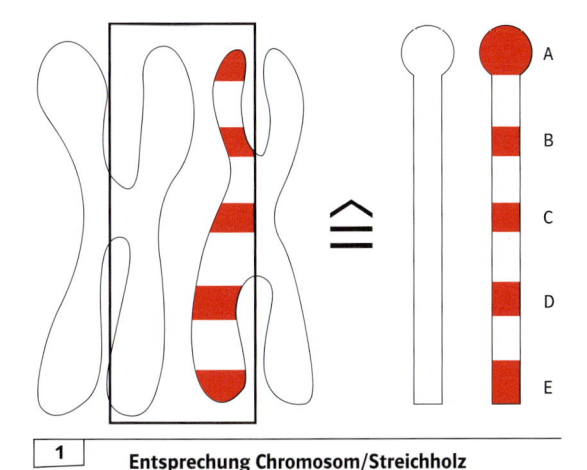

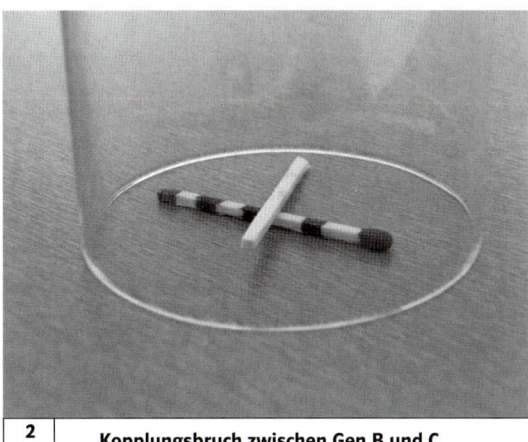

1 Entsprechung Chromosom/Streichholz

2 Kopplungsbruch zwischen Gen B und C

F/I 1. Erläutern Sie, wie es zur Rekombination gekoppelter Gene kommen kann.

E/I 2. Führen Sie das Experiment 100-mal durch und protokollieren Sie es als Strichliste in untenstehender Tabelle. Im Falle eines nicht eindeutigen Ergebnisses (z. B. Streichhölzer nicht überkreuzt), wird der Wurf wiederholt. Hinweis: In Abb. 2 liegt das weiße Streichholz zwischen B und C. Damit sind auch A von C, D und E, sowie B von C, D und E getrennt.
Untersuchen Sie die Wahrscheinlichkeit (Anzahl der Trennungen / 100) von Kopplungsbrüchen in Abhängigkeit von der Lage der Gene auf dem Chromosom und veranschaulichen Sie dies in einem Diagramm.

Trennung	A – B	A – C	A – D	A – E	B – C	B – D	B – E	C – D	C – E	D – E
Summe (%)										

Lösung S. 193

Notizen / Fragen / Schlüsselbegriffe / Ergänzungen / Hinweise aus dem Unterricht / Basiskonzept / Seitenverweise:

12.2 Monogenetische Merkmale lassen sich durch Mangelmutanten identifizieren

Sie wissen, dass Stoffwechselprodukte häufig über mehrere Syntheseschritte aus Vorstufen hergestellt werden und dass jede dieser chemischen Reaktionen in der Zelle von einem spezifischen Enzym katalysiert wird. Für die Herstellung der Aminosäure Arginin wurde dieser Syntheseweg am Schimmelpilz *Neurospora* genauer untersucht, und die beteiligten Enzyme wurden identifiziert. Die längste Zeit des Lebenszyklus ist der Pilz ein haploider Organismus. Deshalb müssen sich die Forscher keine Gedanken über dominante und rezessive Allele machen. Im Labor wächst *Neurospora* sehr gut auf **Minimalnährboden**, der nur ein paar einfache Zucker, anorganische Salze und das Vitamin Biotin enthält. Der Pilz muss Enzyme besitzen, die diese einfachen, für das Wachstum wichtigen Stoffe in Aminosäuren und Vitamine umwandeln.

1 *Neurospora*

Durch Bestrahlung mit Röntgen- und UV-Strahlen lassen sich bei *Neurospora* Zufallsmutationen hervorrufen. Unter den Mutanten sind solche, die die Aminosäure Arginin nicht mehr synthetisieren können. Solche Mutanten werden als **Mangelmutanten** bezeichnet. 1941 wurden drei solcher Arginin-Mangelmutanten isoliert. Vermutet wurde, dass bei den Mangelmutanten ein Enzymdefekt im Syntheseweg des Arginins vorlag. Um nun herauszufinden, welche spezifische Enzymreaktion ausgefallen war, wurde das Wachstum der Mutanten auf weiteren Minimalnährböden getestet, denen statt Arginin die Vorstufen der Arginin-Synthese Citrullin oder Ornithin zugesetzt wurden. Die Experimente zeigten drei unterschiedliche Arginin-Mangelmutanten:

Arginin-mangel-mutanten	Minimalnährböden			
	ohne Zusatz	unter Zusatz von Ornithin	unter Zusatz von Citrullin	unter Zusatz von Arginin
Typ 1	–	+	+	+
Typ 2	–	–	+	+
Typ 3	–	–	–	+

2 Wachstum von *Neurospora*-Mangelmutanten

F/I 1. Erklären Sie den Begriff „Mutante".

K/I 2. Beschreiben Sie das Wachstumsverhalten der verschiedenen Mangelmutanten auf Minimalnährböden mit den unterschiedlichen Zusätzen (Abb. 2).

Lösung S. 193

F/II 3. Ermitteln Sie, welcher Enzymdefekt bei den drei Mutanten jeweils vorliegt, und leiten Sie daraus eine Reihenfolge der Stoffwechselschritte in der Arginin-Synthese ab.

Notizen / Fragen / Schlüsselbegriffe / Ergänzungen / Hinweise aus dem Unterricht / Basiskonzept / Seitenverweise:

Genetik   Gene und Merkmalsbildung

12.3 Zwillinge mit unterschiedlicher Hautfarbe sind eine Folge von Polygenie

„Einmal schwarz, einmal weiß — Überraschung im Kreißsaal: In einem Berliner Krankenhaus sind Zwillinge mit unterschiedlicher Hautfarbe auf die Welt gekommen." Das konnte man im Juli 2008 in deutschen Zeitungen lesen. Die Mutter des Zwillingspaars Leo und Ryan stammt aus Ghana in Westafrika, der Vater kommt aus Deutschland.•

Die Chance, dass Paare mit unterschiedlicher Hautfarbe Zwillinge mit so unterschiedlicher Hautfarbe bekommen, liegt bei eins zu einer Million.

Die Hautpigmentierung beim Menschen wird von mindestens drei unabhängigen Genen kontrolliert (wahrscheinlich sind es noch mehr, aber wir wollen hier vereinfachen). Betrachten Sie drei Gene mit je einem Allel für dunkle Hautfarbe (*A, B, C*), die einen bestimmten Grad an Bräune bedingen und unvollständig dominant über die anderen Allele (*a, b, c*) sind. Ein Mensch mit dem Genotyp *AABBCC* wäre sehr dunkelhäutig, während einer mit dem Genotyp *aabbcc* sehr helle Haut besäße. Eine Person mit dem Genotyp *AaBbCc* hätte eine Haut mittlerer Bräunung. Weil die Allele eine kumulative (ansammelnde) Wirkung haben, würden die beiden Genotypen *AaBaCc* und *AABbcc* denselben genetischen Beitrag (drei „Einheiten") zur Bräunung der Haut leisten.

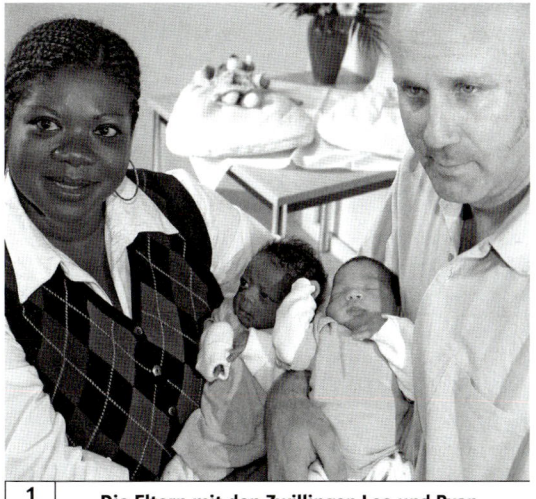

Reproduktion

1   **Die Eltern mit den Zwillingen Leo und Ryan**

F/I   **1.** Erstellen Sie ein Kreuzungsschema für die Kreuzung zwischen zwei Individuen, die heterozygot für alle drei Gene sind (Genotyp *AaBbCc*).

F/II   **2.** Bestimmen Sie, wie viele phänotypisch unterschiedliche Varianten daraus resultieren.

K/II   **3.** Stellen Sie Ihre Ergebnisse grafisch dar. Ordnen Sie dazu die phänotypischen Möglichkeiten nach ansteigender Hautpigmentierung auf der x-Achse an. Die y-Achse gibt die relative Häufigkeit der einzelnen Varianten unter der Nachkommenschaft der trihybriden Kreuzung an. Vergleichen Sie die Versuchsergebnisse mit den Informationen, die Sie über die Zwillinge Leo und Ryan und ihre unterschiedliche Hautfarbe im Text erhalten haben.

F/II   **4.** Begründen Sie, warum es sich bei Leo und Ryan um zweieiige Zwillinge handeln muss.

Lösung S. 193

Notizen / Fragen / Schlüsselbegriffe / Ergänzungen / Hinweise aus dem Unterricht / Basiskonzept / Seitenverweise:

Gene und Merksmalsbildung

12.4 Eine kleine Genmutation lässt Kinder sehr schnell altern

Kleiner Fehler, große Wirkung: Ein Beispiel ist die seltene Krankheit Progerie, von der weltweit etwa 50 Fälle bekannt sind. An Progerie erkrankten Kindern fallen bereits mit zwei Jahren die Haare aus, mit sechs Jahren leiden sie schon an Arterienverkalkung und Osteoporose. Der Alterungsprozess dieser Kinder läuft wie im Zeitraffer ab. Sie werden nicht größer als 1 m, wiegen nicht mehr als 15 kg und sterben mit etwa 12–13 Jahren. Die Ursache für Progerie ist ein genetischer Buchstabierfehler im menschlichen Genom, eine Genmutation. Ein T anstatt eines C an Position Nr. 1824 des *Lamin*-Gens ist der Auslöser: Lamin ist ein Protein, das normalerweise die Innenseite des Zellkerns stabilisiert. Es wird durch die Mutation in seiner Struktur und Wirkung verändert.

Das folgende Strukturierungsschema soll Ihnen bei der Systematisierung von Genmutationen helfen:

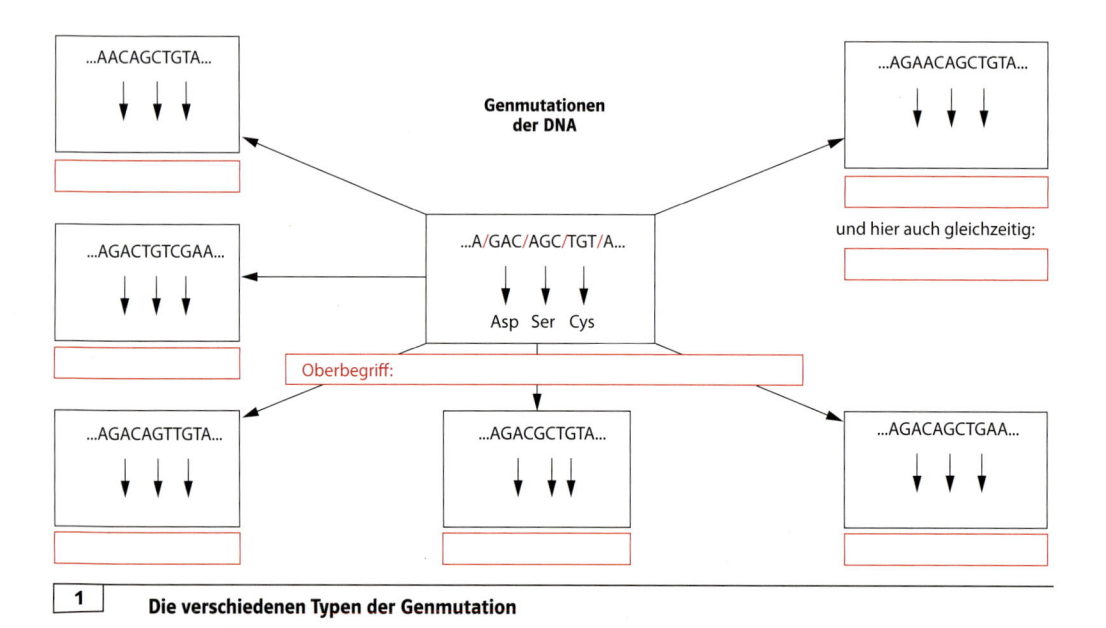

1 Die verschiedenen Typen der Genmutation

F/I 1. Werten Sie obiges Schema in Bezug auf die Typen von Mutationen aus. Markieren Sie hierzu die Veränderungen in der DNA, ermitteln Sie die resultierenden Aminosäuresequenzen mithilfe der Codesonne auf S. 162 im Lehrbuch. Benennen Sie anschließend die Typen der Genmutationen (rote Kästen.)

F/II 2. Beurteilen Sie die Auswirkungen der einzelnen Mutationen. Benennen Sie den Mutationstyp, der die Progerie verursacht.

B/III 3. Progerie ist durch das Wissen um diese Mutation frühzeitig pränatal diagnostizierbar. Stellen Sie Argumente für und gegen die Durchführung pränataler Diagnostik zusammen.

LERNTIPP
Informationen zur pränatalen Diagnostik finden Sie in Konzept 15.5 im Lehrbuch.

Lösung S. 194

Notizen / Fragen / Schlüsselbegriffe / Ergänzungen / Hinweise aus dem Unterricht / Basiskonzept / Seitenverweise:

Genetik

Gene und Merkmalsbildung

12.6 Genommutationen machen Kulturpflanzen widerstandsfähiger

Schätzen Sie mal, wie viel Weizenmehl und Weizenschrot Sie pro Kopf und Jahr verbrauchen. Es sind rund 60 kg. Deshalb ist Weizen eine der wichtigsten Kulturpflanzengruppen mit der weltweit größten Anbaufläche.

Die Wildformen des Weizens sind meist mehr oder weniger lang begrannt, die Kulturform ist grannenlos. Nach morphologischen Merkmalen kann man den Weizen in drei Gruppen ordnen, die verschiedenen Stufen der Polyploidie entsprechen.* Die diploide Einkorn-Reihe (AA; BB; DD) ist charakterisiert durch flache Ähren, die reifen Körner sind fest von Spelzen (trockenhäutigen Hüllblättern) umschlossen. Hierzu gehört das nur noch selten kultivierte Einkorn. Bei der tetraploiden Emmer-Reihe (AA; BB) sind die Ährchen vielblütiger. In urgeschichtlicher Zeit hatte der Wildemmer große Bedeutung. Von der hexaploiden Dinkel-Reihe sind keine Wildformen bekannt. Es handelt sich generell um Zuchtprodukte. Hierzu gehören der Dinkel und als wichtigste Art der Saatweizen (AA; BB; DD), bei dem sich die Körner lose in den Spelzen befinden (Nacktweizen). Innerhalb des Saatweizens unterscheidet man mittlerweile über 400 Varietäten.

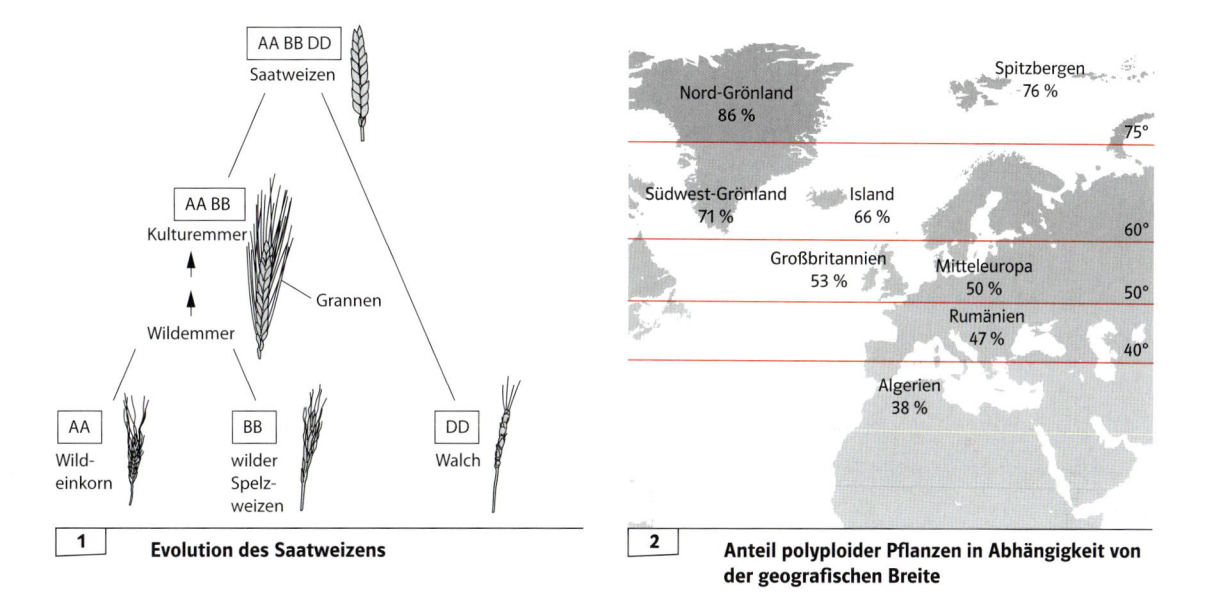

Variabilität und Angepasstheit

1 Evolution des Saatweizens

2 Anteil polyploider Pflanzen in Abhängigkeit von der geografischen Breite

- Nord-Grönland 86 %
- Spitzbergen 76 %
- Südwest-Grönland 71 %
- Island 66 %
- Großbritannien 53 %
- Mitteleuropa 50 %
- Rumänien 47 %
- Algerien 38 %

K/I **1.** Der Saatweizen entstand im Laufe seiner Evolution durch mehrfache Verschmelzung von Chromosomensätzen nahe verwandter Arten miteinander (Abb. 1). Beschreiben Sie die Entstehung des Saatweizens.

F/II **2.** Verschmelzen Keimzellen verwandter Arten miteinander, so sind die entstandenen Bastarde unfruchtbar, nach Alloploidisierung aber fruchtbar. Erklären Sie dies mit dem Ablauf der Meiose.

K/III **3.** Beschreiben Sie Abb. 2 und erklären Sie den dargestellten Sachverhalt.

Lösung S. 194

Notizen / Fragen / Schlüsselbegriffe / Ergänzungen / Hinweise aus dem Unterricht / Basiskonzept / Seitenverweise:

13 Entwicklungsgenetik **Genetik**

13.1 Die Embryonalentwicklung wurde an Seeigeln erforscht

Seeigel kennen Sie vielleicht aus dem Urlaub am Meer. Dass an Seeigelkeimen die Grundzüge der Entwicklungsbiologie entdeckt wurden, wissen jedoch nur die wenigsten. Eier und Spermien von Seeigeln lassen sich leicht im Labor gewinnen. Sie verschmelzen im Wasser und differenzieren sich innerhalb weniger Tage zu jungen Larven. Darüber hinaus sind Eier und frühe Furchungsstadien transparent, sodass sie sich einfach mit einem Mikroskop identifizieren lassen (Abb. 1). Zellwandungen lassen sich besonders gut durch die Vitalfärbung mit dem Mikroskop beobachten. Dazu werden die entsprechenden Zellen oder ganze Gewebe mit einem Farbstoff markiert, der die Zelle nicht verlassen kann, sie aber auch nicht schädigt oder gar tötet.

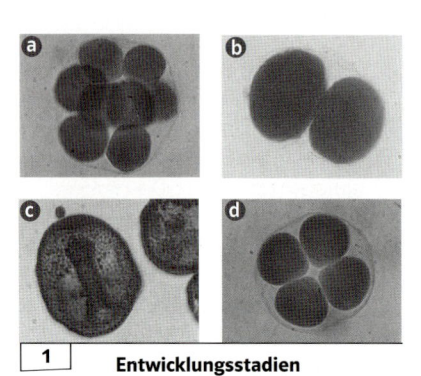

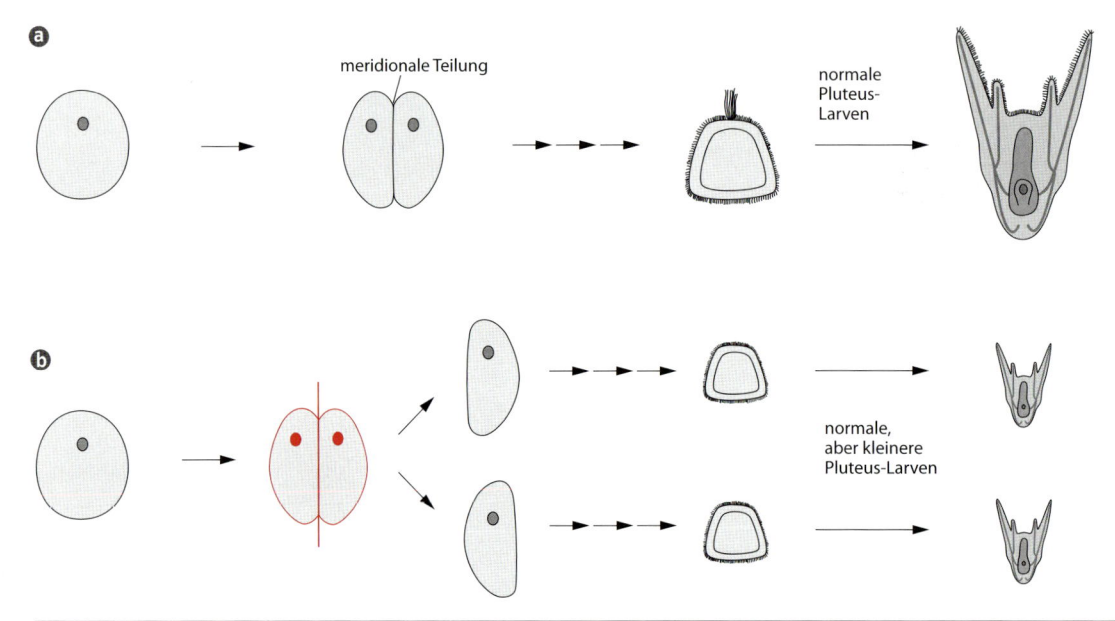

1 Entwicklungsstadien

2 ⓐ Normale Entwicklung eines Seeigelkeims (bis zur Pluteus-Larve); ⓑ Trennung im Zweizellstadium

LERNTIPP
Im Lehrbuch sind in Abb. 2 auf S. 204 Embryonalstadien des Frosches dargestellt.

Lösung S. 195

F/II 1. Ordnen Sie die in Abb. 1 dargestellten Entwicklungsstadien und benennen Sie diese. Beschreiben Sie die ablaufenden Prozesse bis hin zur Pluteus-Larve (Abb. 2 ⓐ).

F/II 2. Abb. 2 ⓑ zeigt ein Experiment mit Seeigeln im Zweizellstadium. Beschreiben Sie das Experiment und deuten Sie die Beobachtung.

Notizen / Fragen / Schlüsselbegriffe / Ergänzungen / Hinweise aus dem Unterricht / Basiskonzept / Seitenverweise:

Genetik   Entwicklungsgenetik

13.2 In der Embryonalentwicklung gibt die Mutter vor, wo es langgeht

Wer hat Sie eigentlich in Ihrer Entwicklung am meisten geprägt? Auf diese Frage würde jeder oder jede von Ihnen sicherlich eine andere Antwort geben. Aber aus biologischer Sicht ist ganz klar: Es waren mütterliche Faktoren, die die ersten Entwicklungsschritte Ihrer Embryonalentwicklung gesteuert haben. Dabei spielen Transkriptionsfaktoren eine Rolle, Proteine, die Gene an- oder abschalten können. Für diesen Zweck besitzen diese einen Bereich, mit dem sie an DNA binden können, und weitere Bereiche zur Aktivierung des Gens. Entwicklungskontrollgene sind solche Transkriptionsfaktoren. Indem sie ganze Gruppen von Genen aktivieren oder blockieren, erzeugen sie ein zellspezifisches Genaktivitätsmuster.• Durch Variation der aktiven Transkriptionsfaktoren in einer Zelle entsprechend ihrer räumlichen und zeitlichen Verteilung im Embryo entstehen unterschiedliche Zellschicksale. Dies ist die Voraussetzung für die Entwicklung hochkomplexer Organe.

Steuerung und Regelung

„Maternal effect genes" sind Gene, die ganz oben in der Hierarchie der Entwicklungskontrollgene stehen, d. h. sie werden als erste aktiv. Ein Beispiel für ein solches Gen ist *bicoid* (*BCD*) bei *Drosophila*. Das BCD-Protein ist, wie Sie wissen, für die Ausbildung der Längsachse der *Drosophila*-Larve verantwortlich. Seine vor der Befruchtung in den Nährzellen der Mutterfliege gebildete mRNA wird am vorderen Eipol gebunden, sodass sie nur hier das BCD-Protein produzieren kann. Vom vorderen Eipol aus diffundiert das produzierte Protein zum hinteren Ende des Eies, wodurch ein Konzentrationsgefälle entlang der Längsachse der Larve entsteht. Weil das BCD-Protein nun die entsprechenden weiteren Gene anschaltet, wird bei Wildtyp-Larven am vorderen Pol der Kopf gebildet (vgl. Abb. 1 oben links).

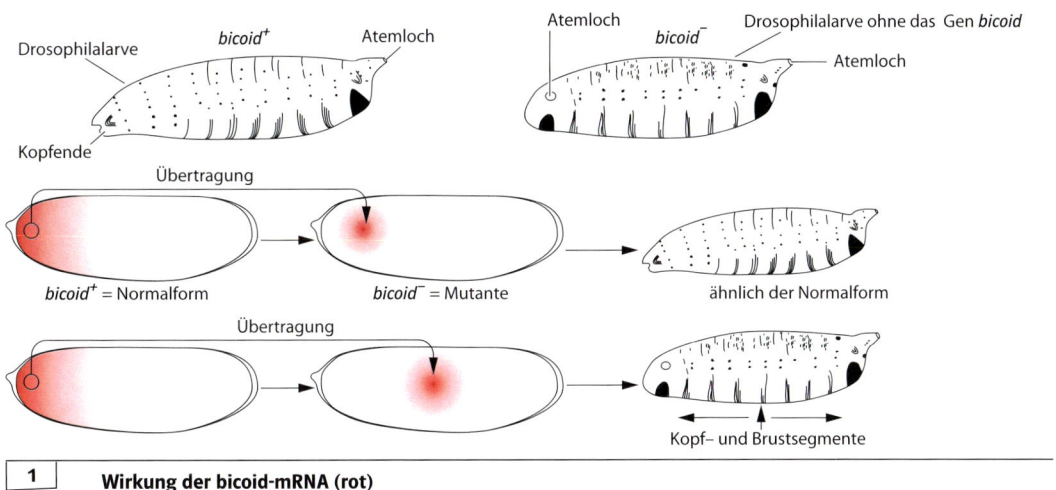

1   Wirkung der bicoid-mRNA (rot)

F/I 1. Beschreiben Sie die beiden durchgeführten Experimente zur Untersuchung der Wirkung der bicoid-mRNA und erklären Sie die Beobachtungen.

B/II 2. Beurteilen Sie, welche Entwicklungsanomalien zu erwarten wären, wenn einem Wildtyp-Ei zusätzlich noch am hinteren Eipol bicoid-mRNA injiziert würde.

Lösung
S. 195

Notizen / Fragen / Schlüsselbegriffe / Ergänzungen / Hinweise aus dem Unterricht / Basiskonzept / Seitenverweise:

Entwicklungsgenetik **Genetik**

13.5 Nekrose und Apoptose: Zwei Wege führen zum Zelltod

„Tot ist tot. Da ist es doch egal, wie es passiert ist." Ist es wirklich so? Sicherlich ist der Tod nicht mehr rückgängig zu machen. Aber trotzdem sehen wir einen großen Unterschied zwischen Selbstmord und Mord.

Wie Sie erfahren haben, ist der Tod schon in den Genen festgeschrieben. Auch einzelne Zellen können entweder durch „Mord" (Nekrose) oder „Selbstmord" (Apoptose) sterben. Die auslösenden Faktoren und die auf zellulärer Ebene ablaufenden Prozesse unterscheiden sich dabei, führen aber zum gleichen Ergebnis.

Auch wenn der Begriff „Zelltod" einen negativen Klang hat, so wäre doch in vielfältiger Weise ein Leben ohne ihn nicht möglich: Sie hätten noch Schwimmhäute zwischen den Fingern, Ihr Gehirn wäre mit Zellen vollgestopft, Ihre Immunzellen würden die eigenen Körperzellen angreifen. Auch in der Entwicklung von Insekten und Amphibien spielt die Apoptose eine entscheidende Rolle.

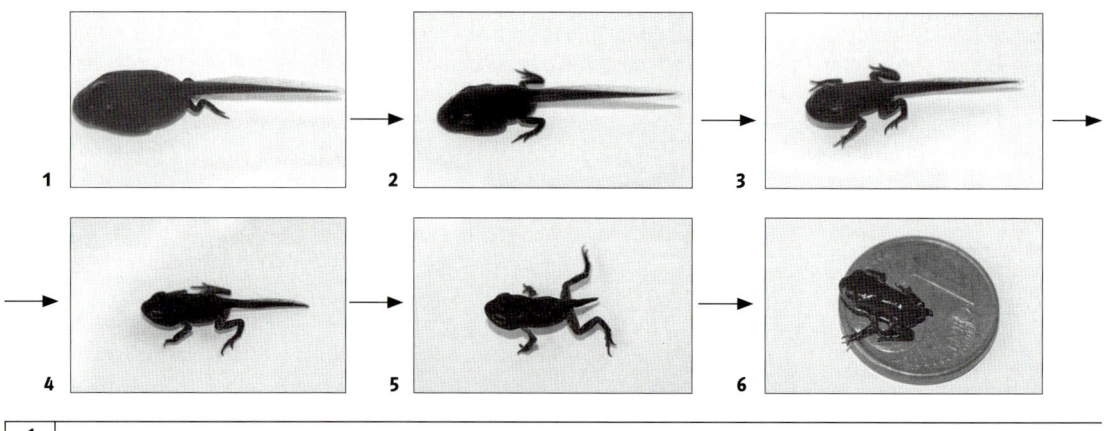

1 Entwicklung einer älteren Kaulquappe hin zur Erdkröte

F/I 1. Erklären Sie unter Zuhilfenahme der Abb. 1 auf S. 210 im Lehrbuch die unterschiedlichen Abläufe, die bei Nekrose und Apoptose zum Zelltod führen.

F/I 2. Nekrose und Apoptose können die Begriffe „Mord" und „Selbstmord" zugeordnet werden. Begründen Sie diese Zuordnung anhand Ihrer Erklärungen aus Aufgabe 1.

F/II 3. Beschreiben Sie die äußerlich sichtbare Entwicklung der Kaulquappe zur Erdkröte (Abb. 1) und bringen Sie diese mit der Apoptose in Zusammenhang.

F/II 4. Auch Sie haben vielleicht schon mal einen starken Sonnenbrand gehabt oder bei Freunden gesehen: Nachdem die Hautrötung und die Schmerzen abgeklungen sind, fängt die Haut an sich zu pellen. Diskutieren Sie, ob es sich beim Sonnenbrand um eine Nekrose oder eine Apoptose handelt.

Lösung
S. 195

Notizen / Fragen / Schlüsselbegriffe / Ergänzungen / Hinweise aus dem Unterricht / Basiskonzept / Seitenverweise:

Genetik

Entwicklungsgenetik

13.6 Sexuell übertragbare Viren verursachen Gebärmutterhalskrebs

Das Wort „Krebs" steht für eine große Gruppe ganz unterschiedlicher Erkrankungen, die eines gemeinsam haben: die unkontrollierte Teilung von Zellen eines Organs oder Gewebes. Auch Viren können Krebs auslösen, wie 1983 HARALD ZUR HAUSEN für den Gebärmutterhalskrebs nachwies. 2008 erhielt er dafür den Medizinnobelpreis.

"Cervical cancer caused by HPV (Human Papillom Virus) infection is a sexually transmitted disease. After intercourse, the virus can penetrate to the innermost layer of cells and into the basal cells of the cervical mucous membrane. Basal cells maintain the membrane by dividing and growing outward. […] When there is an infection, viral DNA penetrates into the nucleus of the basal cells. The virus's genes stimulate cell replication and the basal cell layer thickens; the outward sign of this is a harmless wart. With time, when the infected cells mature and begin moving upward through the membrane, new virus proteins will be produced. When the cells reach the outermost layer and die, new virus particles are released. The woman is then contagious. In around one infection out of ten, some viral DNA will be incorporated into the basal cell's genome. In this case, no new virus particles are produced — only new cells. This is because of the activity of two viral genes, called E6 and E7. The protein produced by the E7 gene switches off a gene in the basal cell that normally controls cell replication. If the gene is switched off the cell will divide repeatedly. The other gene, E6, encodes a protein that serves to block the function of a protective protein within the cell. This protective protein normally forces cells that start dividing abnormally to undergo programmed cell death, apoptosis. […] [The] unchecked cell division means that new genetic changes can occur, and after ten to thirty years, a tumor may form."

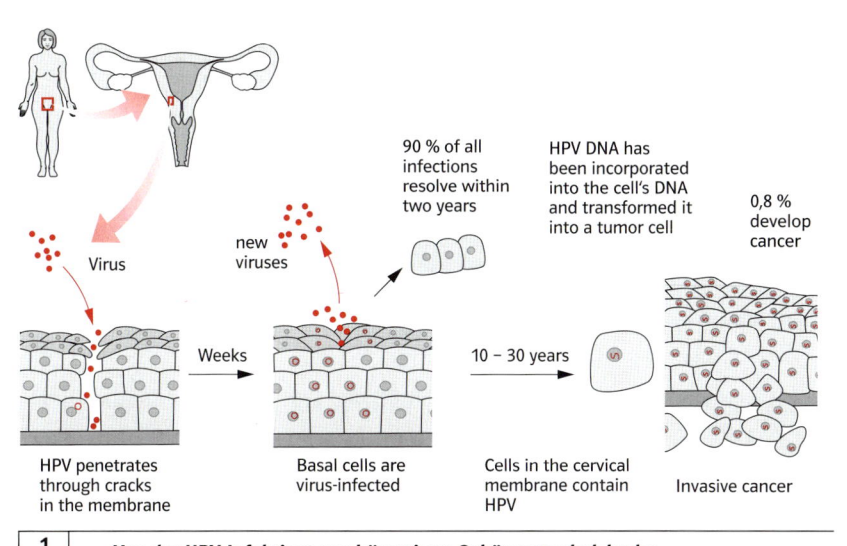

Vokabelliste:

cancer: Krebs
cervix: Gebärmutterhals
intercourse: Geschlechtsverkehr
basal cells: Keimschichtepithelzelle
cervical mucous membrane: Gebärmutterschleimhaut
wart: Warze
mature: reifen
contagious: ansteckend
nucleus: Zellkern

1 Von der HPV-Infektion zum bösartigen Gebärmutterhalskrebs

K/I 1. Beschreiben Sie auf Grundlage der Abbildung und des Ausschnitts aus dem Informationstext des Karolinska-Instituts (es vergibt die Nobelpreise) die Entstehung des Gebärmutterhalskrebses.

LERNTIPP
Informationen zu Viren hält das Konzept 10.6 im Lehrbuch bereit.

Lösung S. 196

Notizen / Fragen / Schlüsselbegriffe / Ergänzungen / Hinweise aus dem Unterricht / Basiskonzept / Seitenverweise:

14 Anwendungen und Methoden der Gentechnik

14.1 Insulin war das erste gentechnologisch hergestellte Medikament

Haben Sie sich schon einmal gewundert, dass ein Diabetiker in Ihrer Gegenwart ein dickes Stück Torte gegessen hat? Die intensivierte Insulintherapie ermöglicht den Diabetikern, alles zu essen und entsprechend der Nahrungsaufnahme das in ihrem Stoffwechsel fehlende Hormon Insulin zu spritzen. Vorbei die Zeiten einer oft harten Diät. Ein Grund dafür ist sicherlich die Möglichkeit der gentechnischen Herstellung von Humaninsulin. Bis 1982 wurde das Insulin aus den Bauchspeicheldrüsen von Rindern und Schweinen gewonnen. 1 kg Bauchspeicheldrüsengewebe von Schlachttieren ergab etwa 0,1 g Insulin. Der Tagesinsulinbedarf eines insulinabhängigen Diabetikers liegt bei etwa 0,2 g. Weltweit gibt es derzeit schätzungsweise 120 Millionen Diabetiker.

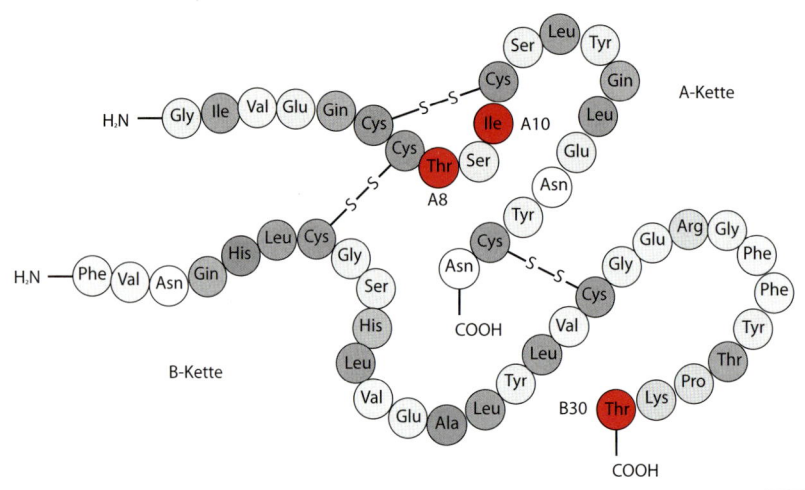

	A8	A10	B30
Mensch	Thr	Ile	Thr
Rind	Ala	Val	Ala
Schwein	Thr	Ile	Ala

1 Primärstruktur von Human-, Schweine- und Rinderinsulin

K/II 1. Beschreiben Sie die gentechnische Herstellung von Insulin mithilfe der Abb. 2, S. 215, im Lehrbuch.

B/II 2. Erörtern Sie die Funktion des Enzyms Reverse Transkriptase bei der Herstellung des Humaninsulins.

Lösung S. 196

B/III 3. Diskutieren Sie unter Einbezug der Informationen aus Abb. 1 die Vorteile der gentechnischen Humaninsulinherstellung.

Notizen / Fragen / Schlüsselbegriffe / Ergänzungen / Hinweise aus dem Unterricht / Basiskonzept / Seitenverweise:

14.2 Der genetische Fingerabdruck ist nicht immer eindeutig

Einen erstaunlichen Fall hatte im Februar 2008 das Rechtsmedizinische Institut München zu bearbeiten: Ein Mann hatte sich vor die S-Bahn geworfen. Papiere hatte der Selbstmörder nicht dabei, sein Körper war bis zur Unkenntlichkeit entstellt. Es schien ein Routinefall für die bayerischen Erbgutexperten zu werden: Walter W., ein vermisst gemeldeter Bauarbeiter, in dessen Wohnung ein Abschiedsbrief gefunden wurde, galt als wahrscheinlichstes Opfer. Deshalb wurden DNA-Spuren von seinem Rasierer mit den sichergestellten blutigen Abrieben des Toten verglichen.

Das Ergebnis überraschte: Die aus dem Leichenblut isolierte DNA gehörte zweifelsfrei einer Frau, die Spuren am Nassrasierer enthielten sowohl männliche als auch weibliche DNA-Fragmente. Da ein Doppelsuizid auszuschließen war, musste das Opfer zwei unterschiedliche DNA-Muster in sich tragen — das einer Frau und das eines Mannes.

Für diese besondere Beobachtung gab es nur eine Erklärung: Eine Frau hatte Walter W. vor Jahren Knochenmark gespendet. Nach der Transplantation wiesen dessen Blutzellen die DNA-Merkmale der Spenderin auf. Das Muster der Frau fand sich folglich an den blutigen Wattestäbchen, die den Rechtsmedizinern zur Analyse vorlagen. In allen anderen Körperzellen, so auch in den Hautzellen am Rasierer, blieb das ursprüngliche DNA-Muster des Mannes erhalten.

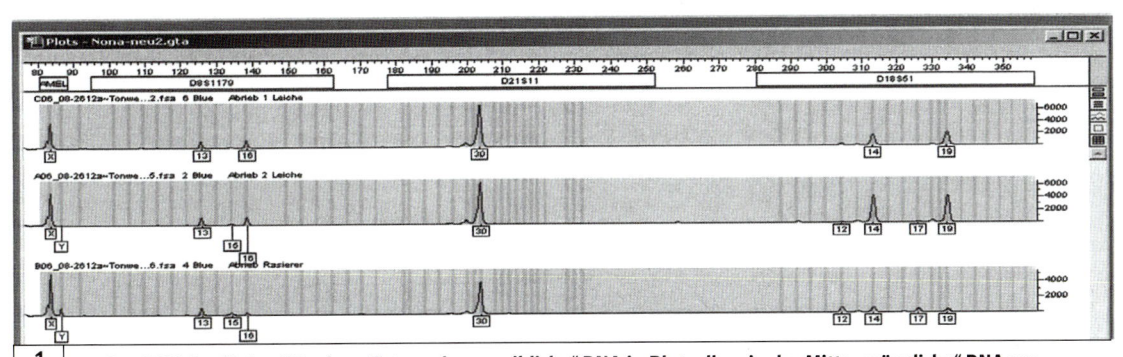

1 Das DNA-Profil des Münchner Toten: oben „weibliche" DNA in Blutzellen, in der Mitte „männliche" DNA aus Körperzellen, unten DNA vom Rasierer mit männlichen und weiblichen Merkmalen

K/I 1. Beschreiben Sie, wie ein genetischer Fingerabdruck erstellt wird.

F/III 2. Der bizarre Fall des Walter W. dürfte für die Verbrecherjagd sehr bedeutsam sein. Ein denkbares Szenario wäre, dass neben einem Mordopfer Blutspuren des mutmaßlichen Täters gefunden werden. Der Täter könnte jedoch leicht durch das Fahndungsraster fallen. Begründen Sie dies vor dem Hintergrund des Falles.

LERNTIPP
Details zu Short Tandem Repeats finden Sie im Lehrbuch in Konzept 10.7.

Lösung
S. 196

Notizen / Fragen / Schlüsselbegriffe / Ergänzungen / Hinweise aus dem Unterricht / Basiskonzept / Seitenverweise:

Anwendungen und Methoden der Gentechnik **Genetik**

14.4 Manche Sportler gelangen nur mit Gentests ins Team

Ein Stürmer, der beweglich mit und ohne Ball ist und dazu noch über große Laufbereitschaft und einen guten Abschluss verfügt, hat gute Chancen auf einen Vertrag bei den Spitzenvereinen der Fußballbundesliga. Mitunter kaufen sich die Vereine hier jedoch die „Katze im Sack", da über die Verletzungsanfälligkeit des Spielers nur gemutmaßt werden kann.

Dies kann sich aber schon bald ändern. Schon heute entscheiden im Profisport Gentests über den Wert eines Spielers. Von australischen Rugby-Vereinen ist bekannt, dass sie Spieler nicht kaufen, wenn diese ein nachteiliges Genprofil besitzen. Es werden verbreitet zehn Gene untersucht, die Aufschluss über die Stärke des Bindegewebes geben. Der Grund hierfür liegt auf der Hand und lässt sich in Zahlen ausdrücken: Seitdem die Gentests eingesetzt werden, haben die Mannschaften 40 Prozent weniger verletzungsbedingte Ausfälle.

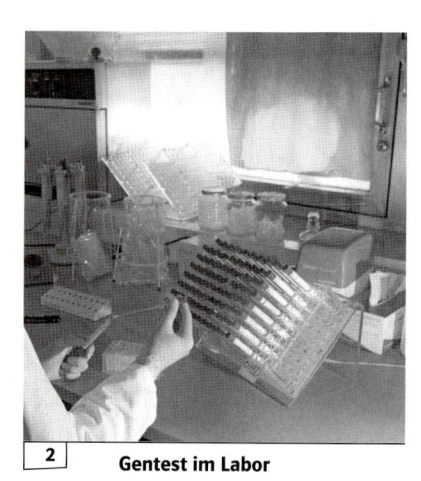

1 Rugbyspieler

2 Gentest im Labor

B/II 1. Erörtern Sie, in welchen Bereichen des öffentlichen Lebens derartige Gentests ebenfalls von Interesse sein könnten. Diskutieren Sie die möglichen Auswirkungen solcher Tests.

B/III 2. Mit der Entwicklung von Gentests wächst auch der Bedarf an neuen gesetzlichen Regelungen. Ziel eines solchen Gesetzes muss es sein, die mit der Untersuchung menschlicher genetischer Eigenschaften verbundenen möglichen Gefahren von genetischer Diskriminierung zu verhindern und gleichzeitig die Chancen des Einsatzes genetischer Untersuchungen für den einzelnen Menschen zu wahren. Diskutieren Sie, welche Aspekte in einem Gendiagnostikgesetz berücksichtigt werden sollten und was durch ein solches Gesetz geregelt werden muss.

Lösung S. 197

Notizen / Fragen / Schlüsselbegriffe / Ergänzungen / Hinweise aus dem Unterricht / Basiskonzept / Seitenverweise:

Genetik

Humangenetik **15**

15.1 Im AB0-System werden Blutgruppen codominant vererbt

A, B, AB oder 0? Kennen Sie eigentlich Ihre Blutgruppe? Im 1901 von KARL LANDSTEINER entdeckten AB0-System kommen die Phänotypen A, B, AB, 0 vor. In Deutschland haben 43 % der Bevölkerung Blutgruppe A, 39 % 0, 13 % B und 5 % AB. Die Vererbung dieser Blutgruppen wurde zunächst mit einem dihybriden Erbgang erklärt, bei dem die Blutgruppe 0 den Genotyp *aabb* haben sollte. Der Mathematiker FELIX BERNSTEIN schlug 1925 einen monohybriden Erbgang mit drei verschiedenen Allelen (*A*, *B*, *0*) vor, von denen jeder Mensch nur zwei in seinem Genotyp aufweist. Wenn für ein Gen mehr als zwei Allele existieren, spricht man von **multipler Allelie**. Die Allele *A* und *B* sind jeweils dominant über das Allel *0*. Kommen *A* und *B* nebeneinander vor, kommen beide gleichermaßen zur Ausprägung und bilden den Phänotyp AB (codominante Allele).

Die Hypothese der multiplen Allelie bestätigte BERNSTEIN durch die Auswertung von Familienstammbäumen. Er untersuchte ca. 3 000 Kinder, bei denen mindestens ein Elternteil die Blutgruppe AB hatte. Dabei fand er nur 13 Kinder mit der Blutgruppe 0.

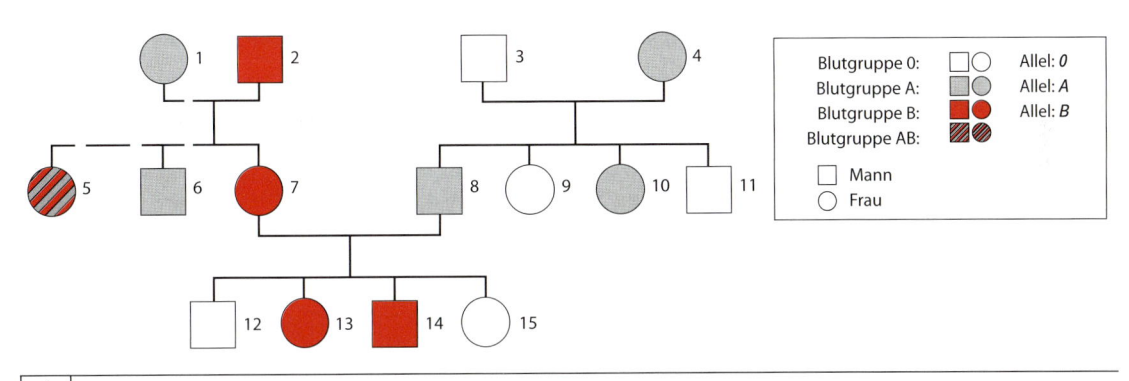

1 Stammbaum zur Blutgruppenvererbung

F/II 1. Geben Sie die Genotypen der Blutgruppen 0, A, B und AB an. Bestimmen Sie die Genotypen der jeweiligen Personen im abgebildeten Stammbaum.

F/II 2. Begründen Sie mithilfe der 3. Vererbungsregel von MENDEL, dass ein dihybrider Erbgang mit Eltern der Blutgruppe AB (Genotyp *AaBb*) zu einem wesentlich höheren Anteil an Kindern mit der Blutgruppe 0 (Genotyp: *aabb*) geführt hätte, als BERNSTEIN festgestellt hat.

F/II 3. BERNSTEIN konnte alle 13 Kinder mit der Blutgruppe 0 auf eine unklare Vaterschaft zurückführen. Ohne diese Kenntnis hätte das Modell der multiplen Allelie nicht widerspruchsfrei auf die Vererbung des AB0-Blutgruppensystems angewandt werden können. Begründen Sie, warum nie Kinder der Blutgruppe 0 geboren werden, wenn ein Elternteil die Blutgruppe AB hat.

Lösung S. 197

Notizen / Fragen / Schlüsselbegriffe / Ergänzungen / Hinweise aus dem Unterricht / Basiskonzept / Seitenverweise:

Humangenetik

Genetik

15.2 Die meisten Krankheiten werden autosomal vererbt

An dieser Stelle werden Ihnen zwei Erbkrankheiten vorgestellt, deren Vererbungsmechanismus Sie aufklären sollen. Sogenannte „Mondscheinkinder" leiden unter einer seltenen Erbkrankheit, die als *Xeroderma pigmentosum* bezeichnet wird. Betroffene Personen müssen das Sonnenlicht meiden und in Räumen leben, die abgedunkelt sind oder deren Fenster mit UV-Schutzfolien beklebt sind. Sie können ohne entsprechende Kleidung und Sonnencreme mit Lichtschutzfaktor 60 nicht aus dem Haus gehen und wenn, dann auch möglichst nach Sonnenuntergang. Das Hautkrebsrisiko der Betroffenen liegt über 2 000-mal höher als bei gesunden Menschen.

Etwas häufiger tritt das Marfan-Syndrom auf, eine Erkrankung des Bindegewebes. Ursache für die Erkrankung sind Mutationen im Fibrillin-Gen. Die Auswirkungen des veränderten Bindegewebes lassen sich an auffälligem Hochwuchs mit langen schmalen Extremitäten und überstreckbaren Gelenken sowie der Ausbildung einer Trichterbrust beobachten. Die größte Gesundheitsgefährdung geht jedoch von Defekten des Herzens und des Gefäßsystems aus.

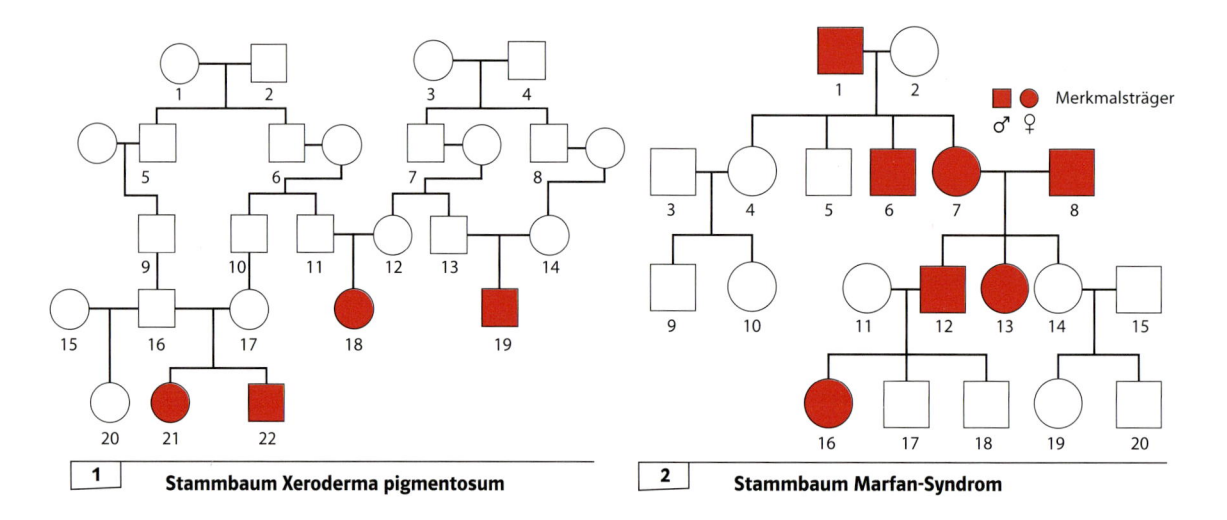

1 Stammbaum Xeroderma pigmentosum

2 Stammbaum Marfan-Syndrom

F/II **1.** *Xeroderma pigmentosum* und das Marfan-Syndrom werden beide autosomal vererbt. Ermitteln Sie, ob die Anlage für das jeweilige Merkmal dominant oder rezessiv ist.

F/II **2.** Bestimmen Sie in Abb. 2 die Genotypen der abgebildeten Personen. Sollte eine eindeutige Zuordnung nicht möglich sein, schreiben Sie bitte beide möglichen Genotypen auf.

Lösung S. 197

B/III **3.** Die Strafbarkeit von inzestuellen Handlungen ist gesellschaftlich umstritten. Bewerten Sie das Verbot des Geschlechtsverkehrs zwischen engen Verwandten unter dem Gesichtspunkt der Vererbung.

Notizen / Fragen / Schlüsselbegriffe / Ergänzungen / Hinweise aus dem Unterricht / Basiskonzept / Seitenverweise:

Genetik   Humangenetik

15.3 Gonosomale Vererbung sorgt für Ungleichverteilung unter den Geschlechtern

Der „kleine Unterschied" im Genom von Mann und Frau, ihre Geschlechtschromosomen, entscheiden häufig über Gesundheit und Krankheit. Hier lernen Sie zwei Merkmale kennen, die gonosomal vererbt werden.

Menschen mit erblicher Nachtblindheit zeigen eine eingeschränkte Sehfähigkeit bei Dämmerlicht. Die Fähigkeit des Auges zur Anpassung (Adaptation) an die Dunkelheit ist entweder eingeschränkt oder vollständig ausgefallen. Grund hierfür ist eine Funktionsstörung oder der völlige Ausfall der Stäbchen.

Bei Menschen mit Ohrmuschelbehaarung wachsen Haare auf der Ohrmuschel. Bei einigen ist die Behaarung dicht, bei anderen wachsen nur einige wenige lange Haare. Ohrmuschelbehaarung ist harmlos, tritt erst etwa ab dem zweiten Lebensjahrzehnt in Erscheinung und lässt sich leicht entfernen.

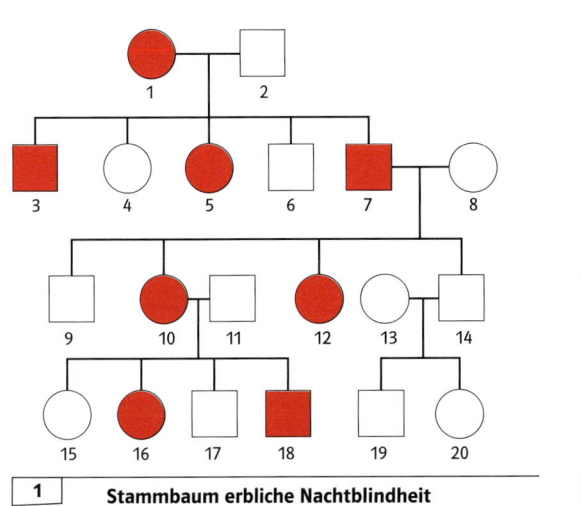

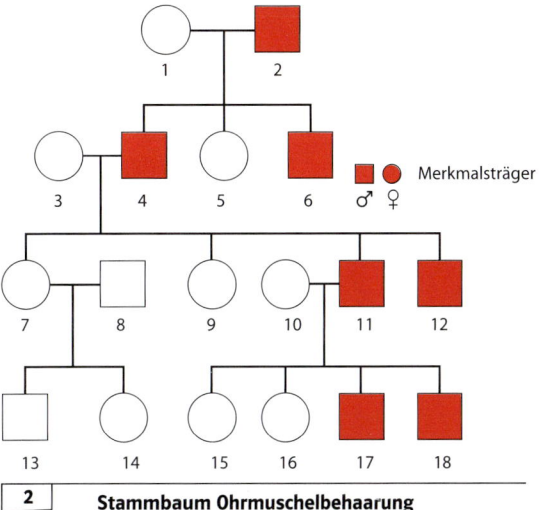

1 Stammbaum erbliche Nachtblindheit

2 Stammbaum Ohrmuschelbehaarung

F/II 1. Bestimmen Sie in beiden Stammbäumen die Genotypen der abgebildeten Personen und diskutieren Sie, wie diese beiden Merkmale vererbt werden.

F/III 2. X-chromosomale Vererbung kann entweder dominant oder rezessiv erfolgen. Welche Vererbung vorliegt, kann man an bestimmten Kennzeichen des Stammbaums festmachen. Fassen Sie in einer Tabelle die Wahrscheinlichkeit der Merkmalsausprägung bei Söhnen und Töchtern zusammen (% gesund, % krank, % gesunder Überträger), wenn
   a die Mutter die dominante Anlage für das Merkmal trägt (heterozygot),
   b der Vater die dominante Anlage für das Merkmal trägt,
   c die Mutter die rezessive Anlage für das Merkmal trägt (heterozygot),
   d der Vater die rezessive Anlage für das Merkmal trägt,
   wobei der jeweilige Partner die Anlage für das Merkmal nicht trägt, also homozygot gesund ist.

LERNTIPP
Der Aufbau des Auges und der Sehvorgang werden in Konzept 30.3 im Lehrbuch erläutert.

Lösung
S. 198

Notizen / Fragen / Schlüsselbegriffe / Ergänzungen / Hinweise aus dem Unterricht / Basiskonzept / Seitenverweise:

16.3 Das Immunsystem erschwert die Bluttransfusion

Bei der Blutübertragung kam es bis zur Entdeckung des AB0-Systems immer wieder zu Komplikationen. Diese beruhen darauf, dass die Zellmembran der roten Blutzellen auf ihrer Oberfläche verschiedene Glykolipide, die Antigene der Blutgruppen, trägt.

Erst im Laufe des ersten Lebensjahrs eines Menschen werden Antikörper gegen die Antigene entwickelt, die die eigenen roten Blutzellen nicht besitzen. Werden rote Blutzellen einer nicht übereinstimmenden Blutgruppe übertragen, so werden sie als Fremdstoffe erkannt. Im Rahmen einer Immunreaktion heften sich die Antikörper an die Antigene, was zu Verklumpungen und zum Abbau der Blutzellen führt.

Der Rhesus-Faktor, das Antigen D, wird heute ebenfalls bei jeder Blutgruppenbestimmung mit untersucht. Bei rund 83 % der deutschen Bevölkerung tragen die roten Blutzellen das Antigen D auf ihrer Oberfläche. Der Mensch ist also Rhesus-positiv (Rh+). Der Rhesus-Faktor ist bedeutsam, wenn eine rh–-Mutter ein Rh+-Kind bekommt (Abb. 1).

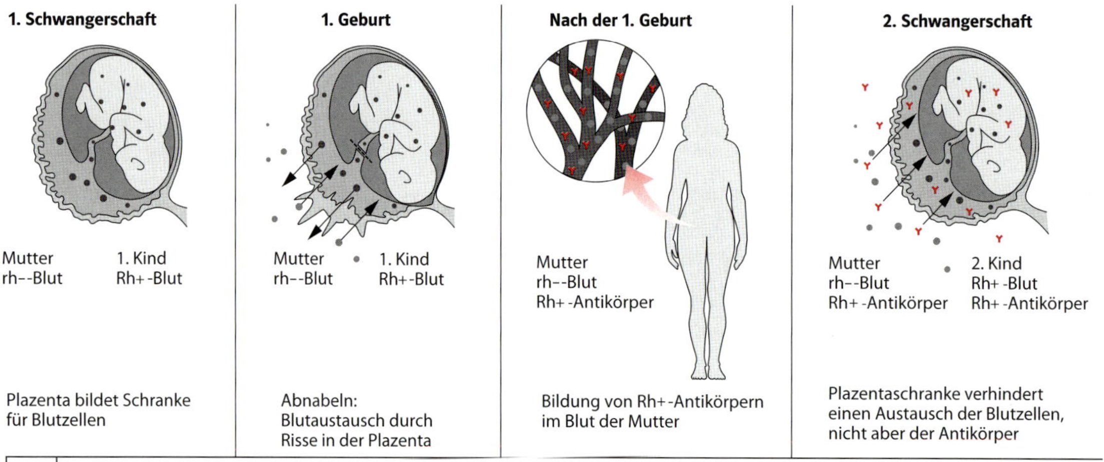

1. Schwangerschaft	1. Geburt	Nach der 1. Geburt	2. Schwangerschaft
Mutter rh–-Blut / 1. Kind Rh+-Blut	Mutter rh–-Blut / 1. Kind Rh+-Blut	Mutter rh–-Blut Rh+-Antikörper	Mutter rh–-Blut Rh+-Antikörper / 2. Kind Rh+-Blut Rh+-Antikörper
Plazenta bildet Schranke für Blutzellen	Abnabeln: Blutaustausch durch Risse in der Plazenta	Bildung von Rh+-Antikörpern im Blut der Mutter	Plazentaschranke verhindert einen Austausch der Blutzellen, nicht aber der Antikörper

1 Rhesusunverträglichkeit

LERNTIPP
Zur Vererbung des AB0-Systems sehen Sie nach unter 15.1 in diesem Buch.

Lösung S. 198

F/II 1. Stellen Sie in einer Tabelle dar, welche Antigene und Antikörper Menschen mit den Blutgruppen A, B, AB und 0 tragen.

F/II 2. Bei der Übertragung von Blut einiger Blutgruppen kann es zu Komplikationen durch Verklumpung und Abbau der Blutzellen kommen. Geben Sie an, um welche Blutgruppen es sich handelt.

B/III 3. Erläutern Sie mithilfe von Abb. 1, wie es zur Rhesusunverträglichkeit in einer Schwangerschaft kommen kann.

Notizen / Fragen / Schlüsselbegriffe / Ergänzungen / Hinweise aus dem Unterricht / Basiskonzept / Seitenverweise:

Genetik   Die Immunabwehr

16.5 Die adaptive Immunabwehr bekämpft Erreger nachhaltig

Es ist gar nicht so einfach, ein großes Unternehmen der Chemie- und Pharmabranche oder biologische Forschungseinrichtungen wie das Max-Planck-Institut für Züchtungsforschung in Köln zu betreten. Zumeist umgibt diese Einrichtungen ein hoher Zaun. Wer auf das Gelände möchte, muss sich am Eingang ausweisen, egal ob Betriebsangehöriger oder Gast. Um Schaden abzuhalten, kommt niemand ohne Legitimation hinein — und wenn doch, wird er, sobald er entdeckt wird, vom Werkschutz vor die Tür gesetzt oder direkt der Polizei übergeben. Gleiches gilt für Personen, die sich unter Vortäuschung falscher Tatsachen den Weg ins Werk erschlichen haben. Sie werden erkennungsdienstlich behandelt, um sie zukünftig direkt am Eingang abzufangen.

Wir können uns glücklich schätzen, mit dem Immunsystem ein ebenso gut funktionierendes körpereigenes Abwehrsystem zu haben, das uns vor den infektiösen Erregern unserer Umwelt schützt oder sie zumindest schnell eliminiert. Vergleichbar dem Zaun, bildet die Haut mit ihrem Säureschutzmantel einen ersten, äußeren Schutz vor Mikroorganismen und Viren. Über Verletzungen der Haut oder trockene Schleimhäute gelangen aber doch immer wieder Erreger in den Körper, wo sie dann durch das Immunsystem, insbesondere die adaptive Abwehr, die wir hier genauer betrachten wollen, bekämpft werden.

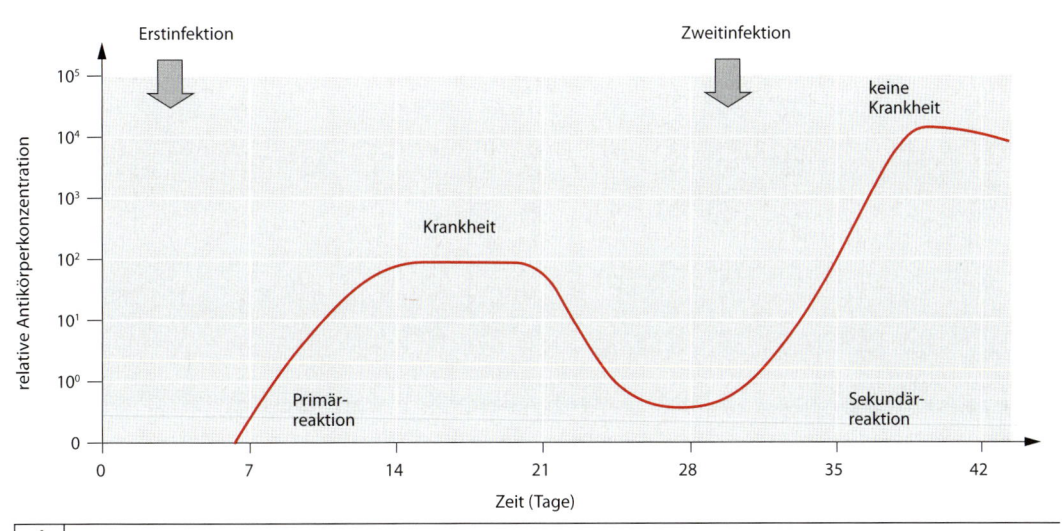

1   Zeitlicher Verlauf der spezifischen Immunität

F/I   **1.** Beschreiben Sie mithilfe von Abb. 1, S. 238, im Lehrbuch die Vorgänge bei der spezifischen Immunabwehr eines Säugetiers.

F/II   **2.** Erklären Sie auf Grundlage Ihrer Darstellungen zu Aufgabe 1 die Abb. 1.

K/II   **3.** Skizzieren und beschreiben Sie den allgemeinen Bauplan eines Antikörpers. Beschreiben Sie auch seine Funktionsweise.

Lösung S. 198

Notizen / Fragen / Schlüsselbegriffe / Ergänzungen / Hinweise aus dem Unterricht / Basiskonzept / Seitenverweise:

Die Immunabwehr   Genetik

16.6 Die Stimulation des Immungedächtnisses drängt Krankheiten zurück

Das nebenstehende Schild war über Jahrzehnte in deutschen Waldgebieten zu finden. Füchse übertrugen als Hauptvirusträger die Erreger der Tollwut auf Haustiere, die das Virus durch einen Biss an den Menschen weitergaben. Durch Verteilung von Impfködern ist es gelungen, die Tollwut hierzulande auszurotten.

Nach der Infektion eines Menschen durch den Biss eines infizierten Tieres bleibt das Virus für etwa drei Tage im Bereich der Bissstelle, wo es sich vermehrt und dann über das Innere der Nervenfasern in das Rückenmark und von dort ins Gehirn gelangt. Ist es einmal dort angekommen, ist eine Impfung gegen das Virus nicht mehr wirksam. Ist die Krankheit erst ausgebrochen, verläuft sie fast immer tödlich.

Die vorbeugende Impfung gegen Tollwut besteht aus abgetöteten Tollwut-Viren, die die Krankheit nicht auslösen können. Nach der Verletzung durch ein tollwütiges Tier werden gleichzeitig eine aktive und eine passive Impfung gespritzt. Die passive Impfung besteht aus fertigen Antikörpern, die aus dem Blut von infizierten Patienten gewonnen und hochgereinigt zum Impfstoff verarbeitet wurden.

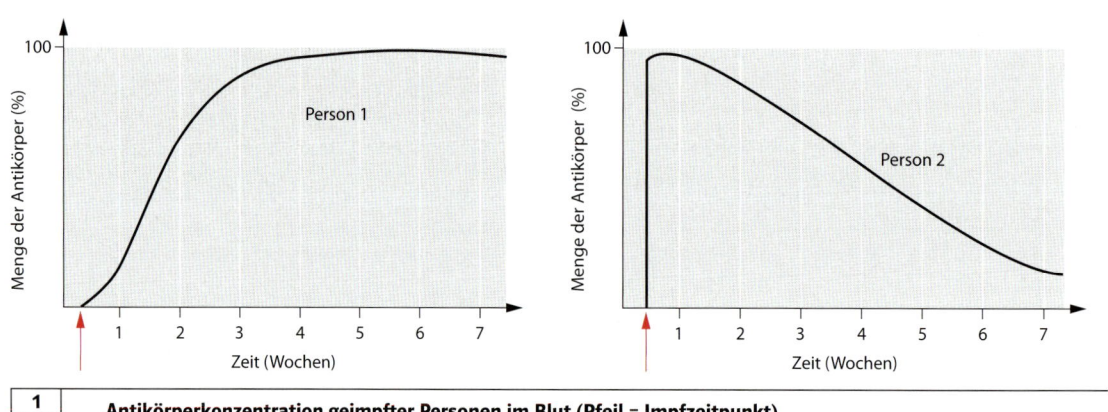

1 **Antikörperkonzentration geimpfter Personen im Blut (Pfeil = Impfzeitpunkt)**

F/II **1.** Beschreiben und erläutern Sie die Kurvenverläufe der Antikörperkonzentrationen bei den Personen 1 und 2 unter Benennung der jeweiligen Art der Impfung.

E/II **2.** Mit Tollwut infizierte Personen erhalten gleichzeitig eine passive und eine aktive Immunisierung. Erklären Sie.

E/III **3.** Skizzieren Sie die Antikörperkonzentration bei einer Person, der gleichzeitig die passive und die aktive Impfung gespritzt wurden. Orientieren Sie sich dazu an Abb. 1.

Lösung S. 199

F/III **4.** „Ein intensiver Kuss ist eine Art Schluckimpfung, die sich zwei Liebende verabreichen." Erklären Sie.

Notizen / Fragen / Schlüsselbegriffe / Ergänzungen / Hinweise aus dem Unterricht / Basiskonzept / Seitenverweise:

Evolution

17	Mechanismen der Evolution
18	Konsequenzen der Evolution
19	Die Entstehung von Arten
20	Evolution als historisches Ereignis
21	Evolution des Menschen

17 Mechanismen der Evolution

17.2 Ein langes Leben steigert nicht immer den Fortpflanzungserfolg

Variabilität und Angepasstheit

Reproduktion

In einem Kölner Karnevalslied heißt es (übersetzt): „Wir kleben am Leben." Wenn Leute Geburtstagsgrüße übersenden, dann wünschen sie Gesundheit und ein langes Leben. Alle Menschen wünschen sich ein möglichst langes Leben und reagieren zunächst mit Unverständnis, wenn sie hören, dass es Tierarten gibt, bei denen sich die Männchen schon während der Paarung vom Weibchen fressen lassen, anstatt zu fliehen. Berühmt und berüchtigt für dieses Verhalten sind einige Insekten aus der Gruppe der Gottesanbeterinnen und Spinnen aus der Verwandtschaftsgruppe der Schwarzen Witwen, die durch dieses Verhalten ihren Namen erhielten.• Versteht man aber erst einmal, dass aus der Sicht der Evolution ausschließlich der Lebensfortpflanzungserfolg zählt, dann wird das Verhalten dieser Männchen verständlich.• Männchen dieser Arten finden normalerweise nur eine Partnerin im Leben, mit der sie sich auch nur ein einziges Mal paaren. Die Grafik zeigt Untersuchungsergebnisse zum Verhalten der Schwarzen Witwe (*Latrodectus hasselti*).

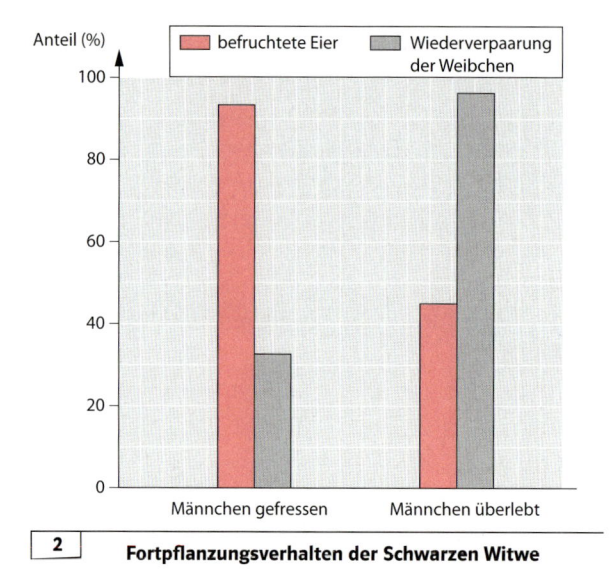

1 Schwarze Witwe

2 Fortpflanzungsverhalten der Schwarzen Witwe

E/II 1. Werten Sie Abb. 2 aus und stellen Sie einen Zusammenhang zwischen Paarungshäufigkeit der Männchen und ihrem Fortpflanzungserfolg her.

Lösung S. 200

F/III 2. Vergleichen Sie die Fortpflanzung dieser Tiere mit der von Affen und begründen Sie, warum die Evolution bei den Affen Langlebigkeit „bevorzugte".

Notizen / Fragen / Schlüsselbegriffe / Ergänzungen / Hinweise aus dem Unterricht / Basiskonzept / Seitenverweise:

Evolution   Mechanismen der Evolution

17.6 Kleine Populationen verlieren genetische Vielfalt

Kleine Populationen verlieren durch Gendrift schneller an genetischer Vielfalt als große. Wenn Sie das folgende Material durcharbeiten, werden Sie sehen, dass diese Erkenntnis wichtig beim Management von Tierpopulationen ist. Zoos haben es sich zur Aufgabe gemacht, gefährdete Wildtierarten so in Menschenhand zu züchten und zu vermehren, dass sie ihre genetische Variabilität erhalten und später wieder in der Natur ausgewildert werden können.

Die folgenden Grafiken geben Ihnen Informationen über die genetische Vielfalt in kleinen Tiergruppen, die man der Natur entnimmt, sowie über den Verlust dieser genetischen Vielfalt innerhalb unterschiedlich großer Tiergruppen über mehrere Generationen. Einzelne Zoos können aus Platzgründen meist nur wenige Tiere einer Art halten.

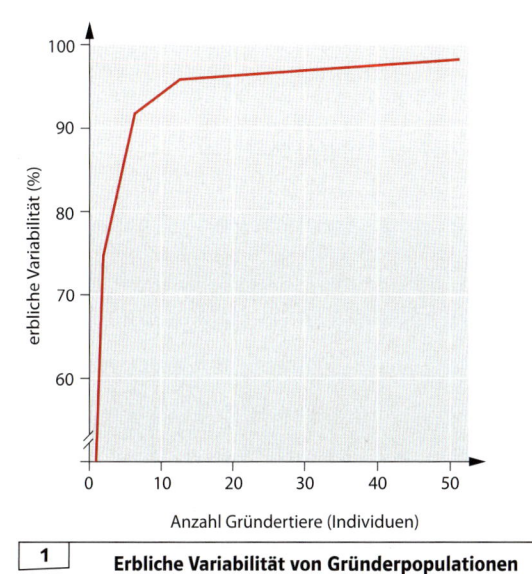

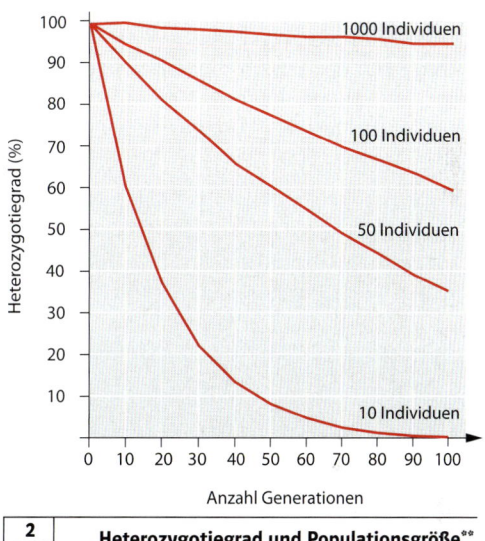

1 Erbliche Variabilität von Gründerpopulationen verschiedener Größe*

2 Heterozygotiegrad und Populationsgröße**

*Erbliche Variabilität: Anteil der Gesamtvariabilität in einer natürlichen Population, der Gründerpopulation
**Heterozygotiegrad: Anteil heterozygoter Individuen bezüglich ausgewählter Genorte

F/I   1. Fassen Sie die in den Grafiken enthaltenen Sachverhalte zusammen.

F/II   2. Erörtern Sie Probleme, die sich daraus für Erhaltungszuchten in Zoos ergeben.

F/III   3. Entwickeln Sie Vorschläge, wie die Zoos den Verlusten an genetischer Vielfalt entgegenwirken können.

Lösung S. 200

Notizen / Fragen / Schlüsselbegriffe / Ergänzungen / Hinweise aus dem Unterricht / Basiskonzept / Seitenverweise:

Mechansimen der Evolution

Evolution

17.7 Selektion verändert Populationen

Mithilfe statistischer Berechnungen kamen die Forscher HARDY und WEINBERG zu ihrer Regel:
Die Allelfrequenzen im Genpool bzw. die relativen Häufigkeiten der Genotypen in einer Population bleiben über Generationen konstant.

Die beiden Wissenschaftler erkannten aber auch, dass ihre mathematisch statistisch berechnete Regel nur unter folgenden Voraussetzungen gültig ist:

1. Es dürfen keine Mutationen auftreten.
2. Der Fortpflanzungserfolg aller Individuen muss gleich sein (keine Selektion).
3. Die Population muss groß sein, damit statistische Ergebnisse herauskommen.
4. Es dürfen keine Tiere ein- beziehungsweise auswandern.
5. Bei der Fortpflanzung findet keine gezielte Partnerwahl statt.

Geschichte und Verwandtschaft

Es gibt Lebewesen, die lange Zeiträume nahezu unverändert überdauert haben, wie zum Beispiel der Quastenflosser (*Latimeria*), der nahezu 350 Millionen Jahre kaum Veränderungen durch Evolution erfuhr. Quastenflosser leben in 100–400 m Wassertiefe in Meereshöhlen. Derartige Tiere nennt man „lebende Fossilien".* Ein anderes Beispiel ist der Pfeilschwanz (*Limulus*) in den flachen Küstengewässern der Ostküste der USA.

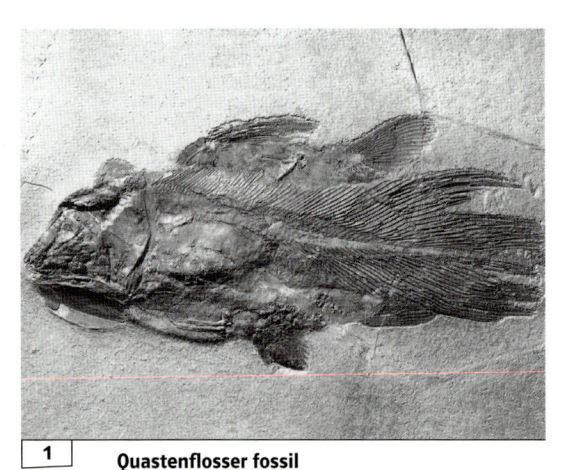

1 Quastenflosser fossil

2 Quastenflosser aus heutiger Zeit

F/III 1. Überprüfen Sie, inwieweit die angenommenen Voraussetzungen für die *Hardy-Weinberg-Regel* in der Natur gegeben sind und ob sich einige Forderungen widersprechen.

E/II 2. Erläutern Sie, welche Aussage gilt, wenn die Voraussetzungen für Hardy-Weinberg nicht erfüllt sind.

Lösung S. 200

E/II 3. Erläutern Sie, welche Eigenschaften Lebensräume besitzen müssen, in denen sich urtümliche Lebewesen wie der Quastenflosser erhalten können.

Notizen / Fragen / Schlüsselbegriffe / Ergänzungen / Hinweise aus dem Unterricht / Basiskonzept / Seitenverweise:

Evolution — Mechansimen der Evolution

17.8 Die Evolutionstheorie hat eine Geschichte

Ein Problem für die Entwicklung der Evolutionstheorie war, dass man lange Zeit keine Vorstellung davon hatte, wie alt die Erde sein könnte. Allen mit diesem Problem beschäftigten Zeitgenossen war klar, dass sich Lebewesen von Generation zu Generation nur wenig veränderten. Große Veränderungen setzten deshalb lange Zeiträume voraus. Dieser Annahme stand zunächst im 18. und 19. Jahrhundert die christlich geprägte, vorherrschende Lehrmeinung entgegen.

Der irische Bischof JAMES USSHER (1581–1656) hatte schon im 17. Jahrhundert mit JOHN LIGHTFOOT auf der Grundlage der Auswertung von Bibeltexten den Ussher-Lightfoot-Kalender erstellt. Nach ihren Berechnungen wurde die Erde am 23. Oktober 4004 vor Christus erschaffen. Erste Zweifel an diesen Ideen kamen im 18. Jahrhundert auf. Sehr frühe Experimente und Beobachtungen, die zu einer Berechnung eines längeren Erdalters führten, wurden von GEORGES LOUIS MARIE LECLERC, COMTE DE BUFFON (1707–1788) und CHARLES LEYELL (1797–1875) durchgeführt. BUFFON ließ Eisenkugeln in verschiedenen Größen herstellen und diese fast bis zum Schmelzpunkt erhitzen. Danach ließ er sie in einer kühlen Umgebung auf Raumtemperatur abkühlen. Das Abkühlen dauerte umso länger, je größer diese Kugeln waren. Aus diesen Werten berechnete er, wie lange eine glühende Kugel von der Größe der Erde gebraucht hätte, um abzukühlen.

Die stärksten Argumente für ein höheres Alter der Erde kamen jedoch von Wissenschaftlern, die sich mit geologischen Prozessen beschäftigten, wie z. B. CHARLES LEYELL. Als CHARLES DARWIN (1809–1882) am 5. Februar 1835 an der Westküste Südamerikas nach einem starken Erdbeben nachweisen konnte, dass die Landmasse mehr als 3 m höher aus dem Meer ragte als vorher, war er von LEYELLS Überlegungen überzeugt.

> *In der Voraussetzung, dass, wie alle Naturereignisse anzudeuten scheinen, die Erde sich einst in einem, durch das Feuer verursachten Zustand der Flüssigkeit befunden hat, ist es durch unsere Versuche erwiesen …, dass sich die Erdkugel in ungefähr 2 905 Jahren bis zum Mittelpunkt verdichtet, in ungefähr 33 911 so weit, dass man sie anfühlen konnte, und in ungefähr 74 047 Jahren bis zur gegenwärtigen Wärme abgekühlt hat.*
>
> BUFFON (1781)

> *Wenn wir also heute beobachten, dass Gletscher nur sehr langsam Moränen bilden, so kann das in aller Vergangenheit nur genauso langsam vonstatten gegangen sein, daraus aber folgt, dass die erdgeschichtlichen Epochen in Jahrmillionen zu messen sind.*
>
> LEYELL (1830)

F/I 1. Erläutern Sie auf der Grundlage von Oberflächen-Volumen-Beziehungen, warum die größeren Kugeln langsamer abkühlten. $V = 4/3 \cdot \pi \cdot r^3$; $O = 4 \cdot \pi \cdot r^2$

E/II 2. Informieren Sie sich über den Begriff „Aktualitätshypothese" bzw. „Aktualismus" und stellen Sie einen Bezug zu den Methoden von BUFFON und LEYELL her.

LERNTIPP
Grundlagen zu Aufgabe 1 finden Sie in Konzept 5.2 im Lehrbuch.

Lösung S. 200

Notizen / Fragen / Schlüsselbegriffe / Ergänzungen / Hinweise aus dem Unterricht / Basiskonzept / Seitenverweise:

Mechansimen der Evolution

17.9 Naturwissenschaften und Religionen bieten verschiedene Zugänge zur Welt

Flüge zum Mars und zum Mond, Flugzeuge, Internet, Computer, Fernsehen, Laserstrahlen, Telefone und MP3-Player, aber auch die Relativitätstheorie und die Evolutionstheorie — nichts hat unsere Welt und unser Weltbild so beeinflusst wie die Naturwissenschaften. Worin ist dieser Erfolg begründet? Um dies zu verstehen, muss man die Spielregeln kennen, nach denen die Naturwissenschaften handeln. Diese sind im Folgenden aufgelistet.

Die „Spielregeln" der Naturwissenschaften

1. Gegenstände der naturwissenschaftlichen Forschung sind Objekte der belebten und unbelebten Natur, die sich mit Sinnesorganen erfassen lassen oder durch Hilfsgeräte wahrgenommen werden können. Objekte, deren Existenz nicht eindeutig beweisbar ist, stellen keinen Teil der Naturwissenschaften dar.

2. Die Naturwissenschaften versuchen, Regeln und Zusammenhänge in der Natur zu finden und zu erklären.

3. Grundlagen naturwissenschaftlichen Erkennens sind objektive, wiederholbare Beobachtungen. Diese liegen vor, wenn sie von unabhängigen Personen wiederholt gemacht werden können.

4. Alle Erkenntnisse müssen den Regeln der Logik gehorchen und dürfen sich demzufolge nicht widersprechen. Diese Widerspruchsfreiheit muss sowohl innerhalb der Theorie (innere Konsistenz) als auch zu Nachbardisziplinen (äußere Konsistenz) bestehen.

5. Zu diesen objektiven Tatsachen stellt der Naturwissenschaftler Vermutungen über dahinterstehende Zusammenhänge auf — sogenannte Hypothesen, die durch Experimente überprüft und bestätigt oder widerlegt werden. Widerlegte Hypothesen müssen verworfen oder verändert werden.

6. Kann man mit einer durch viele Beobachtungen, Experimente und kritische Betrachtungen wiederholt bestätigten Hypothese immer mehr natürliche Phänomene verstehen, widerspruchsfrei erklären und neue Dinge vorhersagen, nennt man sie eine Theorie. Im Gegensatz zur weit verbreiteten laienhaften Vorstellung, dass eine Theorie etwas Unsicheres, d.h. Vermutetes ist, ist eine naturwissenschaftliche Theorie die am besten belegte und abgesicherte Aussage, die Naturwissenschaftler überhaupt machen können.

E/I 1. Beschreiben Sie, welche Konsequenzen es hätte, wenn die Naturwissenschaften übernatürliche Kräfte und Einwirkungen allmächtiger Götter als Erklärungen akzeptieren würden.

K/II 2. Entwerfen Sie eine Rede, die Sie vor einem amerikanischen Richter halten würden, der entschieden hat, dass die biblische Schöpfungsgeschichte als gleichwertig neben der Evolutionstheorie im Biologieunterricht gelehrt werden soll.

Lösung S. 200

Notizen / Fragen / Schlüsselbegriffe / Ergänzungen / Hinweise aus dem Unterricht / Basiskonzept / Seitenverweise:

Evolution

Konsequenzen der Evolution **18**

18.1 Angepasstheiten sind Kompromisse

Im 18. und 19. Jahrhundert war man im christlichen Europa fest davon überzeugt, dass „Gottes Schöpfung" vollkommen sei. Heute wissen wir, dass die Evolution keine perfekten Organismen hervorbringen kann, sondern Wesen, die einer Fülle von Anforderungen genügen müssen. Da diese Anforderungen sich teilweise widersprechen, können Angepasstheiten nur Kompromisse darstellen. Dies ist besonders gut an Meeresvögeln wie den Alken erkennbar, die ganz unterschiedlich groß sind.

Zu den Alken zählen z. B. der kleine Krabbentaucher, die etwas größere Trottellumme und der ausgestorbene Riesenalk, der nicht fliegen konnte. Alken treiben beim Tauchen ihren Körper mit den Flügeln an. Für diesen „Flug" unter Wasser sollten die Flügel möglichst klein sein. Für den Flug in der Luft braucht der Vogel jedoch möglichst große Flügelflächen. Außerdem sollte für das Tauchen der Körper möglichst schwer sein und für das Fliegen möglichst leicht. Abb. 2 zeigt Ihnen die Flügelflächenbelastungen für die drei Vogelarten.•

Struktur und Funktion

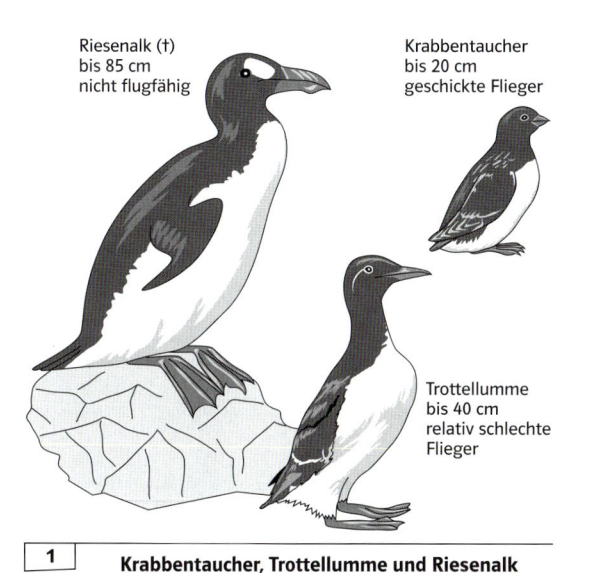

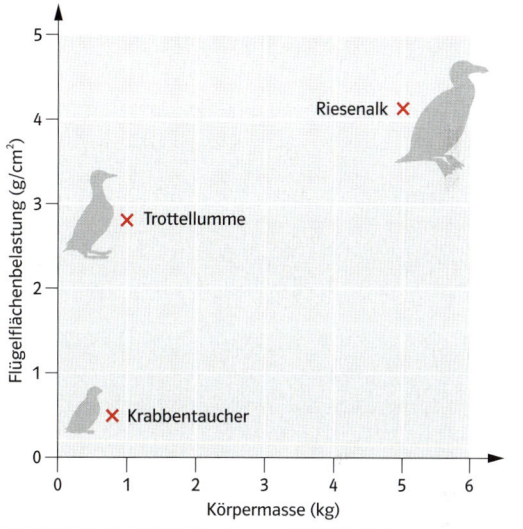

1 Krabbentaucher, Trottellumme und Riesenalk

2 Flügelflächenbelastung pro Flächeneinheit

F/III 1. Beschreiben Sie auf der Grundlage von Überlegungen zu Volumen-, Massen- und Flächenveränderungen, warum die Flügelflächenbelastung bei Größenzunahme einer Tierart zunehmen muss.

F/III 2. Erläutern Sie die Aussage, dass Vögel, die fliegen und tauchen können, in ihren Angepasstheiten Kompromisse entwickeln mussten.

LERNTIPP
Die Zusammenhänge zwischen Oberfläche und Volumen können Sie auch mithilfe von Konzept 5.2 im Lehrbuch wiederholen.

Lösung
S. 201

Notizen / Fragen / Schlüsselbegriffe / Ergänzungen / Hinweise aus dem Unterricht / Basiskonzept / Seitenverweise:

Konsequenzen der Evolution

Evolution

18.3 Selektion kann häufigkeitsabhängig sein

Mit den im Lehrbuch abgebildeten Waldsalamander-Attrappen wurden Versuche mit freilebenden Grauhähern durchgeführt. Man legte an einem Waldrand jeweils 50 Plastikattrappen von Salamandern aus, die einfarbig waren oder einen farbigen Rückenstreifen besaßen. Auf der Bauchseite befestigte man eine Nuss als Belohnung für das Suchen der Attrappe. Abends hat man ausgezählt, wie viele Nüsse von den verschiedenen Attrappentypen fehlten. Das Fehlen der Nuss hat man dann als Erbeutung des Salamanders gewertet. Abb. 2 beschreibt die vorgegebenen Attrappenhäufigkeiten und das abendliche Ergebnis. Das ist ein Beispiel für das Basiskonzept Variabilität und Angepasstheit.

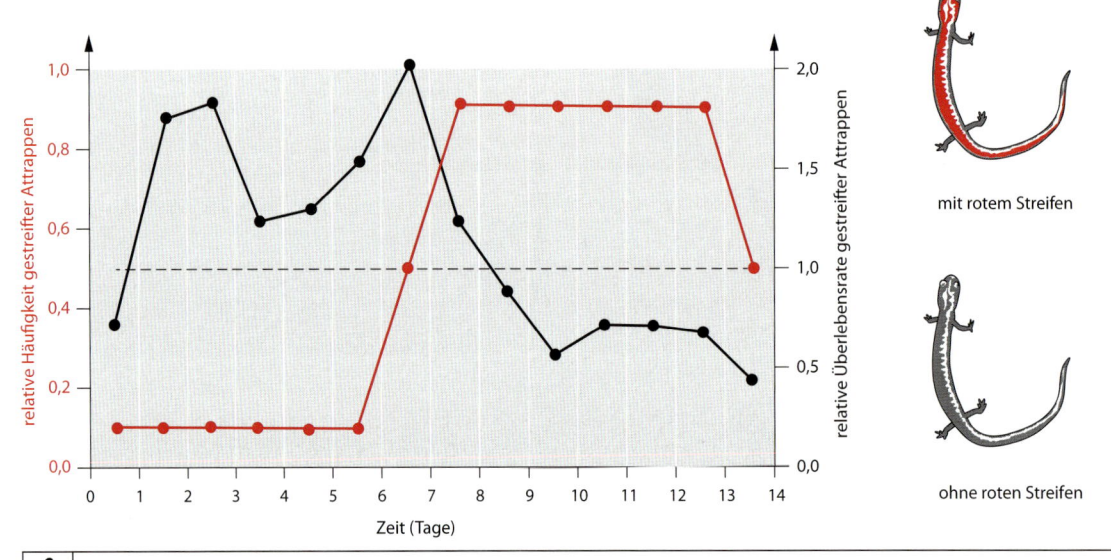

Variabilität und Angepasstheit

1 Grauhäher

mit rotem Streifen

ohne roten Streifen

2 „Überlebensrate" der gestreiften Attrappen in Relation zu der ungestreifter Exemplare (rechte Achse und schwarze Symbole) in Abhängigkeit von der relativen Häufigkeit gestreifter Modelle (linke Achse und rote Symbole).

Lösung
S. 201

E/II **1.** Beschreiben Sie den durch die Grafik dargestellten Sachverhalt.

F/II **2.** Erläutern Sie, welche Rolle Lernen, Suchbilder und Kosten-Nutzen-Aspekte bei der Futtersuche spielen.

F/III **3.** Begründen Sie, warum es nicht zum Aussterben einer Salamanderform kommen kann.

Notizen / Fragen / Schlüsselbegriffe / Ergänzungen / Hinweise aus dem Unterricht / Basiskonzept / Seitenverweise:

Evolution — Konsequenzen der Evolution

18.5 Sexuelle Selektion erklärt Geschlechtsmerkmale

ANDERS MÖLLER führte umfangreiche Untersuchungen an Rauchschwalben durch, deren Männchen in der Balz den Weibchen auffällig ihre langen Schwanzfedern präsentieren. Diese Schwalben sind häufig von Milben parasitiert. Männchen mit starkem Parasitenbefall sind nur schlecht in der Lage, lange Schwanzfedern auszubilden. Milbenbefall führt zusätzlich zu starken Verlusten unter den Jungvögeln im Nest. Rauchschwalben sind monogam und die Männchen helfen beim Füttern der Jungvögel.

MÖLLER untersuchte sowohl den Zusammenhang zwischen Schwanzlänge und Balzerfolg als auch denjenigen zwischen Schwanzlänge und Erfolg beim Beutefang. Für diese Experimente fing er Rauchschwalbenmännchen ein und veränderte künstlich ihre Schwanzlängen. Er schnitt bei einem Teil der Männchen ein Stück aus den Federn heraus und klebte das Ende wieder an (Verkürzung). Das herausgeschnittene Stück klebte er bei anderen Männchen ein und verlängerte so deren Schwänze (Verlängerung). Bei der Kontrollgruppe 1 setzte er das herausgeschnittene Stück an derselben Stelle wieder ein, und die Männchen der Kontrollgruppe 2 fing er ein und ließ sie unverändert wieder frei. Alle Tiere ließ er nach der Behandlung frei und beobachtete sie danach.

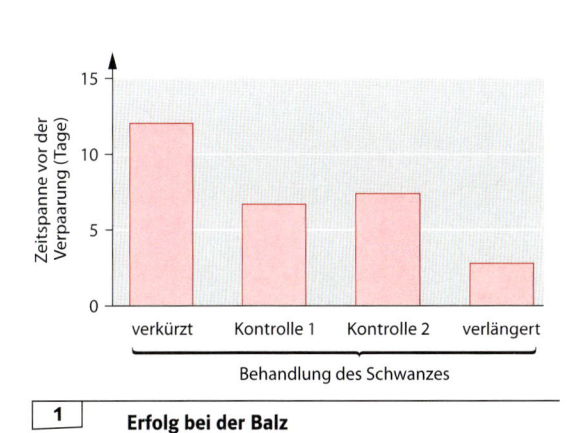

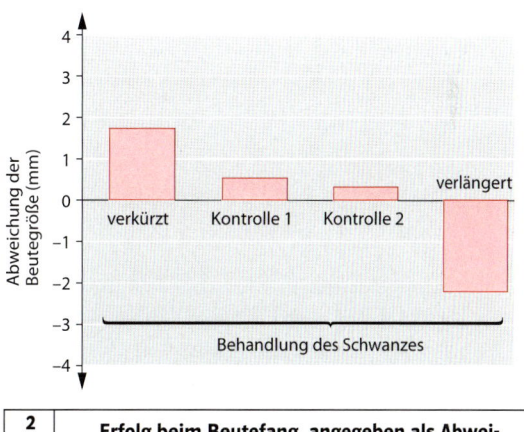

1 Erfolg bei der Balz

2 Erfolg beim Beutefang, angegeben als Abweichung von der durchschnittlichen Beutegröße in der Population

E/II **1.** Fassen Sie die Versuchsmethoden kurz zusammen und erläutern Sie die Notwendigkeit der Kontrollgruppen beim Experimentieren.

F/I **2.** Erläutern Sie, welchen Vorteil die Weibchen haben, wenn sie den Partner nach der Schwanzfederlänge auswählen.

F/III **3.** Werten Sie die Gesamtinformation aus und belegen Sie daran, dass auf die Männchen zwei widersprüchliche Selektionsfaktoren wirken.

Lösung S. 201

Notizen / Fragen / Schlüsselbegriffe / Ergänzungen / Hinweise aus dem Unterricht / Basiskonzept / Seitenverweise:

Konsequenzen der Evolution   **Evolution**

18.7 Infantizid kann die Fitness erhöhen

Reproduktion

Manchmal spielen sich in den Gruppen der Hanuman-Languren in Rajasthan in Indien dramatische Szenen ab. Wenn ein neues Männchen eine Gruppe von Weibchen übernimmt, weil es den vorherigen Haremshalter besiegt hat, kommt es zur Tötung vieler Jungtiere, Infantizid genannt. In 95 % der beobachteten Fälle war sicher, dass das tötende Männchen nicht der Vater der getöteten Jungtiere war. Mütter, die ihr Junges verlieren, sind bald wieder paarungsbereit.• Bei ungestörter Jungenaufzucht beträgt der Geburtenabstand 15,6 Monate, bei Infantizid etwa 12,4 Junge Weibchen werden mit rund 36 Monaten zum ersten Mal trächtig. Neue Männchen bleiben in 40 % der Fälle länger als 3 Jahre Haremshalter.

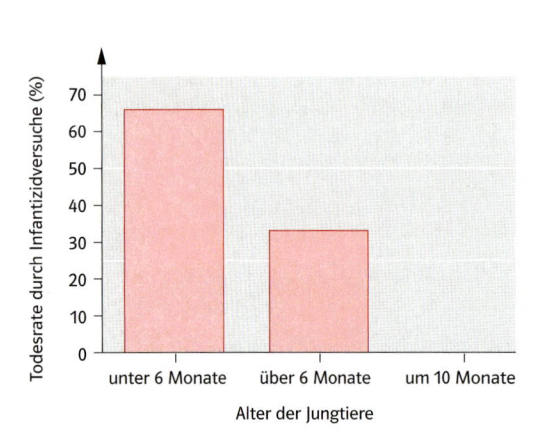

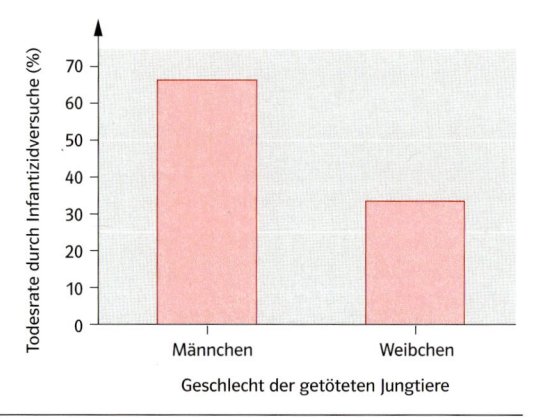

1 Hanuman-Languren

2 Untersuchungsergebnisse zum Infantizid bei Languren in Indien

F/II **1.** Fassen Sie die Informationen aus Text und Grafik zusammen.

E/II **2.** Begründen Sie, dass Infantizid für den neuen Haremshalter fitnesserhöhend ist.

E/III **3.** Erläutern Sie, warum es aus evolutionsbiologischer Sicht richtig ist, wenn die Weibchen sich kurz nach dem Verlust ihrer Jungen mit dem neuen Männchen paaren, anstatt sich „dem Mörder ihrer Kinder" zu verweigern.

Lösung
S. 201

Notizen / Fragen / Schlüsselbegriffe / Ergänzungen / Hinweise aus dem Unterricht / Basiskonzept / Seitenverweise:

Evolution

Die Entstehung von Arten **19**

19.1 Isolationsfaktoren verhindern Fehlpaarungen

Im Staat New York, in der Nähe von Ithaka, gibt es acht verschiedene Froschlurche, die — wie Sie wissen — ihre Eier und Spermien ins Wasser ablegen müssen (äußere Befruchtung). Für die meisten der in Abb. 1 genannten Arten reicht ein beliebiges Gewässer, nur die Wasserpfeifer sind auf Waldweiher angewiesen, Leopardfrösche laichen in Moorgewässern, Sumpffrösche in Bächen und Teichen und für Amerikanische Kröten reichen Gräben oder sogar Pfützen. Langjährige Aufzeichnungen deckten auf, dass die meisten Arten ein enges Zeitfenster für die Paarungen nutzen. Neben diesen jahreszeitlichen Unterschieden sehen die verschiedenen Arten auch unterschiedlich aus und haben verschiedene Balzrituale und Paarungsrufe.

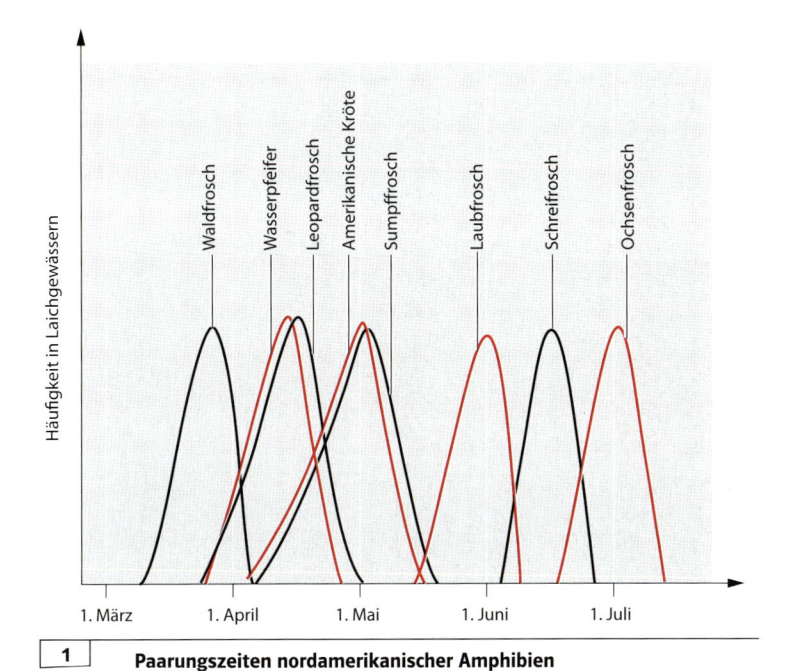

Leopardfrosch

Amerikanische Kröte

1 Paarungszeiten nordamerikanischer Amphibien

F/II **1.** Fassen Sie die Aussagen von Text und Grafik zusammen und ordnen Sie dem Sachverhalt verschiedene Isolationsmechanismen zu.

F/III **2.** Begründen Sie, warum die abgebildete Form der Isolation bei Arten mit äußerer Befruchtung besonders effektiv ist.

Lösung S. 202

Notizen / Fragen / Schlüsselbegriffe / Ergänzungen / Hinweise aus dem Unterricht / Basiskonzept / Seitenverweise:

Die Entstehung von Arten   **Evolution**

19.2 Allopatrisch entstandene Arten können wieder aufeinandertreffen

Sitta neumayer

Kleiber sind etwa meisengroße Vögel, die kletternd ihre tierische Nahrung aus Ritzen und Spalten von Baumrinde heraussuchen, aber auch Pflanzensamen fressen. Während der letzten Eiszeit haben sich aus einer Ursprungsart zwei neue Arten (*Sitta neumayer* und *Sitta tephronota*) entwickelt. Diese haben nach der Eiszeit ihre Verbreitungsgebiete ausgeweitet und kommen heute in einem Überlappungsgebiet nebeneinander vor. Von beiden Arten hat man in verschiedenen Teilbereichen ihrer jeweiligen Gebiete sowohl das Aussehen als auch die dort vorherrschende Schnabellänge genauer untersucht. Wenn Sie das folgende Material auswerten, werden Sie erkennen, welche Folgen das Aufeinandertreffen nahe verwandter, neu entstandener Arten haben kann.

Sitta tephronota

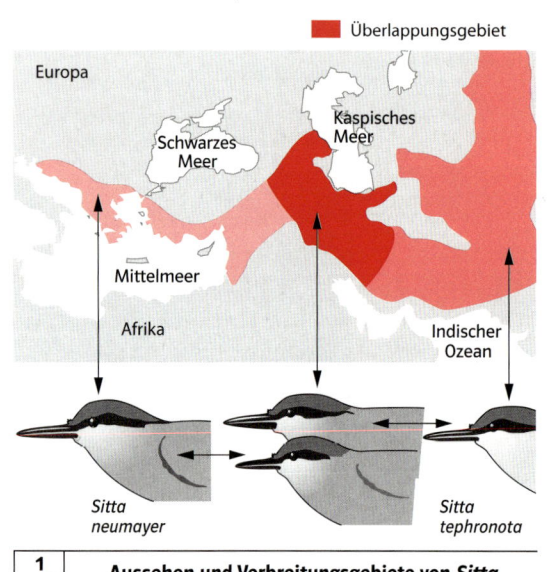

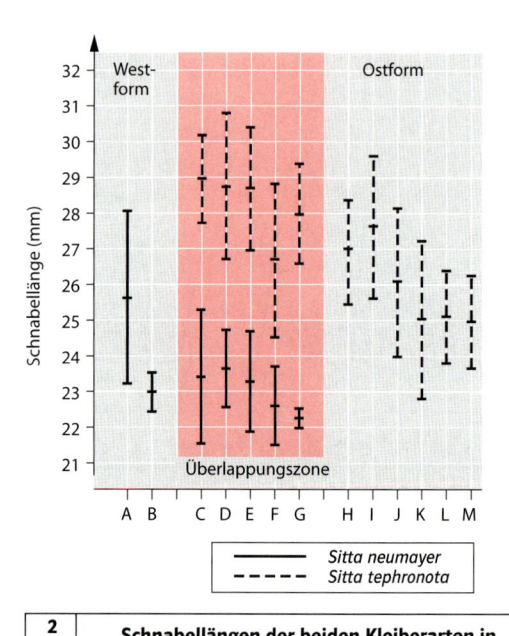

1 Aussehen und Verbreitungsgebiete von *Sitta neumayer* und *Sitta tephronota*

2 Schnabellängen der beiden Kleiberarten in verschiedenen Teilpopulationen

Lösung
S. 202

K/I **1.** Vergleichen Sie das Aussehen der Kleiber in den verschiedenen Verbreitungsgebieten.

F/II **2.** Erörtern Sie mögliche Selektionsfaktoren, die zu den beobachteten Unterschieden im Überlappungsbereich geführt haben könnten.

Notizen / Fragen / Schlüsselbegriffe / Ergänzungen / Hinweise aus dem Unterricht / Basiskonzept / Seitenverweise:

Evolution   Die Entstehung von Arten

19.4 Die Evolutionsgeschwindigkeit kann schwanken

Den heute noch in Australien lebenden Lungenfisch (*Neoceratodus forsteri*) zählt man zu den „lebenden Fossilien", da Vorfahren mit einigen seiner typischen Merkmale schon vor 395 Millionen Jahren im jüngeren Devon lebten. Im Laufe der folgenden Millionen Jahre wurden deren Nachfahren den heutigen Lungenfischen immer ähnlicher. Da inzwischen eine Fülle fossiler Zwischenformen aus verschiedenen Zeiten bekannt ist, lässt sich die Entwicklungsgeschwindigkeit analysieren, indem man nur auszählt, wie viele der heute beim Lungenfisch vorhandenen Merkmale schon bei unterschiedlich alten Vorfahren vorhanden waren. Dabei muss man sich natürlich auf die fossil nachweisbaren Merkmale beschränken. Die Entwicklung von Lungen versetzte die Tiere in die Lage, in periodisch sauerstoffarmen Gewässern zu überleben. Das folgende Material zeigt Ihnen den modernen Lungenfisch, einige ausgestorbene Vorfahren und die in der Evolution entstandenen Veränderungen.•

Geschichte und Verwandtschaft

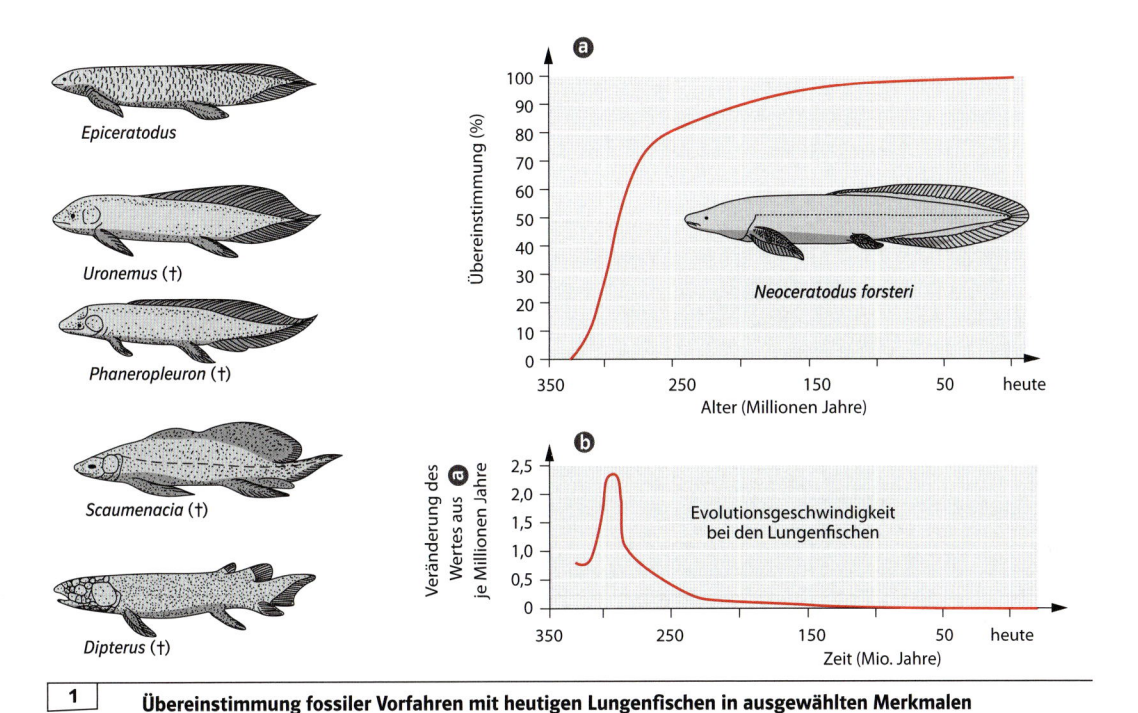

1   Übereinstimmung fossiler Vorfahren mit heutigen Lungenfischen in ausgewählten Merkmalen

K/I   **1.** Formulieren Sie die Sachverhalte, die durch die Kurven 1 ⓐ und 1 ⓑ beschrieben werden.

F/II   **2.** Erläutern Sie, warum die Evolutionsgeschwindigkeit sich verändert haben könnte.

LERNTIPP
Zwei andere Beispiele für gut angepasste Tierarten, die sich in einer konstanten Umgebung nicht verändert haben, finden Sie in Konzept 17.7 in diesem Buch.

Lösung
S. 202

Notizen / Fragen / Schlüsselbegriffe / Ergänzungen / Hinweise aus dem Unterricht / Basiskonzept / Seitenverweise:

20.1 Isotope ermöglichen Datierungen

Eine der bekanntesten Datierungsmethoden für organische Reste ist die sogenannte Radiocarbon- oder Kohlenstoff-14-Methode, die den meisten Menschen aber nur namentlich bekannt ist. Wenn Sie das folgende Material durchgearbeitet haben, werden Sie die Methode genauer verstanden haben. Sie wurde in den 1940er Jahren von dem amerikanischen Chemiker und Geophysiker WILLARD F. LIBBY entwickelt.

In der Atmosphäre entsteht ständig radioaktiver Kohlenstoff (^{14}C).

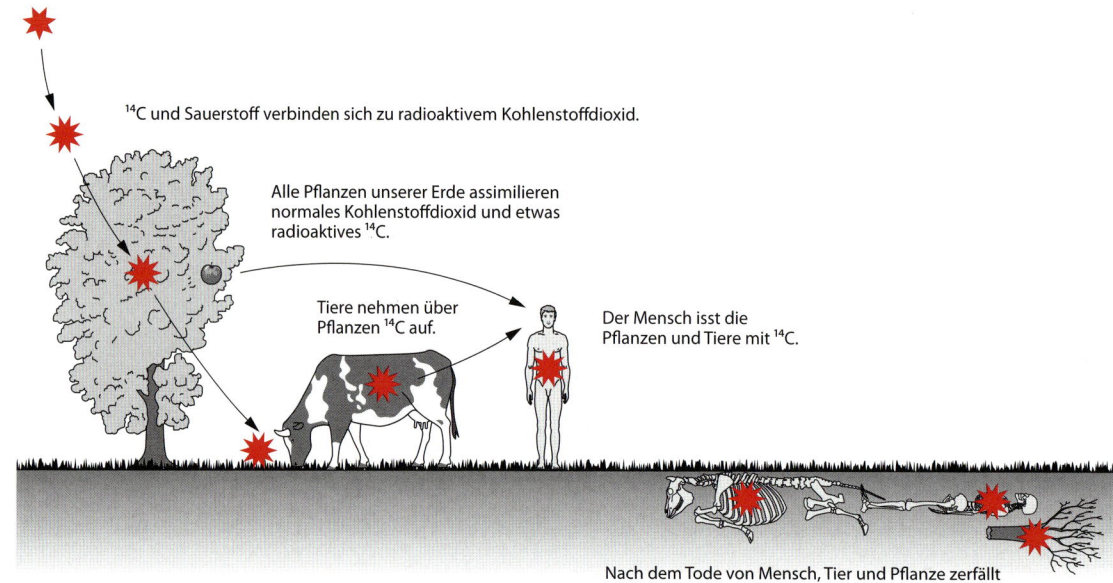

^{14}C und Sauerstoff verbinden sich zu radioaktivem Kohlenstoffdioxid.

Alle Pflanzen unserer Erde assimilieren normales Kohlenstoffdioxid und etwas radioaktives ^{14}C.

Tiere nehmen über Pflanzen ^{14}C auf.

Der Mensch isst die Pflanzen und Tiere mit ^{14}C.

Nach dem Tode von Mensch, Tier und Pflanze zerfällt ^{14}C mit einer Halbwertzeit von 5730 Jahren zu ^{12}C. Aus dem Verhältnis ^{14}C zu ^{12}C kann man auf das Alter organischer Reste schließen.

1 **Nach dem Tod eines Lebewesens zerfällt das darin enthaltene ^{14}C mit einer Halbwertzeit von 5730 Jahren.**

LERNTIPP
In 9.4 in diesem Buch können Sie noch einmal nachlesen, wie sich Isotope unterscheiden.

Lösung S. 202

F/II **1.** Beschreiben sie die dargestellten Zusammenhänge.

E/II **2.** Begründen sie, warum der ^{14}C-Gehalt der Atmosphäre über längere Zeit annähernd konstant bleibt.

F/II **3.** Zeichnen sie eine Zerfallskurve für ^{14}C bei einer Halbwertzeit von 5730 Jahren über 20 000 Jahre.

F/III **4.** Bei lebenden Organismen kann man 15,3 Zerfallsimpulse pro Gramm Kohlenstoff und Minute messen. Die Mumie des berühmten „Ötzi" strahlt nur noch 8 Impulse aus. Berechnen Sie den Prozentwert des noch erhaltenen ^{14}C und machen Sie mithilfe der Zerfallskurve eine Aussage über das Alter der Mumie.

Notizen / Fragen / Schlüsselbegriffe / Ergänzungen / Hinweise aus dem Unterricht / Basiskonzept / Seitenverweise:

Evolution   Evolution als historisches Ereignis

20.4 Die Eucyte entstand durch Symbiose

Wie Sie dem Lehrbuch entnehmen konnten, soll die moderne tierische bzw. pflanzliche Zelle aus einer Symbiose verschiedener prokaryotischer Zellformen entstanden sein.• Wenn Sie die Informationen der folgenden Tabelle durcharbeiten, werden Sie Argumente für diese Hypothese finden.

Geschichte und Verwandtschaft

	Prokaryoten	Eukaryoten	Mitochondrien/Chloroplasten
Ribosomen	70 S*	80 S*	70 S*
Hülle	einfache Membran	einfache Membran	Doppelmembran
Informationsträger	ein meist ringförmiges DNA-Molekül und Plasmide	Chromosomen	ein meist ringförmiges DNA-Molekül
intern gesteuerte Proteinbiosynthese	ja	ja	ja
Vermehrung	Teilung	Teilung und Fortpflanzungsmechanismen	Teilung
Membranbau	einfache Membran ohne Cholesterol	einfache Membran mit Cholesterol	Doppelmembran äußere Membran mit Cholesterol innere Membran ohne Cholesterol
isoliert (begrenzt) lebensfähig	ja	ja	ja

*Sedimentationskonstante S (Svedberg): Maß für die Geschwindigkeit, mit der sich Partikel beim Zentrifugieren absetzen, hängt mit der Größe zusammen

1 Vergleich der Merkmale von Prokaryoten, Eukaryoten sowie Mitochondrien und Chloroplasten

K/I **1.** Stellen Sie mithilfe der Tabelle Argumente für die Endosymbiontenhypothese zusammen und bereiten Sie ein kurzes Referat darüber vor.

Lösung S. 203

Notizen / Fragen / Schlüsselbegriffe / Ergänzungen / Hinweise aus dem Unterricht / Basiskonzept / Seitenverweise:

Evolution als historisches Ereignis

Evolution

20.6 Neufunde füllen Lücken im Fossilbestand

Geschichte und Verwandtschaft

Die etwa 49 Mio. Jahre alten Fledermäuse der Grube Messel bei Darmstadt waren lange Zeit die einzigen gut erhaltenen fossilen Exemplare dieser Tiergruppe. Da sie schon fast so weit entwickelt waren wie moderne Fledermäuse, ließ sich nicht entscheiden, ob sich die Flugfähigkeit oder die Ultraschallortung zuerst entwickelt hatte. 52 Mio. Jahre alte Funde (*Onychonycteris*) aus Wyoming, die man erst vor wenigen Jahren entdeckte, lösten das Problem.•

Im Gegensatz zu Fledermäusen orientieren sich Flughunde nicht mit Ultraschall, sondern mit den Augen.

Ein Indiz für die Leistungsfähigkeit des Ohres ist die Breite des knöchernen Innenohrs.

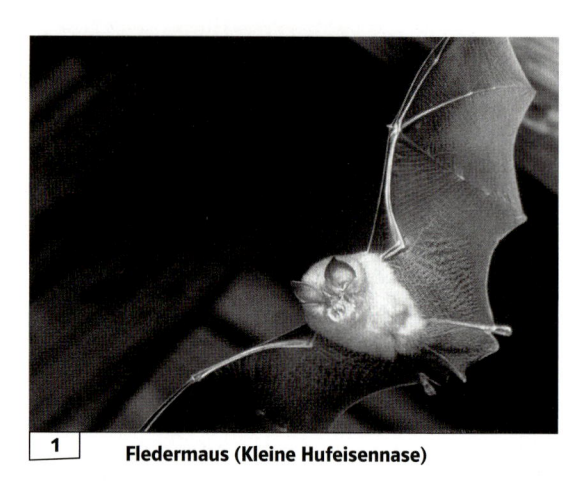

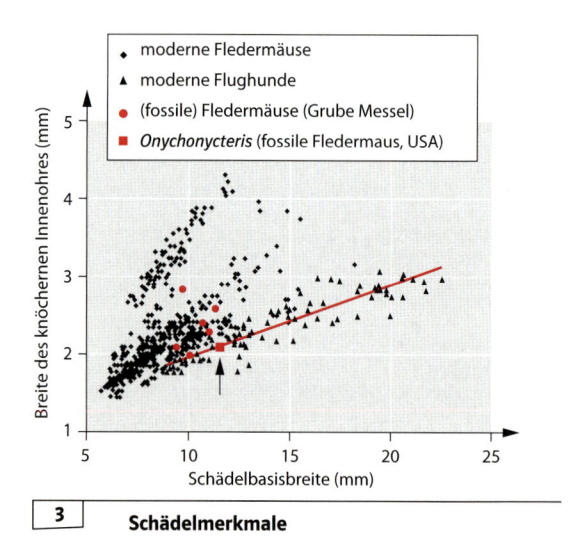

1 **Fledermaus (Kleine Hufeisennase)**

2 ***Onychonycteris* (Rekonstruktion)**

3 **Schädelmerkmale**

F/II **1.** Vergleichen Sie die Abbildung von *Onychonycteris* mit der einer modernen Fledermaus und stellen Sie die ursprünglichen Merkmale heraus.

Lösung S. 203

E/II **2.** Werten Sie den Text und Abb. 3 aus. Erläutern Sie, ob sich zuerst die Flugfähigkeit oder die Echoortung entwickelte.

Notizen / Fragen / Schlüsselbegriffe / Ergänzungen / Hinweise aus dem Unterricht / Basiskonzept / Seitenverweise:

Evolution

Evolution als historisches Ereignis

20.7 Molekulare Strukturen verraten Verwandtschaftsverhältnisse

Wie Sie wissen, ist die DNA Träger der Erbinformation, die durch Mutationen langsam verändert werden kann. Die Wissenschaftler SIBLEY und AHLQUIST untersuchten diese Unterschiede mithilfe der DNA-Hybridisierung und klärten so die Verwandtschaftsverhältnisse von Mensch, Bonobo, Schimpanse, Gorilla und Orang-Utan.• Sie maßen die Schmelzpunktabsenkung der Hybrid-DNA gegenüber der reinen DNA der einzelnen Arten (TS-Wert). Sie kamen zu den unten angegebenen Messwerten. Ein TS-Wert von 1 bis 1,5 °C ist nach Erfahrungswerten mit einem Basenunterschied von 1% gleichzusetzen. Danach konstruierten sie den unten unvollständig abgebildeten Stammbaum. Der gemeinsame Vorfahre aller Arten lebte vor rund 16 Millionen Jahren (rechte Achse).

Geschichte und Verwandtschaft

Art	Mensch	Bonobo	Schimpanse	Gorilla	Orang-Utan
Mensch	0	–	–	–	–
Bonobo	1,64	0	–	–	–
Schimpanse	1,63	0,69	0	–	–
Gorilla	2,27	2,37	2,21	0	–
Orang-Utan	3,60	3,56	3,58	3,55	0

1 Schmelzpunktabsenkung bei Hybrid-DNA (TS-Werte)

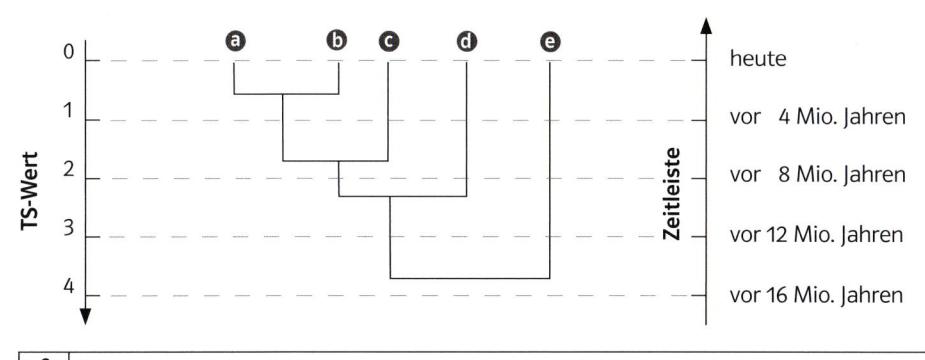

2 Stammbaum der Primaten

F/II 1. Erläutern Sie, was auf diese Weise gemessene Werte über die Verwandtschaft bzw. den Zeitraum der getrennten Entwicklung der verglichenen Organismen aussagen.

F/III 2. Ordnen Sie die Arten begründet den Stammbaumenden zu.

E/I 3. Ordnen Sie mithilfe der rechten Achse (Abb. 2) den einzelnen Verzweigungspunkten konkrete Zeiträume zu.

LERNTIPP
Heute werden solche Stammbaumanalysen mit höherer Genauigkeit über die Ermittlung von DNA-Sequenzen durchgeführt.

Zur experimentellen Grundlage der Hitzeeinwirkung auf DNA vgl. 9.2 in diesem Buch.

Lösung S. 203

Notizen / Fragen / Schlüsselbegriffe / Ergänzungen / Hinweise aus dem Unterricht / Basiskonzept / Seitenverweise:

21.2 Der aufrechte Gang behindert eine schnelle Fortbewegung

Stellen Sie sich vor, Sie gehen in den Zoo und begegnen im Affenhaus hinter der Scheibe aus Panzerglas einer neuen Art. Dort stehen Wesen, die wie Sie auf zwei Beinen gehen, die Mütter tragen ihre Babys auf der Hüfte, aber bei aller Menschenähnlichkeit sehen diese Individuen trotzdem aus wie Schimpansen. So ähnlich sähe eine Begegnung mit dem frühesten bekannten Zweibeiner aus — mit Lucy.

Auf die Frage, welche Faktoren zur Evolution des aufrechten Ganges führten, hat man viele Antworten entworfen. Die älteste ging von einer Entstehung in der Savanne aus, da durch die aufrechte Körperhaltung ein weiterer Raum überblickt und gesichert werden konnte. DONALD JOHANSON, der Entdecker Lucys, betont aber, dass zwar viele Steppenbewohner aufrecht stehend sichern, aber keiner auf zwei Beinen flüchtet. Dagegen stamme die einzige häufiger aufrecht gehende Affenart aus dem Regenwald. JOHANSON erläutert die Nachteile des aufrechten Ganges für Savannenbewohner mit den folgenden Abbildungen, in denen er die von den Beinen ausgehende Kraft in einem Kräfteparallelogramm in die Anteile zerlegt, die den Körper aufrecht halten und die ihn vorantreiben.

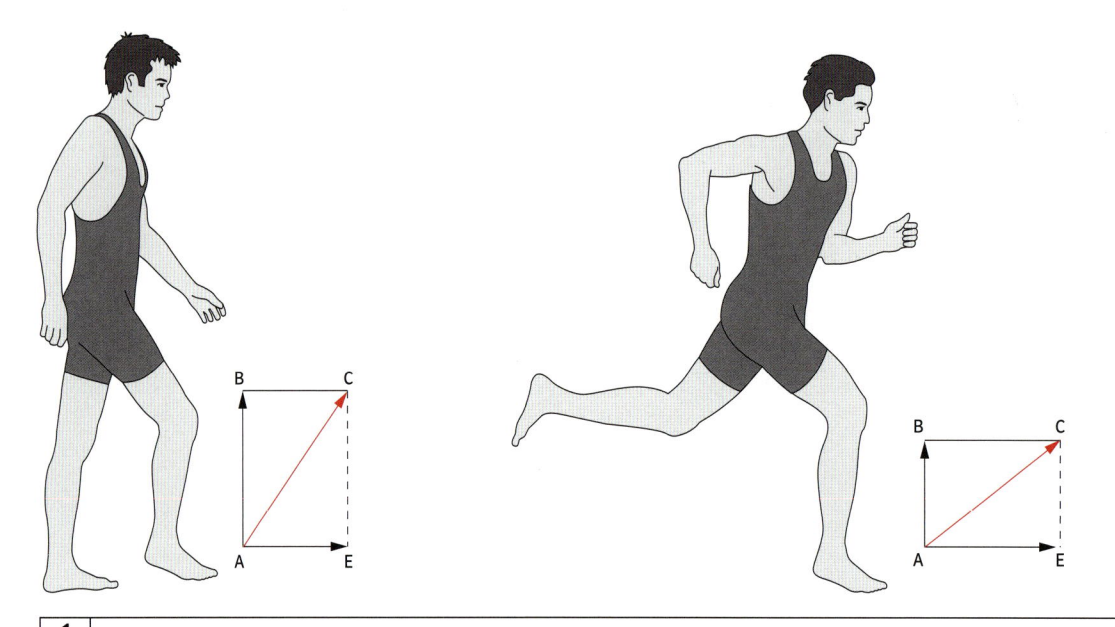

1 Die vom Menschen schräg nach vorne ausgeübte Kraft (AC) kann in den senkrechten Anteil (aufrechte Haltung AB) und den waagerechten Anteil (Vortrieb AE) zerlegt werden.

E/II 1. JOHANSON erkannte die besondere Langsamkeit des zweibeinigen Gehens. Begründen Sie seine Vorstellung mithilfe der Abbildungen.

Lösung
S. 203

F/II 2. Stellen Sie Argumente für und gegen eine Evolution des aufrechten Ganges in der Savanne zusammen.

Notizen / Fragen / Schlüsselbegriffe / Ergänzungen / Hinweise aus dem Unterricht / Basiskonzept / Seitenverweise:

Evolution   Evolution des Menschen

21.4   Die Hautfarbe des Menschen ist ein Ergebnis von Selektion

Der moderne Mensch hat sich schnell ausgebreitet, aber einige Gebiete erst sehr spät erreicht. Wir müssen davon ausgehen, dass die aus Afrika auswandernden Gruppen dunkel pigmentiert waren. Die nach Amerika einwandernden Menschen dagegen waren mit größter Wahrscheinlichkeit hellhäutig.• Wenn sich heute bei diesen von den frühen Einwanderern abstammenden Ureinwohnern lokal unterschiedlich pigmentierte Gruppen befinden, dann können diese Färbungsunterschiede erst nach der Einwanderung in die heutigen Siedlungsgebiete entstanden sein. Die beiden Abbildungen zeigen Ihnen die weltweite Verbreitung von Pigmentierungstypen der jeweiligen Ureinwohner sowie die Auswirkungen von UV-Licht, das in tiefere Hautschichten eindringt, auf die Konzentration von Vitamin D und Folsäure.

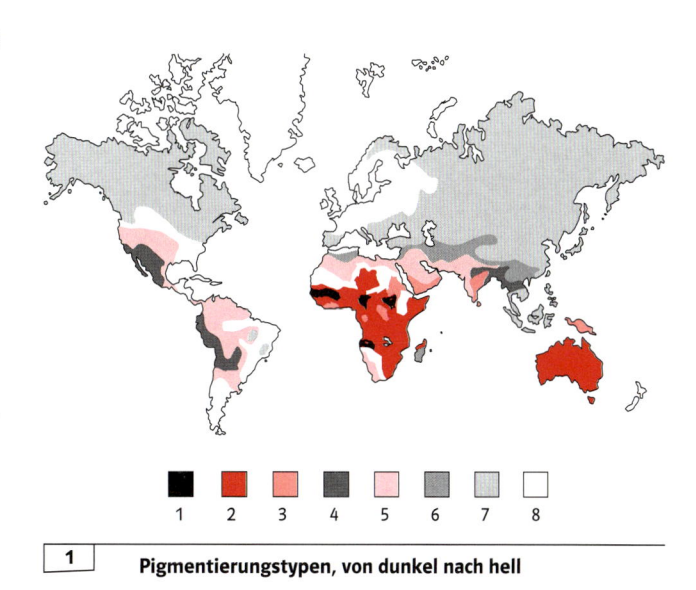

Variabilität und Angepasstheit

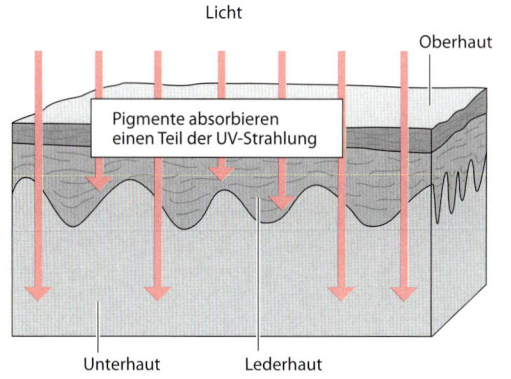

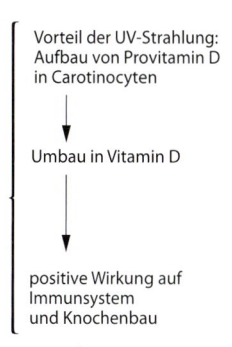

1   **Pigmentierungstypen, von dunkel nach hell**

2   **Wirkung von UV-Licht in tiefem Gewebe**

Nachteil der UV-Strahlung: Zerstörung der Folsäure in Blutgefäßen der Lederhaut → Unfruchtbarkeit bei Frauen und Missbildungen bei Kindern

Vorteil der UV-Strahlung: Aufbau von Provitamin D in Carotinocyten → Umbau in Vitamin D → positive Wirkung auf Immunsystem und Knochenbau

Pigmente absorbieren einen Teil der UV-Strahlung

Licht — Oberhaut — Lederhaut — Unterhaut

E/I   **1.** Nennen Sie Regelmäßigkeiten, die die Verteilung der ursprünglichen Pigmentierungstypen auf der Erde beschreiben.

F/III   **2.** „Die Intensität der Pigmentierung beim Menschen stellt einen Kompromiss dar." Begründen Sie diese Aussage mithilfe des Aufgabenmaterials.

LERNTIPP
Grundlagen zur Vererbung der Hautfarbe finden Sie unter 12.3 in diesem Buch.

Lösung S. 203

Notizen / Fragen / Schlüsselbegriffe / Ergänzungen / Hinweise aus dem Unterricht / Basiskonzept / Seitenverweise:

Evolution des Menschen — Evolution

21.6 Kulturelle Evolution beruht auf Weitergabe von Erlerntem

Vergleicht man evolutionäre Entwicklungen mit kulturellen Veränderungen, dann lassen sich schnell Ähnlichkeiten erkennen. Die Erschaffung völlig neuer Objekte in einem einzigen, genialen Erfindungsakt ist äußerst selten. Normalerweise werden bewährte Geräte und Objekte recht konservativ beibehalten und nur in kleinen Schritten verändert. Dann können größere Veränderungen auch hier nur durch die Summation kleinerer Abwandlungen erreicht werden.

Mit dem folgenden Bildmaterial können Sie nachvollziehen, wie sich im Laufe der Jahrhunderte aus Teilen der Helme von Ritterrüstungen (um 1600) Kinntrageriemen und schließlich Zierbänder (1900) entwickelten. Diese Abwandlungen waren z.T. von der Waffenentwicklung abhängig.

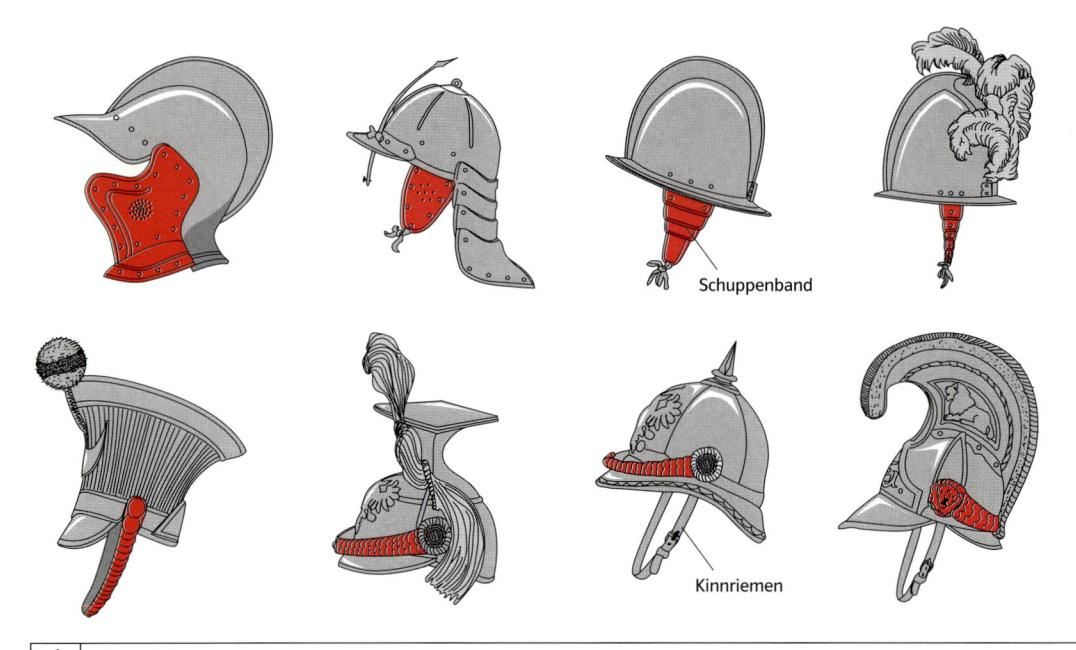

1 Armeehelme, oben: 1600 bis Ende 18. Jahrhundert, unten: 19. bis 20. Jahrhundert

K/II 1. Fassen Sie die Veränderungen der Helme beschreibend zusammen und betrachten Sie dabei auch Funktionsänderungen einzelner Elemente.

Lösung S. 204

F/III 2. Begründen Sie, warum technische Geräte in vielen Kulturen identisch entwickelt wurden, die religiösen Mythen sich aber stark unterscheiden.

Notizen / Fragen / Schlüsselbegriffe / Ergänzungen / Hinweise aus dem Unterricht / Basiskonzept / Seitenverweise:

Ökologie

22	Beziehungen zwischen Organismen und Umwelt
23	Wechselwirkungen innerhalb von Lebensgemeinschaften
24	Dynamik von Populationen
25	Stoff- und Energiefluss in Ökosystemen
26	Einblicke in Ökosysteme
27	Die Biosphäre unter dem Einfluss des Menschen

22.1 Umweltfaktoren bestimmen die Verbreitung der Stechpalme

Vielleicht wächst der einheimische Zierstrauch „Europäische Stechpalme" *Ilex aquifolium* auch in ihrem Vorgarten. In unseren Wäldern kommt er natürlich vor, weil dort die Umweltfaktoren für ihn günstig sind. *Ilex aquifolium* ist ein baumartiges oder strauchartiges immergrünes Gehölz, das langsam aufrecht wächst, bis zu 10 Meter hoch und bis zu 100 Jahre alt werden kann. Es besitzt eiförmige bis elliptische ledrige Laubblätter, unscheinbare grünlichweiße bis hellrote Blüten und erbsengroße, scharlachrote Früchte. Für Menschen, Pferde, Hunde und viele Nager sind die Früchte mit den Steinkernen ungenießbar beziehungsweise sogar giftig, während Vögel wie Amseln, Drosseln und Rotkehlchen sich von den Früchten ernähren und die Steinkerne unverdaut ausscheiden.

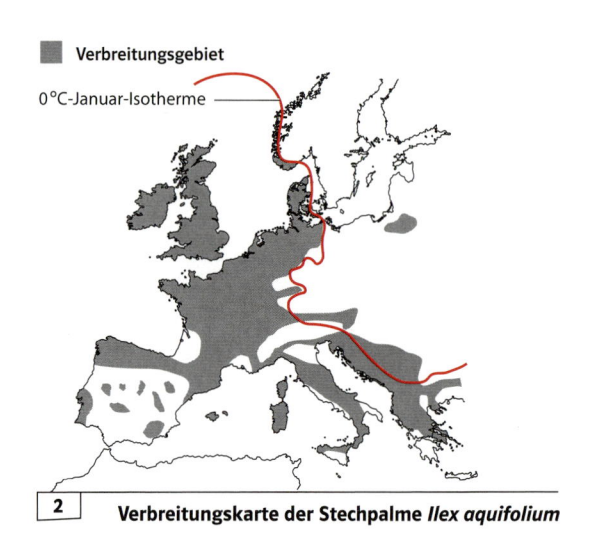

1 Die Europäische Stechpalme

2 Verbreitungskarte der Stechpalme *Ilex aquifolium*

E/I **1.** Beschreiben Sie anhand von Abb. 2 und ggf. mithilfe eines Atlasses das Vorkommen der Stechpalme.

F/I **2.** Nennen Sie jeweils 3 verschiedene abiotische und biotische Faktoren, die das Vorkommen der Stechpalme beeinflussen.

E/III **3.** Beurteilen Sie die Aussage: „Die östliche Verbreitungsgrenze der Stechpalme wird hauptsächlich durch die 0 °C-Januar-Isotherme bestimmt." Die 0 °C-Januar-Isotherme ist eine Linie, an der die Temperaturmaxima an 345 Tagen pro Jahr über 0 °C liegen (vgl. Abb. 2).

Lösung S. 204

Notizen / Fragen / Schlüsselbegriffe / Ergänzungen / Hinweise aus dem Unterricht / Basiskonzept / Seitenverweise:

Ökologie

Beziehungen zwischen Organismen und Umwelt

22.2 Felsenkrabben tolerieren Wasser mit unterschiedlichen Salzgehalten

Bei verschiedenen auf der Karibikinsel Jamaika lebenden Felsenkrabbenarten kann man die jeweils unterschiedliche Wirkung eines Umweltfaktors gut erkennen. Diese Felsenkrabben leben terrestrisch im Landesinneren und lediglich während der Larvenentwicklung sind sie auf das Wasser angewiesen. Anhand des Ortes der Larvenentwicklung werden bei den Felsenkrabben marine Arten, Brackwasser- und Süßwasserarten unterschieden.• Die Larvenentwicklung erfolgt bei den Felsenkrabben meist in Kleinstgewässern, wie meeresfernen oder -nahen Felstümpeln oder Gesteinsmulden, in Blattachseln und in Baumstämmen usw. Die drei hier dargestellten Felsenkrabbenarten — *Sesarma jarvisi*, *Sesarma rectum* und *Armases miersii* — unterscheiden sich bei der Auswahl ihrer Larvenhabitate deutlich.

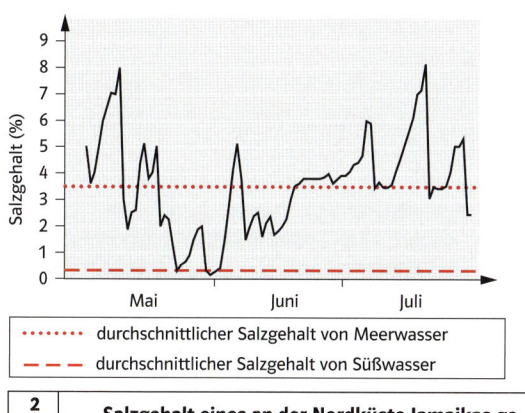

1 *Sesarma jarvisi*

Variabilität und Angepasstheit

2 Salzgehalt eines an der Nordküste Jamaikas gelegenen Felstümpels in den Monaten Mai bis Juli

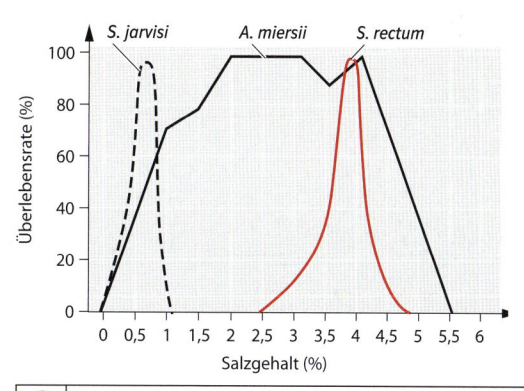

.... durchschnittlicher Salzgehalt von Meerwasser
– – – durchschnittlicher Salzgehalt von Süßwasser

3 Einfluss des Salzgehalts auf die Überlebensrate von Larven verschiedener jamaikanischer Felsenkrabben

F/I 1. Erklären Sie anhand der Abb. 3 den Begriff „Toleranz" unter Verwendung verschiedener Fachbegriffe.

F/I 2. Beschriften Sie die Toleranzkurve von *Sesarma rectum* mit den bei der Lösung zu Aufgabe 1 genannten Fachbegriffen.

B/III 3. Diskutieren Sie die Toleranzkurven der drei Krabbenarten unter Berücksichtigung der Abb. 2.

LERNTIPP
Grundlagen zur Osmose finden Sie im Lehrbuch unter Konzept 3.4.

Lösung S. 204

Notizen / Fragen / Schlüsselbegriffe / Ergänzungen / Hinweise aus dem Unterricht / Basiskonzept / Seitenverweise:

Beziehungen zwischen Organismen und Umwelt   Ökologie

22.3 Der Tagesgang bestimmt die Wasserabgabe bei Pflanzen

Steuerung und Regelung

Wie Sie aus eigenen Beobachtungen z. B. an Pfützen wissen, variiert im Laufe des Tages die Verdunstung. Man bezeichnet die Verdunstung von Wasser aus dem Boden und über den Flächen von Gewässern als Evaporation. Bei Pflanzen wird die Wasserabgabe reguliert und daher als Transpiration bezeichnet.•

Pflanzen sind, um Fotosynthese betreiben zu können, auf Licht, CO_2 und Wasser angewiesen. Für den Fotosyntheseprozess müssen die Spaltöffnungen der Pflanze geöffnet sein. Dabei wird neben der CO_2-Aufnahme auch Wasser an die Umgebung abgegeben. Diese Wasserabgabe wird als stomatäre Transpiration bezeichnet. Ein Teil der Transpiration bei Pflanzen erfolgt über die Cuticula.

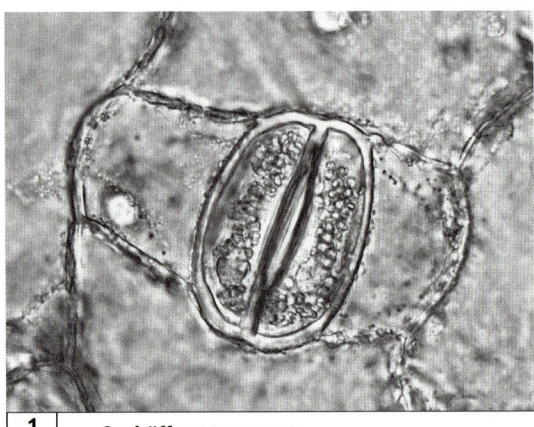

1 Spaltöffnungsapparat

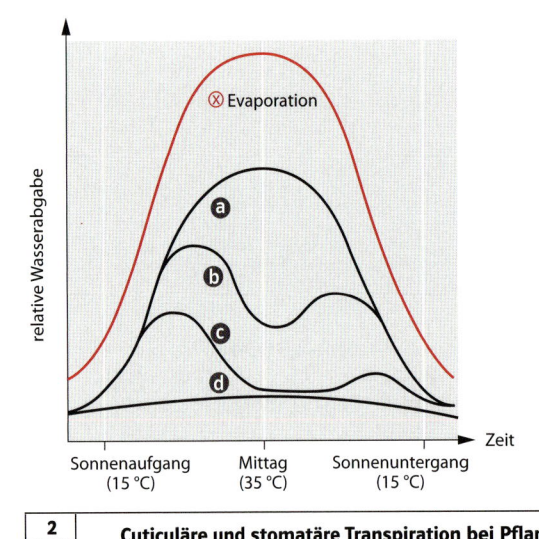

⊗ Verlauf der Evaporation über einer freien Wasserfläche gleicher Größe

a Transpiration durch Spaltöffnungen bei einer Pflanze ohne Wassermangel
b Transpiration durch Spaltöffnungen bei normalen Bodenfeuchteverhältnissen
c Transpiration durch Spaltöffnungen nach einigen Tagen Trockenheit
d cuticuläre Transpiration nach einer längeren Trockenperiode (Spaltöffnungen geschlossen)

2 Cuticuläre und stomatäre Transpiration bei Pflanzen im Vergleich zur Evaporation

LERNTIPP
Lesen Sie zum Thema Gasaustausch das Konzept 7.3 im Lehrbuch.

Lösung S. 205

F/I **1.** Erklären Sie Unterschiede zwischen der stomatären und der cuticulären Transpiration.

F/III **2.** Deuten Sie die in Abb. 2 dargestellten Kurvenverläufe.

Notizen / Fragen / Schlüsselbegriffe / Ergänzungen / Hinweise aus dem Unterricht / Basiskonzept / Seitenverweise:

Ökologie Beziehungen zwischen Organismen und Umwelt

22.4 Die Verbreitung zweier Rötelmausarten wird durch die Temperatur bestimmt

Verwandte Tiere haben in unterschiedlich temperierten Verbreitungsgebieten verschiedene Körpermerkmale. Am Beispiel von gleichwarmen Rötelmausarten lässt sich dies gut erkennen. Die Gemeine Rötelmaus *Clethrionomys glareolus* hat ihren Verbreitungsschwerpunkt im eher ozeanisch geprägten Mitteleuropa, während die Graurötelmaus *Clethrionomys rufocanus* vorwiegend im eher kontinental beeinflussten Nordeuropa zu finden ist. Das Klima Mitteleuropas weist im Vergleich zum nordeuropäischen Klima durchschnittlich höhere Lufttemperaturen auf.

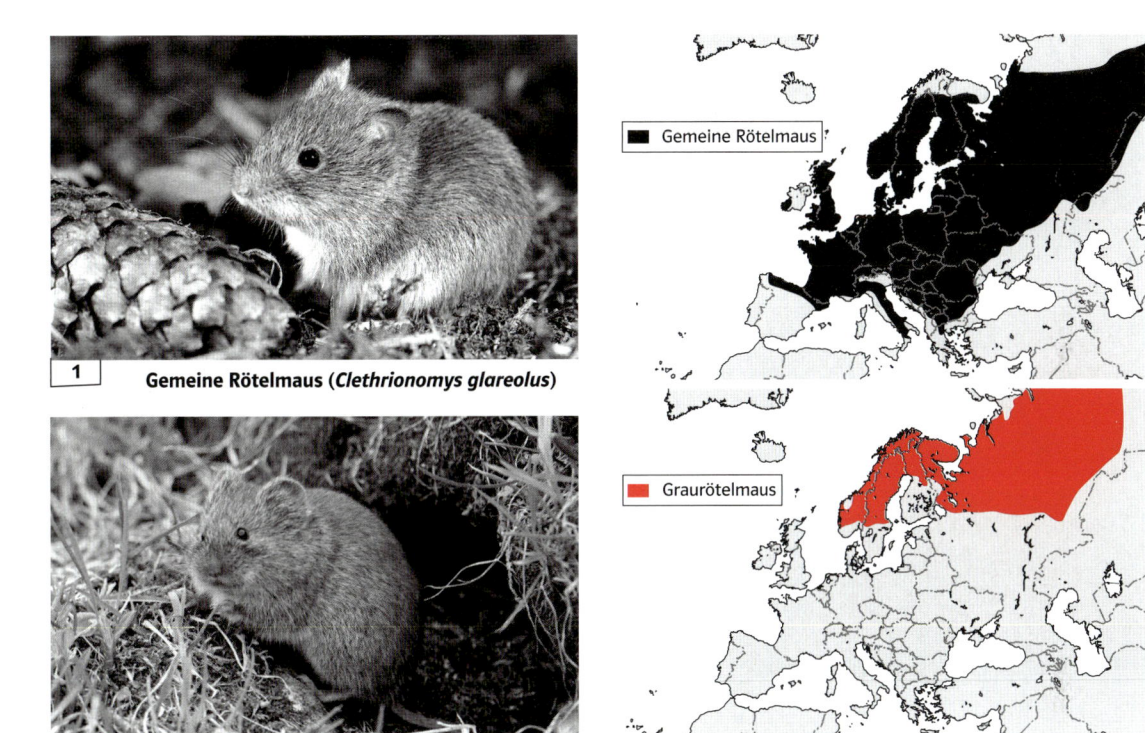

1 Gemeine Rötelmaus (*Clethrionomys glareolus*)

2 Graurötelmaus (*Clethrionomys rufocanus*)

3 Verbreitungskarten

F/II 1. Stellen Sie Vermutungen an, wie sich diese beiden Arten hinsichtlich ihrer Kopf-Rumpf-Längen, ihrer Massen (Körpergewicht) und ihrer Schwanzlängen voneinander unterscheiden. Begründen Sie Ihre Aussagen.

F/II 2. Erklären Sie, warum der Sauerstoffverbrauch bei der Graurötelmaus in Ruhe und bezogen auf die Körpermasse bei gleichen Temperaturbedingungen (10°C) geringer ist als bei der Gemeinen Rötelmaus.

LERNTIPP
Informationen zu Klimaregeln sind im Lehrbuch in Konzept 22.7 zu finden. Als Wiederholung lesen Sie die Konzepte 5.5 und 5.6. Bearbeiten Sie die Aufgabe auf S. 113 in diesem Buch.

Lösung S. 206

Notizen / Fragen / Schlüsselbegriffe / Ergänzungen / Hinweise aus dem Unterricht / Basiskonzept / Seitenverweise:

Beziehungen zwischen Organismen und Umwelt — Ökologie

22.5 Wechselwirkungen zwischen Arten beeinflussen deren Vorkommen

Das Ostseegebiet ist vielen als Urlaubsregion bekannt. Der zu Dänemark gehörende Limfjord ist eine langgestreckte Meeresstraße (Sund) zwischen der Halbinsel Jütland und der Insel Vendsyssel-Thy. Der Salzgehalt in diesem Teil der Ostsee variiert sehr stark. Forscher entdeckten dort verschiedene Flohkrebsarten (Gattung: *Gammarus*). Das Vorkommen von fünf Flohkrebsarten ist in der Abbildung dargestellt. Den Forschern gelang es, alle Arten im Labor über mehrere Generationen bei einer Salinität des Wassers zu halten, die zwischen 23 ‰ und 27 ‰ schwankte.

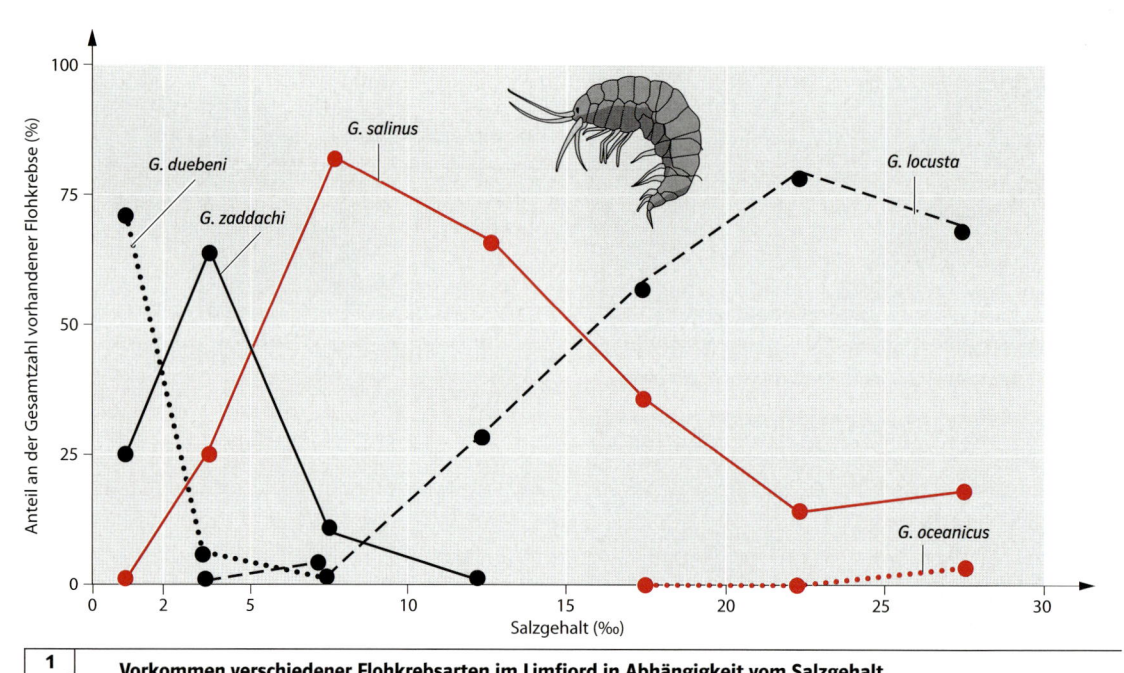

1 Vorkommen verschiedener Flohkrebsarten im Limfjord in Abhängigkeit vom Salzgehalt

LERNTIPP
Beachten Sie die Konzepte 22.2 und 23.6 im Lehrbuch.

Lösung S. 206

F/I **1.** Beschreiben Sie die Verbreitung dieser fünf Flohkrebsarten im Limfjord.

F/I **2.** Erklären Sie die Begriffe physiologisches und ökologisches Optimum, ökologische Nische und Konkurrenzausschlussprinzip.

F/II **3.** Deuten Sie die Abbildung im Kontext der Laborversuchsergebnisse und unter Verwendung der in Aufgabe 2 benutzten Fachbegriffe.

Notizen / Fragen / Schlüsselbegriffe / Ergänzungen / Hinweise aus dem Unterricht / Basiskonzept / Seitenverweise:

Ökologie Beziehungen zwischen Organismen und Umwelt

22.7 Verwandte Arten sind in verschiedenen Gebieten regelhaft verändert

Der deutsche Anatom und Physiologe C. BERGMANN und der Zoologe J. A. ALLEN stellten im 19. Jahrhundert unabhängig voneinander zwei verschiedene ökogeografische Regeln auf. Ökogeografische Regeln beruhen auf Beobachtungen an homoiothermen Tieren, die immer wieder zeigen, dass bestimmte Körpermerkmale bei verschiedenen Arten eines Lebensraums ähnlich ausgeprägt sind. Außerdem unterscheiden sich nahe verwandte Arten in verschiedenen Gebieten in diesen Merkmalen auf bestimmte Weise. Diese Regeln sind als BERGMANN'sche Regel und als ALLEN'sche Regel bekannt geworden. BERGMANN stellte bei seiner Regel das Vorkommen und die Körpergröße von Tieren in Beziehung, ALLEN das Vorkommen und die Länge der Körperanhänge von Tieren.

	Feldhamster *Cricetus critetus*	**Rumänischer Goldhamster** *Mesocricetus newtoni*	**Grauhamster** *Cricetulus migratorius*
Hauptvorkommen innerhalb Europas	Mittel- und Osteuropa, z. B. Deutschland	Schwarzmeerküste, z. B. Rumänien	Südosteuropa, z. B. Griechenland
Masse	150 – 400 g	60 – 130 g	25 – 36 g
Kopf-Rumpf-Länge	18 – 28 cm	13,5 – 16,0 cm	9,0 – 11,0 cm
Schwanzlänge	2,3 – 7,0 cm	1,8 – 2,6 cm	2,2 – 3,2 cm
Ohrlänge	2,3 – 3,1 cm	1,4 – 2,0 cm	1,3 – 2,0 cm
Hinterfußlänge	3,0 – 4,0 cm	1,5 – 2,2 cm	1,4 – 1,7 cm

1 Verbreitung verschiedener in Europa vorkommender Hamsterarten und deren wichtige Kenngrößen

E/II **1.** Beschreiben Sie die Beziehung zwischen dem Vorkommen der verschiedenen Hamsterarten in Europa und deren Körpergröße sowie deren Körpermasse (Abb. 1).

E/II **2.** Setzen Sie jeweils die Kopf-Rumpf-Länge, die Schwanzlänge, die Ohrlänge und die Hinterfußlänge der Hamsterarten in Beziehung zu deren Körpermasse und stellen Sie einen Zusammenhang zum Vorkommen der verschiedenen Hamsterarten her. Berücksichtigen Sie dabei jeweils nur die mittleren Werte.

F/III **3.** Erklären Sie die stoffwechselphysiologischen Beziehungen der von Ihnen aufgezeigten Zusammenhänge.

LERNTIPP
Lösen Sie auch die Aufgabe auf S. 111 in diesem Buch.

Lösung
S. 206

Notizen / Fragen / Schlüsselbegriffe / Ergänzungen / Hinweise aus dem Unterricht / Basiskonzept / Seitenverweise:

23.2 Organismen können verschiedene Trophiestufen einnehmen

Bei Betrachtung verschiedener Lebensgemeinschaften lässt sich erkennen, dass es dort jeweils nicht nur eine einzige Nahrungskette gibt, sondern mehrere, die miteinander verflochten sind und ein Nahrungsnetz bilden. Dies lässt sich auch bei der artenreichen Lebensgemeinschaft des namibischen Etosha-Nationalparks erkennen. Der Etosha-Nationalpark ist mit einer Größe von fast 2300 km² und einer Kombination von Savanne und Buschwäldern sowie der Etoshapfanne — der Boden eines ausgetrockneten Sees — einer der größten Nationalparks Afrikas. Im Rahmen einer ökologischen Forschungsarbeit wurden verschiedene Arten des Etosha-Nationalparks inventarisiert, die hier auszugsweise dargestellt sind.

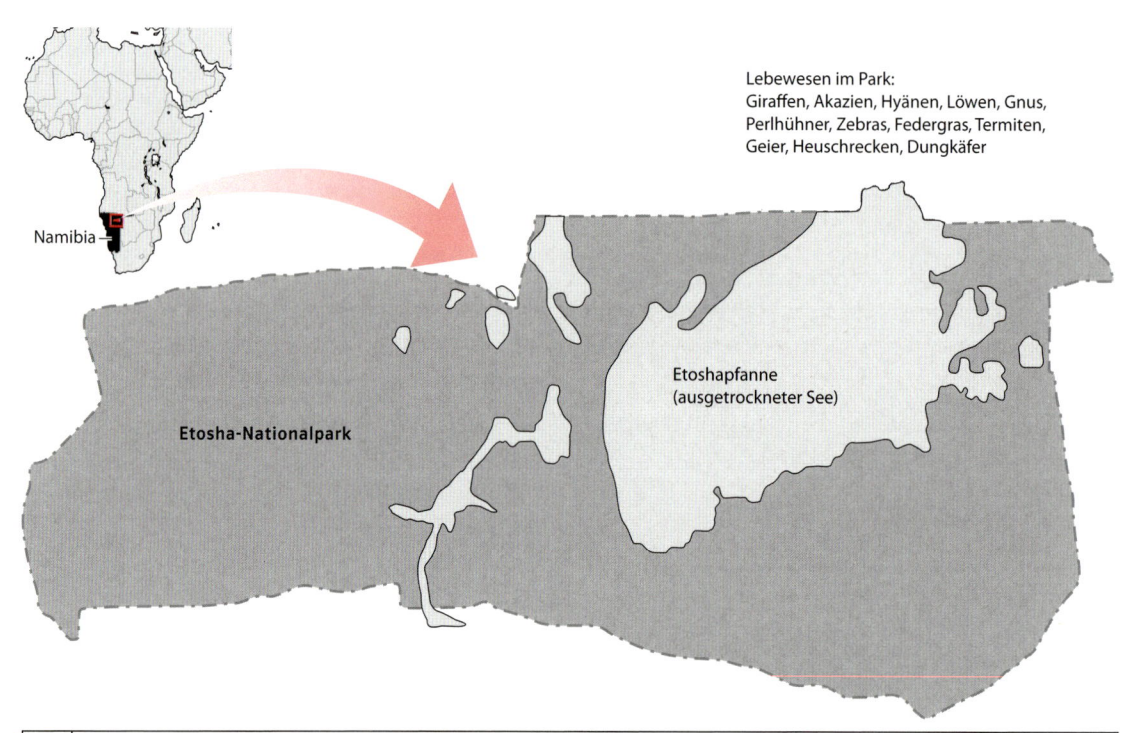

Lebewesen im Park:
Giraffen, Akazien, Hyänen, Löwen, Gnus, Perlhühner, Zebras, Federgras, Termiten, Geier, Heuschrecken, Dungkäfer

1 Auszug einer Arteninventarliste des Etosha-Nationalparks und Karte des Etosha-Nationalparks

LERNTIPP
Lesen Sie zum Thema Energiehaushalt auch Konzept 5.3 im Lehrbuch.

Lösung S. 207

F/II **1.** Ordnen Sie die Arten des Etosha-Nationalparks begründet verschiedenen Trophiestufen zu.

F/II **2.** Bilden Sie anhand der obigen Artenliste drei miteinander vernetzte Nahrungsketten und erklären Sie diese.

F/II **3.** Erläutern Sie, warum in einer Lebensgemeinschaft im Regelfall nicht mehr als drei bis fünf Trophiestufen existieren.•

Notizen / Fragen / Schlüsselbegriffe / Ergänzungen / Hinweise aus dem Unterricht / Basiskonzept / Seitenverweise:

Ökologie — Wechselwirkungen innerhalb von Lebensgemeinschaften

23.4 Malaria — Einzeller erobern unseren Körper

Lust auf Urlaub in den Tropen? Vergessen Sie die Vorbeugung gegen Malaria nicht! Malaria ist eine Infektionskrankheit, die hauptsächlich in den Tropen und Subtropen vorkommt. Von den mehreren Hundertmillionen mit Malaria infizierten Menschen weltweit sterben pro Jahr knapp eine Million. Über die Hälfte davon sind Kinder. Malaria wird von einzelligen Sporentierchen (Sporozoiten) der Gattung *Plasmodium* hervorgerufen, die auf Menschen durch Stiche von Mücken der Gattung *Anopheles* übertragen werden (Abb. 1). An Malaria Erkrankte zeigen periodisches Fieber, Schüttelfrost, Magen-Darm-Beschwerden. Besonders bei Kindern führt die Krankheit schnell zum Tod. Ursache der Fieberschübe sind die zerfallenden roten Blutzellen. Die schwerste Form, die *Malaria tropica*, wird von *Plasmodium falciparum* hervorgerufen. In den roten Blutzellen produziert dieser Erreger neben anderen schädlichen Stoffen ein besonderes Protein. Es bewirkt eine Haftung der infizierten Blutzellen an den Blutgefäßwänden.

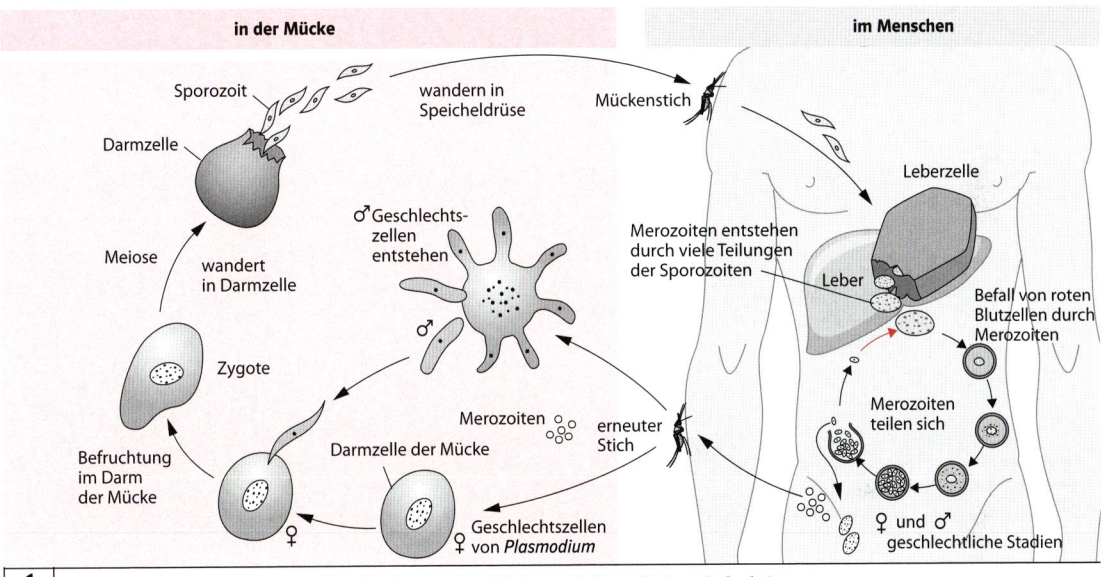

1 Entwicklung von *Plasmodium* in *Anopheles*-Mücke und Mensch (vereinfacht)

E/II 1. Beschreiben Sie den Lebenszyklus des Malariaerregers mithilfe der Abb. 1. Sie lernen dabei, Informationen aus komplexen Grafiken zu erschließen.

F/II 2. Charakterisieren Sie den Parasitismus des Malariaerregers. Orientieren Sie sich dabei an der Tabelle in Abb. 3 auf S. 330 im Lehrbuch.

E/II 3. Vergleichen Sie tabellarisch den Lebenszyklus von Malariaerreger und Fuchsbandwurm (Lehrbuch, S. 329).

Lösung S. 208

Notizen / Fragen / Schlüsselbegriffe / Ergänzungen / Hinweise aus dem Unterricht / Basiskonzept / Seitenverweise:

Wechselwirkungen innerhalb von Lebensgemeinschaften — Ökologie

23.5 Flechten bilden eine morphologische Einheit aus Pilz und Alge

Struktur und Funktion

Symbiosen zwischen zwei Organismenarten kommen in vielen verschiedenen Ökosystemen vor. In einer geradezu vollkommenen Form tritt die Symbiose bei den Flechten auf. Flechten werden als eigenständige systematische Einheiten (Arten) geführt, obwohl sie eine Symbiose aus Alge und Pilz darstellen.• Bei den Algen handelt es sich meistens um einzellige Grünalgen und bei den Pilzen um Ständerpilze (Hutpilze). Das Geflecht der Pilzfäden wirkt wie ein Schwamm. Es gibt aber auch Flechten, die eine Symbiose aus Cyanobakterien (Blaualgen) und Pilz darstellen.

Flechten kommen in verschiedenen Lebensräumen vor, benötigen viel Licht und wachsen nur langsam, meist nur wenige Millimeter im Jahr. Viele Flechten können an Extremstandorten vorkommen, wie Hochgebirgsregionen, Wüsten, Permafrostgebiete, Moore, Klippen oder Mauern.

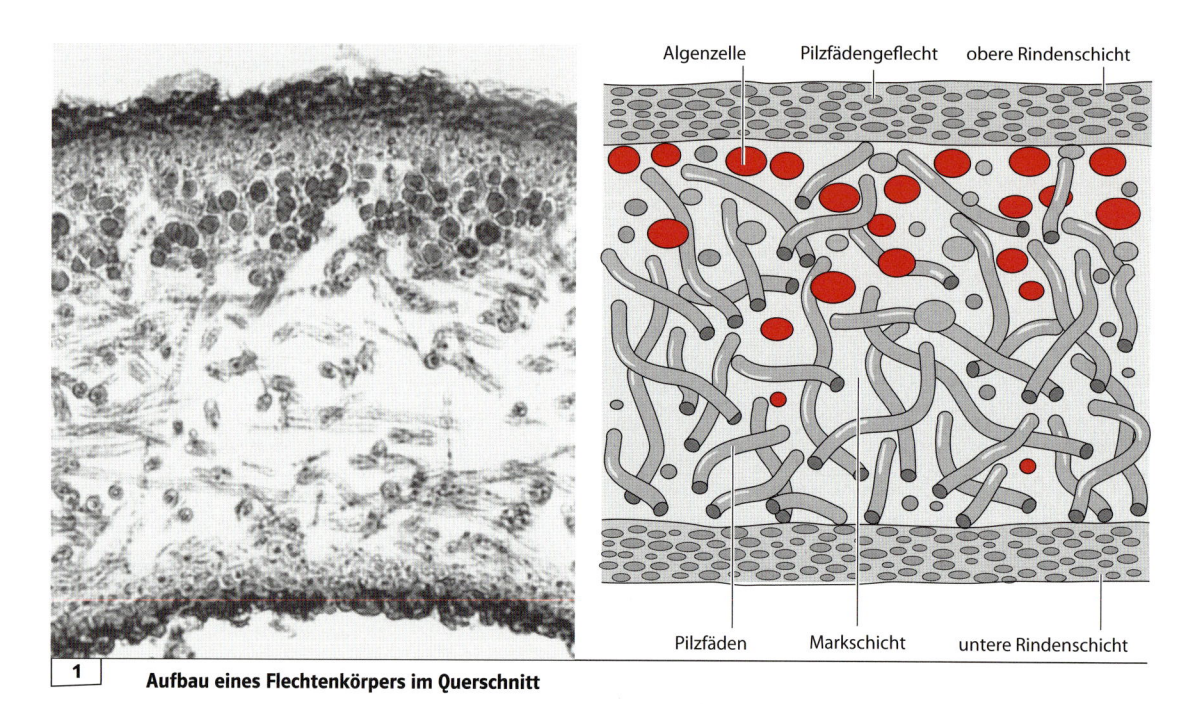

1 Aufbau eines Flechtenkörpers im Querschnitt

LERNTIPP
Als Wiederholung lesen Sie Konzept 22.3 im Lehrbuch.

Lösung S. 208

K/II 1. Erläutern Sie allgemein die Wechselbeziehung zweier Organismen, die als Symbiose bezeichnet wird.

F/I 2. Beschreiben Sie anhand der Abbildung den Aufbau einer Flechte.

F/II 3. Erklären Sie unter stoffwechselphysiologischen Aspekten das Zusammenleben von Algen und Pilzen.

F/III 4. Erläutern Sie, warum Flechten an Extremstandorten, wie z. B. Dachfirsten, vorkommen können.

Notizen / Fragen / Schlüsselbegriffe / Ergänzungen / Hinweise aus dem Unterricht / Basiskonzept / Seitenverweise:

Ökologie
Wechselwirkungen innerhalb von Lebensgemeinschaften

23.6 Fressfeinde können Populationen einer Art verdrängen

Ein sehr interessantes Beispiel sowohl für interspezifische Konkurrenz als auch für Räuber-Beute-Verhältnisse in einer Lebensgemeinschaft sind die Wechselbeziehungen zwischen drei Arten, die in Teichen auf Inseln im nordamerikanischen Lake Superior vorkommen. Die Kaulquappen des gestreiften Chorfrosches haben als Feinde die Larven des Blaufleck-Querzahnmolchs und die Larven der Amerikanischen Königslibelle. Beide Larvenstadien der Räuber koexistieren. Ein Ökologe beobachtete, dass die Kaulquappen in Teichen mit Molchlarven und Libellenlarven fast oder ganz fehlten, aber häufig vorkamen, wenn beide Räuber fehlten. Durch Experimente wollte er die Hypothese überprüfen, ob die Libellenlarven letztlich dafür verantwortlich sind, dass die Chorfrösche aus vielen Teichen eliminiert wurden. Dafür veränderte er die Dichte der Libellenlarven (Räuber) und die der Kaulquappen (Beute) in den Teichen, während die Anzahl der Molche unberücksichtigt blieb. Die Versuchsergebnisse sind in der Abbildung dargestellt.

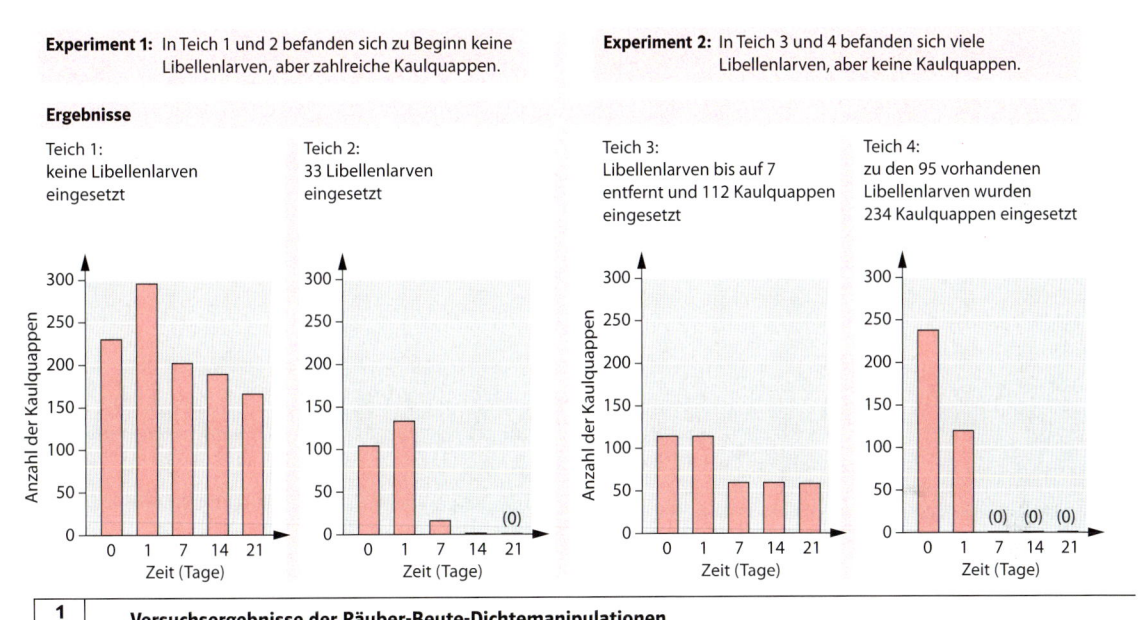

Experiment 1: In Teich 1 und 2 befanden sich zu Beginn keine Libellenlarven, aber zahlreiche Kaulquappen.

Experiment 2: In Teich 3 und 4 befanden sich viele Libellenlarven, aber keine Kaulquappen.

Ergebnisse

Teich 1: keine Libellenlarven eingesetzt

Teich 2: 33 Libellenlarven eingesetzt

Teich 3: Libellenlarven bis auf 7 entfernt und 112 Kaulquappen eingesetzt

Teich 4: zu den 95 vorhandenen Libellenlarven wurden 234 Kaulquappen eingesetzt

1 Versuchsergebnisse der Räuber-Beute-Dichtemanipulationen

K/I 1. Beschreiben Sie die Ergebnisse der Experimente in den vier Teichen.

E/III 2. Ziehen Sie aus den Ergebnissen und aus der Textinformation begründete Rückschlüsse bezüglich der aufgestellten Hypothese.

E/III 3. Stellen Sie zwei Hypothesen auf, wieso es bei den Larven des Blaufleck-Querzahnmolchs und den Larven der Amerikanischen Königslibelle nicht zu Konkurrenzausschluss kommt, wenn beide um die gleiche Ressource — die Kaulquappen des Chorfrosches — konkurrieren.

Lösung S. 209

Notizen / Fragen / Schlüsselbegriffe / Ergänzungen / Hinweise aus dem Unterricht / Basiskonzept / Seitenverweise:

24 Dynamik von Populationen

24.1 Populationen können unterschiedlich wachsen

Die Unterschiede verschiedener Wachstumsmodelle verdeutlichen Sie sich am besten, indem Sie reale Werte als Datengrundlage benutzen. Ein Beispiel bietet die Vermehrungsbiologie der Feldmaus *Microtus arvalis*. Die Geschlechtsreife tritt bei Feldmäusen bereits ab dem 12. Lebenstag ein. Die Tragzeit dauert etwa 19–21 Tage, sodass Jungweibchen schon mit etwa 35 Tagen ihren ersten Wurf setzen können. Unmittelbar nach vollzogenem Geburtsakt (1–8 Stunden nach Absetzen des letzten Jungen) ist das Feldmausweibchen wieder empfängnisbereit, d. h. die Würfe können etwa in einem 3-wöchigen Abstand aufeinanderfolgen. Die maximal beobachtete Anzahl an Würfen eines Weibchens beträgt 31. Die Wurfstärke schwankt zwischen 4 und 12. Die Fortpflanzungszeit liegt zwischen Anfang März und Oktober. Je nach Witterungsbedingungen können diese Werte variieren. Für unsere Berechnungen gehen wir von folgenden Annahmen aus: Das Geschlechterverhältnis ist stets ausgeglichen, in dem Zeitraum März (t_0) bis September (t_6) sterben keine Feldmäuse, und alle 30 Tage bekommen 2 Feldmäuse 6 Junge. Anfang März leben 20 Feldmäuse auf einem Acker, auf dem maximal 2 000 Feldmäuse leben können.

Reproduktion

a) Lineares Wachstum

$\frac{dN}{dt} = r \cdot N_0 \Rightarrow N_t = r \cdot N_0 + N_{t-1}$

b) Exponentielles Wachstum

$\frac{dN}{dt} = r \cdot N_{t-1} \Rightarrow N_t = r \cdot N_{t-1} + N_{t-1}$

c) Logistisches Wachstum

$\frac{dN}{dt} = N_{t-1} \cdot r \cdot \left(\frac{K - N_{t-1}}{K}\right) \Rightarrow N_t = N_{t-1} \cdot r \cdot \left(\frac{K - N_{t-1}}{K}\right) + N_{t-1}$

$N_0 = 20$ = Ausgangspopulation; N_t = Populationsgröße zum Zeitpunkt t; r = 3 = Zuwachsrate; $t_0 = 0$ Tage, $t_1 = 30$ Tage, $t_2 = 60$ Tage, …; K = 2 000 Individuen = Umweltkapazität; $dN = N_t - N_{t-1}$ = Veränderung der Populationsgröße im Zeitintervall $t - (t-1)$; $dt = t_n - t_{n-1}$ = Zeitraum $t_n - t_{n-1}$; $\frac{dN}{dt}$ = Zuwachs pro Zeitintervall

Zeitpunkt	t_0	t_1	t_2	t_3	t_4	t_5	t_6
Zuwachs für r = 3 (lineares Wachstum)	–	60	60	60	60	60	60
Populatonsgröße (N_t) (lineares Wachstum)	20						
Zuwachs für r = 3 (expo. Wachstum)	–						
Populationsgröße (N_t) (expo. Wachstum)	20						
Zuwachs für r = 3 (log. Wachstum)	–						
Populationsgröße (N_t) (log. Wachstum)	20						

1 Gleichungen zur Berechnung des Populationswachstums

F/II 1. Berechnen Sie die Feldmauspopulationsgrößen nach den drei Berechnungsmethoden für die Monate März (t_1) bis September (t_6) und tragen Sie Ihre Ergebnisse (mit Kommastellen) in die Tabelle oben ein.

Lösung S. 209

F/III 2. Erklären Sie nicht nur auf dieses Feldmausbeispiel bezogen, unter welchen Bedingungen Sie welches Modell für am wahrscheinlichsten halten.

Notizen / Fragen / Schlüsselbegriffe / Ergänzungen / Hinweise aus dem Unterricht / Basiskonzept / Seitenverweise:

Ökologie   Dynamik von Populationen

24.3 Voneinander abhängige Populationen schwanken periodisch

Die 110 000 km² große Insel Neufundland liegt an der Ostküste Kanadas und beherbergt nur wenige Säugetierarten, die in Wechselwirkung zueinander stehen. Solch ein überschaubares Ökosystem ist gewissermaßen ein Freilandlabor, denn dort lassen sich populationsdynamische Aspekte gut untersuchen. Auf Neufundland waren bis etwa zur Mitte des 19. Jahrhunderts Waldwölfe die Hauptfeinde der pflanzenfressenden Karibus. Luchse gab es nur vereinzelt. In den sechziger Jahren des 19. Jahrhunderts wurden Schneeschuhhasen von dort lebenden Fischern als neue Nahrungsquelle eingeführt. Luchse können leichter Schneeschuhhasen erbeuten als Karibukälber. Der Wolf ist seit 1911 auf Neufundland ausgerottet. Von Schneeschuhhasen, Karibus und Luchsen liegen Bestandsaufnahmen vor, die in Abb. 1 auszugsweise dargestellt sind.*

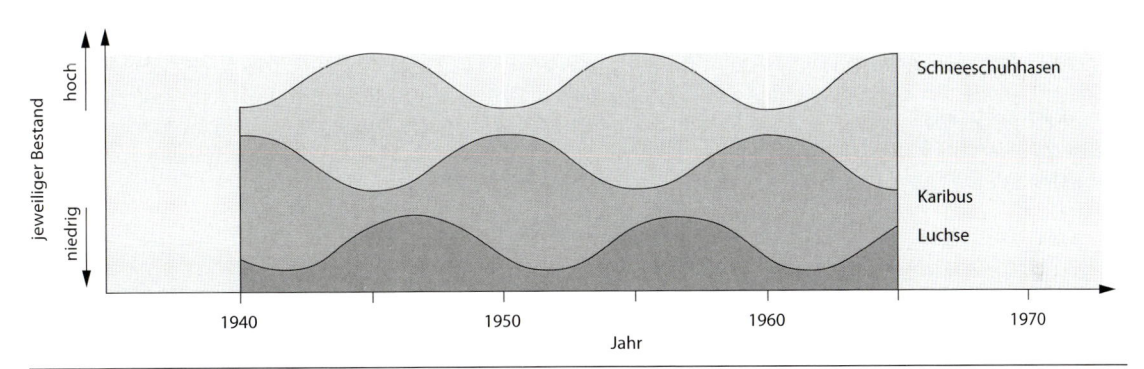

Steuerung und Regelung

1 Bestandsentwicklung dreier in Wechselbeziehung stehender Arten

2 Größe und Aussehen von Schneeschuhhasen, Karibus und Luchsen

F/II 1. Beschreiben und interpretieren Sie die Kurvenverläufe der Abb. 1 im Kontext der Beziehungen der drei Tierarten zueinander und in Bezug auf die Lotka-Volterra-Regeln.

F/II 2. In Gebieten, in denen Schneeschuhhasen ohne Luchse und Wölfe leben, werden auch regelmäßige Schwankungen der Populationsdichte festgestellt. Erläutern Sie, wodurch diese feindunabhängigen Populationsschwankungen bedingt sein können.

LERNTIPP
Zur Wiederholung können Sie Konzept 23.7 im Lehrbuch lesen.

Lösung S. 210

Notizen / Fragen / Schlüsselbegriffe / Ergänzungen / Hinweise aus dem Unterricht / Basiskonzept / Seitenverweise:

Dynamik von Populationen Ökologie

24.4 Bestandsgrößen unterliegen Schwankungen

Viele Chips, Kroketten sowie Pommes Frites, Reibekuchen und Püree haben eines gemeinsam, sie werden alle aus Kartoffeln gemacht. Die Kartoffelpflanze ist vermutlich in der Mitte des 16. Jahrhunderts durch die Spanier von Südamerika aus nach Europa gelangt. In Deutschland entwickelte sich erst unter Friedrich dem Großen im 18. Jahrhundert die Kartoffel aufgrund ihrer schmackhaften Knolle zur wichtigen Kulturpflanze. Im Jahr 1876 tauchten die aus Amerika stammenden ca. 6 – 11 mm großen Kartoffelkäfer in europäischen Häfen auf, verbreiteten sich rasch ostwärts und sind gegenwärtig auch schon in Ostasien zu finden.

Die Kartoffelkäfer ⓐ und ihre Larven ⓑ ernähren sich von Teilen der Kartoffelpflanze. Aufgrund des hohen Ausbreitungs- und Vermehrungspotenzials — die Kartoffelkäfer können je nach Klima bis zu 3 Generationen pro Jahr ausbilden — können sie innerhalb kurzer Zeit ganze Felder kahl fressen und so großen wirtschaftlichen Schaden anrichten. Dieses Verhalten macht die Kartoffelkäfer zu Pflanzenschädlingen, die auf unterschiedliche Weise bekämpft werden. In Russland werden z. B. die nordamerikanischen Raupenfliegen angesiedelt, und/oder die Kartoffelkäfer werden mit chemischen Mitteln bekämpft. Die Raupenfliegen legen ihre Eier spezifisch nur an die Larven des Kartoffelkäfers. Die Raupenfliegenlarven ernähren sich von den Larven des Kartoffelkäfers, die dabei getötet werden.

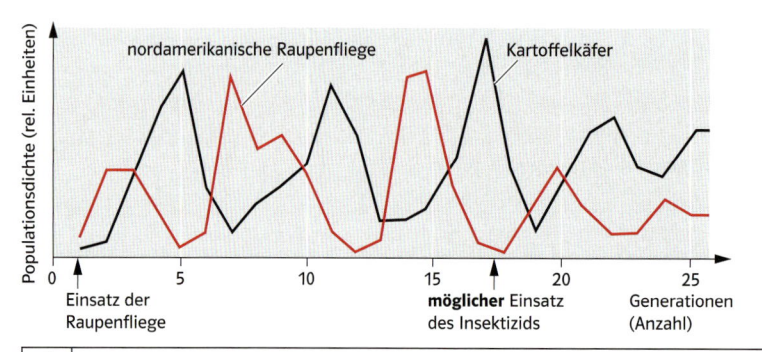

1 Entwicklung von Kartoffelkäfer- und Raupenfliegenpopulationen über mehrere Jahre

F/II 1. Erläutern Sie anhand des Einführungstextes verschiedene Möglichkeiten der Bekämpfung des Kartoffelkäfers.

F/II 2. Erläutern Sie die in Abb. 1 dargestellten Populationsentwicklungen der Kartoffelkäfer und der nordamerikanischen Raupenfliegen unter Beachtung der ökologischen Gesetzmäßigkeiten.

K/II 3. Diskutieren Sie, ob der Kartoffelkäfer durch den Einsatz der nordamerikanischen Raupenfliege vollständig zurückgedrängt werden kann.

B/II 4. Skizzieren Sie begründet die Populationsentwicklungen der Kartoffelkäfer und der Raupenfliegen, wenn zum markierten Zeitpunkt ein Insektizid eingesetzt wird, und beurteilen Sie die langfristige Anwendung dieses Insektizids.

LERNTIPP
Vielleicht lesen Sie als Wiederholung Konzept 24.3 im Lehrbuch.

Lösung S. 210

Notizen / Fragen / Schlüsselbegriffe / Ergänzungen / Hinweise aus dem Unterricht / Basiskonzept / Seitenverweise:

Ökologie   Dynamik von Populationen

24.5 Tragfähigkeitsberechnungen der Erde sind problematisch

In seinem Buch „An Essay on the Principle of Population" warnte bereits der englische Ökonom T. R. MALTHUS 1798 vor den Konsequenzen des Bevölkerungswachstums: „Ich behaupte, dass die Fähigkeit der Bevölkerung zur Vermehrung unbegrenzt größer ist als die Kraft der Erde, Unterhaltsmittel für den Menschen hervorzubringen." Nach T. R. MALTHUS nehmen das Wachstum der Weltbevölkerung exponentiell und die Nahrungsmittelerzeugung linear zu. Das unterschiedliche Wachstum sollte zwangsläufig zu Nahrungsmittelverknappung, Massensterben und Kriegen führen. Andere Gelehrte haben konkrete Angaben über die Tragfähigkeit der Erde gemacht. Bereits 1679 wurde von A. LEEUWENHOEK als Tragfähigkeitsgrenze eine Zahl von 13,4 Mrd. Menschen vorhergesagt, die dauerhaft ernährt werden können. 1880 prognostizierte der Demografieforscher RAVENSTEIN knapp 6 Mrd. Menschen, 1924 der Geograf PENCK 7,7 Mrd. Menschen, 1937 der Geograf W. HOLLSTEIN 13,3 Mrd. Menschen, und 1972 errechnete der amerikanische Ökonom D. L. MEADOWS 8,2 Mrd. Menschen als Tragfähigkeitsgrenze der Erde.

Die Bevölkerungsprognose der Vereinten Nationen ist in Abb. 1 dargestellt.

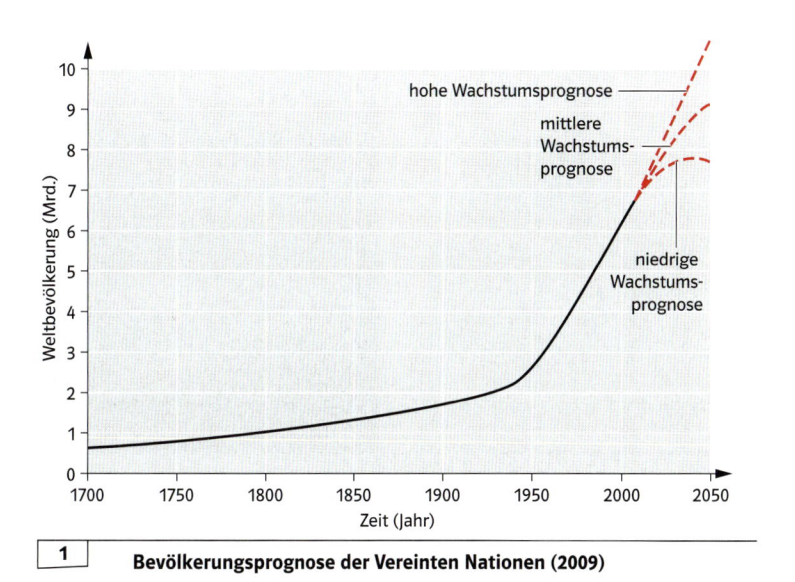

1   Bevölkerungsprognose der Vereinten Nationen (2009)

F/I   **1.** Erläutern Sie die Annahmen von T. R. MALTHUS.

F/II   **2.** Beschreiben Sie das von den Vereinten Nationen prognostizierte Bevölkerungswachstum.

K/I   **3.** Diskutieren Sie in der Gruppe, welche Schwierigkeiten bei Prognosen zum Bevölkerungswachstum auftreten können.

B/III   **4.** Beziehen Sie in der Diskussionsgruppe Stellung, wie sich die menschliche Erdbevölkerung nach Ihrer Meinung entwickeln wird.

LERNTIPP
Lesen Sie noch einmal Konzept 24.1 im Lehrbuch zum Thema Wachstumsraten.

Lösung S. 211

Notizen / Fragen / Schlüsselbegriffe / Ergänzungen / Hinweise aus dem Unterricht / Basiskonzept / Seitenverweise:

25.1 In Walen konzentrieren sich Gifte

Stoffe durchlaufen Ökosysteme. Dabei werden nicht nur die lebensnotwendigen Nährstoffe, sondern auch Gifte über die verschiedenen Ernährungsebenen weitergereicht.

Die in der Nord- und Ostsee heimischen Schweinswale ernähren sich von Fischen. Diese sind besonders stark mit POPs vergiftet. POP steht für Persistent Organic Pollutant. Es sind hochgiftige Chemikalien, wie das Insektizid DDT, die in der Umwelt nur äußerst langsam oder gar nicht abgebaut werden. DDT ist, wie viele dieser Gifte, lipophil und reichert sich im Fettgewebe der Lebewesen an. Die Algen nehmen geringe Mengen von DDT auf, die in die Meere eingetragen wurden. So gelangt es in die Nahrungskette zu Kleinkrebsen und Heringen und wird über die Trophiestufen angereichert. Bei jedem Schritt in der Nahrungskette erhöht sich der Gehalt der POPs um etwa das Zehnfache. Beim Menschen beträgt die Zeit, in der die Hälfte des DDT wieder ausgeschieden wird (biologische Halbwertzeit), über 1 Jahr.

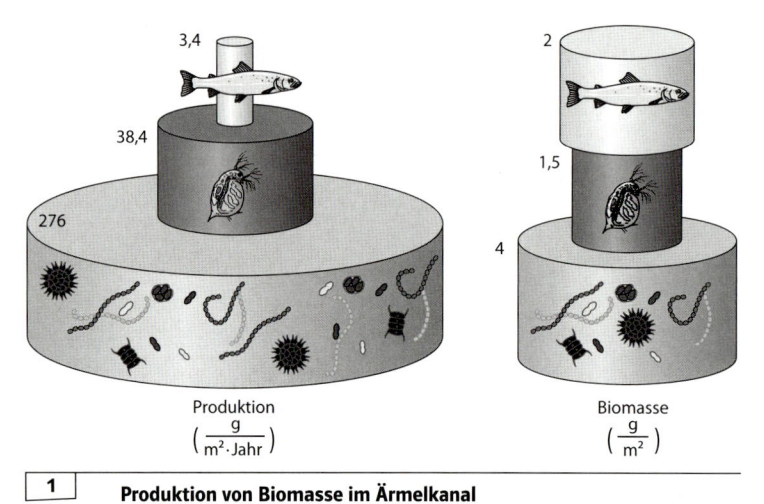

1 Produktion von Biomasse im Ärmelkanal
Produktion $\left(\frac{g}{m^2 \cdot Jahr}\right)$: 3,4 / 38,4 / 276
Biomasse $\left(\frac{g}{m^2}\right)$: 2 / 1,5 / 4

2 Schweinswal

Stoff- und Energieumwandlung

Lösung S. 212

F/I **1.** Nennen Sie eine Nahrungskette, deren Tertiärkonsument der Schweinswal ist. Geben Sie die Trophiestufen an.

F/II **2.** Berechnen Sie den prozentualen Verlust zwischen den einzelnen Stufen der Produktionspyramide in Abb. 1 links. Nennen Sie die Ursachen für den Rückgang der Produktion. Hier begegnet Ihnen das Basiskonzept Stoff- und Energieumwandlung auf der Ebene der Ökosysteme.•

F/II **3.** Die grafische Darstellung der Biomasseverteilung (Abb. 1 rechts) zeigt keine pyramidale Form. Begründen Sie.

F/III **4.** Erläutern Sie die Anreicherung der POPs in den Geweben der Schweinswale.

Notizen / Fragen / Schlüsselbegriffe / Ergänzungen / Hinweise aus dem Unterricht / Basiskonzept / Seitenverweise:

Ökologie — Stoff- und Energiefluss in Ökosystemen

25.3 Schwefelverbindungen durchlaufen einen Stoffkreislauf

Der Gestank nach „faulen Eiern" ist unverwechselbar. Verantwortlich für diesen unangenehmen Geruch ist das Gas Schwefelwasserstoff (H_2S). Es entsteht, wenn schwefelhaltige organische Stoffe verfaulen. Schwefel gehört genau wie Wasserstoff, Sauerstoff, Kohlenstoff, Stickstoff und Phosphor zu den sechs Grundelementen des Lebens. In der Natur unterliegt Schwefel ebenfalls einem Kreislauf. Pflanzen können Schwefel meist nur als Sulfat-Ion (SO_4^{2-}) aufnehmen. Sie bilden im Stoffwechsel organische Schwefelverbindungen. Tiere können anorganische Schwefelverbindungen nicht nutzen und decken ihren Schwefelbedarf über pflanzliche Nahrung.

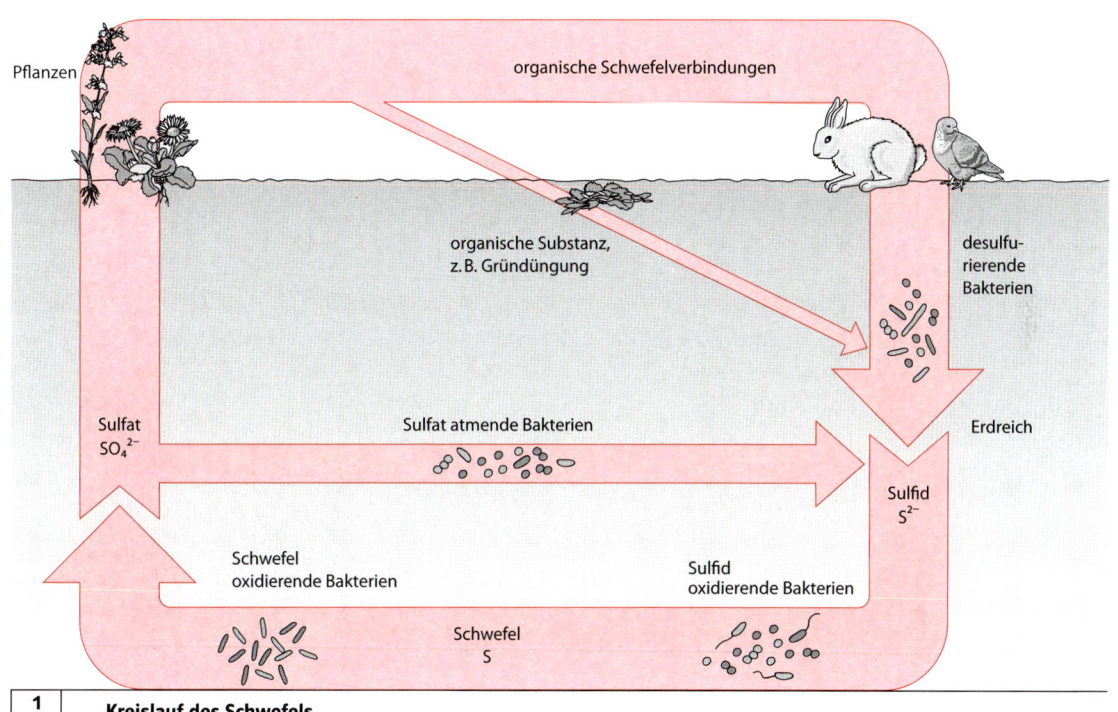

1 Kreislauf des Schwefels

F/I 1. Erläutern Sie Vorkommen und Bedeutung von Schwefel in Lebewesen.

K/II 2. Beschreiben Sie den Kreislauf des Schwefels mithilfe des Einleitungstextes und der Abb. 1.

F/II 3. Bei der Gründüngung pflügen Landwirte extra für diesen Zweck angebaute Pflanzen in den Boden ein. Erläutern Sie die Bedeutung der desulfurierenden Bakterien für die Gründüngung.

F/III 4. Markieren Sie im Schwefelkreislauf in Abb. 1 die Bakterien, die sich chemoautotroph ernähren.

LERNTIPP
Informationen zu chemoautotrophen Bakterien erhalten Sie in Konzept 8.6 im Lehrbuch.

Lösung S. 212

Notizen / Fragen / Schlüsselbegriffe / Ergänzungen / Hinweise aus dem Unterricht / Basiskonzept / Seitenverweise:

Stoff- und Energiefluss in Ökosystemen
Ökologie

25.4 Organische Stoffe werden im Boden mineralisiert

Stoff- und Energieumwandlung

Betrachten Sie eine blühende Wiese oder einen üppigen grünen Wald nur kurze Zeit, so bleibt Ihnen der gewaltige Stofffluss zwischen den Lebewesen wahrscheinlich verborgen. Auffälliger ist der Stofffluss bei einem Nektar saugenden Falter oder einer emsig nach Raupen suchenden Kohlmeise. Unbemerkt vollzieht sich jedoch ein bedeutender Teil der Stoffumwandlungen direkt unter Ihren Füßen. Der Boden ist die Recyclingstation der Landökosysteme.•

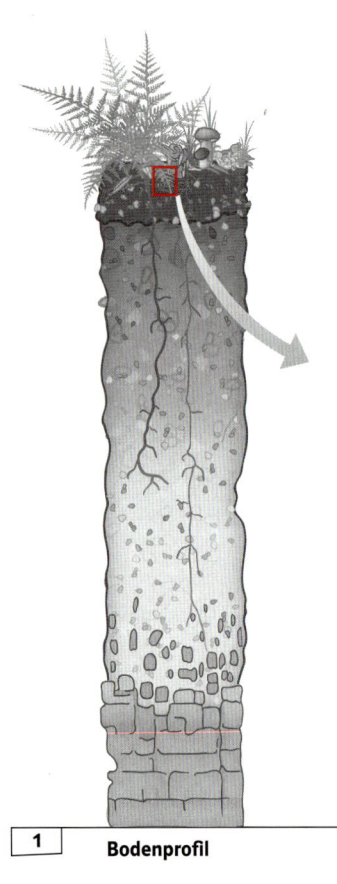

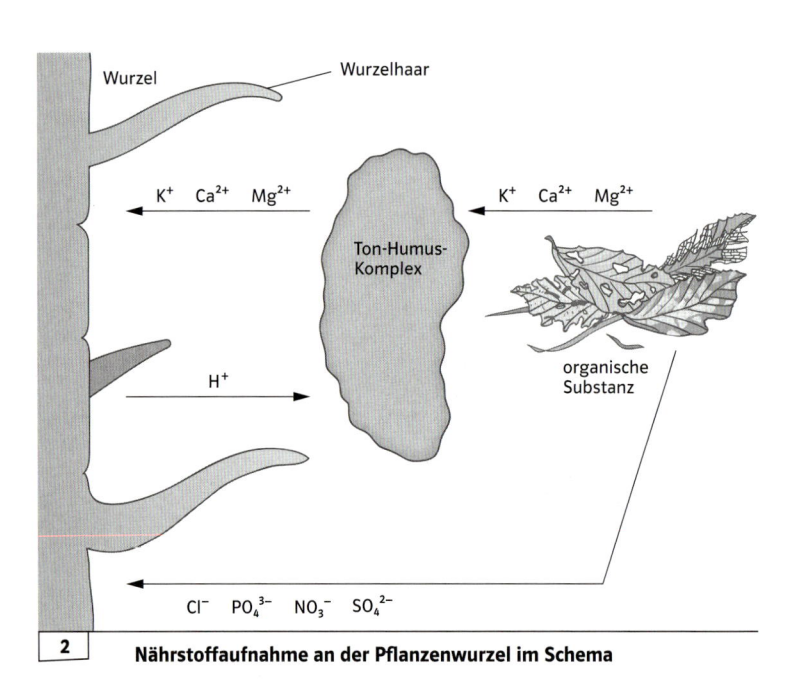

1 Bodenprofil

2 Nährstoffaufnahme an der Pflanzenwurzel im Schema

LERNTIPP
Informationen zum Stoffkreislauf finden Sie in Konzept 23.2 im Lehrbuch.

Lösung S. 213

F/I **1.** Stellen Sie den Stoffkreislauf in Ökosystemen in einem Fließschema dar.

F/I **2.** Erläutern Sie die wesentlichen Vorgänge, die im Boden stattfinden.

K/II **3.** Beschreiben Sie die im Schema in Abb. 2 dargestellten Vorgänge.

Notizen / Fragen / Schlüsselbegriffe / Ergänzungen / Hinweise aus dem Unterricht / Basiskonzept / Seitenverweise:

Ökologie

Einblicke in Ökosysteme 26

26.1 Biome werden von Umweltfaktoren bestimmt

Ohne den Menschen würde die Erde anders aussehen. Dort wo heute Autobahnen, Städte und Industriegebiete sind, wären unbeeinflusste Großlebensräume ausgebildet, die als Biome bezeichnet werden. Großlebensräume sind durch das äußere Erscheinungsbild der Klimax-Vegetationsdecke (z. B. Wiese, Wald, Regenwald, Nadelwald, Savanne) sowie durch die in ihnen vorhandenen Lebewesen charakterisiert. Temperatur und Niederschlag sind weitere wichtige Indikatoren für die Kennzeichnung verschiedener Biome.

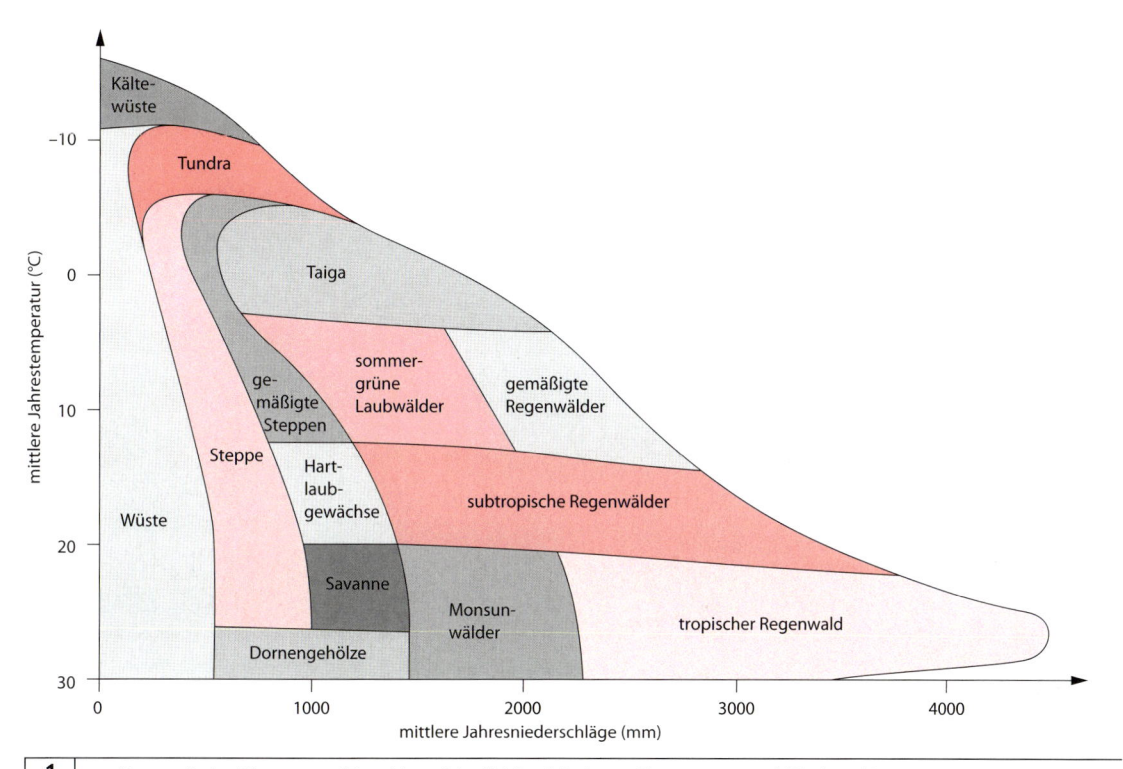

1 Terrestrische Biomtypen (Zonobiome) in Abhängigkeit von Temperatur und Niederschlag

F/II 1. Bestimmen Sie von den Städten Tahoua (14°54′N, 5°15′O), Yichang (30°42′N, 111°10′O), Moskau (55°45′N, 37°34′O), Mbandaka (0°05′N, 18°20′O), Essen (51°26′N, 7°01′O) und Murmansk (68°58′N, 33°03′O) mithilfe von Klimadiagrammen aus dem Internet oder aus Atlaskarten die jährlichen Niederschlagsmengen und Durchschnittstemperaturen. Ordnen Sie diesen Städten Biome zu.

F/II 2. Erläutern Sie, warum es noch andere Biome gibt als die in der Abbildung dargestellten und nennen Sie mindestens zwei Beispiele.

Lösung S. 213

Notizen / Fragen / Schlüsselbegriffe / Ergänzungen / Hinweise aus dem Unterricht / Basiskonzept / Seitenverweise:

Einblicke in Ökosysteme **Ökologie**

26.3 Gewässer werden durch Mineralstoffeintrag unterschiedlich verändert

Wir alle sind abhängig von der Landwirtschaft, weil wir die dort produzierten Lebensmittel benötigen. Immer wieder gelangen aber von der Landwirtschaft insbesondere mit Ammonium (NH_4^+) und Nitrat (NO_3^-) belastete Abwässer in unsere Gewässer, die dabei verändert werden.

Besonders dramatisch ist diese Veränderung bei kleineren Seen. Denn dort kann es mit der Zeit insbesondere am Gewässergrund zu Sauerstoffmangel kommen.

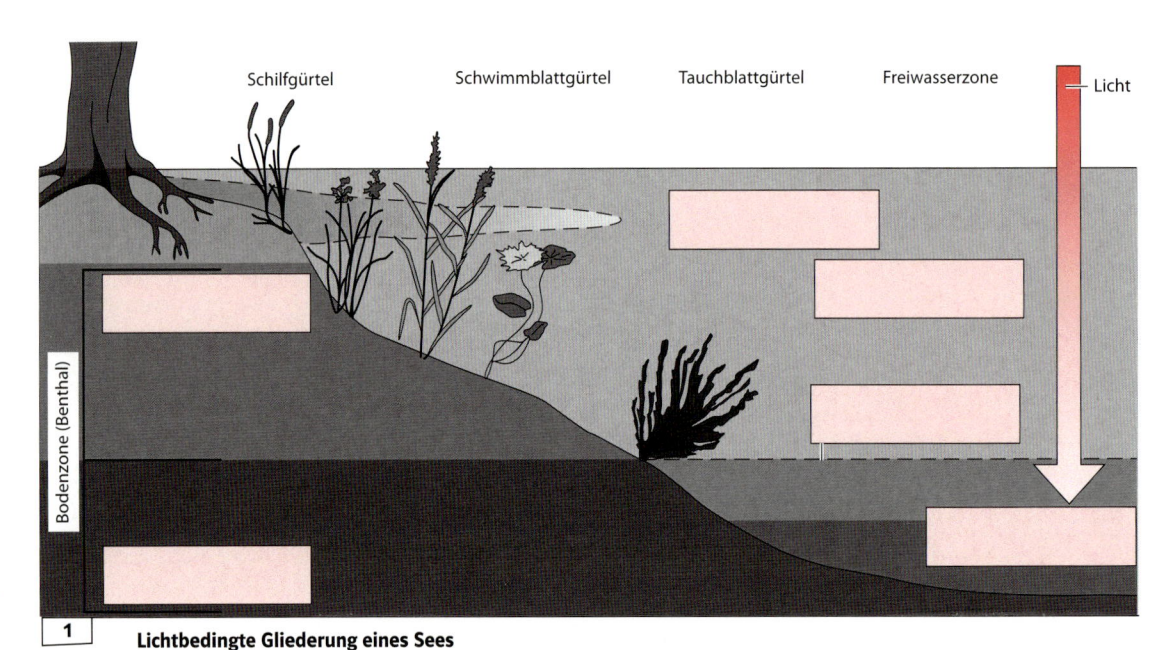

1 Lichtbedingte Gliederung eines Sees

Kompartimentierung

LERNTIPP
Lesen Sie Konzept 7.4 im Lehrbuch zur Information über Licht und Fotosynthese.

Lösung S. 214

F/I 1. Tragen Sie die Begriffe Kompensationsebene, Pelagial, Litoral, trophogene Zone, Profundal und tropholytische Zone in die Abbildung ein und erklären Sie diese.•

F/II 2. Erklären Sie, warum in Seen nach Ammonium- und Nitrateintrag Sauerstoffmangel insbesondere am Gewässergrund entstehen kann.

F/III 3. Erläutern Sie drei Möglichkeiten, das Sauerstoffdefizit am Grund eines Sees zu beseitigen.

Notizen / Fragen / Schlüsselbegriffe / Ergänzungen / Hinweise aus dem Unterricht / Basiskonzept / Seitenverweise:

Ökologie Einblicke in Ökosysteme

26.4 Die Selbstreinigung eines Fließgewässers verändert die Umweltbedingungen

Häufig werden unsere Flüsse als „Lebensadern" für den Menschen bezeichnet, weil dort, wo Flüsse sind, sich oftmals der Mensch ansiedelte. Interessanterweise ist es der Mensch, der selbst seine „Lebensader", die Flüsse, durch Stoffeintrag nachteilig verändert, indem von ihm organische Abwässer verschiedenster Art eingeleitet werden. Flüsse haben in Grenzen die Fähigkeit zur „Selbstreinigung". Dabei ist zu beobachten, dass verschiedene Parameter sich mit zunehmender Entfernung von der Einleitungsstelle der organischen Abwässer verändern.

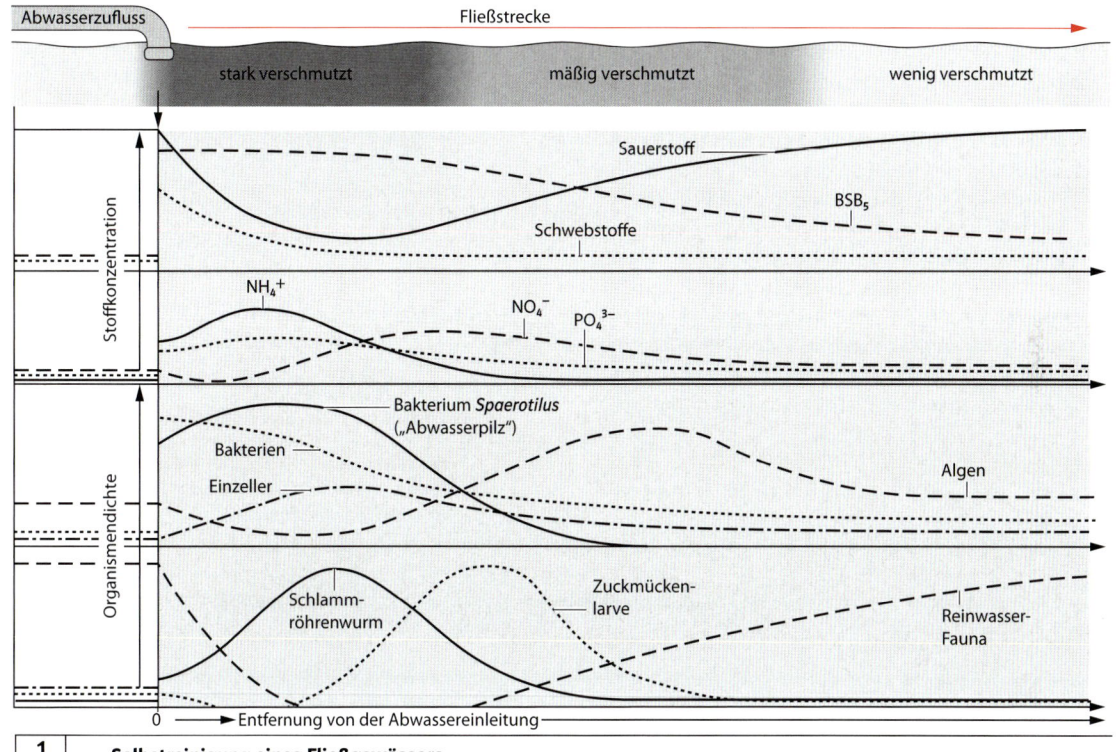

1 Selbstreinigung eines Fließgewässers

F/II 1. Erklären Sie, was mit Selbstreinigung eines Flusses gemeint ist.

E/II 2. Recherchieren Sie im Internet oder in Fachbüchern über den BSB_5 und erklären Sie diesen.

F/III 3. Erklären Sie den Verschmutzungsgrad des Wassers und die Kurvenverläufe BSB_5, Sauerstoff und Bakterien, indem Sie Wechselwirkungen zwischen den einzelnen dargestellten Faktoren aufzeigen (Abb. 1).

F/III 4. Begründen Sie jeweils die unterschiedlichen Auswirkungen eines Mineralstoffeintrags in ein Fließgewässer und in einen See.

LERNTIPP
Informationen zu chemoautotrophen Bakterien erhalten Sie im Lehrbuch in Konzept 8.6.

Lösung S. 214

Notizen / Fragen / Schlüsselbegriffe / Ergänzungen / Hinweise aus dem Unterricht / Basiskonzept / Seitenverweise:

Einblicke in Ökosysteme   Ökologie

26.5 Algenarten weisen im Meer eine vertikale Zonierung auf

Stoff- und Energieumwandlung

Beim Schnorcheln im Meer kann man beobachten, dass es mit zunehmender Tauchtiefe immer dunkler wird. Das Meer ist bezüglich seiner Lichtintensität vertikal untergliedert in einen oberen lichtdurchfluteten Bereich, in dem Fotosynthese möglich ist (euphotische Zone), und in einen unteren Bereich, in dem die Lichtmenge nicht ausreichend ist, um Fotosynthese zu betreiben (aphotische Zone). Wo diese Zone beginnt, hängt vom jeweiligen Gewässer ab.

Das für die Fotosynthese besonders wichtige Licht liegt im Bereich des für uns sichtbaren Lichts (380 nm bis 750 nm). Anteile dieses Lichtspektrums werden unterschiedlich stark von Wassermolekülen absorbiert und reflektiert, sodass mit zunehmender Tiefe die Lichtintensität abnimmt und sich seine Zusammensetzung ändert. Diese Lichtqualitäten spiegeln sich auch im Vorkommen verschiedener Algenarten wider. Die Algenarten sind vertikal zoniert, d. h. man findet die Arten in unterschiedlichen Tiefenbereichen.

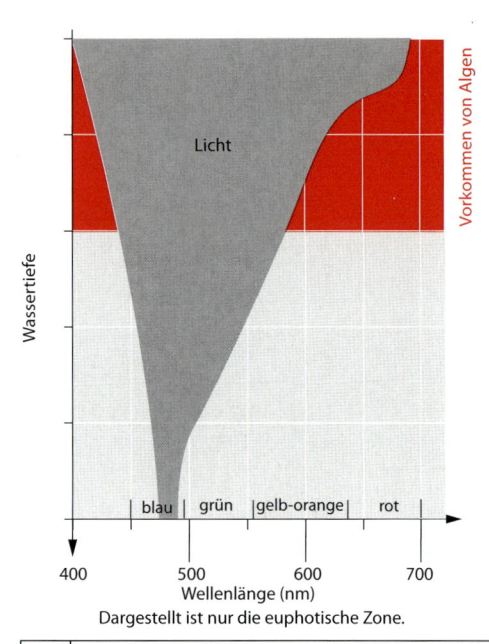

1 Veränderung der Lichtzusammensetzung im Wasser in Abhängigkeit von der Tiefe und dem Vorkommen von Algen

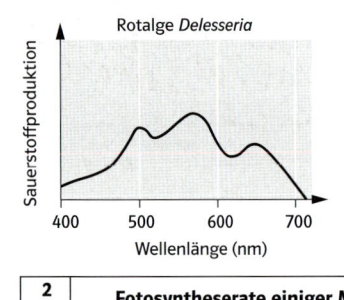

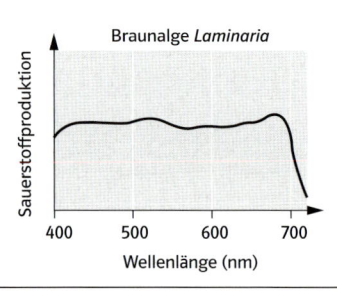

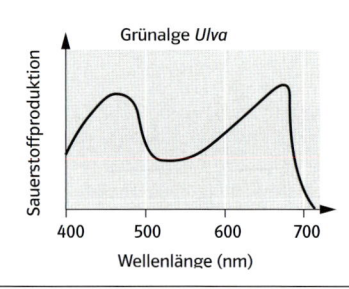

Dargestellt ist nur die euphotische Zone.

2 Fotosyntheserate einiger Meeresalgen gemessen als Sauerstoffproduktion in Bezug zur Lichtwellenlänge

LERNTIPP
Lesen Sie im Lehrbuch das Konzept 8.2 über Fotosynthese.

Lösung S. 215

F/I 1. Erläutern Sie anhand der Abb. 1, wie sich das Strahlungsspektrum des sichtbaren Lichts mit der Tiefe verändert.

B/III 2. Beurteilen Sie anhand der Abbildungen, in welchen Tiefenbereichen Rot-, Grün- und Braunalgen jeweils vorwiegend zu finden sein dürften.

Notizen / Fragen / Schlüsselbegriffe / Ergänzungen / Hinweise aus dem Unterricht / Basiskonzept / Seitenverweise:

Ökologie

Die Biosphäre unter dem Einfluss des Menschen

27.2 Der Treibhauseffekt hat zwei Gesichter

Dem natürlichen Treibhauseffekt verdanken wir, dass unsere Erde bewohnbar ist. Doch die beiden Fotos aus den Alpen zeigen die andere Seite des vom Menschen verstärkten Treibhauseffekts: Er verändert unsere Umwelt in weniger als einem Menschenleben deutlich messbar und sichtbar. Es wird kaum noch bestritten, dass die zurzeit beobachtete Erwärmung der Erde eine Folge des vom Menschen verstärkten Treibhauseffekts ist. Wie Sie wissen, bedingt der Temperaturanstieg wiederum Ereignisse, die noch mehr Treibhausgase in die Atmosphäre entweichen lassen, wie z. B. die Freisetzung von Methan aus Permafrostböden oder vom Meeresgrund. Man spricht von einem sich selbst verstärkenden Prozess. Zu den Folgen eines möglichen Klimawandels gehört z. B. das Abschmelzen der Pole. In Nordeuropa werden die Niederschläge zunehmen, im Mittelmeerraum, im südlichen Afrika und in Südasien wird es dagegen trockener. Bereits seit den 1970er Jahren sind die Dürren in den Tropen und Subtropen länger und intensiver. Da wärmere Luftschichten mehr Wasserdampf aufnehmen können, kommt es zukünftig häufiger zu starken Niederschlägen.

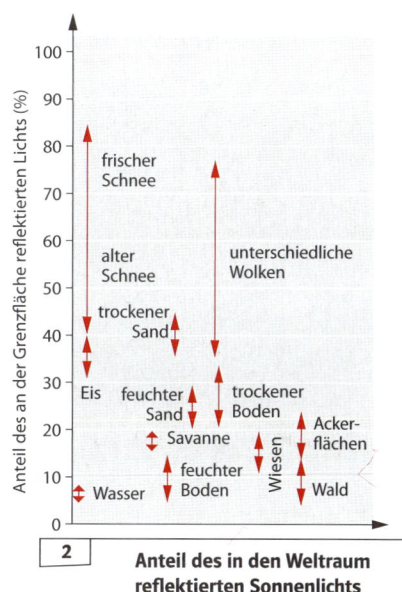

1 Alpengletscher im Berner Oberland: links 1948, rechts 2006

2 Anteil des in den Weltraum reflektierten Sonnenlichts

F/I 1. Beschreiben Sie das Zustandekommen des natürlichen Treibhauseffekts.

F/II 2. Erklären Sie die Aussage der Überschrift.

F/III 3. Leiten Sie aus Abb. 1 und 2 eine weitere Ursache für die Selbstverstärkung des Treibhauseffekts ab.

LERNTIPP
Sie sollten vorher Konzept 27.1 im Lehrbuch gelesen haben.

Lösung S. 215

Notizen / Fragen / Schlüsselbegriffe / Ergänzungen / Hinweise aus dem Unterricht / Basiskonzept / Seitenverweise:

Die Biospähre unter dem Einfluss des Menschen   Ökologie

27.3 Nichteinheimische Tiere besiedeln Europa

Der Waschbär lebt heute in ganz Deutschland. Seine ursprüngliche Heimat liegt in Mittel- und Nordamerika. Die deutschen Populationen gehen auf 1934 in Hessen ausgesetzte und 1945 östlich von Berlin entkommene Tiere zurück. Sie leben in Wäldern und Siedlungen. Waschbären sind dämmerungs- und nachtaktiv und verstecken sich am Tag in Erd- oder Baumhöhlen. Ihre Nahrung ist vielseitig: kleine Wirbeltiere, Krebse, Insekten, Vogeleier, Früchte u. a. Als Räuber dezimieren sie einige Tierarten und besetzen in unserer Kulturlandschaft selten gewordene Baumhöhlen. Erwachsene Waschbären haben in Mitteleuropa keine natürlichen Feinde. Sie können bei der Suche nach Futter Schäden an Gebäuden anrichten und sind Wirte von parasitischen Würmern. Es ist umstritten, ob der Waschbär unseren Ökosystemen schadet.

1 Waschbär

Merkmal	dunkelrote Streifen auf dem Hinterleib
Herkunftsgebiet	Amerika
Verbreitung in Deutschland	heute in ganz Mitteleuropa, um 1890 zur Zucht in Teichen im unteren Odergebiet ausgesetzt, Wanderung über die Oder und Kanalsysteme bis in den Rhein, gezieltes Aussetzen in weitere Teiche
Lebensweise	in langsam fließenden Gewässern, Teichen und Seen, tolerant gegen verschmutztes Wasser, hohe Fortpflanzungsrate, Nahrung: Würmer, Schnecken, Insektenlarven, Wasserpflanzen und Aas
Besonderheiten	ist selbst immun gegen eine Pilzkrankheit (Krebspest), die er aber auf die einheimische Flusskrebsart, den Edelkrebs, überträgt

2 Amerikanischer Flusskrebs

F/I **1.** Waschbär und Amerikanischer Flusskrebs sind Neobiota. Erklären Sie diesen Begriff.

F/III **2.** Analysieren Sie die Materialien zum Waschbär und zum Amerikanischen Flusskrebs. Leiten Sie daraus Bedingungen und Eigenschaften der Tiere ab, die für eine dauerhafte Besiedlung außerhalb ihres ursprünglichen Verbreitungsgebiets notwendig sind.

LERNTIPP
Verwenden Sie zur Lösung von Aufgabe 2 auch die Konzepte 22.2 und 22.5 im Lehrbuch.

Lösung
S. 215

E/II **3.** Viele der in Deutschland dauerhaft etablierten Neobiota leben in Gewässern. Allein im Rhein machen sie mehr als 20% der Arten und über 90% der Biomasse aus. Ständig werden neue Tierarten aus verschiedensten Herkunftsgebieten wie Mittelmeer, Kaspisches Meer, Schwarzes Meer, aber auch Asien oder Nordamerika nachgewiesen.
Begründen Sie die Bedeutung großer Flüsse und Kanäle als „Straßen der Zuwanderung" gebietsfremder Tierarten.

Notizen / Fragen / Schlüsselbegriffe / Ergänzungen / Hinweise aus dem Unterricht / Basiskonzept / Seitenverweise:

Ökologie Die Biosphäre unter dem Einfluss des Menschen

27.4 Wölfe kehren in strukturreiche Landschaften zurück

In der sächsischen Lausitz gibt es die einzigen Vorkommen wildlebender Wölfe in Deutschland. Die Tiere bilden mehrere Rudel und nutzen derzeit ein ca. 2000 km² großes Gebiet in Nordostsachsen und Südbrandenburg. Die Dokumentation der Wiederbesiedlung des Gebietes begann mit ersten Beobachtungen eines Wolfes 1995, der vermutlich aus Polen eingewandert war. 2000 gab es den ersten Nachwuchs.

Die Region ist wildreich, zeichnet sich durch einen hohen Waldanteil und eine geringe Bevölkerungsdichte von rund 64 Einwohnern/km² aus. Das Gebiet umfasst große Truppenübungsplätze, eine ausgedehnte Bergbau- bzw. Bergbaufolgelandschaft und große Teile des Biosphärenreservats Oberlausitzer Heide- und Teichlandschaft. Geringe Besiedlung und ein dünnes Straßennetz garantieren auch außerhalb der gesperrten Truppenübungsplätze Rückzugsmöglichkeiten für die Wölfe.

1 Wölfe

Verbreitungsgebiet	früher auf der ganzen Nordhalbkugel, heute weitgehend aus seinem ursprünglichen Verbreitungsgebiet verschwunden, größere Populationen noch in Osteuropa
Rudelgröße und Territorium	2–10 Tiere; Territorium ca. 200–300 km² groß, in Abhängigkeit vom Nahrungsangebot und Unterschlupfmöglichkeiten zwischen 100 km² – 10000 km²; wichtig zum Überleben sind ausreichend Beutetiere und Rückzugsräume
Fortpflanzung	einmal im Jahr, meist 4–6 Welpen
Nahrung	Fleischfresser, große Huftiere, auch kleinere Säuger, Aas, mitunter Obst; Neigung zur Nahrungsspezialisierung auf die am leichtesten erreichbare Beute; Mindestbedarf an Nahrung: ca. 2 kg/Tag, kann bis zu 10 kg Fleisch auf einmal aufnehmen, aber auch 2 Wochen hungern
Aktivität	überwiegend dämmerungs- und nachtaktiv; legt regelmäßig weite Strecken zurück (mehr als 20 km pro Nacht); Ausdauerläufer, kann kurzfristig Geschwindigkeiten über 50 km/h erreichen; guter Schwimmer
Lebenserwartung	ca. 10–13 Jahre; hohe Sterblichkeit innerhalb der ersten 2 Lebensjahre

F/I 1. Erläutern Sie, weshalb die Artenzahl auf Inseln oder in Schutzgebieten von der Flächengröße abhängig ist. Gehen Sie von den Wechselbeziehungen zwischen Arten und Umwelt aus.

F/II 2. Bis zur oben beschriebenen Ansiedlung der Wölfe galt diese Tierart in Deutschland als ausgerottet. Stellen Sie Hypothesen über die Ursachen der Ausrottung durch den Menschen auf.

F/III 3. Stellen Sie Fakten zusammen, die zur Ansiedlung der Wölfe in der Lausitz geführt haben könnten, obwohl diese Landschaft kein Naturschutzgebiet ist. Gehen Sie von der Lebensweise der Wölfe aus.

LERNTIPP
Bei der Lösung helfen Ihnen die Konzepte 22.5, 23.6 und 23.7 im Lehrbuch.

Lösung S. 216

Notizen / Fragen / Schlüsselbegriffe / Ergänzungen / Hinweise aus dem Unterricht / Basiskonzept / Seitenverweise:

Die Biospähre unter dem Einfluss des Menschen **Ökologie**

27.5 Eine zweite Erde kann man nicht borgen

Ist Ihre Handyrechnung wieder einmal zu hoch? War die neue Jeans doch etwas zu teuer? Sie können nun Ihre Eltern fragen, ob sie Ihnen Geld schenken oder leihen, oder einen anderen Weg suchen. Vielleicht bekommen Sie auch schon einen Kredit von der Bank. Was aber, wenn es keine „übergeordneten" Systeme mehr gibt, bei denen man sich refinanzieren kann, wenn man über seine Verhältnisse gelebt hat? Dieser Gedanke liegt dem „Ecological Footprint" (ökologischer Fußabdruck) zu Grunde. Das ist ein Buchhaltungssystem, mit dem der Ressourcenverbrauch auf unserem Planeten berechnet werden kann. Ein Ergebnis: Wenn alle Menschen der Welt so leben würden wie wir Deutschen, so bräuchte es zwei Planeten wie die Erde, um diesen Lebensstil zu ermöglichen. Doch wo können wir diese zweite Erde borgen?

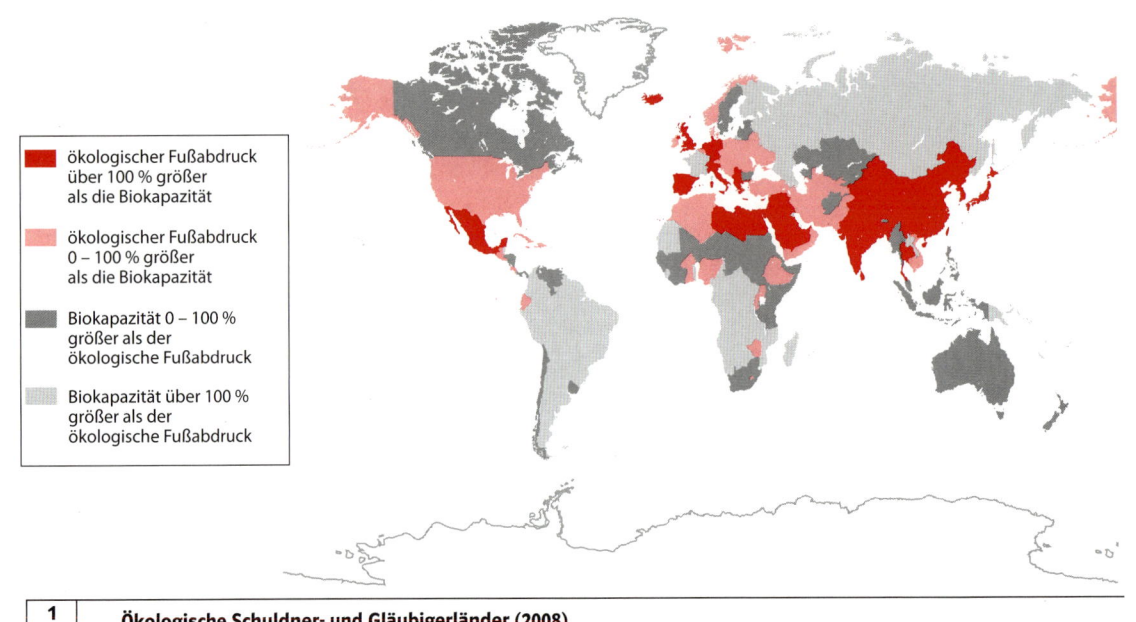

Legende:
- ökologischer Fußabdruck über 100 % größer als die Biokapazität
- ökologischer Fußabdruck 0 – 100 % größer als die Biokapazität
- Biokapazität 0 – 100 % größer als der ökologische Fußabdruck
- Biokapazität über 100 % größer als der ökologische Fußabdruck

1 Ökologische Schuldner- und Gläubigerländer (2008)

Stoff- und Energieumwandlung

LERNTIPP
Lesen Sie im Lehrbuch die Konzepte 24.5 und 25.1.

Lösung S. 216

E/I **1.** Werten Sie das rechte Diagramm im Lehrbuch S. 375, Abb. 2, aus.

F/II **2.** Unser Lebensstil in Deutschland liegt über dem, was unsere eigenen natürlichen Ressourcen zulassen. Erläutern Sie mithilfe der Karte, weshalb wir noch keine zweite Erde brauchen.

F/III **3.** Auf verschiedenen Internetseiten können Sie Ihren „Ecological Footprint" ermitteln. Sie erfahren dann, wie viele Erden benötigt würden, wenn alle Menschen auf der Welt wie Sie leben würden. Eine Frage, die Sie so oder ähnlich immer beantworten müssen, lautet: Wie häufig essen Sie Fleisch? Erläutern Sie den Sinn dieser Frage in diesem Zusammenhang mit Ihrem Wissen zum Stoff- und Energiefluss in Ökosystemen.•

Notizen / Fragen / Schlüsselbegriffe / Ergänzungen / Hinweise aus dem Unterricht / Basiskonzept / Seitenverweise:

Neurobiologie

28	Reizaufnahme und Erregungsleitung
29	Neuronale Verschaltungen
30	Sinne und Wahrnehmung
31	Nervensysteme
32	Hormonelle Regelung und Steuerung

28.1 Input, Integration und Output sind die Hauptaufgaben unseres Nervensystems

Bei Sportarten wie Tennis, Badminton oder Fußball können wir die besonderen Fähigkeiten unseres Nervensystems, schnelle und zielgerichtete Bewegungen zu koordinieren, gut erkennen. Dabei läuft unter Beteiligung verschiedener Nervenzellen oftmals ein ähnlicher Prozess ab, wie er in der Abbildung dargestellt ist: Durch Sinnesorgane oder Rezeptoren werden Umweltinformationen (Reize) aufgenommen (sensorischer Input). Im Zentralnervensystem, also im Rückenmark und im Gehirn, wird dieser Input verarbeitet und interpretiert (Integration). Daraufhin erfolgt eine Antwort des Körpers (Output), indem Signale z. B. über das periphere Nervensystem auf Muskelzellen (Effektoren) übertragen werden und dann eine entsprechende Reaktion auf den empfangenen Reiz erfolgt.•

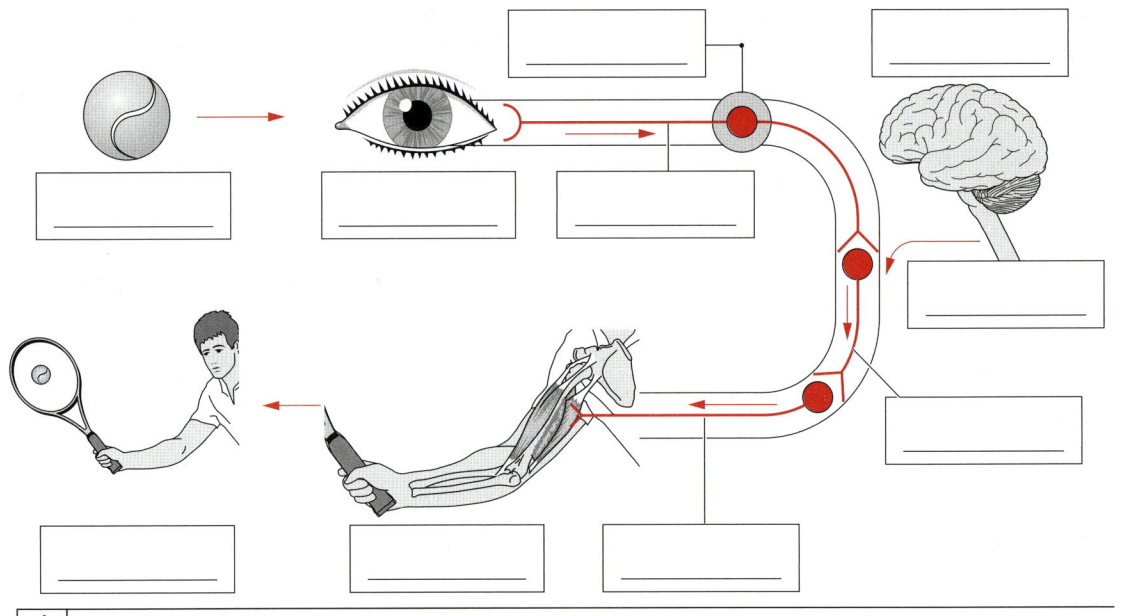

Information und Kommunikation

1 Verarbeitung eines Reizes durch das menschliche Nervensystem

LERNTIPP
Über die Erregungsleitung stehen weitere Informationen in den Konzepten 28.6 und 28.7 im Lehrbuch.

Lösung S. 217

F/I 1. Beschriften Sie die Abbildung unter Verwendung der folgenden Begriffe: Gehirn, Reiz, Reaktion, Rückenmark, Rezeptor, Effektor, sensorisches Neuron, Motoneuron, Interneuron, Ganglion (Ansammlung von Nervenzellkörpern / ein Integrationszentrum).

F/II 2. Beschreiben und erklären Sie die Abbildung unter Verwendung der in Aufgabe 1 aufgeführten Begriffe.

F/I 3. Überprüfen Sie Ihr Wissen über den Bau einer Nervenzelle, indem Sie eine beschriftete Skizze eines Neurons des peripheren menschlichen Nervensystems erstellen.

F/II 4. Erklären Sie die Funktionen der wichtigsten in Ihrer Skizze beschrifteten Bestandteile eines Neurons.

Notizen / Fragen / Schlüsselbegriffe / Ergänzungen / Hinweise aus dem Unterricht / Basiskonzept / Seitenverweise:

Neurobiologie — Reizaufnahme und Erregungsleitung

28.4 Das Ruhepotenzial wird durch eine Natrium-Kalium-Pumpe aufrechterhalten

Wenn Sie das nächste Mal zum Italiener gehen und Calamares (kleine Tintenfische) auf Ihrer Pizza entdecken, werden Sie vielleicht an die hier beschriebenen Experimente an Tintenfischneuronen erinnert. Wussten Sie, dass Tintenfische nicht nur gut schmecken, sondern dass sich auch Neurobiologen für sie interessieren? Kalmare besitzen nämlich sehr starke Nervenfasern (bis zu einem Millimeter dick). Sie sind damit ungefähr 100-mal dicker als die des Menschen. ALAN LLOYD HODGKIN und ANDREW HUXLEY konnten durch ihre Forschungen an den Axonen von Kalmaren viele Vorgänge in und an Nervenzellen erklären und erhielten für ihre Forschungsarbeiten 1963 den Nobelpreis.

Unter anderem bestimmten sie an Nervenzellen des Kalmars das Ruhepotenzial und die Bedeutung der Na^+-K^+-Pumpe. Dazu wurde in einem Experiment ein Riesenaxon eines Kalmars in Meerwasser gelegt und sein Ruhepotenzial sowie der Na^+-Ausstrom an der Nervenzellmembran bei verschiedenen Bedingungen im Zeitintervall $t_2 - t_1$ bestimmt.

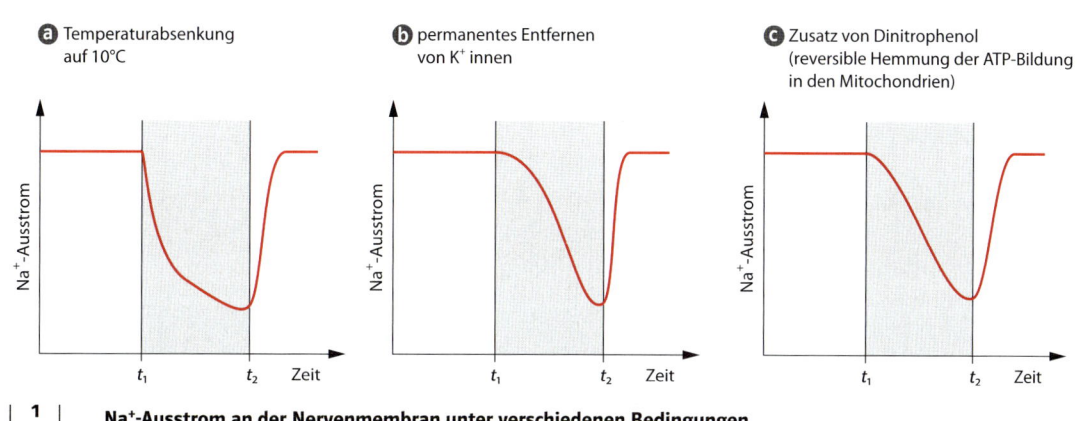

a Temperaturabsenkung auf 10 °C
b permanentes Entfernen von K^+ innen
c Zusatz von Dinitrophenol (reversible Hemmung der ATP-Bildung in den Mitochondrien)

1 Na^+-Ausstrom an der Nervenmembran unter verschiedenen Bedingungen

F/I 1. Beschreiben Sie eine Methode, mit der man das Ruhepotenzial einer Nervenzelle bestimmen kann.

F/II 2. Interpretieren Sie die Abb. 1 im Hinblick auf die Wirkweise der Natrium-Kalium-Pumpe.

F/III 3. Erläutern Sie, wie sich normalerweise bei einer Blockade der ATP-Synthese die Kaliumkonzentration in der Nervenzelle verändert.

F/III 4. Erklären Sie auf molekularer Ebene das Zustandekommen des Ruhepotenzials und die Bedeutung der Natrium-Kalium-Pumpe.

LERNTIPP
Über aktiven Transport können Sie im Konzept 3.6 im Lehrbuch mehr erfahren.

Lösung S. 217

Notizen / Fragen / Schlüsselbegriffe / Weiteres / Commolor sum veliquat / Iriurefeum / Velingexercinent / Aliquatie veliqui / Tingero odolortie te:

28.5 Aktionspotenziale bedeuten eine Veränderung des Membranpotenzials

Struktur und Funktion

Alle Zellen unseres Körpers haben eines gemeinsam: Sie bilden jeweils ein Membranpotenzial aus. Aber nur unsere Muskel-, Sinnes- und Nervenzellen haben die Fähigkeit, ihr Membranpotenzial durch einen Reiz zu verändern.*

Aus diesem Grund werden sie auch als erregbare Zellen bezeichnet. Werden Sinneszellen durch einen Reiz, beispielsweise durch eine Berührung, erregt, kann es zur Bildung eines Aktionspotenzials kommen. Dabei wird das Membranpotenzial in charakteristischer Weise verändert. Gleiches gilt für Nervenzellen. Eine solche mögliche Veränderung ist in Abb. 1 dargestellt.

Grundlegende Voraussetzung für die Erregung ist die Ungleichverteilung von Ionen und das daraus resultierende Membranpotenzial. Neben der unterschiedlichen Durchlässigkeit der Axonmembran für verschiedene Ionenarten sind hier die Natrium-Kalium-Pumpen von entscheidender Bedeutung.

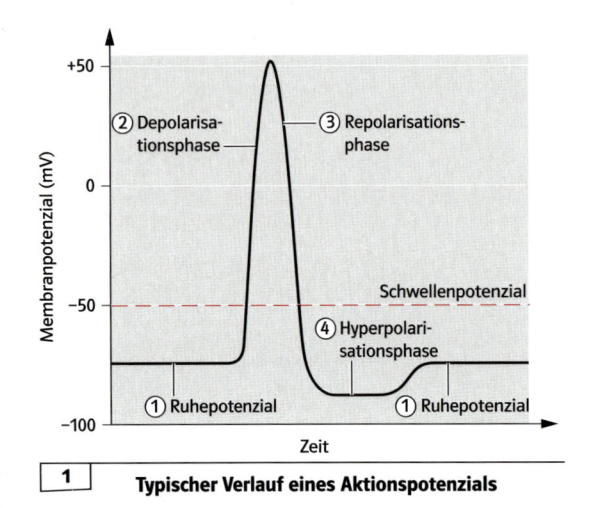

1 Typischer Verlauf eines Aktionspotenzials

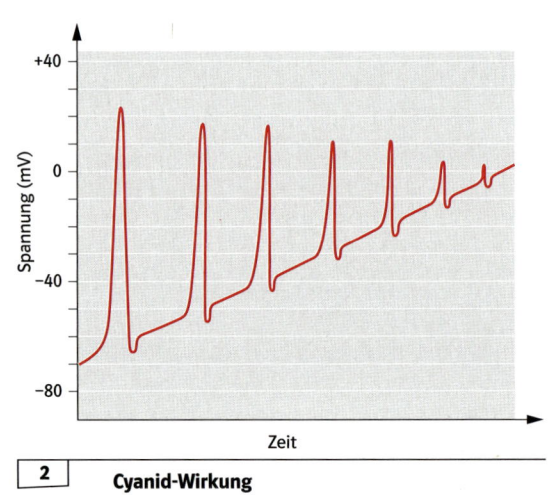

2 Cyanid-Wirkung

F/I 1. Beschreiben Sie den Kurvenverlauf eines Aktionspotenzials.

F/II 2. Erläutern Sie die Änderungen des Membranpotenzials in den Phasen des Aktionspotenzials.

E/III 3. In Abb. 2 ist eine Serie von Aktionspotenzialen dargestellt, wie sie sich bei einer mit Cyanid behandelten Nervenzelle ergeben. Cyanid blockiert die ATP-Synthese in der Atmungskette. Erklären Sie die Wirkungsweise von Cyanid auf die Nervenzelle.

LERNTIPP
Wenn Sie sich über den Muskelaufbau und die Muskelfunktion informieren wollen, lesen Sie das Konzept 5.9 im Lehrbuch.

Lösung S. 218

Notizen / Fragen / Schlüsselbegriffe / Ergänzungen / Hinweise aus dem Unterricht / Basiskonzept / Seitenverweise:

Neurobiologie — Reizaufnahme und Erregungsleitung

28.7 Erregungsleitung erfolgt an Axonen auf unterschiedliche Weise

In unserem Körper haben wir zwei verschiedene Arten von Nervenzellen, die sich im Aufbau und in der Geschwindigkeit, Erregungen weiterzuleiten, unterscheiden. So ist bei Nervenzellen, deren Axon nicht von Myelinschichten umwickelt ist, die Erregungsleitung langsamer als bei Nervenzellen mit myelinisierten Axonen. Damit zusammenhängend verläuft bei ersteren Nervenzellen die Erregungsleitung kontinuierlich, d.h. der Impuls wird durch das Axon von Abschnitt zu Abschnitt übertragen, indem der vorhergehende Abschnitt ein Aktionspotenzial an den benachbarten, noch nicht erregten Abschnitt weiterleitet. Bei myelinisierten Nervenzellen erfolgt die Erregungsleitung saltatorisch, d.h. von Schnürring zu Schnürring. Denn nur dort können Aktionspotenziale wegen der fehlenden Isolations- oder Myelinschichten entstehen.* Die beiden Arten der Erregungsleitung lassen sich modellhaft darstellen.

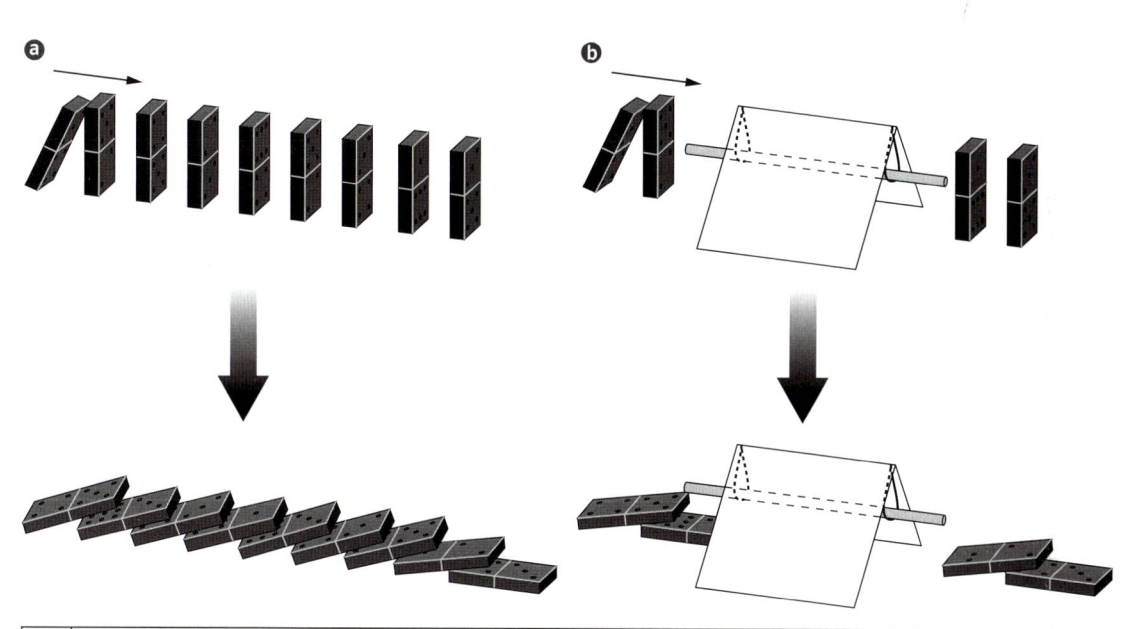

Struktur und Funktion

1 Zwei mechanische Modelle zur Erregungsleitung

F/II 1. Ordnen Sie jedem mechanischen Modell eine Form der Erregungsleitung zu. Begründen Sie Ihre Zuordnung. Erklären Sie die Funktion der Dominosteine und der Strohhalme.

E/III 2. Führen Sie die Modellexperimente (Abb. 1) durch, protokollieren Sie die Ergebnisse und werten Sie sie aus.

LERNTIPP
Lesen Sie dazu auch das Konzept 28.2 im Lehrbuch.

Lösung S. 218

Notizen / Fragen / Schlüsselbegriffe / Ergänzungen / Hinweise aus dem Unterricht / Basiskonzept / Seitenverweise:

Neuronale Verschaltungen — Neurobiologie

29.1 Reflexe sind unterschiedlich ausgeprägt

Steuerung und Regelung

Immer wieder erstaunt es, mit welcher Geschwindigkeit sich unser Auge schließt, wenn eine kleine Fliege oder ein anderer Gegenstand sich ihm unerwartet nähert. Verantwortlich für diese schnelle Reaktion ist der sogenannte Lidschlussreflex.* Beim Lidschlussreflex kommt das auslösende Signal nicht aus dem Organ selbst, es handelt sich um einen Fremdreflex.

Ob der Lidschlussreflex bei allen Menschen gleich ausgeprägt ist, wurde in der Universität Mainz im Rahmen einer Seminararbeit an zwei Gruppen von Studierenden getestet. Die erste Gruppe bestand aus Kontaktlinsenträgern, die Probanden der zweiten Gruppe waren keine Kontaktlinsenträger.

Bei den Versuchen sollte sich ein Proband mit geöffneten Augen entspannt auf einen Stuhl setzen, seinen Kopf gerade halten und seinen Blick nach oben richten. Die Wimpern des Probanden wurden von einem Tester mit einem Wattestäbchen berührt und das Ergebnis jeweils notiert.

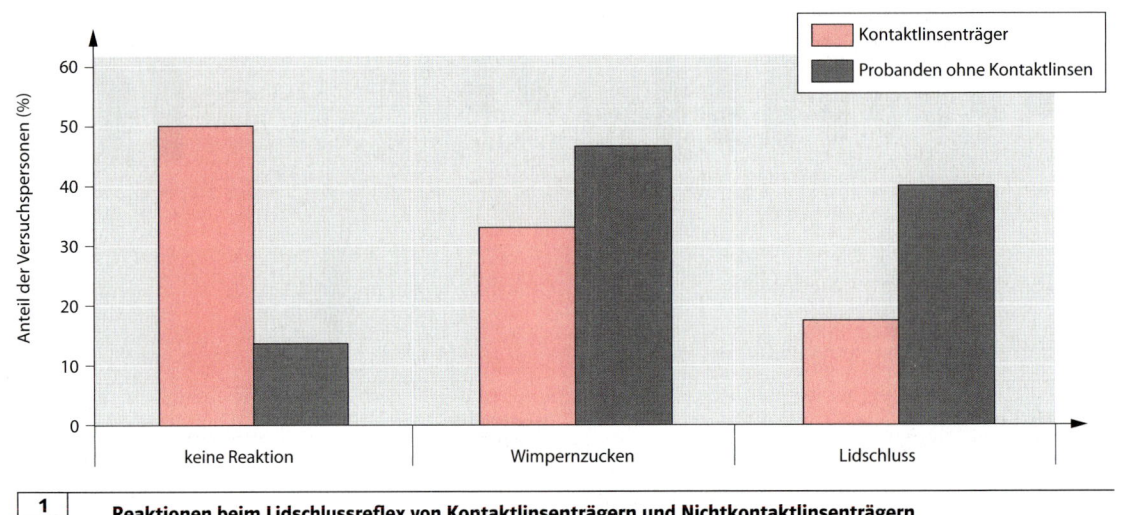

1 Reaktionen beim Lidschlussreflex von Kontaktlinsenträgern und Nichtkontaktlinsenträgern

LERNTIPP
Weitere Informationen über Reflexe sind im Konzept 34.1 im Lehrbuch zu finden.

Lösung S. 219

F/II 1. Grenzen Sie die Begriffe Eigenreflex und Fremdreflex voneinander ab und erklären Sie diese.

F/II 2. Zeichnen und beschriften Sie ein vereinfachtes Reiz-Reaktions-Schema des Lidschlussreflexes.

E/II 3. Führen Sie das Experiment aus dem Eingangstext in Ihrem Kurs durch und notieren Sie das Ergebnis.

F/III 4. Interpretieren Sie das in Abb. 1 dargestellte Ergebnis und erklären Sie ggf. Abweichungen Ihrer Ergebnisse aus Aufgabe 3.

Notizen / Fragen / Schlüsselbegriffe / Ergänzungen / Hinweise aus dem Unterricht / Basiskonzept / Seitenverweise:

Neurobiologie

29.3 Neurotransmitter werden im synaptischen Spalt abgebaut

Stellen Sie sich die folgende Situation vor: Eine Straftat ist begangen worden, und es gibt dafür zwei Tatverdächtige, aber sonst keine weiteren Anhaltspunkte. Sie müssen eine Entscheidung treffen, welcher der beiden Tatverdächtigen der Täter ist. Nach heutiger Rechtsprechung ist in einem solchen Fall ein Urteil nicht möglich. In einer Region Nigerias wurde in solchen Fällen die Kalabarbohne oder „Gottesurteilsbohne" eingesetzt. Die Verdächtigen sollten die Bohne schlucken. Diejenigen, die „reinen Gewissens" waren, schluckten die Bohne. Diejenigen, die „unreinen Gewissens" waren, schluckten die Bohne nicht, sondern versteckten sie für geraume Zeit im Mundraum, um nicht entlarvt zu werden. Tatsächlich war es so, dass jene, die die Bohne im Mundraum versteckten, von heftigen Muskelkrämpfen geschüttelt wurden und teilweise sogar daran starben, während den anderen nichts passierte oder sie sich schlimmstenfalls erbrachen. Heute weiß man, dass in der Bohne der Stoff Physostigmin enthalten ist. Physostigmin wirkt im synaptischen Spalt an cholinergen Neuronen, also an Neuronen, die als Neurotransmitter Acetylcholin verwenden.

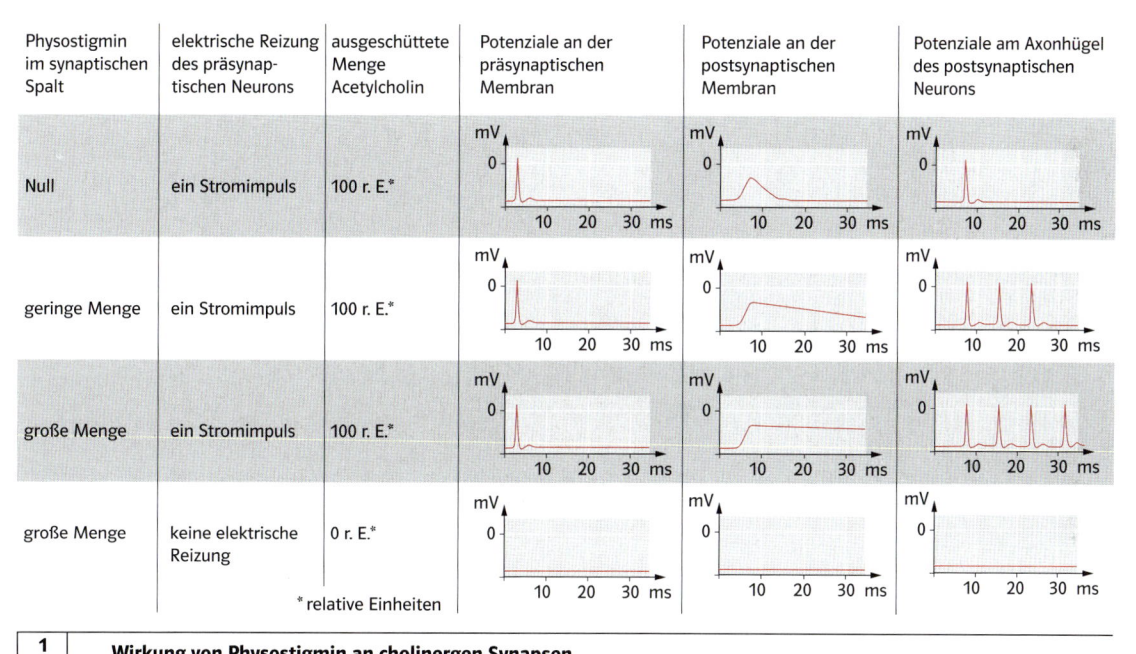

Physostigmin im synaptischen Spalt	elektrische Reizung des präsynaptischen Neurons	ausgeschüttete Menge Acetylcholin	Potenziale an der präsynaptischen Membran	Potenziale an der postsynaptischen Membran	Potenziale am Axonhügel des postsynaptischen Neurons
Null	ein Stromimpuls	100 r. E.*			
geringe Menge	ein Stromimpuls	100 r. E.*			
große Menge	ein Stromimpuls	100 r. E.*			
große Menge	keine elektrische Reizung	0 r. E.*			

*relative Einheiten

1 Wirkung von Physostigmin an cholinergen Synapsen

F/II 1. Beschreiben Sie die Funktion des Acetylcholins und der Acetylcholinesterase bei der Erregungsleitung an einer cholinergen Synapse.

F/III 2. Erläutern Sie unter Verwendung der Abbildung die Wirkungsweise von Physostigmin.

F/III 3. Stellen Sie eine Hypothese über die unterschiedliche Wirkung der „Gottesurteilsbohne" auf.

LERNTIPP
Sie können die Enzymwirkung mit Konzept 4.7 im Lehrbuch wiederholen.

Lösung
S. 219

Notizen / Fragen / Schlüsselbegriffe / Ergänzungen / Hinweise aus dem Unterricht / Basiskonzept / Seitenverweise:

Neuronale Verschaltungen — **Neurobiologie**

29.4 Signale werden am Axonhügel verrechnet

Information und Kommunikation

2 + 3 − 4 + 2 = 3. Was hat diese einfache Rechnung mit unseren Nervenzellen zu tun?

Jedes einzelne Neuron kann Informationen von vielen anderen Neuronen über Abertausende von Synapsen erhalten. Von diesen Synapsen können einige exzitatorisch, also erregend, oder inhibitorisch, also hemmend, auf die Postsynapse wirken. Bei erregenden und hemmenden Synapsen steuern die Rezeptoren jeweils einen bestimmten Ionenkanal, der im geöffneten Zustand den Ausstrom bzw. Einstrom bestimmter Ionen in die postsynaptische Zelle erlaubt. Inhibitorische (hemmende) postsynaptische Potenziale (IPSP) bringen die postsynaptische Membran auf ein negativeres und exzitatorische (erregende) postsynaptische Potenziale (EPSP) auf ein positiveres Potenzial. Der Axonhügel ist das Integrationszentrum des Neurons. Am Axonhügel werden alle EPSPs und IPSPs miteinander verrechnet. Bei der Verrechnung wird zwischen räumlicher und zeitlicher Summation unterschieden. Das Membranpotenzial des Axonhügels spiegelt die elektrischen Effekte aller EPSPs und IPSPs wider. Es ist der Mittelwert aus der Depolarisation der Membran durch Summation aller EPSPs und der Hyperpolarisation durch Summation der IPSPs. Mit anderen Worten: EPSPs werden addiert und IPSPs davon subtrahiert, so wie in der Rechnung oben. Wie eine solche Verrechnung funktioniert, ist vereinfacht in Abb. 1 dargestellt.

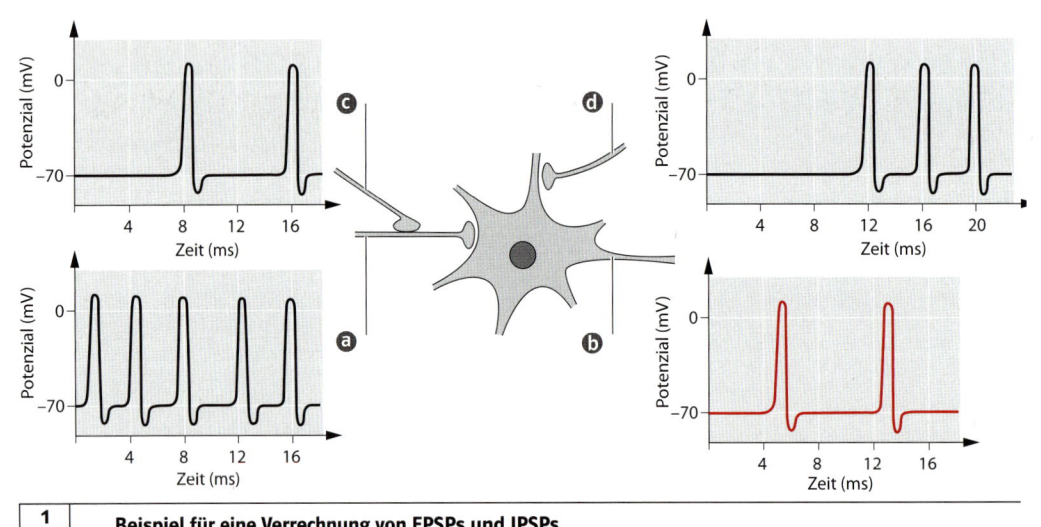

1 Beispiel für eine Verrechnung von EPSPs und IPSPs

LERNTIPP
Über die Erregungsleitung können Sie in den Konzepten 28.6 und 28.7 im Lehrbuch mehr erfahren, über Transmitter in Konzept 29.3.

Lösung S. 220

F/I 1. Nennen Sie jeweils einen Transmitterstoff, der zur Ausbildung eines inhibitorischen (IPSP) bzw. eines exzitatorischen postsynaptischen Potenzials (EPSP) führt und erläutern Sie, welche Ionenkanäle sich jeweils durch diesen Transmitterstoff öffnen.

F/II 2. Erklären Sie die Unterschiede zwischen der räumlichen und der zeitlichen Summation.

F/III 3. Erläutern Sie, warum nur nach 4 ms und nach 12 ms im Axon ein Aktionspotenzial generiert wird (Abb. 1 ⓑ).

Notizen / Fragen / Schlüsselbegriffe / Ergänzungen / Hinweise aus dem Unterricht / Basiskonzept / Seitenverweise:

Neurobiologie
Neuronale Verschaltungen

29.6 | Gifte können einander in ihrer Wirkung verstärken

Vorsicht beim Sammeln tropischer Kegelschnecken! Gelegentlich ereignen sich dabei in den Badeparadiesen Vergiftungsunfälle. Verursacht wird die Vergiftung durch einen harpunenartigen Giftpfeil, der von der Schnecke *Conus magnus* aus ihrem röhrenförmigen Schlund herausgeschossen wird. Normalerweise dient der Giftpfeil der Schnecke dem Nahrungserwerb, indem die Schnecke Fische zunächst mit dem Schlundrohr anlockt und ihnen dann den Pfeil ins Maul schießt. Im Giftpfeil befinden sich verschiedene Gifte (Conotoxine), die in ihrer Wirkung additiv sind. Wird ein Mensch von einem solchen Pfeil getroffen, so empfindet er zunächst an der Stichstelle Schmerzen, dann ein Taubheitsgefühl. Dieses erfasst bald den ganzen Körper. In schweren Fällen tritt danach eine Muskellähmung auf, und es kommt zum Tod durch Herzversagen. Die Gifte und ihre Wirkung: α-Conotoxin blockiert an den motorischen Endplatten die Rezeptoren für Acetylcholin und wird etwa gleich stark gebunden. μ-Conotoxin blockiert die Na^+-Poren der Muskelfasermembran. ω-Conotoxin beeinträchtigt den Ca^{2+}-Einstrom in die Präsynapse.

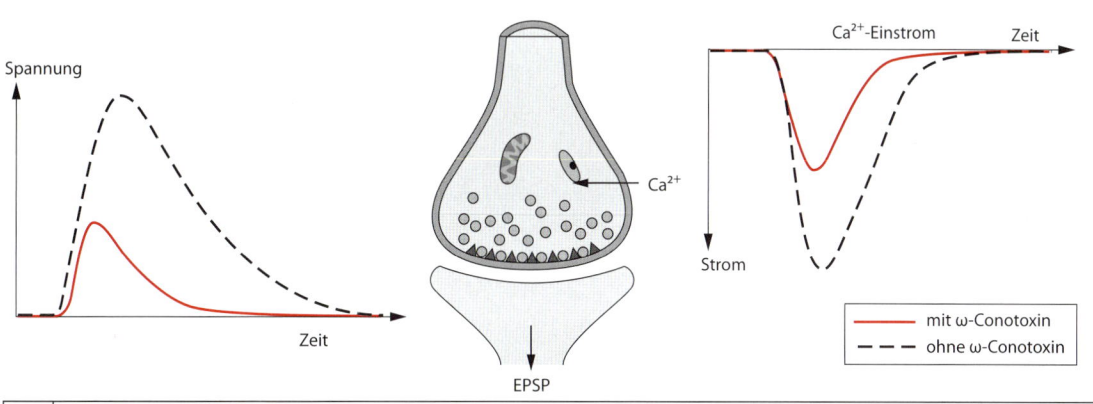

1 Vielfalt bei Kegelschnecken

1 Die Wirkung von ω-Conotoxin

F/II 1. Erläutern Sie die Wirkung der α-, μ- und ω-Conotoxine auf die Erregungsübertragung und auf den Menschen.

F/III 2. Erläutern Sie jeweils eine mögliche Wirkungsweise der Gegengifte von α- und ω-Conotoxinen.

LERNTIPP
Lösen Sie auch die Aufgaben zu Konzept 29.3 in diesem Buch.

Lösung S. 220

Notizen / Fragen / Schlüsselbegriffe / Ergänzungen / Hinweise aus dem Unterricht / Basiskonzept / Seitenverweise:

Neuronale Verschaltungen   Neurobiologie

29.8 Chemische und elektrische Synapsen sind unterschiedlich

Struktur und Funktion

Unser Körper besitzt zwei verschiedene Typen von Synapsen, die chemischen und die elektrischen Synapsen. Beide Synapsenarten unterscheiden sich im Aufbau und in der Art der Erregungsübertragung und dadurch begründet auch in der Geschwindigkeit der Erregungsleitung.•

Chemische Synapsen finden sich hauptsächlich im zentralen und peripheren Nervensystem sowie an motorischen Endplatten, während elektrische Synapsen beispielsweise zwischen Herzmuskelzellen und im Zentralnervensystem vorkommen.

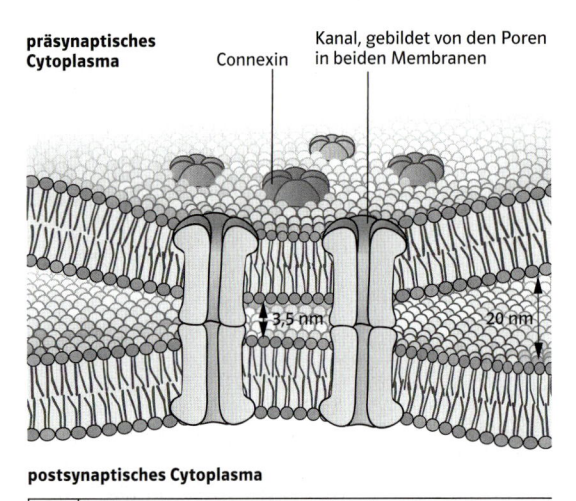

1 Elektrische Synapsen (Gap Junction)

2 Erregungsleitung bei verschiedenen Synapsentypen nach Stimulation der präsynaptischen Faser

LERNTIPP
Unter 3.2 in diesem Buch finden Sie Hilfreiches über Zell-Zell-Verbindungen, im Lehrbuch unter 29.2 die chemische Synapse.

Lösung S. 221

K/II **1.** Skizzieren Sie im Flussdiagramm die Erregungsübertragung an einer elektrischen und einer chemischen Synapse.

F/III **2.** Erläutern Sie wichtige Unterschiede zwischen einer chemischen und einer elektrischen Synapse.

F/III **3.** Vergleichen Sie die Kurven der Spalten ⓐ und ⓑ (Abb. 2) miteinander und ordnen Sie begründet diesen Kurven entsprechende Synapsentypen (chemische oder elektrische Synapse) zu.

Notizen / Fragen / Schlüsselbegriffe / Ergänzungen / Hinweise aus dem Unterricht / Basiskonzept / Seitenverweise:

Neurobiologie
Sinne und Wahrnehmung — 30

30.2 Mechanorezeptoren sind ungleichmäßig in der Haut verteilt

Jeder von uns kann einen flauschig weichen Pullover von einem harten Gegenstand durch Abtasten unterscheiden. Unsere Haut, das größte Sinnesorgan, hilft uns dabei. In der Haut sind Tausende winziger Rezeptoren, die unterschiedlich strukturiert und spezialisiert sind und mit denen wir neben Berührungen auch noch Druck, Vibrationen, Temperaturen und Schmerzen wahrnehmen (vgl. Abb. 1).

Allerdings spüren wir mit der Haut nicht scharf voneinander getrennte, punktuelle Einzelreize, die sich einzelnen Rezeptoren zuordnen lassen, sondern nur einzelne kleine rezeptive Felder, wo die Meldungen über mehrere Rezeptoren von Nervenzellen gebündelt und integriert werden.

Diese kleinen rezeptiven Felder werden als Tastpunkte bezeichnet. Sie sind auf der Haut ungleichmäßig verteilt. Ihr Abstand kann experimentell bestimmt werden.

Die Auswertung der Rezeptorinformationen kann durch Übung wesentlich verfeinert werden. Ein bekanntes Beispiel ist die Blindenschrift. Jedem Buchstaben entspricht ein Punktmuster, das mit den Fingerspitzen ertastet wird. So können Blinde „fließend" lesen.

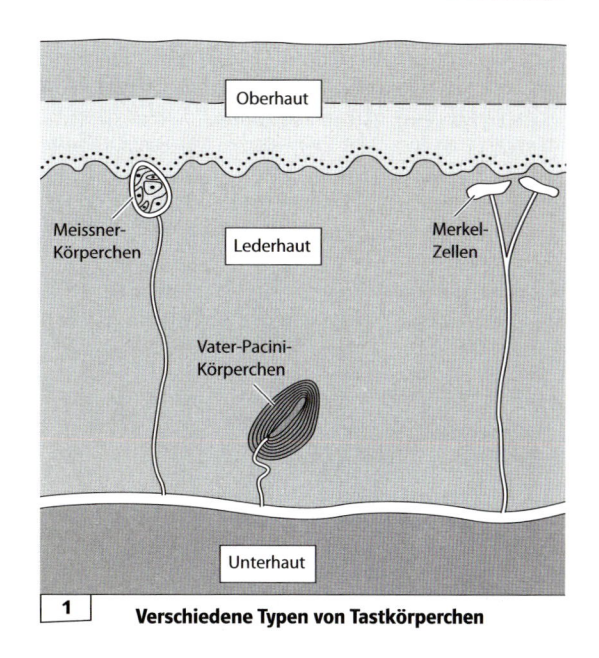

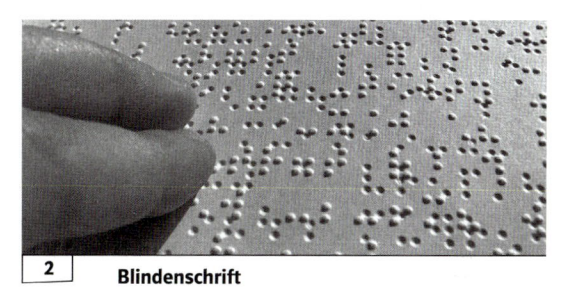

1 Verschiedene Typen von Tastkörperchen

2 Blindenschrift

E/I 1. Ermitteln Sie mithilfe des Internets oder von Fachbüchern die Funktion der in Abb. 1 dargestellten Tastkörperchen.

E/II 2. Entwickeln Sie ein Experiment mit Utensilien aus Ihrem Schreibetui, mit dem Sie ermitteln können, wie weit die Tastpunkte auf unterschiedlichen Hautpartien, der Fingerkuppe des Zeigefingers, der Zungenspitze, dem Handrücken, dem Handballen, dem Rücken, dem Nacken usw. voneinander entfernt sind.

E/II 3. Führen Sie das Experiment durch und notieren Sie Ihre Ergebnisse.

E/II 4. Interpretieren Sie Ihre Ergebnisse.

LERNTIPP
Lesen Sie hierzu auch Konzept 28.1 im Lehrbuch.

Lösung
S. 222

Notizen / Fragen / Schlüsselbegriffe / Ergänzungen / Hinweise aus dem Unterricht / Basiskonzept / Seitenverweise:

Sinne und Wahrnehmung   **Neurobiologie**

30.4 Stäbchen dienen dem Hell-Dunkel-Sehen

Struktur und Funktion

Mit unseren Augen können wir Farben wahrnehmen, Gegenstände in einigen Kilometern Entfernung erkennen und bereits auf ein einzelnes Photon (Lichtquant) reagieren. Allerdings registrieren wir nur Licht mit der Wellenlänge von ca. 400–800 nm. Verantwortlich für diese Lichtwahrnehmung sind Photorezeptoren, die sich auf der lichtabgewandten Seite der Netzhaut befinden. Die Stäbchen dienen dem Hell-Dunkel-Sehen, die Zapfen dem Farbensehen. Die Stäbchen besitzen als Sehfarbstoff das Retinal, das an ein Membranprotein, ein bestimmtes Opsin, gebunden ist. Zusammen bilden sie das Rhodopsin, das durch Lichtabsorption seine Struktur verändert und von der inaktivierten, gekrümmten 11-cis Form (Rh) in die aktivierte, gestreckte trans-Form (Rh*) übergeht.*

Viele weitere Substanzen sind an der Umwandlung des Lichtreizes in ein Rezeptorpotenzial der Stäbchen beteiligt. In Abb. 1 sind vereinfacht die Vorgänge im Stäbchen bei Dunkelheit und bei Licht dargestellt.

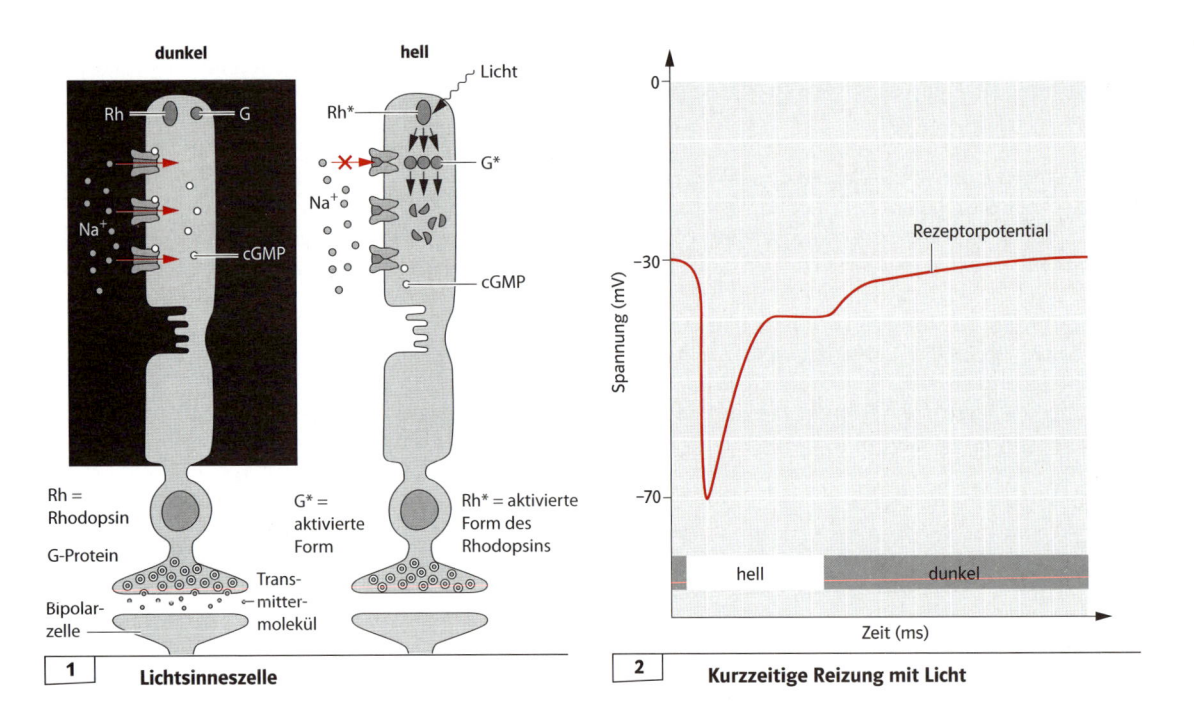

1 Lichtsinneszelle

2 Kurzzeitige Reizung mit Licht

Lösung S. 222

F/II **1.** Skizzieren und beschriften Sie den Aufbau eines menschlichen Auges.

F/II **2.** Beschreiben Sie mithilfe der Abb. 1 und der Abb. 1 auf S. 407 im Lehrbuch den Bau eines Sehstäbchens der menschlichen Netzhaut.

F/III **3.** Erklären Sie unter Verwendung der Abbildungen 1 und 2 die Vorgänge an der Sehzellmembran bei Dunkelheit und bei Belichtung.

Notizen / Fragen / Schlüsselbegriffe / Ergänzungen / Hinweise aus dem Unterricht / Basiskonzept / Seitenverweise:

Neurobiologie Sinne und Wahrnehmung

30.5 Sinnestäuschungen helfen Wahrnehmung zu verstehen

Sicherlich haben Sie schon die folgende Erfahrung mit dem Fahrstuhl gemacht. Wenn Sie mit dem Aufzug schnell mehrere Etagen nach oben fahren, dann haben Sie ein leichtes Schweregefühl. Sind Sie aber an der entsprechenden Etage angekommen und der Fahrstuhl hält an, dann glauben Sie für einen kurzen Moment, dass Sie vom Boden abheben. Für diese Sinnestäuschung ist unser Gleichgewichtsorgan, das im Innenohr lokalisierte Drehsinnesorgan, verantwortlich (vgl. Abb. 2).

Eine ähnliche Sinnestäuschung können Sie experimentell erfahren. Dazu müssen Sie sich mit verbundenen Augen auf einen Drehstuhl setzen, der erschütterungsfrei gelagert ist und sich lautlos drehen lässt. Sie müssen bei dem Experiment die Füße anheben. Jemand anderes versetzt den Stuhl langsam, dann immer schneller in Drehung, ohne dass Sie von der Beschleunigung etwas merken. Dann stoppt er abrupt die Drehbewegung des Stuhls.

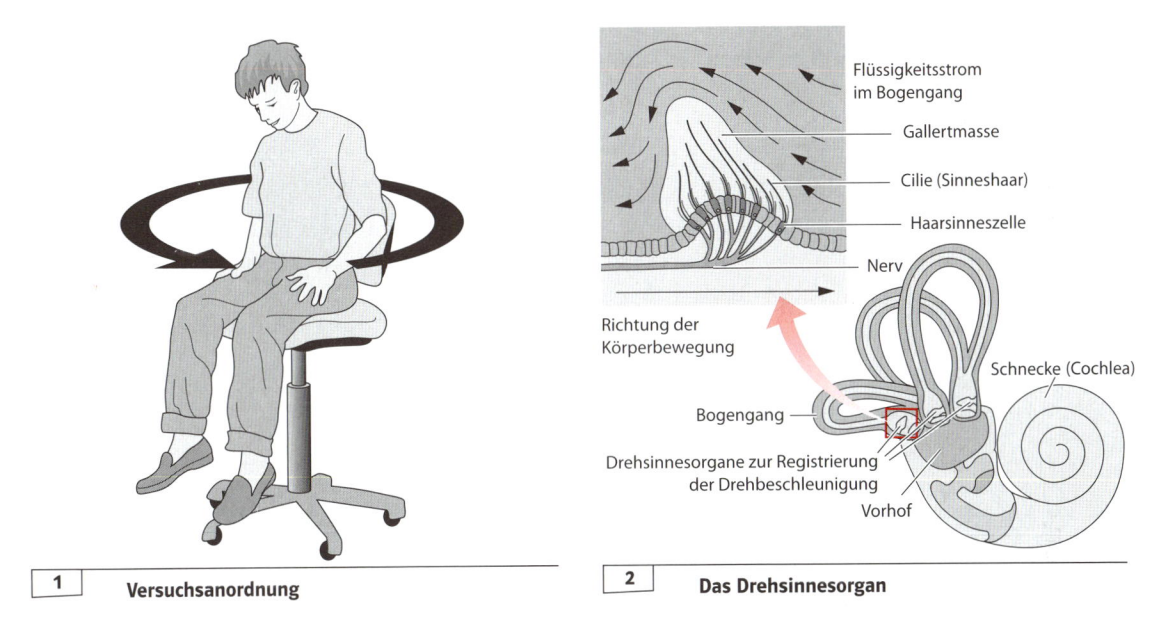

1 Versuchsanordnung

2 Das Drehsinnesorgan

1. Führen Sie das oben beschriebene Experiment durch und notieren Sie Ihre Beobachtung.

2. Erläutern Sie anhand der Abb. 2 den Aufbau des Drehsinnesorgans.

3. Erklären Sie, wieso man im oben beschriebenen Experiment vom Schnellerwerden der Drehung nichts bemerkt.

4. Wodurch wurde die Täuschung im Experiment hervorgerufen?

LERNTIPP
Lesen Sie nochmals das Konzept 29.1 über „Reaktionen" im Lehrbuch.

Lösung S. 222

Notizen / Fragen / Schlüsselbegriffe / Ergänzungen / Hinweise aus dem Unterricht / Basiskonzept / Seitenverweise:

Sinne und Wahrnehmung — Neurobiologie

30.6 Veränderte Körperlage führt zu anderen Reaktionen

Struktur und Funktion

Flusskrebse besitzen zwei Antennenpaare, ein langes und ein kurzes. An der Basis jeder kurzen Antenne befindet sich die sogenannte Statocyste, ein mit Borsten verschließbares Säckchen, das ein kleines Körnchen enthält, Statolith genannt (Abb. 1). Dieser geht bei jeder Häutung des Krebses verloren und wird ersetzt, indem der Krebs Sandteilchen in die neuen Statocysten drückt. Es war lange Zeit nicht klar, ob die Statocysten wirklich dem Gleichgewichtssinn dienen.• Dazu wurden verschiedene Experimente durchgeführt. Im ersten Experiment wurde ein Stab senkrecht am Rückenschild des Krebses befestigt. Dann wurde er ins Wasser gehalten. Bei lotrechtem Halten bewegten sich die Beinpaare gleichmäßig, wurde er in Längsachse gekippt, bewegten sich die untergrundnahen Beine heftiger. Im zweiten Experiment wurde den Krebsen in einem Aquarium vor der Häutung jedes Substrat entzogen. Nach der Häutung liefen die Krebse torkelnd umher. In den Statocysten wurden später keine Körnchen entdeckt. In einem dritten Experiment legte man den Tieren vor der Häutung kleine Eisenkörner vor. Die Krebse bewegten sich anschließend normal. Hielt man jedoch über diese Krebse einen Magneten, so legten sie sich auf den Rücken. Später wurden neurophysiologische Untersuchungen an verwandten Arten durchgeführt. Die Ergebnisse sind in Abb. 2 dargestellt. Die Tiere wurden in verschiedene Positionen gebracht und die Aktionspotenziale infolge des Kippens an den Nervenfasern gemessen.

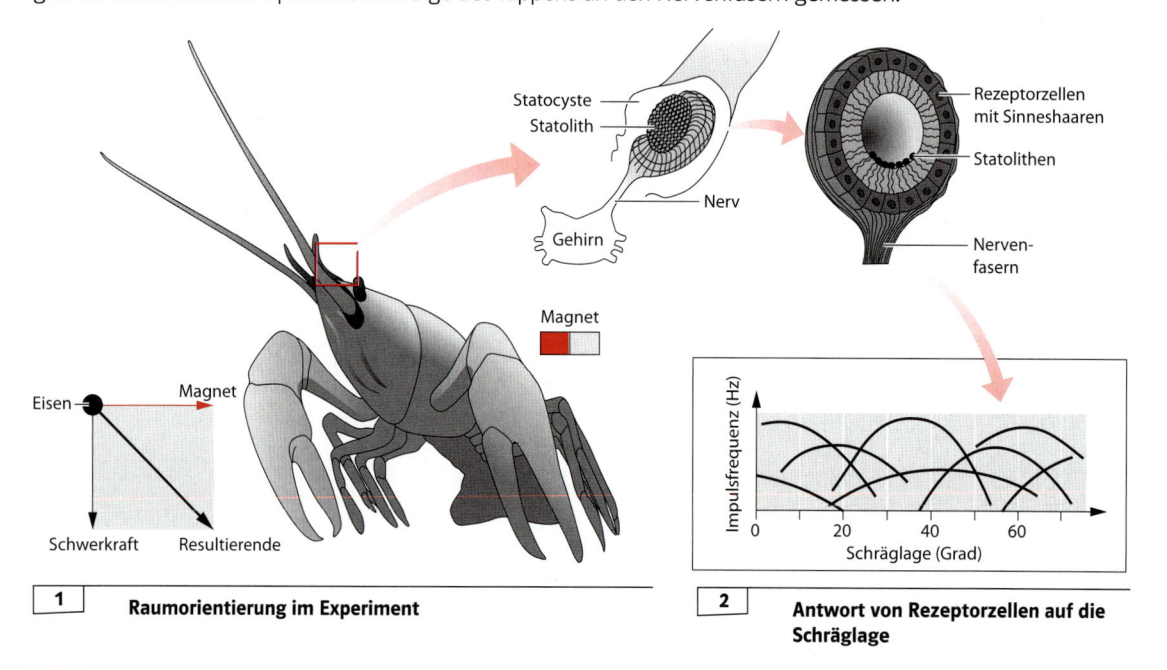

1 Raumorientierung im Experiment

2 Antwort von Rezeptorzellen auf die Schräglage

F/II **1.** Erklären Sie den Aufbau und die Funktionsweise der Statocyste (Abb. 1 oben).

F/III **2.** Deuten Sie die in Abb. 2 dargestellten Ergebnisse.

Lösung S. 222

F/III **3.** Werten Sie die beschriebenen Versuche aus und entscheiden Sie, ob die Statocyste ein Gleichgewichtsorgan ist.

Notizen / Fragen / Schlüsselbegriffe / Ergänzungen / Hinweise aus dem Unterricht / Basiskonzept / Seitenverweise:

Neurobiologie

Nervensysteme **31**

31.1 Im Zentralnervensystem werden Informationen verarbeitet

So oder ähnlich könnte Ihr Schultag beginnen: Die Straßenbahn kommt um die Ecke. Sie gehen aus der Haltestelle zur Tür des Wagens und steigen ein. Ein alltäglicher, wenig aufregender Vorgang. Trotzdem eignet er sich gut, um die grundlegenden Funktionen unseres Nervensystems zu veranschaulichen. Sie erfassen Ihre Umwelt mit den Sinnesorganen. Der Input gelangt über die Nervenbahnen zu Rückenmark und Gehirn. Sie nehmen die Umwelt wahr, verknüpfen die eingehenden Informationen mit Gefühlen, vergleichen sie mit in der Vergangenheit gemachten Erfahrungen und Gelerntem, ohne dass es Ihnen bewusst wird. Ihr Gehirn erzeugt Befehle, die letztendlich Ihren Körper situationsgemäß reagieren lassen.•

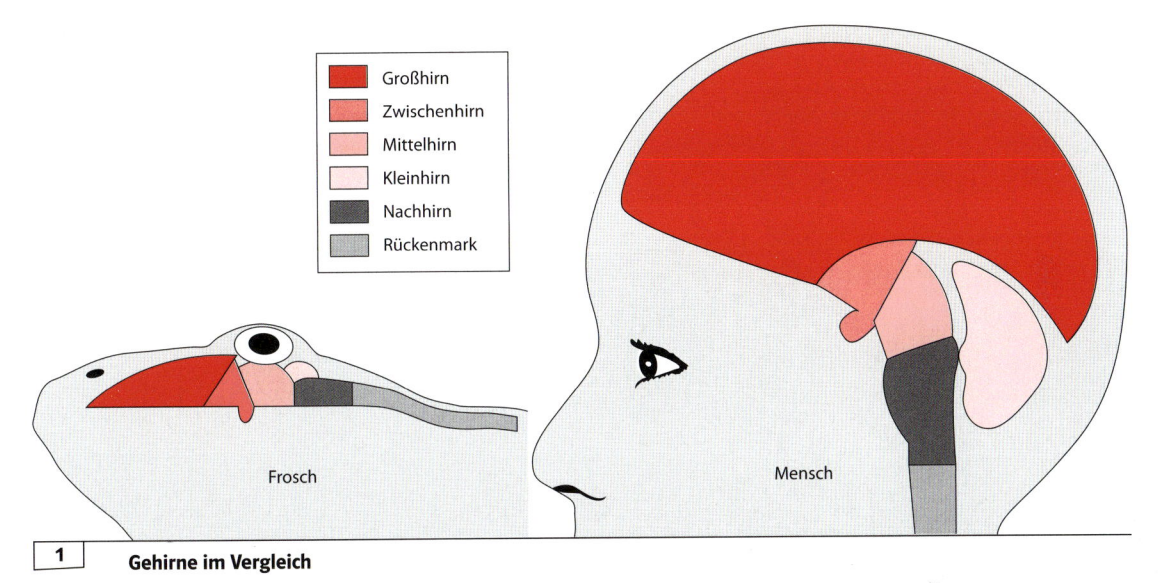

Information und Kommunikation

- Großhirn
- Zwischenhirn
- Mittelhirn
- Kleinhirn
- Nachhirn
- Rückenmark

Frosch   Mensch

1 Gehirne im Vergleich

F/II **1.** Vergleichen Sie den Bau des Gehirns von Frosch und Mensch mithilfe von Abb. 1.

E/II **2.** Erklären Sie den Zusammenhang zwischen Abb. 1 und der Abb. 1 im Lehrbuch auf S. 414.

F/II **3.** Geben Sie den Weg der Nervenimpulse vom „Sehen der Straßenbahn" bis zum „Losgehen" (Kontraktion der Muskeln) stichwortartig an. Markieren Sie die Teile, die zum Zentralnervensystem (ZNS) zählen. Hinweis: Der Sehnerv mündet im Thalamus (Teil des Zwischenhirns).

Lösung S. 223

Notizen / Fragen / Schlüsselbegriffe / Ergänzungen / Hinweise aus dem Unterricht / Basiskonzept / Seitenverweise:

Nervensysteme   **Neurobiologie**

31.2 Gegenspieler sorgen für Homöostase

Sie haben bereits gelernt, dass die Konstanz des inneren Milieus (Homöostase) lebenswichtig ist. Sie können nicht ununterbrochen lernen oder Sport treiben, sondern benötigen auch Phasen der Ruhe und Erholung. Was auf der Ebene des gesamten Körpers gilt, beobachten wir auch für jedes Organ im Einzelnen. Das autonome Nervensystem reguliert dieses Wechselspiel zwischen Leistung und Erholung. Das ist ein Beispiel für das Basiskonzept Steuerung und Regelung auf der Ebene des Organismus.•

Steuerung und Regelung

OTTO LOEWI präparierte zwei Froschherzen und montierte sie so, dass eine isotonische Kochsalzlösung in das erste Froschherz fließen konnte. Eine Öffnung in der Spitze des Herzen sorgte dafür, dass die Lösung anschließend das zweite Froschherz füllen konnte. Beide Herzen waren mit einer Apparatur verbunden, die die Herzschläge aufzeichnete.

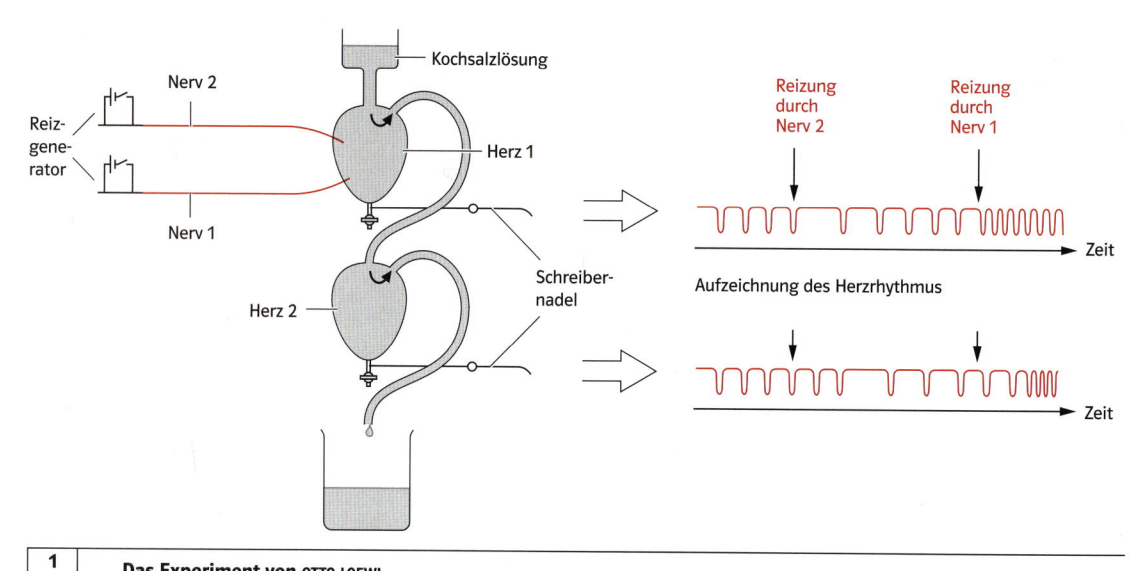

1   **Das Experiment von OTTO LOEWI**

LERNTIPP
Die Konzepte 5.1 und 29.2 im Lehrbuch helfen Ihnen beim Lösen dieser Aufgaben.

Lösung
S. 223

F/I   **1.** Vergleichen Sie Bau und Funktion der beiden Teilsysteme des autonomen Nervensystems tabellarisch.

F/II   **2.** Ermitteln Sie die Rolle des Sympathicus bei der Regulierung des Blutzuckerspiegels. Verwenden Sie dazu Ihre Lösung oder den Lösungsvorschlag von 5.1. in diesem Buch.

E/III   **3.** Werten Sie das Experiment von OTTO LOEWI aus.

Notizen / Fragen / Schlüsselbegriffe / Ergänzungen / Hinweise aus dem Unterricht / Basiskonzept / Seitenverweise:

Neurobiologie Nervensysteme

31.3 Das limbische System unterstützt Funktionen des Gehirns

Bei uns Menschen und bei anderen Säugern ist das limbische System in Wechselwirkung mit anderen Hirnarealen u. a. verantwortlich für elementare physiologische Triebe, also das Bedürfnis nach Sauerstoff, Flüssigkeit, Nahrung etc., für Instinkte, Motivation und Emotionen. Zwei wichtige Komponenten des limbischen Systems sind die Amygdala (Mandelkern) und der Hippocampus. Forscher der Universität Iowa sind auf der Suche nach bestimmten Rezeptoren, die für eine Angstreaktion von Mäusen unverzichtbar sind, auf den Ionenkanal ASIC1a gestoßen, der sich auffallend häufig in den Neuronen der Amygdala findet. Bei Mäusen, bei denen der Kanal blockiert ist oder fehlt, sind Angstreaktionen stark beeinträchtigt. Der Ionenkanal reagiert auf ein zunehmend saures Milieu in der Zellumgebung. Werden extrazelluläre pH-Schwankungen bei Labormäusen in der Amygdala gepuffert, so bleibt die Reaktion des Rezeptors aus und die Tiere zeigen keine Angstreaktionen mehr.

Die Forscher stellten sich nun die Frage, was das Absenken des pH-Werts in der Amygdala mit der Entstehung von Angst zu tun hat. Weitere Forschungen setzten den Umweltreiz Kohlenstoffdioxidgehalt ins Zentrum der Betrachtung. Dabei zeigte sich bei Labormäusen, dass diese bei erhöhtem CO_2-Gehalt der Luft panisch reagierten. Eine ähnliche Reaktion ist auch von Bergleuten bekannt.

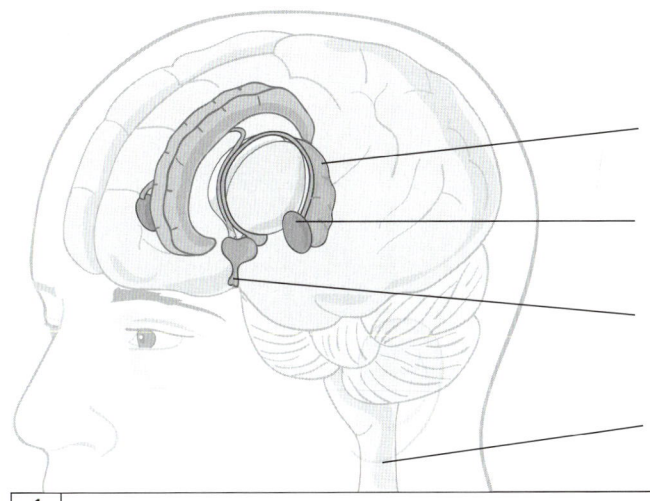

1 Lage des limbischen Systems

F/I **1.** Lesen Sie Konzept 31.3 im Lehrbuch. Erläutern Sie Aufgaben, Funktionen und die biologische Bedeutung von Amygdala und Hippocampus.

F/II **2.** Erklären Sie mithilfe der Textinformation, warum ein erhöhter CO_2-Gehalt der Luft bei Labormäusen eine Panikreaktion auslöst.

F/III **3.** Erklären Sie, warum es sinnvoll sein kann, einen solchen CO_2-Sensor zu besitzen.

Lösung
S. 224

Notizen / Fragen / Schlüsselbegriffe / Ergänzungen / Hinweise aus dem Unterricht / Basiskonzept / Seitenverweise:

32.1 Hormone erreichen auf unterschiedlichen Wegen ihre Ziele

Vielleicht haben Sie sich schon einmal gefragt, warum jede Frau die „Pille" zur Schwangerschaftsverhütung einfach einnehmen kann, ein Diabetiker aber das Insulin, das er braucht, spritzen muss. Bei der Suche nach einer Antwort auf diese Frage hilft Ihnen ein Blick auf die beiden Hormone der „Pille". Ethinylestradiol, eine der beiden Hormonkomponenten der „Pille", ist ein synthetisch hergestelltes Östrogen. Einzelne Hormonmoleküle steuern eine Vielzahl von Stoffwechselprozessen. Insulin ist zum Beispiel für eine rasche Aufnahme der Glucose aus dem Blut in Muskel- und Fettzellen verantwortlich. Darüber hinaus induziert es die Glykogensynthese und -speicherung in Leber und Muskeln, sowie die Fettsynthese.

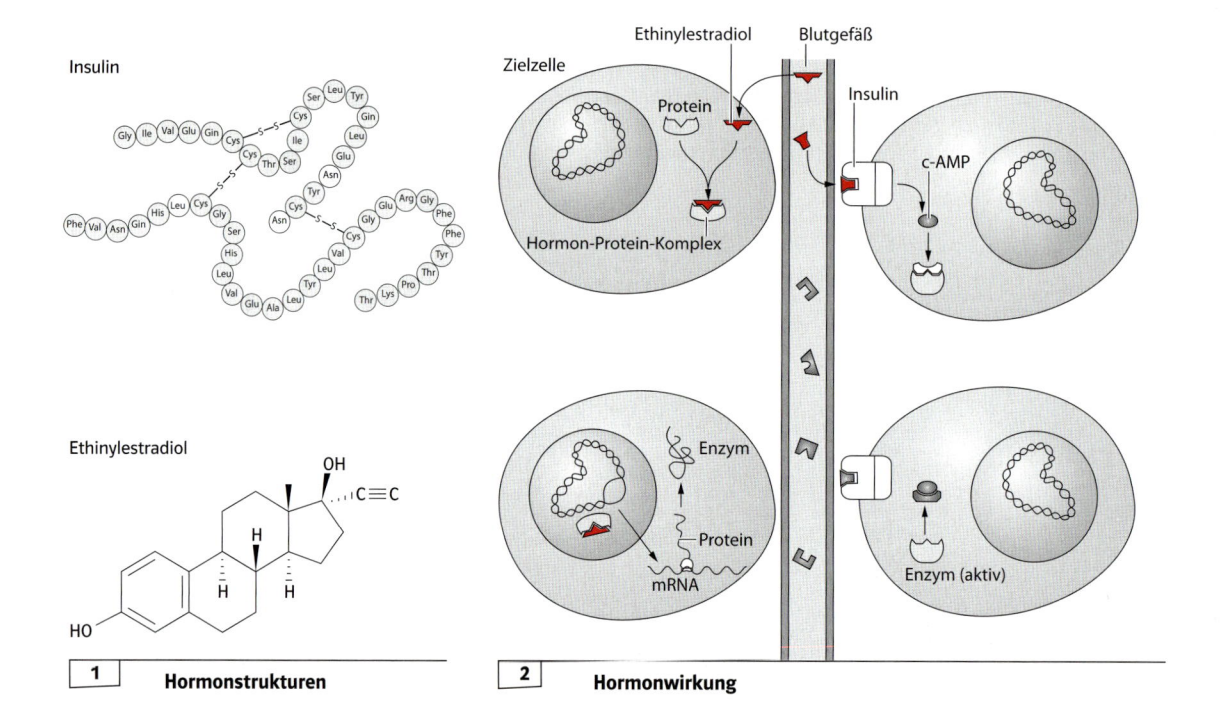

Steuerung und Regelung

1 Hormonstrukturen

2 Hormonwirkung

LERNTIPP
Informationen zum Glucosestoffwechsel enthält Kapitel 6 im Lehrbuch.

Lösung S. 224

F/II **1.** Leiten Sie aus den Strukturen der in Abb. 1 dargestellten Hormone ihre Zugehörigkeit zu einer chemischen Gruppe ab und begründen Sie, warum reines Insulin gespritzt werden muss und nicht in Tablettenform eingenommen werden kann.

F/I **2.** Erläutern Sie unter Zuhilfenahme von Abb. 2, weshalb der zelluläre Wirkmechanismus bei Insulin ein anderer ist als bei Ethinylestradiol.

F/III **3.** Erklären Sie unter Zuhilfenahme von Abb. 2, S. 424, im Lehrbuch die extrem hohe Wirksamkeit einzelner Peptidhormone im Stoffwechsel.

Notizen / Fragen / Schlüsselbegriffe / Ergänzungen / Hinweise aus dem Unterricht / Basiskonzept / Seitenverweise:

Neurobiologie Hormonelle Regelung und Steuerung

32.2 Nerven- und Hormonsystem stehen miteinander in Verbindung

Zur Regulation von Stoffwechsel- und Entwicklungsprozessen und für die Reaktionen auf Veränderungen in der Umwelt stehen uns Menschen zwei Informationsvermittlungssysteme zur Verfügung: das Nervensystem und das Hormonsystem. Beide arbeiten nach unterschiedlichen Prinzipien. Aber wenn man genau hinschaut, gibt es auch Gemeinsamkeiten.

Nervensystem und Hormonsystem sind mittels neuroendokriner Zellen miteinander verbunden. Der Hypothalamus ist Teil des Nervensystems und gleichzeitig oberste Kontrollinstanz über das Hormonsystem. Mithilfe dieses Arbeitsblattes vergleichen Sie diese beiden Steuerungssysteme.

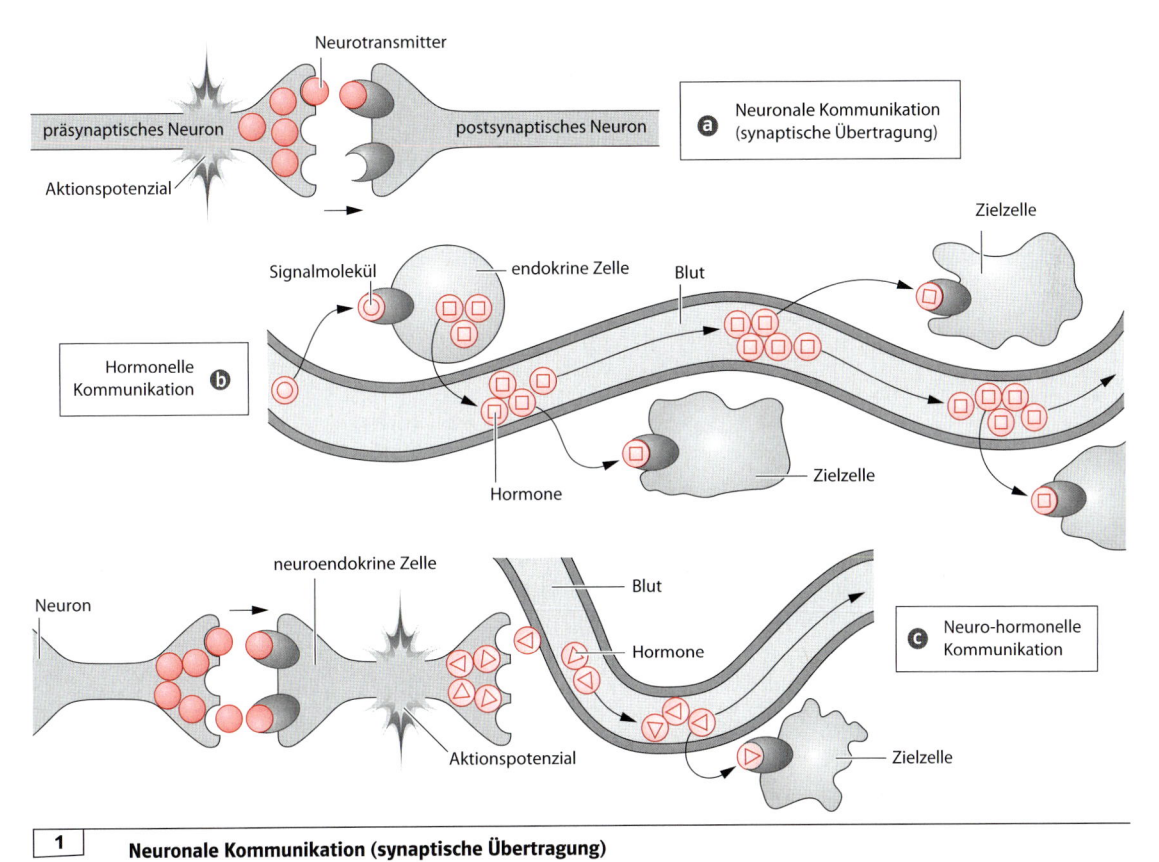

Steuerung und Regelung

1 Neuronale Kommunikation (synaptische Übertragung)

LERNTIPP
Die Abläufe der neuronalen Kommunikation können Sie noch einmal im Lehrbuch in den Konzepten 29.4 und 29.5 nachlesen.

K/III 1. Vergleichen Sie das neuronale und das endokrine System (Hormonsystem) in Bezug auf Abläufe, beteiligte Stoffe und Strukturen, Geschwindigkeiten usw. Stellen Sie dazu eine Tabelle auf.

Lösung S. 225

Notizen / Fragen / Schlüsselbegriffe / Ergänzungen / Hinweise aus dem Unterricht / Basiskonzept / Seitenverweise:

Hormonelle Regelung und Steuerung | **Neurobiologie**

32.3 Thyroxin steuert die Entwicklung

Molche atmen als Larven, wie die bekannteren Kaulquappen der Frösche, durch Kiemen. Wenn sie erwachsen werden, führen sie die Metamorphose durch, bilden Lungen aus, verlassen das Wasser und leben an Land. Nur zur Fortpflanzung kehren sie einmal im Jahr ins Wasser zurück. Es kommt selten vor, dass einheimische Molche sich nicht verwandeln, sondern im Wasser bleiben und sich im Larvenstadium fortpflanzen.

Im Xochimilco-See im Hochland von Mexiko lebt der unten abgebildete Axolotl ❶. Diese Tierart bleibt ihr ganzes Leben im Wasser, führt keine Metamorphose durch und vermehrt sich in diesem Entwicklungsstadium. Wenn man dem Tier im Experiment jedoch Bruchteile eines Milligramms von Thyroxin, einem Schilddrüsenhormon, spritzt, dann wandelt es sich zu einem Landbewohner ❷, der das Wasser verlässt. Nach der Metamorphose ähnelt das Tier Vertretern der Querzahnmolche, die nur in Nord- und Mittelamerika vorkommen.

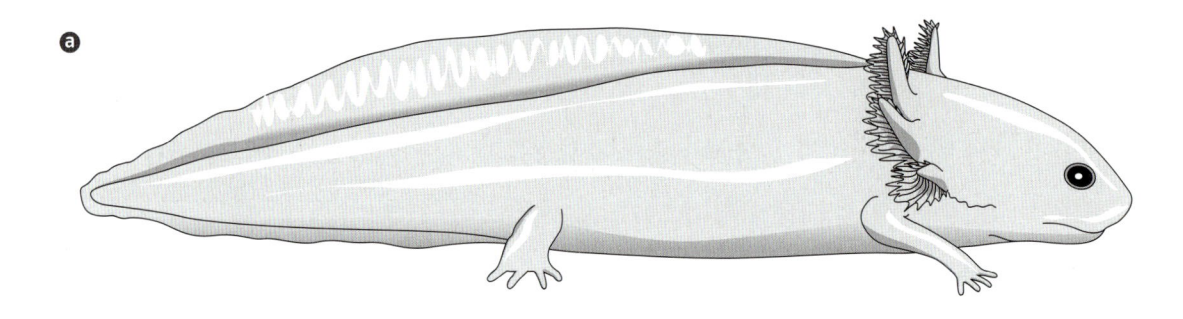

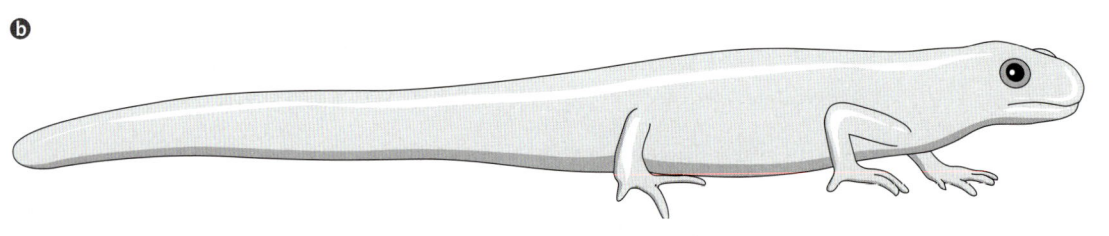

1 Axolotl: ❶ ohne, ❷ nach Thyroxin-Gabe

LERNTIPP
Die Wirkungsweise des Thyroxins können Sie besser verstehen, wenn Sie sich noch einmal die Genregulation im Konzept 10.5 im Lehrbuch ansehen.

Lösung S. 225

F/III 1. Fassen Sie den im Text und in Abb. 1 dargestellten Sachverhalt zusammen und stellen Sie die Veränderungen im Körperbau dar.

F/III 2. Erörtern Sie, welche Schlüsse diese Hormonwirkung auf die Evolution dieser Tierart und ihre Genausstattung zulässt.

Notizen / Fragen / Schlüsselbegriffe / Ergänzungen / Hinweise aus dem Unterricht / Basiskonzept / Seitenverweise:

Neurobiologie
Hormonelle Regelung und Steuerung

32.4 Der weibliche Zyklus reguliert sich selbst

Die Abläufe im weiblichen Zyklus haben Sie schon in der Sekundarstufe I kennengelernt. Hier erarbeiten Sie sich das Prinzip der Regelung.•

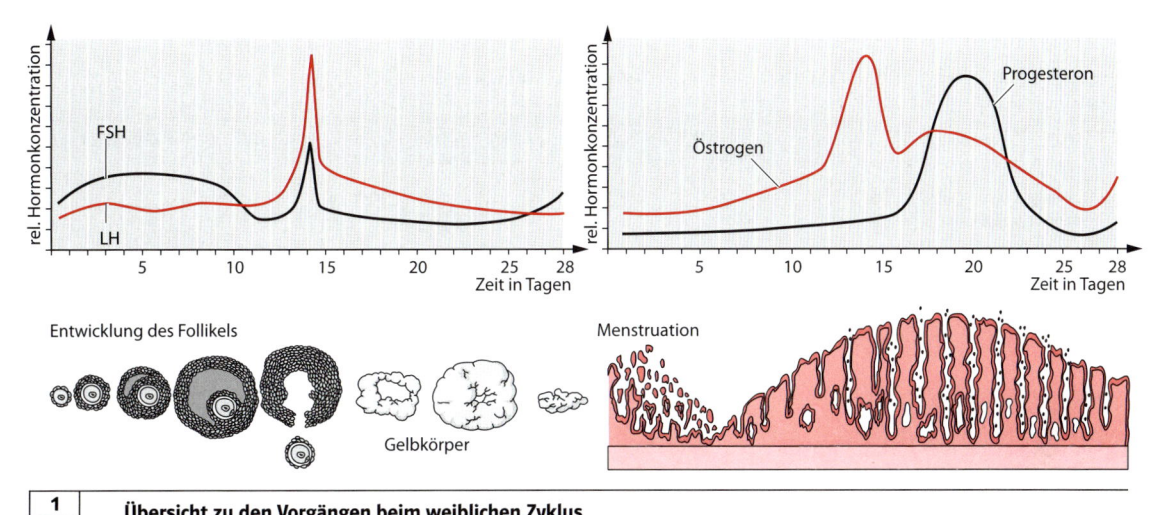

Steuerung und Regelung

1 Übersicht zu den Vorgängen beim weiblichen Zyklus

Hormon	Sekretionsort	Funktion
Gonandotropin Releasing Hormon (GnRH)	Hypothalamus	stimuliert die Hypophyse zur Ausschüttung von FSH und LH
Follikelstimulierendes Hormon (FSH)	Hypophyse	fördert die Reifung des Eifollikels und die Bildung von Östrogen im Eierstock
Luteinisierendes Hormon (LH)	Hypophyse	beeinflusst den Eisprung und die Umbildung des Follikels zum Gelbkörper
Progesteron	Gelbkörper	bewirken ein Weiterwachsen der Gebärmutterschleimhaut; unterbinden die Ausschüttung von GnRH
Östrogen	Eierstock	

K/III 1. Beschreiben Sie den weiblichen Zyklus mithilfe von Abbildung 1 und der Tabelle.

E/III 2. Stellen Sie auf Grundlage Ihrer Beschreibungen ein Schema zur Regulation der hormonellen Steuerung der weiblichen Keimdrüsenfunktionen auf.

F/II 3. Erklären Sie anhand des weiblichen Zyklus das Prinzip der negativen Rückkopplung.

LERNTIPP
Ein Beispiel für einen Regelkreis finden Sie in Abb. 2 zu Konzept 5.1.

Lösung
S. 225

Notizen / Fragen / Schlüsselbegriffe / Ergänzungen / Hinweise aus dem Unterricht / Basiskonzept / Seitenverweise:

Hormonelle Regelung und Steuerung **Neurobiologie**

32.6 Geschlechtshormone beeinflussen das Verhalten der Geschlechter

Haben Sie sich schon einmal gefragt, warum nur der Hahn kräht und die Hühner gackern? Haben Sie sich schon mal Gedanken darüber gemacht, warum es immer der Hahn ist, der Sie mit ausgestreckten Krallen anfliegt, wenn Sie am frühen Morgen versuchen, während der Eiablage in den Hühnerstall zu gehen? Auch wenn Sie als Stadtmensch diese zweifelhafte Erfahrung nicht gemacht haben und womöglich das Krähen eines Hahnes nur als Klingelton auf Ihrem Handy kennen, können Ihnen folgende Experimente Antworten geben:

	Gruppe 1	Gruppe 2	Gruppe 3
Aussehen männlicher Küken	(Küken)	(Küken)	(Küken)
Manipulation	keine	Entfernen der Hoden	Entfernen der Hoden und Reimplantation in den Unterleib
Aussehen von ausgewachsenen Hähnen	(Hahn)	(Henne-ähnlich)	(Hahn)
Kamm und Kehllappen	normal	klein	normal
Krähen	normal	kraftlos	normal
besteigt Hennen?	ja	nein	ja
ist aggressiv?	ja	nein	ja

1 Kastrationsexperimente an männlichen Küken

K/I **1.** Beschreiben Sie die Kastrationsexperimente und die dabei gemachten Beobachtungen.

F/II **2.** Deuten Sie die Beobachtungen.

Lösung S. 226 **K/II** **3.** Das dargestellte Experiment wurde im Jahre 1849 durchgeführt und gilt heute als der Beginn der klassischen Endokrinologie („Lehre von den Hormonen"). Erörtern Sie dies.

Notizen / Fragen / Schlüsselbegriffe / Ergänzungen / Hinweise aus dem Unterricht / Basiskonzept / Seitenverweise:

Verhalten

33	Verhaltensforschung und Verhaltensweisen
34	Lernen
35	Kommunikation und Sozialverhalten

33.2 Bei Verhaltensexperimenten sind die Versuchsbedingungen wichtig

Wie Sie dem Konzept 33.2 im Lehrbuch entnommen haben, können Tiere verschiedene Reize, die in kurzem Abstand zueinander oder gleichzeitig auftreten, miteinander verknüpfen.

Um 1895 wurde ein Pferd berühmt, dessen Besitzer ihm die Grundrechenarten und das Buchstabieren beigebracht haben wollte. Durch Klopfen mit dem Huf auf den Boden oder durch Kopfschütteln konnte der sogenannte „Kluge Hans" Wörter buchstabieren oder die Lösung mathematischer Aufgaben angeben. Für richtige Antworten wurde der Hengst mit Futter belohnt. Sein Besitzer war von den Fähigkeiten seines Rappen absolut überzeugt. Kritische Wissenschaftler der Zeit, die die mathematischen Fähigkeiten eines Pferdes bezweifelten, untersuchten den Hengst unter verschiedenen Versuchsbedingungen, die in den folgenden Skizzen dargestellt sind.

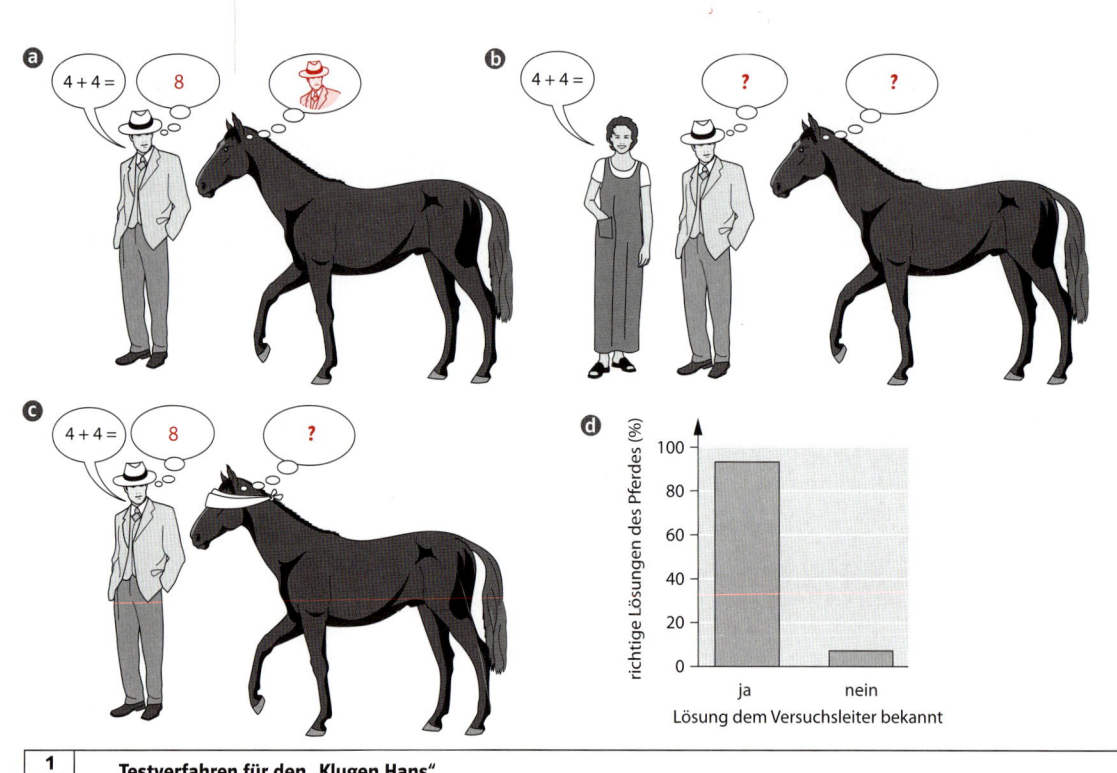

1 Testverfahren für den „Klugen Hans"

1. Vergleichen Sie Versuchsbedingungen und Ergebnis und beurteilen Sie die Fähigkeiten des Tieres.

2. Der sogenannte „Kluge-Hans-Effekt" führte in der Wissenschaft zur Einführung von Doppelblindstudien. Informieren Sie sich über die Methode und stellen Sie ihre Vorteile dar.

LERNTIPP
Bei der Recherche (Aufgabe 2) im Internet können Sie Begriffe duch Anführungszeichen verknüpfen.

Lösung S. 227

Notizen / Fragen / Schlüsselbegriffe / Ergänzungen / Hinweise aus dem Unterricht / Basiskonzept / Seitenverweise:

Verhalten — Verhaltensforschung und Verhaltensweisen

33.3 Attrappenversuche klären die Bedeutung von Reizen

Alle am Boden brütenden Vogelarten rollen ein Ei, das aus dem Nest gefallen ist, wieder zurück ins Nest. Bei dieser sogenannten Eirollbewegung greifen sie mit dem Schnabel hinter das Ei und ziehen es zum Nest zurück, indem sie den Hals einkrümmen (Abb. 1). In umfangreichen Versuchsserien hat man Möwen Eiattrappen vor das Nest gelegt und untersucht, wie die Vögel diese „bewerten".

Bei jedem Versuchsdurchgang hat man gemessen, wie viel Zeit vom Ausbringen der Eiattrappe bis zum Einrollen verging.

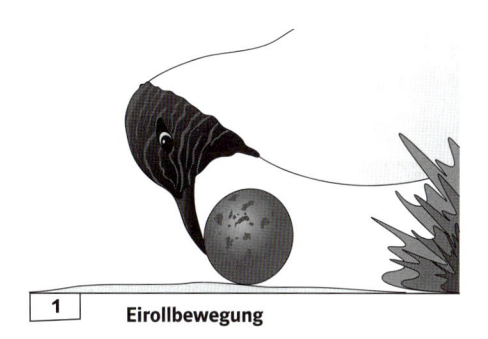

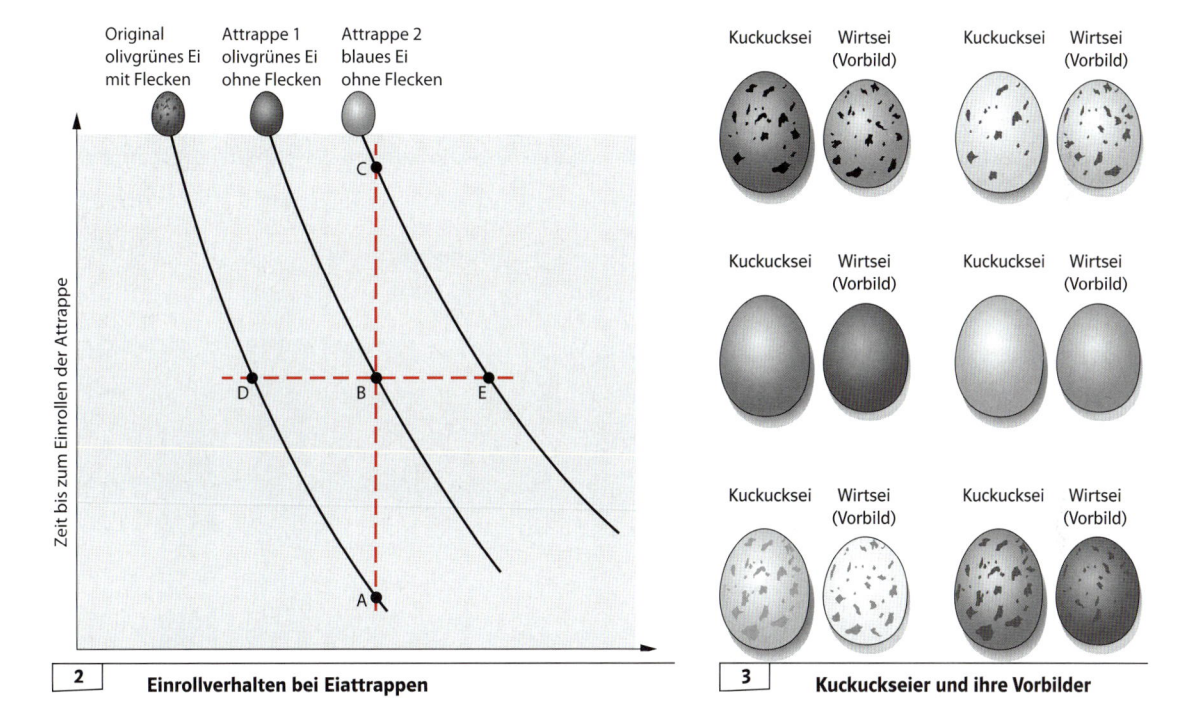

1 Eirollbewegung

2 Einrollverhalten bei Eiattrappen

3 Kuckuckseier und ihre Vorbilder

F/III **1.** Werten Sie Abb. 2 aus. Vergleichen Sie in diesem Zusammenhang zunächst die Punkte A, B und C und danach die Punkte D, B und E.

F/III **2.** Vergleichen Sie die in Abb. 3 dargestellten Kuckuckseier mit ihren Vorbildern und wenden Sie die gewonnenen Erkenntnisse aus Abb. 2 an.•

Information und Kommunikation

Lösung S. 226

Notizen / Fragen / Schlüsselbegriffe / Ergänzungen / Hinweise aus dem Unterricht / Basiskonzept / Seitenverweise:

Verhaltensforschung und Verhaltensweisen — Verhalten

33.4 Verhaltensweisen bringen Selektionsvorteile

Variabilität und Angepasstheit

Birkenspanner, von denen es helle und dunkle Formen gibt, sind nachtaktive Schmetterlinge, die sich tagsüber auf Birkenrinde setzen.* Dafür suchen sie gezielt Stellen in der Nähe von Astgabeln auf. Seltener sitzen sie am freien Stamm. Forscher befestigten in 4 verschiedenen Experimenten jeweils 50 tote Spanner am Stamm bzw. in der Nähe von Astgabeln. Dies führten sie einerseits in Wäldern mit verschmutzten Stämmen und andererseits in sauberen Birkenbeständen durch. Sie beobachteten jeweils den Jagderfolg der Singvögel.

1 Birkenspanner auf unterschiedlichem Untergrund

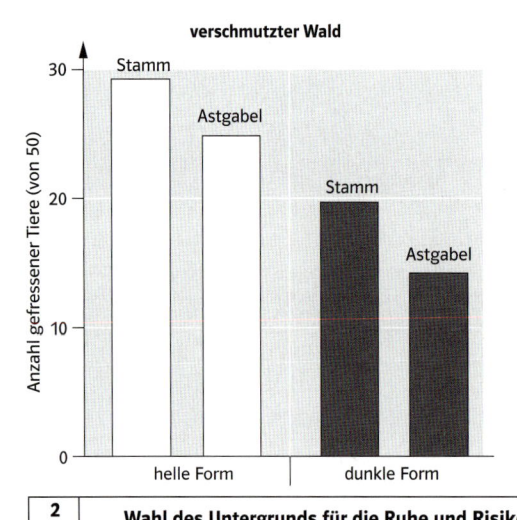

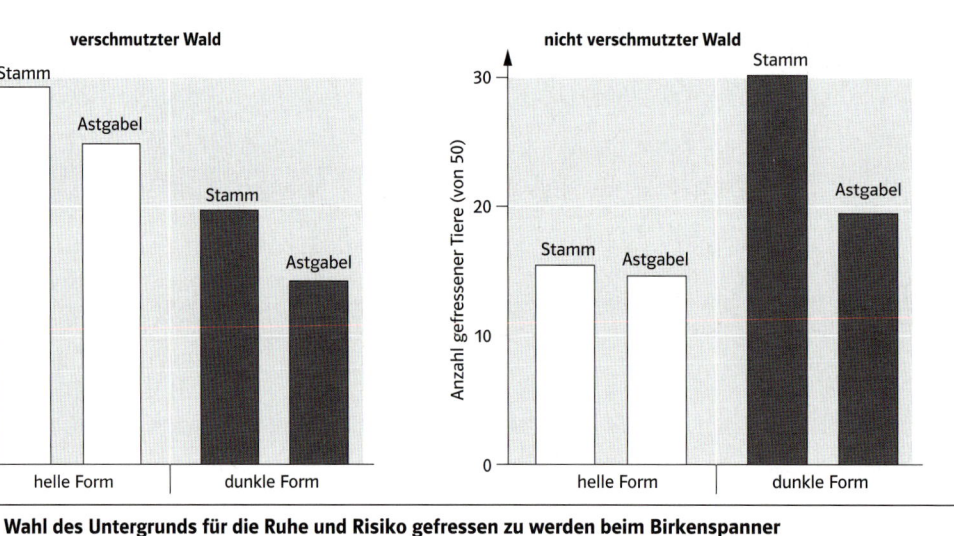

2 Wahl des Untergrunds für die Ruhe und Risiko gefressen zu werden beim Birkenspanner

LERNTIPP
Grundlagen zur Selektion finden Sie in Konzept 17.4 im Lehrbuch.

Lösung S. 226

E/I **1.** Fassen Sie die durch die Grafik dargestellten Sachverhalte zusammen.

F/II **2.** Stellen Sie den Selektionsvorteil der Wahl des Ruheplatzes am jeweiligen Baum für die Falter heraus.

Notizen / Fragen / Schlüsselbegriffe / Ergänzungen / Hinweise aus dem Unterricht / Basiskonzept / Seitenverweise:

Verhalten   Verhaltensforschung und Verhaltensweisen

33.5 Verhalten enthält genetisch festgelegte und erlernte Anteile

Die meisten Verhaltensweisen setzen sich aus genetisch determinierten und erlernten Anteilen zusammen. Dies ist beim Gesangslernen von Jungvögeln besonders gut untersucht worden. Junge Amseln singen als erwachsene Vögel denjenigen Gesang, den sie als Jungvogel im Nest gehört haben. Hören sie in dieser Zeit die Gesänge verschiedener Vogelarten und Amselgesang, dann singen sie später als Erwachsene Amselgesang. Bekommen sie im Experiment nur den Gesang einer anderen Vogelart vorgespielt, dann singen sie später diese Melodien und behalten sie auch bei, wenn sie später Amselgesang zu hören bekommen. Werden sie ganz ohne Gesangsvorbild aufgezogen, singen sie als Erwachsene einen Gesang, der dem von Amseln ähnelt. Wenn heranwachsende Amseln zu singen beginnen, haben sie das Nest schon lange verlassen und hören keinen Vorbildgesang mehr.

Gesänge lassen sich in Klangspektrogrammen bildlich darstellen. In diesen sind die Tonhöhen aus den Kilohertz-Angaben und die Lautstärke aus der Schwärzung der Kurve ablesbar. Sogenannte Motivgesänge setzen sich aus kleineren, kompakten Gesangsteilen, den Elementen, zusammen.

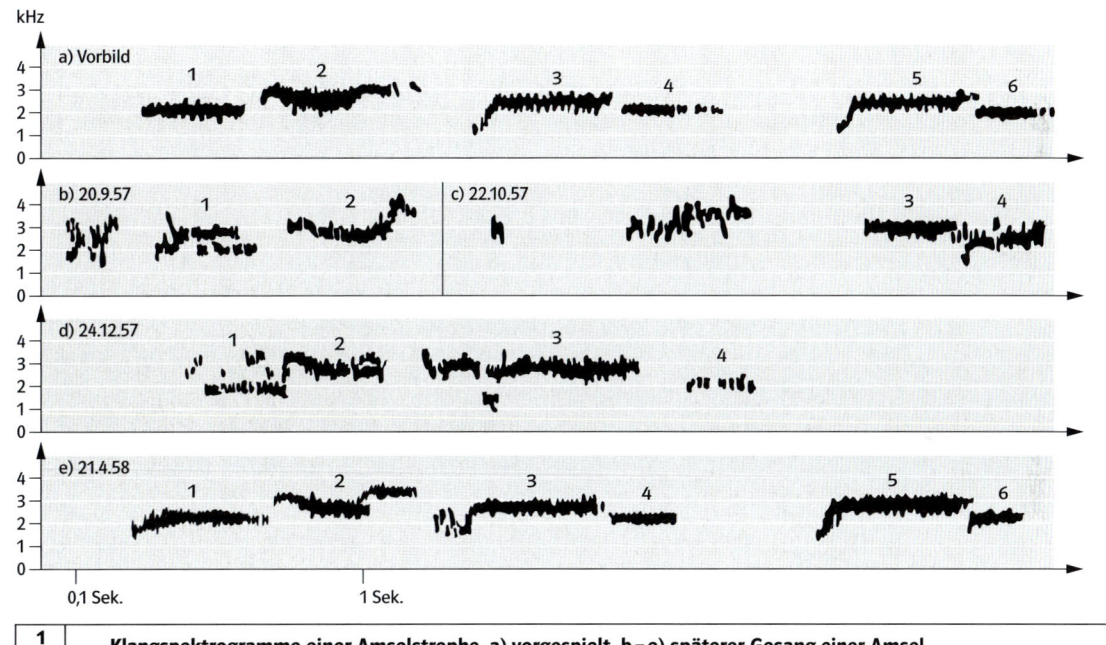

1   Klangspektrogramme einer Amselstrophe, a) vorgespielt, b–e) späterer Gesang einer Amsel

F/I   **1.** Beschreiben und vergleichen Sie die abgebildeten Klangspektrogramme.

F/II   **2.** Analysieren Sie den Text und die Aussagen der Grafik auf genetisch determinierte Grundlagen und Lernphasen in der Gesangsausbildung der Jungamseln.   Lösung S. 226

Notizen / Fragen / Schlüsselbegriffe / Ergänzungen / Hinweise aus dem Unterricht / Basiskonzept / Seitenverweise:

34.2 Tiere können Ereignisse verknüpfen

Tiere können Zusammenhänge zwischen Ereignissen erkennen und verknüpfen. Dies kann man in Skinner-Boxen (Abb. 1) erforschen. Skinner-Boxen lassen sich programmieren, laufen vollautomatisch und zeichnen die Versuchsergebnisse auf. Im unten abgebildeten Experiment konditionierte man Tauben darauf, geometrische Muster wiederzuerkennen.*

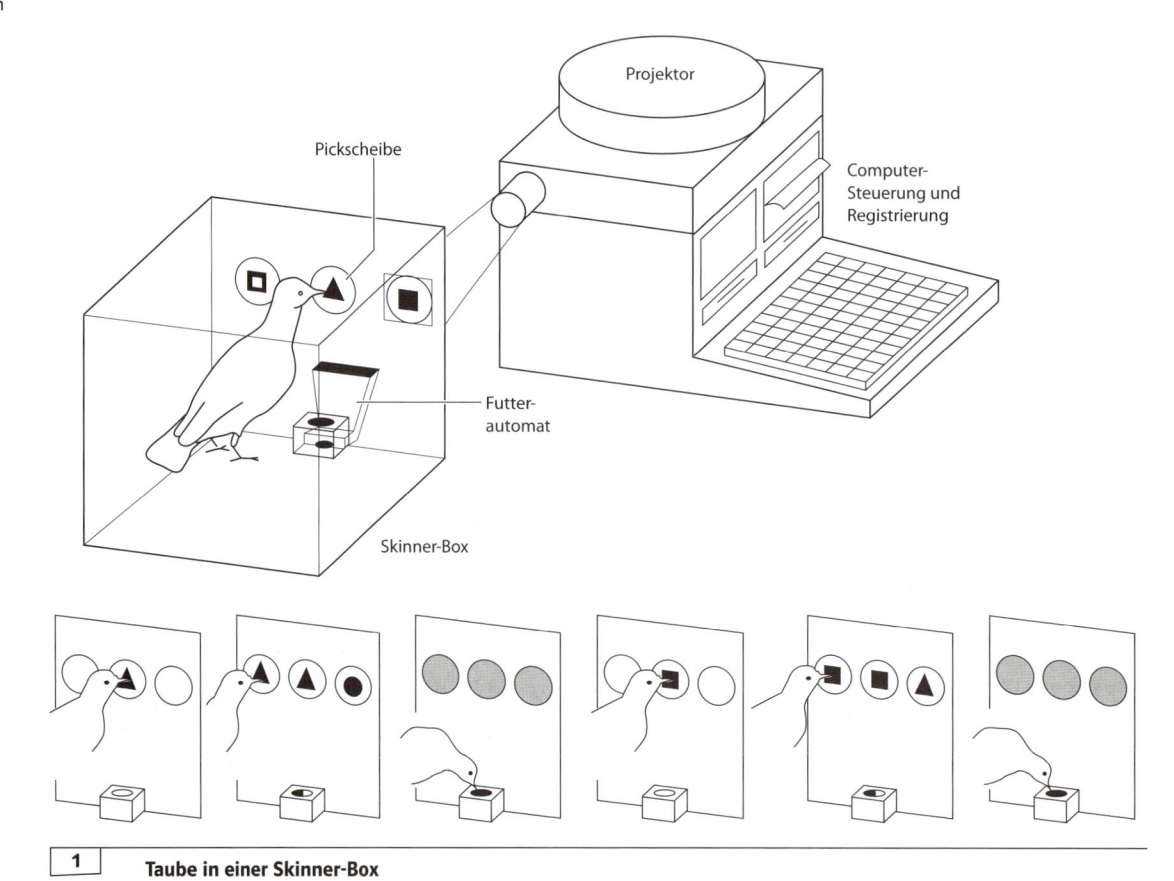

1 Taube in einer Skinner-Box

1. Beschreiben Sie den Bau der Skinner-Box und die abgebildete Versuchsmethode.

2. Konditionierte Tauben können ihnen unbekannte Gemälde besser als Studenten einem bestimmten Künstler zuordnen. Entwerfen Sie einen Versuch, mit dem Sie dies nachweisen können.

Notizen / Fragen / Schlüsselbegriffe / Ergänzungen / Hinweise aus dem Unterricht / Basiskonzept / Seitenverweise:

Verhalten Lernen

34.3 Prägung hat neuronale Grundlagen

Erinnern Sie sich: Prägungsähnliche Vorgänge finden in ganz bestimmten Zeitfenstern statt, den sensiblen Phasen. Sie sind an bestimmte Lerninhalte gebunden und der Lernvorgang ist nach dem Ablauf der sensiblen Phase nicht mehr umkehrbar. Inzwischen sind die neuronalen Vorgänge untersucht, die hinter diesen Abläufen stehen. In Versuchen prägte man Hühnerküken auf akustische Reize. Eine Gruppe hörte den normalen Lockruf von Hennen, eine zweite ein monotones Signal, und eine dritte Gruppe hörte keine Töne. Nach sieben Lebenstagen untersuchte man die Hirnstrukturen mikroskopisch und stellte fest, dass bei allen drei Gruppen die Zahl der Ansatzstellen für Synapsen zurückgegangen war. Die geringsten Verluste hatten die ungeprägten Küken, an zweiter Stelle kamen die Tiere, die den Originalruf gehört hatten, und die stärksten Verluste traten bei Prägung auf einen monotonen Laut auf.

Gegen die Erwartung war der Lernvorgang nicht mit einem Aufbau, sondern mit einem Abbau der Synapsenzahl verbunden. Küken ohne Prägung hatten die normale Anfangszahl ungefähr erhalten. Beim Prägungsvorgang werden bestimmte, vorher angelegte Synapsen benutzt und verstärkt, während die ungenutzten abgebaut werden. Ungeprägte Gehirne beginnen erst nach 20 Tagen mit dem Einschmelzen nicht genutzter Synapsen. Nach dem Prägungsvorgang sitzt das Erlernte dann genauso fest wie angeborene Verhaltensweisen. Nichtgelerntes kann dann aber auch nicht mehr nachgeholt werden. Wir wissen heute, dass z. B. die Temporallappen, die Sinneseindrücke und Gefühle verarbeiten, durch Sinneseindrücke in früher Kindheit geprägt werden (Abb. 1).

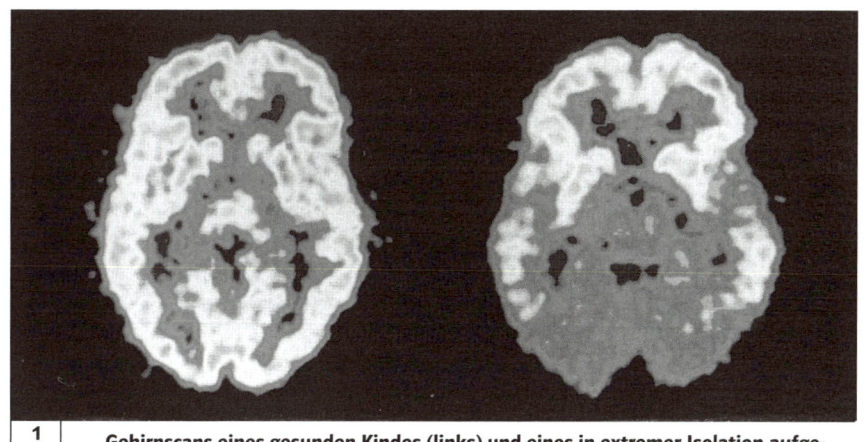

1 Gehirnscans eines gesunden Kindes (links) und eines in extremer Isolation aufgewachsenen Kindes (rechts) zeigen unterschiedliche Aktivitätsmuster.

E/II **1.** Erklären Sie die unterschiedlichen Verluste in der Synapsenzahl bei den drei Kükengruppen und stellen Sie einen Bezug zu Abb. 1 her.

B/II **2.** Nicht nur der Entwicklung der Temporallappen, sondern auch dem Spracherwerb sowie der Übernahme von Wertvorstellungen in der Pubertät liegen derartige Prägungsvorgänge zugrunde. Erläutern Sie die Bedeutung der Kenntnisse dieser Vorgänge für Kindererziehung und Pädagogik.

LERNTIPP
Grundlagen zum Aufbau des Gehirns finden Sie in Konzept 31.1 im Lehrbuch.

Lösung S. 227

Notizen / Fragen / Schlüsselbegriffe / Ergänzungen / Hinweise aus dem Unterricht / Basiskonzept / Seitenverweise:

Lernen **Verhalten**

34.5 Manche Tierarten können Verhaltensweisen von Artgenossen übernehmen

Information und Kommunikation

1953 fing ein junges Weibchen japanischer Rotgesichtmakaken an, Kartoffeln in einem Bach zu waschen, um sie dann zu fressen. Nach einigen Monaten hatte ein Spielgefährte und wenig später auch die Mutter das Verhalten übernommen. 1958 wusch der überwiegende Teil der jungen Männchen und Weibchen Kartoffeln, aber nur ein Teil der erwachsenen Weibchen. Erwachsene Männchen, die sich meist an der Peripherie der Gruppe aufhalten, übernahmen das Verhalten nicht. Kartoffelwaschende erwachsene, ranghohe Männchen entstanden erst, als jüngere Männchen in die oberen Ränge nachrückten. In den hierarchisch strukturierten Affengruppen müssen Rangniedere immer darauf achten, was die Ranghohen tun, um Aggressionen zu vermeiden.•

1 Rotgesichtmakaken beim Kartoffelwaschen

Lösung S. 227

E/II **1.** Begründen Sie, warum sich derartige Traditionen hauptsächlich bei sozial lebenden, gelegentlichen Allesfressern finden.

E/III **2.** Stellen Sie einen Zusammenhang zwischen den Aufmerksamkeitsstrukturen innerhalb der Gruppe und der Ausbreitung des Verhaltens her.

K/II **3.** Nehmen Sie Stellung zu der Aussage, dass es sich bei diesem Beispiel um eine einfache Form tierischer Kultur handelt.

Notizen / Fragen / Schlüsselbegriffe / Ergänzungen / Hinweise aus dem Unterricht / Basiskonzept / Seitenverweise:

Verhalten — Lernen

34.6 Das Bewusstsein folgt den Entscheidungen

Der amerikanische Gehirnforscher BENJAMIN LIBET untersuchte in den 1980er Jahren die zeitlichen Beziehungen zwischen Bereitschaftspotenzialen im Gehirn, dem Bewusstsein einer Entscheidung und der Ausführung einer Handlung. Er bat Versuchspersonen, in unregelmäßigen Abständen auf einen Knopf zu drücken. Die einzelnen Zeitwerte erhielt er über Hirnstrommessungen (EEG), Messungen an der Hand und über eine Uhr mit rotierendem Zeiger, mit deren Hilfe die Versuchspersonen angeben konnten, wann sie die Entscheidung bewusst gefällt hatten. Das Ergebnis war für die Öffentlichkeit genauso verblüffend wie für den Experimentator.

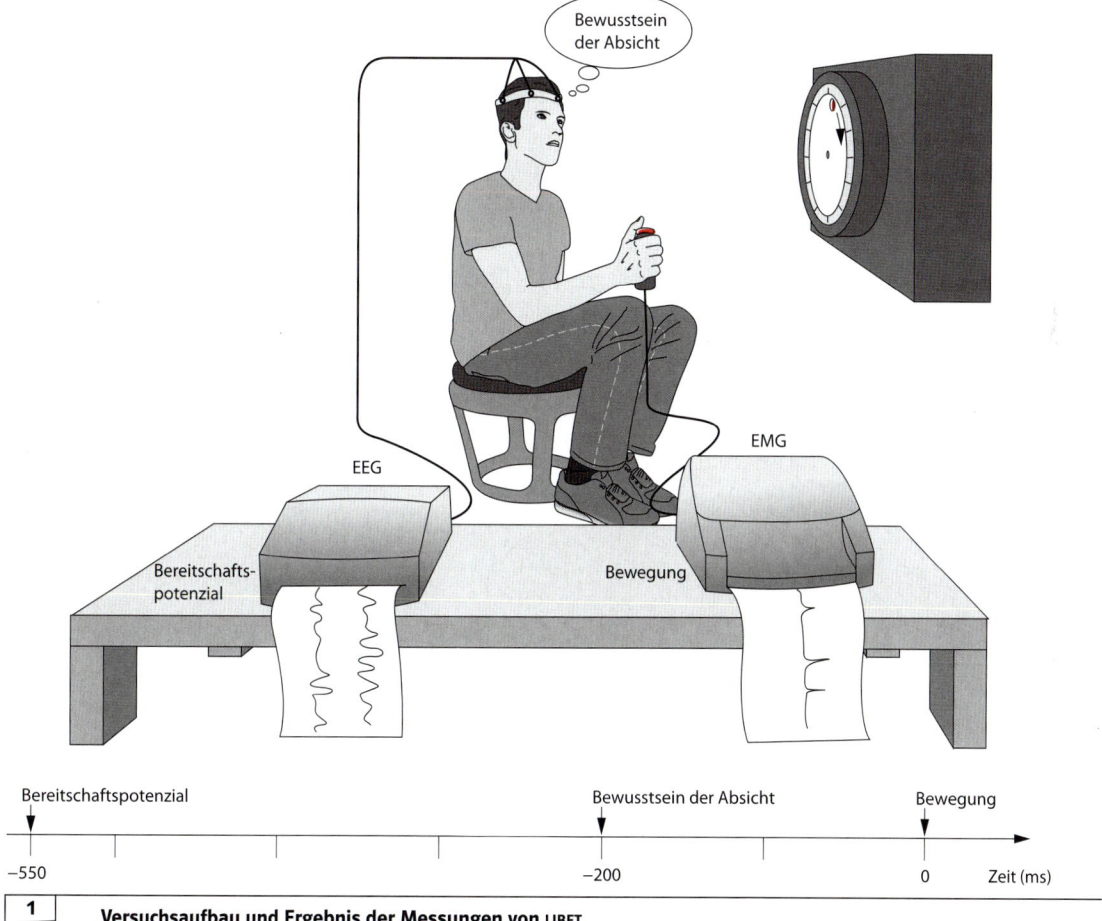

1 Versuchsaufbau und Ergebnis der Messungen von LIBET

E/III 1. Fassen Sie Versuchsdurchführung und Ergebnis zusammen und begründen Sie, warum dieser Versuch zu einer intensiven Diskussion über den freien Willen des Menschen führte.

Lösung S. 227

Notizen / Fragen / Schlüsselbegriffe / Ergänzungen / Hinweise aus dem Unterricht / Basiskonzept / Seitenverweise:

35.1 Bienen informieren Artgenossen über Futterquellen

Information und Kommunikation

Bienen informieren sich mithilfe typischer Tänze darüber, in welcher Richtung — vom Bienenstock aus gesehen — eine ergiebige Nektarquelle zu finden ist.• Dabei gibt der Winkel der Schwänzelstrecke zur Schwerkraft den Winkel zwischen der Richtung zum Futter und der Richtung zur Sonne an. Da einige Forscher vermuteten, dass die tanzenden Bienen womöglich nur das Suchverhalten der anderen Bienen aktivieren und diese sich dann außerhalb des Stockes womöglich an Duftstoffen orientieren, hat man Versuche mit computergesteuerten Bienenattrappen, Roboterbienen, durchgeführt.

In Abb. 1 finden Sie das Schema einer tanzenden Biene auf der Wabe und die Darstellung einer Futterquelle. Abb. 2 zeigt die Ergebnisse zweier Versuchsdurchgänge mit computergesteuerten Bienen. Erfasst hat man bei diesem Versuch jeweils die Abflugrichtungen der Bienen, die der Roboterbiene gefolgt waren, sowie die Anzahl der Bienen, die im angegebenen Zielgebiet eintreffen.

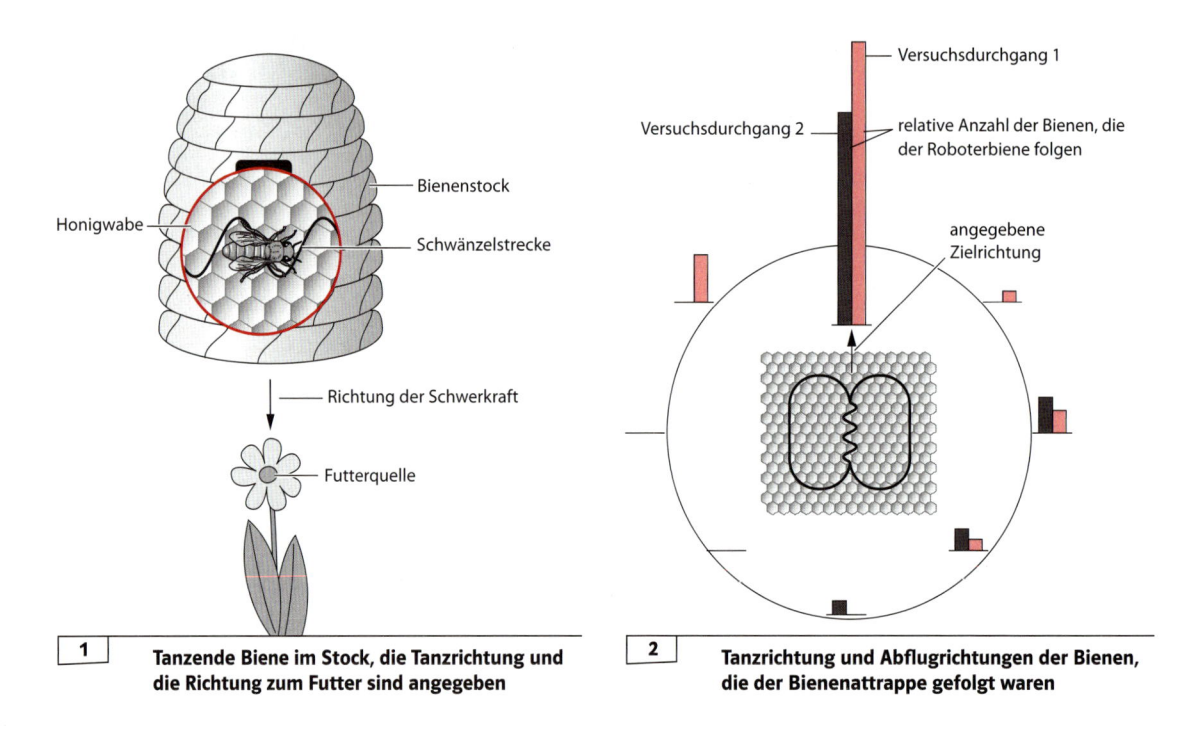

1 Tanzende Biene im Stock, die Tanzrichtung und die Richtung zum Futter sind angegeben

2 Tanzrichtung und Abflugrichtungen der Bienen, die der Bienenattrappe gefolgt waren

F/I **1.** Zeichnen Sie in die linke Abbildung die Richtung zur Sonne ein.

F/II **2.** Nennen Sie die beiden im Text genannten alternativen Hypothesen über das Orientierungsverhalten der Suchbienen und leiten Sie daraus die jeweils zu erwartenden Versuchsergebnisse ab.

Lösung S. 228

F/II **3.** Werten Sie das Versuchsergebnis aus und erläutern Sie, welche Hypothese bestätigt wird.

Notizen / Fragen / Schlüsselbegriffe / Ergänzungen / Hinweise aus dem Unterricht / Basiskonzept / Seitenverweise:

Verhalten Kommunikation und Sozialverhalten

35.2 Bestimmte Reize verraten die Gesundheit des Partners

In vielen Büchern über Verhaltensforschung wurde immer wieder geschrieben, dass der rote Bauch von Stichlingsmännchen für die Weibchen ein Reiz im Paarungsverhalten sein soll. Können die Weibchen die rote Farbe überhaupt erkennen? Spielt sie wirklich für ihre Entscheidungen im Paarungsverhalten eine Rolle? Wieso sieht der Bauch überhaupt rot aus?* Wie Sie wissen, bekommt ein Gegenstand im weißen Licht dadurch Farbe, dass dieser Gegenstand bestimmte Wellenlängen des Lichtes (Farben) absorbiert und den Rest reflektiert. Ein roter Bauch entsteht dann dadurch, dass „rotes Licht" reflektiert und der Rest — „grünes Licht" — absorbiert wird.

Struktur und Funktion

1 Stichling

Im Versuch konnten laichbereite Stichlingsweibchen zwischen verschieden intensiv gefärbten Männchen auswählen. Die Unterschiede der Färbungsintensität des jeweiligen Männchenpaares wurden auf einer Skala von 0 bis 1,5 erfasst. Jedes Weibchen wurde in ein Glasrohr eingeschlossen und so zwischen zwei Männchen gesetzt. Dann wurde die Zeit gemessen, die es vor dem intensiver gefärbten Männchen Balzhaltung einnahm. Man hat zwei Versuchsreihen unter verschiedenen Beleuchtungsbedingungen durchgeführt. In einer parallelen Untersuchung stellte man fest, dass eine hohe Farbintensität der Männchen ein Hinweis auf einen geringen Parasitenbefall ist.

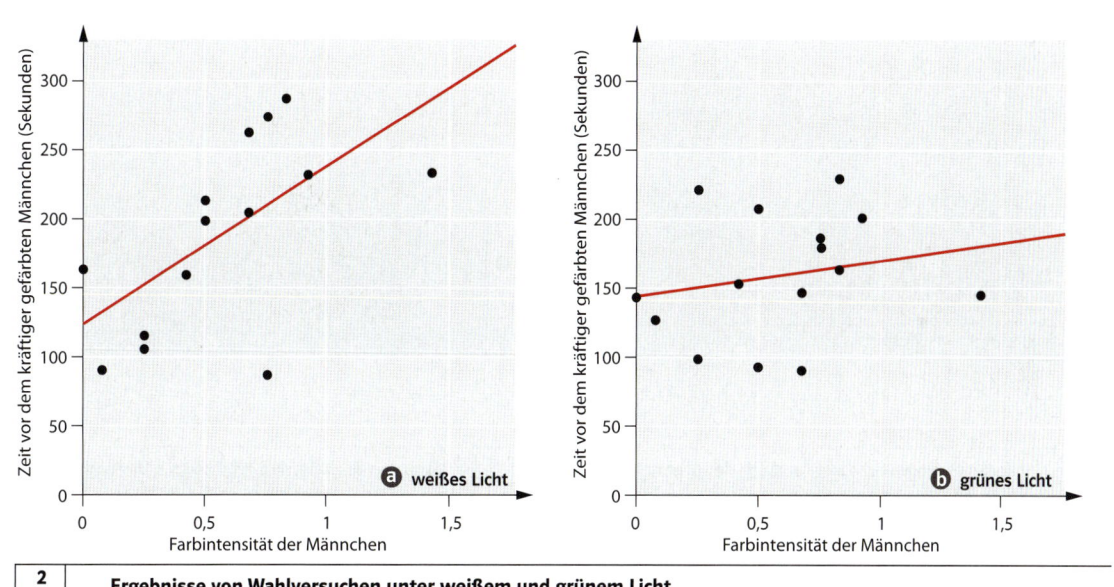

2 Ergebnisse von Wahlversuchen unter weißem und grünem Licht

F/II **1.** Analysieren Sie die Versuchsbedingungen und erläutern Sie die Bedeutung der Beleuchtung.

E/II **2.** Stellen Sie das Versuchsergebnis dar und geben Sie ihm eine biologische Deutung.

Lösung S. 228

Notizen / Fragen / Schlüsselbegriffe / Ergänzungen / Hinweise aus dem Unterricht / Basiskonzept / Seitenverweise:

Kommunikation und Sozialverhalten   **Verhalten**

35.3 Weibchen wählen die besten Männchen aus

Information und Kommunikation

Bei vielen Tierarten wählen Weibchen Männchen nach Merkmalen aus, die deren Qualität bezüglich erfolgreicher Reproduktion erkennen lassen. Sie wählen den „bestmöglichen" Vater für ihren Nachwuchs. Mithilfe des vorliegenden Materials können Sie diese Zusammenhänge genauer untersuchen.•

Mit den im Lehrbuch erwähnten Blaufußtölpeln hat man zwei getrennte Versuche gemacht:

Für Versuch 1 hat man Blaufußtölpelmännchen eingefangen, sie dann 48 Stunden hungern lassen und ihnen anschließend für 24 Stunden wieder ausreichend Futter angeboten. Nach den entsprechenden Versuchsabschnitten hat man die Farbintensität ihrer Füße gemessen (Abb. 1).

Für Versuch 2 hat man Brutpaare in den Brutkolonien beobachtet und 70 Männchen eingefangen, nachdem ihre Partnerinnen jeweils das erste Ei gelegt hatten. Dann veränderte man künstlich bei einer Teilgruppe die Farbe der Füße, sodass sie aussahen wie hungernde Tiere. Die andere Teilgruppe wurde unverändert wieder freigelassen. Anschließend maß man das Volumen des zweiten von ihren Weibchen gelegten Eies. Von Vögeln ist allgemein bekannt, dass aus kleineren Eiern weniger erfolgreich Junge schlüpfen (Abb. 2).

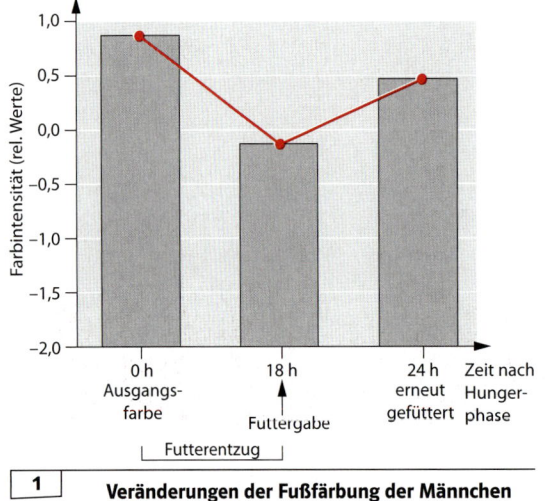

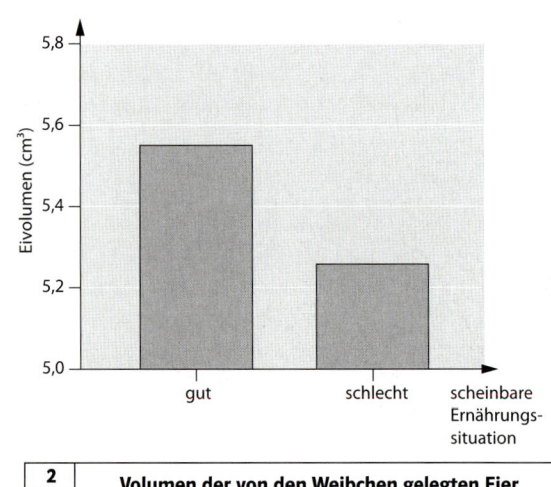

1 Veränderungen der Fußfärbung der Männchen während der Hungerperioden

2 Volumen der von den Weibchen gelegten Eier

K/I	**1.** Fassen Sie die im Text und in den Abbildungen enthaltenen Informationen zusammen.
F/II	**2.** Begründen Sie, warum es sinnvoll ist, wenn Weibchen ihren Partner nach der Fußfärbung auswählen.
F/II	**3.** Wie könnte der Fortpflanzungserfolg des Brutpaares durch das Legen kleinerer Eier beeinflusst werden?

Lösung S. 228

Notizen / Fragen / Schlüsselbegriffe / Ergänzungen / Hinweise aus dem Unterricht / Basiskonzept / Seitenverweise:

Verhalten Kommunikation und Sozialverhalten

35.5 Das Leben in Gruppen hat Vorteile und Nachteile

Forscher, die lange Jahre Affen beobachten, können immer wieder feststellen, dass es in den Affengruppen zu schweren Kämpfen mit Verletzten kommt. Das wirft die Frage auf, warum Tiere überhaupt in Gruppen zusammenleben. Den Nachteilen von möglichen Verletzungen müssen Vorteile gegenüberstehen.

Theoretische Überlegungen führten zu den in Abb. 2 dargestellten Zusammenhängen, die man dann an einer Affenart, den Javamakaken, genauer untersuchte. Eine Untersuchung machte man auf Simeulue, einer Insel vor der Küste Sumatras, hier gibt es keine Raubkatzen. Die Vergleichswerte sammelte man im Schutzgebiet Ketambe auf Sumatra. Hier gibt es Nebelparder und Tiger. Nebelparder sind mittelgroße Katzen mit sehr langen Eckzähnen, die sich hauptsächlich in Bäumen aufhalten. Die Gruppengrößen auf Sumatra und Simeulue sind in Abb. 3 dargestellt.

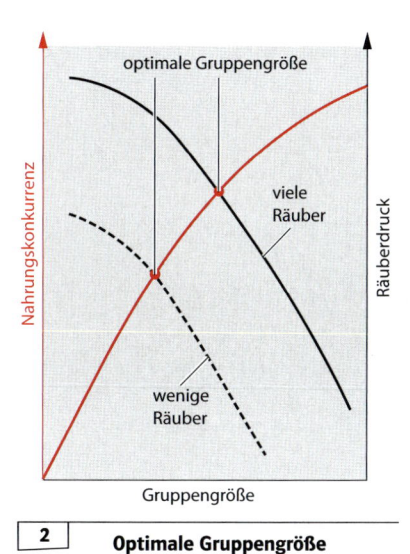

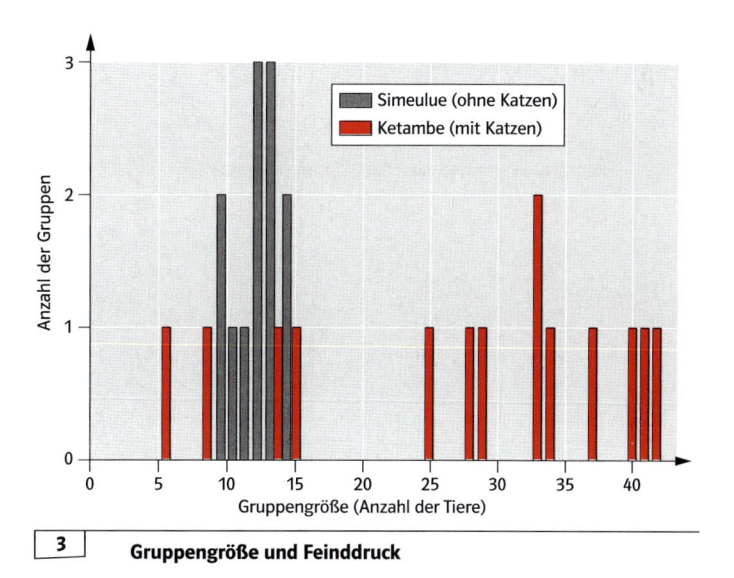

1 Javamakake

2 Optimale Gruppengröße

3 Gruppengröße und Feinddruck

F/III 1. Formulieren Sie die Überlegungen, die in Abb. 2 dargestellt sind.

F/II 2. Beschreiben Sie die Ergebnisse aus Abb. 3 und stellen Sie einen Zusammenhang zu Abb. 2 her.

Lösung
S. 228

Notizen / Fragen / Schlüsselbegriffe / Ergänzungen / Hinweise aus dem Unterricht / Basiskonzept / Seitenverweise:

Kommunikation und Sozialverhalten   **Verhalten**

35.6 Weibchen beachten unfälschbare Signale

Wie Sie dem Konzept 35.6 im Lehrbuch entnehmen konnten, gibt es bei Sperlingsvögeln Kehlflecke, die normalerweise den Dominanzrang der Männchen zuverlässig erkennen lassen. Wenn Sie das folgende Material auswerten, werden Sie die Zusammenhänge verstehen.

Beim Haussperlingsmännchen verändert sich die Größe des Kehlflecks einerseits mit zunehmendem Lebensalter, andererseits aber auch im Jahresablauf. Die im Herbst wachsenden Federn besitzen helle Spitzen, durch die die dunkleren Federanteile zunächst verdeckt werden. Im Frühjahr brechen diese Spitzen ab und legen den dunklen Kehlfleck frei, der danach durch Abnutzung der Federn wieder schrumpft. Rangniedrige Männchen mit künstlich vergrößertem Kehlfleck werden schnell entlarvt, da Männchen mit großem Kehlfleck besonders häufig von anderen herausgefordert werden.•

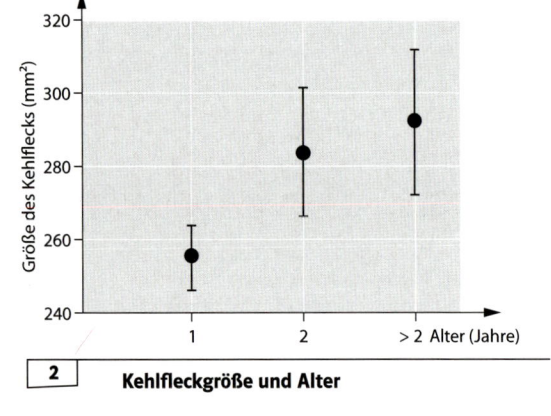

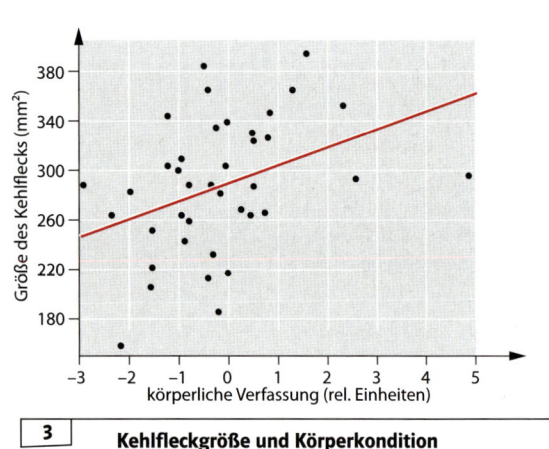

Information und Kommunikation

1 Kehlfleck-Varianten bei Haussperlingsmännchen

2 Kehlfleckgröße und Alter

3 Kehlfleckgröße und Körperkondition

F/I **1.** Fassen Sie die Sachverhalte aus Text und Grafiken zusammen.

Lösung S. 229

F/II **2.** Nehmen Sie Stellung zu der Aussage: „Ehrliche Signale sind ehrlich, weil sie nicht gefälscht werden können."

Notizen / Fragen / Schlüsselbegriffe / Ergänzungen / Hinweise aus dem Unterricht / Basiskonzept / Seitenverweise:

Verhalten — Kommunikation und Sozialverhalten

35.8 „Blutsbrüder" zeigen reziproken Altruismus

Vampirfledermäuse ernähren sich vom Blut von Großtieren wie Pferden, Eseln oder Rindern. Weibchen bilden feste Verbände, die z. B. in hohlen Bäumen ihre Tagesquartiere haben. 30 % der Jungtiere, aber nur 7 % der Alttiere kehren in der Morgendämmerung erfolglos von der Jagd zurück. Bekommen Vampire länger als zwei Nächte kein Futter, dann verhungern sie. Hungrige Tiere betteln am Schlafplatz ihre Nachbarn an, die sie manchmal mit hochgewürgtem Blut füttern. In verschiedenen Experimenten untersuchte man die Bereitschaft der erfolgreichen Tiere, Nahrung abzugeben.

In diesen Versuchen ließ man einzelne Tiere hungern und setzte sie dann zu unterschiedlich nahen Verwandten, die satt waren und natürlich sofort um Nahrung angebettelt wurden. Abb. 1 zeigt die Häufigkeit der Paarungen, in denen der hungrige Partner Futter bekam, in Abhängigkeit vom Verwandtschaftsgrad, der bei 0,5 am höchsten ist. Abb. 2 zeigt die Häufigkeit, mit der unter nicht verwandten Tieren Nahrung abgegeben wurde, in Abhängigkeit vom Vertrautheitsgrad. Dieser wurde daran gemessen, wie häufig die betrachteten Tiere einen gemeinsamen Schlafplatz benutzten (Assoziationsgrad).

Futter zu teilen ist für den Spender kostspielig und damit ein Selektionsnachteil. Dieser kann dadurch gemildert werden, dass der Empfänger überlebt und mit dem Spender verwandt ist (indirekter Fitnessgewinn). Dieser Gewinn ist umso größer, je näher der Empfänger mit dem Spender verwandt ist. Besteht zwischen beiden keine Verwandtschaft, ist Spenden nur nachteilig. Dieser Nachteil kann nur dadurch ausgeglichen werden, dass der Unterstützte sich irgendwie revanchiert.

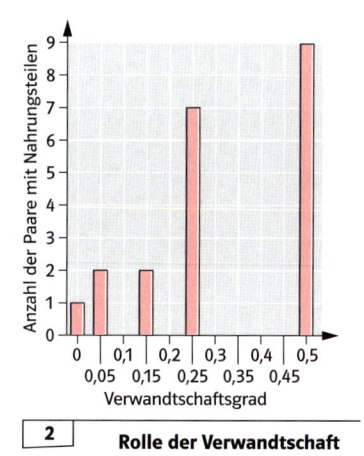

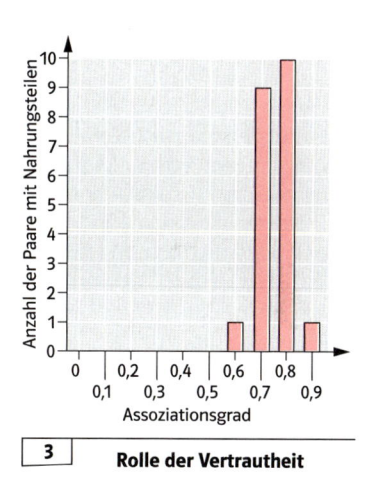

| 1 Blutweitergabe | 2 Rolle der Verwandtschaft | 3 Rolle der Vertrautheit |

1. Fassen Sie die in Text und Grafiken enthaltenen Sachverhalte zusammen und stellen Sie einen Zusammenhang zu den theoretischen Überlegungen im 3. Absatz des Textes oben. [E/II]

2. Stellen Sie dar, welche Fähigkeiten die Tiere haben müssen, um dieses Futterteilen so differenziert ausführen zu können. [F/III]

Lösung S. 229

Notizen / Fragen / Schlüsselbegriffe / Ergänzungen / Hinweise aus dem Unterricht / Basiskonzept / Seitenverweise:

Lösungen

1 Die Makromoleküle des Lebens   Lösungen — Zellen

zu 1.1

1.

	Glycin	Glutaminsäure
funktionelle Gruppen	Carboxylgruppe am 1-C-Atom Aminogruppe am 1-C-Atom	
		weitere Carboxylgruppe am 3-C-Atom
Rest	–H	–CH_2–CH_2–COOH
	unpolar	polar geladen, sauer

2.

Wesentliches der Reaktion: Die OH-Gruppe aus der Carboxylgruppe einer Aminosäure und ein H-Atom aus der Aminogruppe einer anderen Aminosäure verbinden sich zu Wasser (Kondensation). Die beiden Aminosäuren verbinden sich über eine Peptidbindung zum Dipeptid.
(Hinweis: Die Rückreaktion, die Spaltung des Dipetids (bzw. Proteins) durch Hydrolyse, findet bei der Proteinverdauung im Dünndarm statt.)

3. 6 Primärstrukturen sind möglich:

Glu – His – Pro	Glu – Pro – His
His – Pro – Glu	His – Glu – Pro
Pro – Glu – His	Pro –His – Glu

zu 1.2

1. Kovalente Bindung und Wasserstoffbrückenbindung sind Arten der chemischen Bindung. Die kovalente Bindung ist eine Bindung innerhalb eines Moleküls durch ein gemeinsames Elektronenpaar. Beim Wassermolekül befindet sich dieses Elektronenpaar zwischen dem Sauerstoffatom und dem Wasserstoffatom.
Die Wasserstoffbrückenbindung ist eine viel schwächere chemische Bindung zwischen zwei Molekülen oder Molekülteilen, die durch die starken positiven und negativen Teilladungen von Atomen verursacht wird. (Hinweis: Die Bindung entsteht durch die freien Elektronenpaare des stark elektronegativen Elements.)

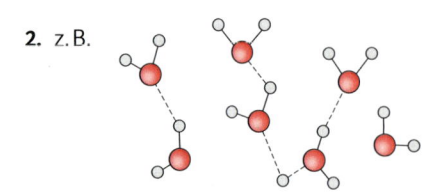

2. z. B.

3. Die Dichteanomalie des Wassers sorgt dafür, dass Gewässer von oben zufrieren, da Eis eine geringere Dichte hat als Wasser. Wärmeres Wasser sammelt sich am Boden. Hier können Wassertiere den Winter überdauern. (Hinweis: Wasser hat bei 4 °C seine größte Dichte, weil die Kristallgitterstruktur des Eises erst bei dieser Temperatur vollständig aufgebrochen ist.)

zu 1.3 1. z. B.:

- Strukturebenen von Proteinen
  - Primärstruktur
    - Aminosäuren
  - Sekundärstruktur
    - Faltblattstruktur
    - Helixstruktur
  - Tertiärstruktur
    - Bindungen zwischen Seitenketten der Aminosäuren
      - Ionenbindung
      - Wasserstoffbrückenbindung
      - hydrophobe Wechselwirkung
      - Disulfidbrücke
  - Quartärstruktur
    - Untereinheiten

2. Zwischen den α-Helices bestehen Disulfidbrücken. Sie sind für die Quartärstruktur des Keratins und damit für die Haarform verantwortlich. Bei der Dauerwelle werden die Disulfidbrücken nun aufgebrochen und die Helices neu zueinander ausgerichtet (z. B. an Lockenwicklern). Nun werden die Disulfidbrücken neu gebildet und eine andere Quartärstruktur ausgebildet.
(Hinweis: Das Auflösen der Bindungen erfolgt durch das Wellmittel und ist chemisch gesehen eine Reduktion. Die neuen Bindungen entstehen durch das Fixiermittel bei einer Oxidation.)

3. Je mehr Disulfidbrücken vorhanden sind, um so größer ist die mechanische Festigkeit durch die Querverbindungen zwischen den Keratinmolekülen. Die Haare des Horns von Nashörnern sind deshalb wesentlich härter und weniger biegsam als das menschliche Haar.

zu 1.5 1. Kohlenhydrate sind energiereiche Makromoleküle und dienen der Gewinnung von Energieträgern (z. B. Glucose) und der Speicherung von Energie in Lebewesen (z. B. Stärke in Pflanzen und Glykogen in Tieren). Außerdem tragen sie zur Festigkeit bei (z. B. Cellulose in Pflanzen, Chitin in Tieren). Kohlenhydrate befinden sich auf der Oberfläche von Zellen und dienen deren Erkennung („Adresse").

2. z. B.

	Chitin	Cellulose
Vorkommen	Krebse, Insekten, Tausendfüßer, Spinnen	Pflanzenzellen
Funktion	festigt Zellen und Gewebe	
Bau	Makromolekül	
Elemente	Kohlenstoff, Wasserstoff, Sauerstoff	
	Stickstoff	
Bausteine	β-Chitobiose	β-Glucose
Bindungen	glykosidische Bindungen	

(Hinweis: Chitin kommt auch in Pilzen, bei einigen Weichtieren und bei manchen Ringelwürmern vor.)

3. Chitin bildet das Außenskelett vieler Tiergruppen. Es ist fest, nicht wasserlöslich und ungiftig. Die Festigkeit variiert von starr (Kiefer des Hirschkäfers, Hummerschere) bis zu elastisch (Insektenflügel, Legeröhren) und kann durch andere Stoffe (z. B. Kalk, Proteine) modifiziert werden. Die genannten Eigenschaften werden auch von Kunststoffen erwartet. Da Chitin von Mikroorganismen zersetzt wird (z. B. Fäulnis toter Insekten), würden bei seiner Verwendung keine Abfälle anfallen.
(Hinweis: Die Gewinnung von Chitin als Biokunststoff aus Krabbenschalen ist sehr aufwendig und die chemische Herstellung sehr kompliziert.)

zu **1.6** **1. und 2.**

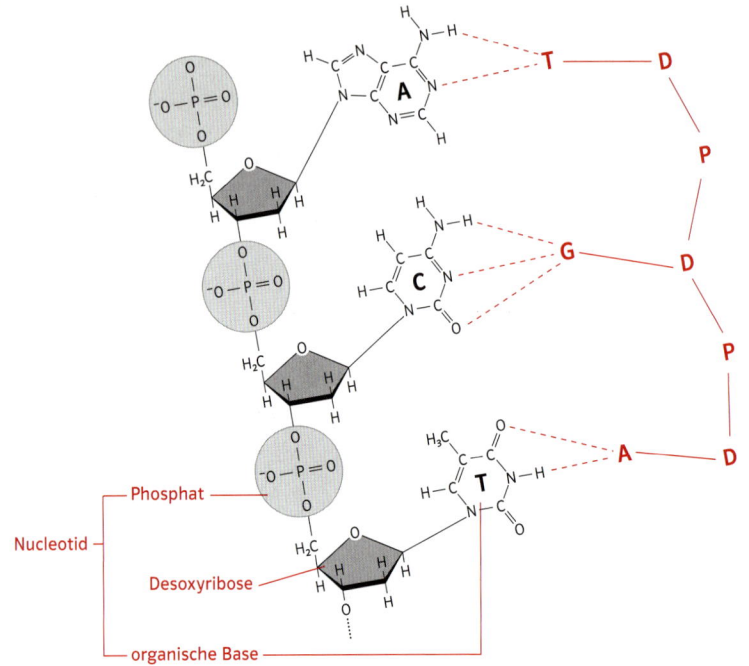

Beschriftungen am Diagramm: Phosphat, Nucleotid, Desoxyribose, organische Base

3.

	Desoxyribonucleinsäure (DNA)	Ribonucleinsäure (RNA)
Funktion	Speicher der Proteinbaupläne	Abschrift der Proteinbaupläne
Bau	Makromoleküle aus Nucleotiden	
	Doppelhelix aus zwei komplementären Strängen	Einzelstrang
Bau eines Nucleotids	1 Desoxyribose	1 Ribose
	1 Phosphatrest, 1 organische Base	
organische Basen	Adenin A (Purinbase), Guanin G (Purinbase), Cytosin C (Pyrimidinbase)	
	Thymin T (Pyrimidinbase)	Uracil U (Pyrimidinbase)
Basenpaarung	G–C (3 Wasserstoffbrücken)	
	A–T (2 Wasserstoffbrücken)	A–U (2 Wasserstoffbrücken)

4. Die Struktur der DNA eignet sich zum Kopieren der genetischen Information, weil die beiden Stränge spiegelbildlich gebaut sind. Durch die Wasserstoffbrückenbindung erfolgt eine genaue Zuordnung der Basen.

2 Die Zelle — Grundeinheit des Lebens

zu 2.1
1. Blattzellen von Moos (Rhizomnium puntatum)
   Frischpräparat

   Vergrößerung: 600-fach

   Max Mustermann
   17.2.2010

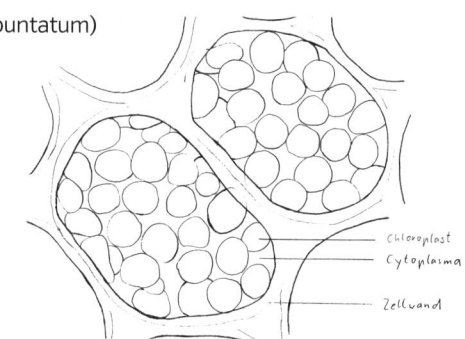

   Beschriftungen: Chloroplast, Cytoplasma, Zellwand

zu 2.2
1. Vergleichen Sie Ihre Skizze mit dem rechten Bild im Lehrbuch, S. 38, Abb. 1. Ihre Skizze kann natürlich zweidimensional sein.
2. Erkennbar sind Zellmembran, Zellwand und Kapsel (in der Abb. nicht sicher zu trennen), Ribosomen (sie füllen die Zelle aus und können auch als Vesikel gedeutet werden).
3. gegeben: t (Teilung) = 20 min   V ($E.\,coli$) = $2,3 \cdot 10^{-6}$ µl = $2,3 \cdot 10^{-12}$ l; V = 2 l
   gesucht: t bis zum Erreichen des Volumens von 2 Litern Bakterien
   Lösung: Anzahl der Bakterien B
   B = 2 l / $2,3 \cdot 10^{-12}$ l = $8,7 \cdot 10^{11}$
   Anzahl der Teilungen A
   Nach der 1. Teilung entstehen 2 Bakterien, nach der 2. Teilung 4, nach der 3. Teilung 8 usw., daraus folgt: 2^A = B $2^1 = 2$ $2^2 = 4$ $2^3 = 8$.
   A = $\lg_2$ B
   A = $\lg_2 8,7 \cdot 10^{11}$ = 39,66
   Nach 40 Teilungen wird das Volumen von 2 Litern Bakterien überschritten. Das entspricht einer Zeit von 800 min, also 13 h 20 min.
4. Die Bakterien teilen sich nur bei optimalen Bedingungen nach 20 min. Im Darm gibt es aber kein unbegrenztes Nahrungsangebot. Zwischen den Bakterien kommt es daher zur Konkurrenz. Außerdem greifen die Salzsäure des Magens und Verdauungsenzyme die Bakterien an. Sie werden auch über den Kot ausgeschieden. Die Bedingungen sind also nicht optimal.

zu 2.3
1. Erkennbar sind Zellwand, Zellkern und Chloroplasten. Unsichtbare Organellen sind entweder in der Zelle nicht vorhanden (Peroxisom) oder zu klein (Ribosom).
2.

Organell	Funktion
Zellkern	Steuerung des Zellstoffwechsels Träger der Erbinformation Vorbereitung der Zellteilung
mit Nucleolus	Herstellung von Ribosomen
Chloroplast	Fotosynthese (Aufbau energiereicher organischer Stoffe)
Mitochondrium	Zellatmung (Energiegewinnung)
Zellwand	Schutzfunktion und Abgrenzung der Zelle, Festigkeit
Plasmamembran	Abgrenzung und Regulation des Stoffaustausches
Golgi-Apparat	Proteinverarbeitung
Ribosom	Proteinsynthese
endoplasmatisches Reticulum (rau) **endoplasmatisches Reticulum** (glatt)	Proteinsynthese Synthese von Membranlipiden
zentrale Vakuole	Speicher für Wasser, Nähr- und Abfallstoffe, Regulierung des Zellinnendrucks, Schutz

3. **Molekül → Organell** → Zelle → Gewebe → Organ → vielzelliger Organismus → z. B. **Population (Biozönose), Ökosystem**

zu 2.4

1. Das Bild zeigt einen Teil des Zellkerns im Cytoplasma. Man erkennt deutlich die Kernhülle aus zwei Membranen und die Kernporen darin. Im Kern befinden sich zwei unterschiedlich gefärbte Bereiche: Dabei könnte es sich um Heterochromatin (dunkel) und Euchromatin (hell) handeln.
2. Von einem Exemplar der Schirmalge *Acetabularia mediterranea* wird der obere Teil abgeschnitten und der im Rhizoid befindliche Zellkern entfernt. Dafür wird ein Zellkern der Art *Acetabularia crenulata* eingepflanzt. Bei der Regeneration der Schirmalge beobachtet man Folgendes: Aus dem Rhizoid von *A. mediterranea* mit dem Zellkern von *A. crenulata* wächst der für *A. crenulata* typische Hut.
   Der Zellkern steuert also die Ausbildung der Merkmale des regenerierten Zellteiles.
3. Die DNA-Moleküle des Menschen sind im Kern verdichtet. Sie sind auf bestimmte Proteine (Histone) gewickelt und so platzsparend angeordnet. Die entstehende Struktur nennt man Chromatin. Euchromatin ist weniger dicht, denn hier wird die DNA abgelesen und RNA gebildet. Im Heterochromatin ist die DNA nicht aktiv. Es ist dichter.
   (Zusatz: Vor der Zellteilung wird die Erbinformation noch kompakter (Heterochromatin). Unsere DNA spiralisiert sich zu 46 im Lichtmikroskop sichtbaren Chromosomen, der Transportform des Erbmaterials.)
4. *Acetabularia* stellt als Einzeller ein einfaches System dar, aber ist mit bloßem Auge gut zu beobachten. *Acetabularia* ist im Labor einfach zu halten. *Acetabularia* hat eine große Regenerationsfähigkeit, und es gibt ein Nährmedium, das die Entwicklung verkürzt.

zu 2.6

1. Bildung von mRNA
   ↓
   Transport Kern → Cytoplasma
   ↓
   Anlagerung des Ribosoms an die mRNA
   ↓
   Anlagerung des Ribosom-RNA-Komplexes an das ER
   ↓
   Synthese des Proteins A ins ER hinein
   ↓
   Transport ER → Golgi-Zisterne
   ↓
   Vesikelbildung
   ↓
   Transport Golgi-Zisterne → Zellmembran
   ↓
   Exocytose aus der Zelle
   (Hinweis: Das Ribosom in der Abbildung unten links produziert ein anderes Protein.)
2. Die Ursache liegt in der räumlichen Struktur von Proteinen. Die Rezeptoren erkennen die Signalsequenz, also die Reihenfolge der Aminosäuren (Primärstruktur), des zuerst gebildeten Proteinabschnitts. Wird der Abschnitt zu lang, führen die molekularen Kräfte zwischen den Aminosäureresten zu Faltungen, Verdrehungen (Sekundärstruktur) und Bildung anderer komplizierter Raumstrukturen (Tertiärstruktur). In solchen Molekülen könnte die Signalsequenz nicht erkannt werden, da sie z. B. im Inneren des Proteinmoleküls liegt.
   Solche kompakten Moleküle könnten nicht mehr durch Tunnel ins ER gelangen. Ein Faden kann durch ein Schlüsselloch gezogen werden, die Zwirnrolle jedoch nicht.

zu 2.8

1. z. B.

   (Beschriftungen: Prophase, frühe Anaphase, Metaphase, Anaphase)

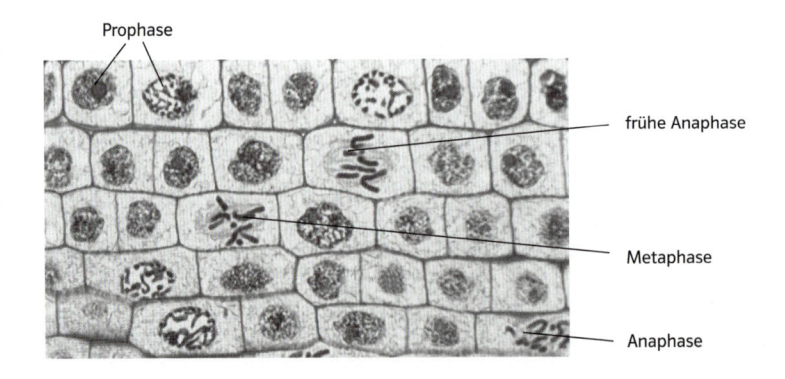

2. Die Mitose ist nur ein Teil des Zellzyklus. Einige Zellen teilen sich gerade nicht (Interphase). Die Mitose ist ein Vorgang, das heißt die einzelnen Abschnitte gehen ineinander über. Eine späte Anaphase und eine frühe Telophase sind kaum zu unterscheiden. Außerdem sind die typischen Bilder von der Perspektive abhängig.
3. DNA und Chromosomen sind farblos und ohne Anfärbung mikroskopisch nicht sichtbar.
4. Es ist ein Schnittpräparat. Die Zellen befinden sich noch im Gewebeverbund.

3 Biomembranen und Transportvorgänge

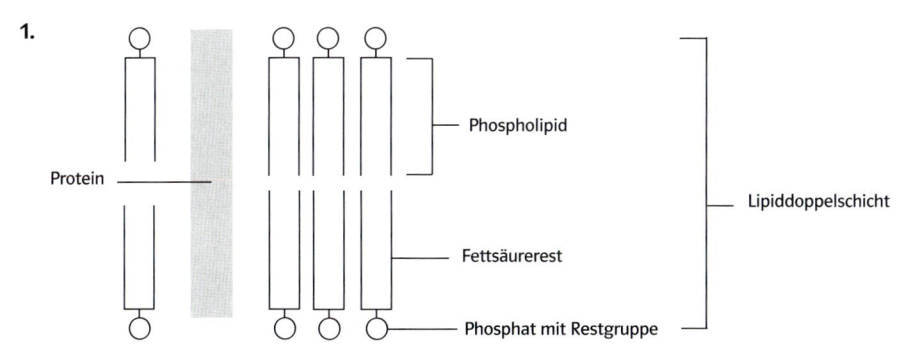

zu 3.1

1. (Hinweis: Das Protein kann ein- oder aufgelagert sein.)
2. Statt einer Fettsäure ist im Phospholipid eine Phosphatgruppe mit dem Glycerol verestert, die einen polaren Rest trägt.
Phospholipide besitzen einen polaren und damit hydrophilen Molekülteil (Phosphat mit Restgruppe) und einen unpolaren und damit hydrophoben Molekülabschnitt (Fettsäurereste).
3. Durch zwischen hydrophoben Molekülteilen (Fettsäureresten) wirkende Anziehungskräfte lagern sich die Moleküle teppichartig nebeneinander. Der Teppich hat nun ebenfalls eine hydrophobe und eine hydrophile Seite. Zwei solcher Teppiche legen sich nun aneinander (hydrophob zu hydrophob). Dabei bildet sich die Lipiddoppelschicht aus. Deren Außenseiten sind nun zwangsläufig hydrophil und stehen mit dem umgebenden wässrigen Medium in Wechselwirkung.
4. „Wand": alle Membranen in der Zelle (nicht die Zellwand)
„Wanderung": Beweglichkeit der Membranbestandteile zueinander (= Flüssig-Mosaik-Modell)

zu 3.2

1.

Name	Desmosom „Verbindung von Körpern"	Tight Junction „feste Verbindung"	Gap Junction „Verbindung mit Lücke"
Vorkommen	bei Tierzellen		
Zell-Zell-Verbindung	durch Proteine		
	reißverschlussartige Verbindung; Proteine verlaufen durch das Cytoplasma, verspannen die Zellen untereinander	punktuelle Verbindung zwischen den Zellen	brückenartige Verbindung durch aneinanderliegende Porenproteine
Funktion	verbinden die Zellmembranen untereinander		
Stofftransport	in den Interzellularen auch durch die Verbindungsstellen möglich	in den Interzellularen nur bis zu den Verbindungsstellen möglich, wirkt als Barriere	von Zelle zu Zelle durch Proteintunnel möglich

2. Die unterschiedlichen Zell-Zell-Verbindungen werden durch molekulare Kontakte zwischen Molekülen bewirkt. Es kommen zwischenmolekulare Kräfte (Van-der-Waals-Kräfte) und chemische Bindungen in Frage. Die Anziehung kann durch Wechselwirkungen zwischen den Seitenketten der Aminosäurereste in den Proteinen verwirklicht werden (die Anziehung unpolarer Seitenketten, Dipol- und ionische Wechselwirkung). Wahrscheinlich kommt es auch zur Ausbildung von Wasserstoffbrückenbindungen und Disulfidbrücken zwischen den Proteinen. Festigend können auch die dreidimensionalen Strukturen der beteiligten Proteine wirken (Schlüssel-Schloss-Prinzip).
3. Gap Junctions erfüllen zwei Funktionen. Sie verbinden Zellen und erlauben einen Stoffaustausch über diese Verbindung. Für die Kommunikation bedeutet das, Sender und Empfänger bleiben räumlich zusammen und können schnell Signale (hier über Stoffe vermittelt) austauschen.

zu **3.3**
1. Zeichnung einer beliebig geformten Zickzacklinie zwischen A und B.
2. Diffusion ist die Verteilung aufgrund der spontanen Bewegung von Teilchen. Verursacht wird sie durch die Brown'sche Molekularbewegung. Die Temperatur eines Stoffes beschreibt die mittlere kinetische Energie, also die Bewegungsenergie, der Teilchen. Eine größere Energie bedeutet (bei gleicher Dichte bzw. Molmasse) eine höhere Teilchengeschwindigkeit. Die Teilchenbewegung entlang dem Konzentrationsgefälle, die Diffusion, verläuft also schneller bei Temperaturerhöhung.
3. Alle Teilchen von A oder B sind z. B. zu Beginn im rechten oder linken Teil von Gefäß A_1. In Gefäß A_2 sind alle Darstellungen möglich, bei denen auf jeder Seite mindestens 1 Teilchen jeder Sorte ist. Die Teilchenzahl einer Sorte auf beiden Seiten muss verschieden sein.
4. An der Quelle eines Geruchs herrscht eine hohe Konzentration des Geruchsstoffes. Durch Diffusion breiten sich die Duftstoffmoleküle in der Raumluft aus. Das geschieht vom Ort der hohen Konzentration zum Ort der niedrigen Konzentration. Im Raum baut sich ein Konzentrationsgradient auf. Die unterschiedlichen Intensitäten des Geruchs nehmen wir mit dem Geruchssinn wahr und orientieren uns so.

zu **3.4**
1. Das Ei im destillierten Wasser wird größer und schwerer. Die Schalenhaut ist straff und gespannt. Die verbliebene Eischale reißt ein. Das Ei im Salzwasser wird kleiner und leichter. Die Schalenhaut ist schlaff und faltig. Es findet in beiden Fällen Osmose statt. Dabei trennt die Schalenhaut das Eiklar von der jeweils umgebenden Lösung. Die Schalenhaut ist eine semipermeable (halbdurchlässige) Membran, das heißt Wasser kann passieren, jedoch keine großen Moleküle. Im Eiklar sind Makromoleküle (Proteine) in hoher Konzentration in Wasser gelöst. Wir können auch sagen: In 1 cm³ Eiklar gibt es weniger Wassermoleküle als in 1 cm³ des umgebenden destillierten Wassers. Durch die Brown'sche Molekularbewegung verursacht, dringen nun pro Zeiteinheit mehr Wassermoleküle durch die Schalenhaut ins Eiklar als aus dem Eiklar ins Wasser. Das Ei nimmt also Wasser auf, bis der sich aufbauende Druck im Ei gleich der Saugkraft des Eiklars ist. Hier ist das Eiklar hypertonisch, das destillierte Wasser hypotonisch.
Liegt das Ei in der Salzlösung, kehren sich die Verhältnisse um. Nun ist der Wassergehalt der Lösung um das Ei geringer als im Eiklar. Wasser diffundiert nun mehr durch die Schalenhaut aus dem Eiklar in die Lösung. Das Ei wird schlaff. Hier ist das Eiklar hypotonisch und das Salzwasser hypertonisch.
(Beachten Sie: Eine hochkonzentrierte Lösung enthält „viel" gelösten Stoff und „wenig" Wasser. Bei einer gering konzentrierten Lösung verhält es sich umgekehrt. Zur Erklärung von Osmosevorgängen müssen Sie sich immer den Wassergehalt einer Lösung vergegenwärtigen.)
2. Gemeinsam ist den Osmosevorgängen bei pflanzlichen und tierischen Zellen die Teilchenbewegung durch eine semipermeable Membran. Im Gegensatz zur Tierzelle besitzt die Pflanzenzelle eine Zellwand. Der Protoplast drückt also gegen die Zellwand oder kann sich auch von ihr ablösen (Plasmolyse). In unserem Versuch ist die Membran die Schalenhaut. Die Eihälfte mit Schale steht bei diesem Versuch modellhaft für die Pflanzenzelle. Die Eierschale steht für die Zellwand. Die Eihälfte ohne Schale ist das Modell für die Tierzelle.

zu **3.5**
1. Der Wassertransport durch Aquaporine ist eine erleichterte Diffusion, weil die Wassermoleküle die Zellmembran mithilfe dieser Tunnelproteine besser passieren können. Der Transport erfolgt mit dem Konzentrationsgefälle, ohne dass Energie benötigt wird. Es handelt sich um passiven Transport.

2.

	Tunnelprotein	Carrier
Stoffklasse	Proteine	
Lage in der Zellmembran	transmembran	
Funktion	Transport von Teilchen durch Membranen	
	durch einen Kanal im Molekül	durch Änderung der Struktur des Moleküls
Transportrichtung	nach beiden Seiten möglich, aber immer mit dem Konzentrationsgefälle. Carrier können auch am sekundär aktiven Transport beteiligt sein.	

3. gegeben: Transportleistung L = $3 \cdot 10^9$ Moleküle/Sekunde und Kanal; Volumen V = 1 l; Zeit t = 1 s.
gesucht: Anzahl der Aquaporine a
Berechnung:
1 l Wasser hat eine Masse von 1000 g
Teilchenanzahl Wasser: n = 1000 g : 18 g/mol = 55,6 mol
1 mol Wasser enthält $6 \cdot 10^{23}$ Wassermoleküle.
Anzahl der Wassermoleküle N = 55,6 mol $\cdot$ $6 \cdot 10^{23}$ Moleküle/mol = $3,336 \cdot 10^{25}$ Moleküle
Das heißt $3,336 \cdot 10^{25}$ Moleküle sollen in einer Sekunde die Fläche passieren.
a = $3,34 \cdot 10^{25}$ Moleküle/s : $3 \cdot 10^9$ Moleküle/s und Kanal = $1,11 \cdot 10^{16}$ Kanäle
Um die beschriebene Filterleistung von 1 Liter in einer Sekunde zu erbringen, sind $1,11 \cdot 10^{16}$ Aquaporine auf einer Fläche von 100 cm² notwendig.

zu 3.6

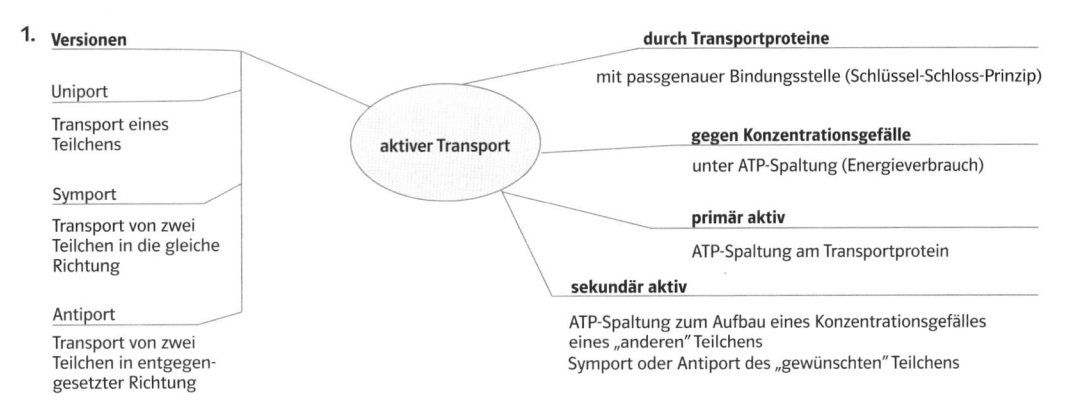

1. Versionen

Uniport – Transport eines Teilchens

Symport – Transport von zwei Teilchen in die gleiche Richtung

Antiport – Transport von zwei Teilchen in entgegengesetzter Richtung

aktiver Transport:
- durch Transportproteine – mit passgenauer Bindungsstelle (Schlüssel-Schloss-Prinzip)
- gegen Konzentrationsgefälle – unter ATP-Spaltung (Energieverbrauch)
- primär aktiv – ATP-Spaltung am Transportprotein
- sekundär aktiv – ATP-Spaltung zum Aufbau eines Konzentrationsgefälles eines „anderen" Teilchens; Symport oder Antiport des „gewünschten" Teilchens

2. Der Glucosegehalt im Darm ist niedriger als im Blut. Deshalb scheidet ein passiver Transport ins Blut aus. Die Resorption der Glucose ins Blut muss ein aktiver Transportprozess sein, der unter Energieverbrauch stattfindet.

3. Zur Aufnahme der Glucosemoleküle ins Blut müssen sie aus dem Darm zuerst in die Schleimhautzellen der Darmwand und dann in die Kapillare transportiert werden. Im ersten Schritt gelangen die Glucosemoleküle im Symport mit Natrium-Ionen durch ein Transportprotein ins Cytoplasma der Schleimhautzelle. Die Na⁺-Ionen bewegen sich passiv entsprechend ihres Konzentrationsgefälles. Die Glucoseaufnahme und -anreicherung wird also durch das Konzentrationsgefälle der Na⁺-Ionen angetrieben. Zum Konzentrationsausgleich kommt es nicht, da eine Natrium-Kalium-Pumpe ständig Natrium-Ionen aus den Schleimhautzellen ins Blut bringt (Antiport). Diese Pumpe arbeitet gegen das Konzentrationsgefälle und ist ein aktiver Transportprozess unter ATP-Spaltung. Das Zusammenspiel zwischen Glucose-Natrium-Symport und Natrium-Kalium-Pumpe ist ein sekundär aktiver Transportprozess. Die in den Schleimhautzellen nun angereicherte Glucose gelangt durch erleichterte Diffusion ins Blut.

4. Nimmt man reine Glucose auf, so entfällt die Verdauung. Die Aufnahme im Dünndarm erfolgt in jedem Fall schneller als beim Verzehr von z. B. Stärke, die erst zu Glucose gespalten werden muss. Im Blutkreislauf zirkulierend steht sie dann sofort für die Energiegewinnung zur Verfügung. Die Aussage stimmt also, wenn man sie im Verhältnis zu anderen Kohlenhydraten betrachtet.

zu 3.7 1.

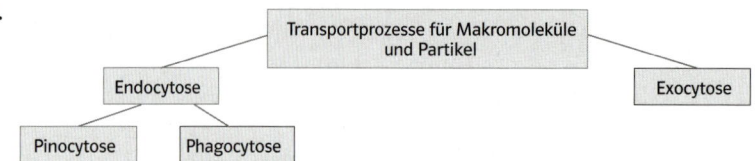

```
                    Transportprozesse für Makromoleküle
                              und Partikel
                    ┌─────────────────┴─────────────────┐
                Endocytose                          Exocytose
              ┌─────┴─────┐
         Pinocytose   Phagocytose
```

2. Die Abbildung zeigt die Nahrungsaufnahme, Verdauung und Abgabe der Nahrungsreste einer Amöbe im Schema. Die Aufnahme der Nahrungspartikel in die Zelle erfolgt durch Phagocytose. Die Partikel werden mittels Zellmembran in ein großes Vesikel (Nahrungsvakuole) eingeschlossen. In der Zelle verschmilzt die Nahrungsvakuole mit einem Lysosom (Vesikel mit Verdauungsenzymen). Es kommt nun zur enzymatischen Zersetzung der Nahrung (Verdauung) und zur Abgabe der Verdauungsprodukte ins Cytoplasma. Durch Exocytose gelangen die unverdaulichen Nahrungsreste aus der Zelle.
Bei der Endocytose (hier die Sonderform Phagocytose), bei der Vereinigung von Nahrungsvakuole mit dem Lysosom und bei der Exocytose verschmelzen Membranen miteinander. Das ist nur möglich, weil Biomembranen grundsätzlich gleich gebaut sind und die Bestandteile gegeneinander verschiebbar sind (Flüssig-Mosaik-Modell).
3. Während des gesamten Vorgangs wird die Kompartimentierung zwischen Vesikel und Cytoplasma nicht aufgehoben. Die Verdauungsprodukte gelangen also nicht direkt ins Cytoplasma. Sie müssen die Membran passieren. Die in der Verdauungsvakuole hochkonzentrierten Nährstoffmoleküle gelangen im passiven Transport mit dem Konzentrationsgefälle ins Cytoplasma. Aktive Transporte unter Energieverbrauch sind auch denkbar. Dadurch könnten die Nährstoffe im Cytoplasma sogar angereichert werden. Dazu sind Transportproteine notwendig.

4 Energie und Enzyme

zu 4.1
1. ATP — energiereich, ADP — energiearm
2. Bei der Zellatmung wird das energiereiche ATP aus ADP und anorganischem Phosphat (P) gebildet. Die zur Synthese notwendige chemische Energie stammt aus der Bindungsenergie des Glucosemoleküls. Die Reaktionsprodukte der Zellatmung Kohlenstoffdioxid und Wasser sind folglich energieärmer. ATP wird zu den Stellen des Energieverbrauchs in den Zellen transportiert und zu ADP und P gespalten. Die jetzt frei werdende chemische Energie (pro mol ATP 30,5 kJ) steht für alle energieverbrauchenden Prozesse im Körper zur Verfügung und kann zum Beispiel in mechanische Energie (Muskelarbeit) umgewandelt werden.
(Hinweis: Die Wärmeenergie unseres Körpers entsteht bei der Zellatmung in den Mitochondrien. Nur ca. 37% der beim Glucoseabbau frei werdenden Energie wird bei der ATP-Synthese als chemische Energie gespeichert. Der Rest wird in Wärmeenergie umgewandelt.)
3. Wenn Sie 50 kg wiegen, ergibt sich folgende Lösung:
gegeben: m = 50 kg, ΔH = −30,5 kJ/mol, n (ATP) = 507 g/mol,
gesucht: H
Lösung: n (ATP) = 50 000 g/507 g mol^{-1} = 98,6 mol
50 kg ATP entsprechen 98,6 mol. Jedes mol liefert 30,5 kJ Energie.
ΔH = 98,6 mol · −30,5 kJ/mol^{-1} = −3 008 kJ
Bei einer Körpermasse von 50 kg wird pro Tag die Energie von 3 008 kJ umgesetzt.
(Hinweis: Diesen Wert darf man nicht mit dem Energieverbrauch gleichsetzen. Denn ein Teil dieser Energie bleibt im Körper, weil mit ihrer Hilfe z. B. Proteine oder andere energiereiche Stoffe aufgebaut werden. Die Energie ist dann in den Bindungen der produzierten Moleküle gespeichert.)

zu 4.3
1. Versuch 1) Der Würfelzucker schmilzt und karamellisiert.
Versuch 2) Der mit Asche bestrichene Würfelzucker schmilzt, karamellisiert und beginnt zu brennen. Die Asche wirkt als Katalysator für die Reaktion von Saccharose mit Sauerstoff. Die Aktivierungsenergie ohne Katalysator liegt zu hoch. Die Temperatur der Streichholzflamme reicht nicht aus, um sie zu erreichen und die Reaktion zu starten (Versuch 1). Der Katalysator senkt die Energiebarriere und die Streichholzflamme kann den Zucker entzünden (Versuch 2).

2.

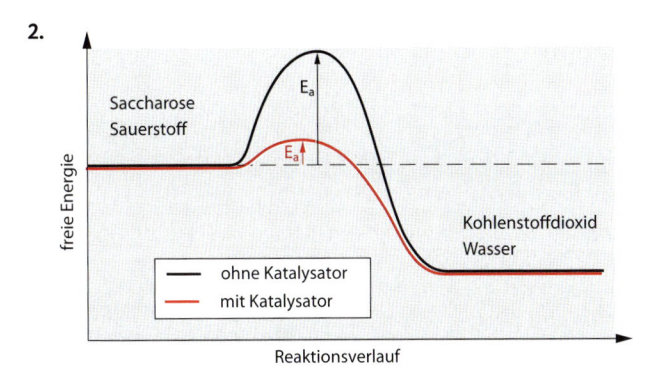

Saccharose + Sauerstoff → Kohlenstoffdioxid + Wasser

Die Asche wirkt als Katalysator. Sie geht Zwischenverbindungen mit den Ausgangsstoffen ein. Die dabei entstehenden Übergangszustände sind energieärmer als die Zwischenverbindungen, die ohne die Gegenwart von Asche beim Karamellisieren entstehen. Die Aktivierungsenergie wird für die Reaktion von Saccharose mit Sauerstoff durch den Katalysator Asche gesenkt. Die Reaktion läuft bei niedrigeren Temperaturen mit höherer Geschwindigkeit ab.

3. Die „Verbrennung" der Glucose innerhalb der Zelle wird durch eine Vielzahl von Enzymen katalysiert. Damit wird die Aktivierungsenergie für die einzelnen Reaktionsschritte so weit gesenkt, dass die kinetische Energie der Moleküle bei 37 °C ausreicht, um zu reagieren (vgl. Versuch 2). Außerhalb des Körpers gibt es diese Biokatalysatoren (Enzyme) nicht und die notwendige Aktivierungsenergie für die Reaktion mit Sauerstoff liegt zu hoch. Der Traubenzucker verbrennt nicht auf der Handfläche (vgl. Versuch 1).

zu 4.4

1. Enzyme (E) reagieren mit dem Substrat (S). Es entsteht eine Zwischenverbindung, der Enzym-Substrat-Komplex (ES). Im zweiten Schritt zerfällt der Substrat-Komplex zum Produkt (P) und dem Enzym, das nun mit weiterem Substrat einen neuen Substrat-Komplex bilden kann. Das Substrat bindet am Enzym an einem aktiven Zentrum. Das Substrat passt räumlich genau in das aktive Zentrum des Enzyms (Schlüssel-Schloss-Prinzip). (Hinweis: Anders als bei Schlüssel und Schloss passt sich das Enzym in seiner Form an das Substrat an (induced fit).)

2. Beide Abbildungen zeigen Enzymreaktionen mit dem typischen unter 1 beschriebenen Verlauf. In Abb. 1 wird deutlich, dass ein Enzym nur eine Art von Substrat binden kann. Enzyme sind substratspezifisch.
Abb. 2 stellt dar, dass ein Enzym jeweils nur eine bestimmte Reaktionsart durchführt. Enzyme sind wirkungsspezifisch.

3. Die unterschiedliche Wirkung der Verdauungsenzyme kann mit der Stereospezität von Enzymen erklärt werden: Die aktiven Zentren können spiegelbildlich gebaute Moleküle unterscheiden.
Stärke besteht aus kondensierten α-Glucose-Molekülen, Cellulose dagegen aus β-Glucose-Molekülen. Obwohl sich α-Glucose-Moleküle und β-Glucose-Moleküle nur durch die Stellung der Hydroxylgruppe am 1-C-Atom unterscheiden, haben die aus ihnen entstehenden Bindungen in den Makromolekülen eine unterschiedliche räumliche Lage. Unsere Verdauungsenzyme können aufgrund der räumlichen Spezifität nur die Bindungen im Stärkemolekül hydrolysieren.

zu 4.6

1. Skizze eines kreisrunden Flecks mit schwarzer Mitte (Verkohlung), einem hellen Ring und einem dunklen Außenring. Der dunkle Ring ist mit Melanin zu beschriften.

2. An der Flammenspitze ist die Temperatur am höchsten und es kommt zu Verkohlung. Der umliegende Ring bleibt gelblich. Hier werden keine Melanine produziert, weil die dazu notwendigen Enzyme durch die Hitze denaturieren. Die thermische Denaturierung ist eine typische Eigenschaft aller Proteine und wird bei Enzymreaktionen besonders deutlich. Im äußeren braunen Ring ist die Melaninproduktion deutlich schneller verlaufen als im Rest der Schale, weil die Temperatur hier optimal ist. Die Reaktionsgeschwindigkeit der enzymatischen Umsetzung wird durch schnellere Teilchenbewegung gesteigert (RGT-Regel), die Denaturierung findet aber noch nicht statt.

zu **4.7** 1. Die Lösung kann auch anders strukturiert werden (z. B. Stichpunktliste, Mind Map). Sie sollte aber eine innere Ordnung enthalten.

Faktoren		
wirksam für alle chemischen Reaktionen	wirksam auf Proteine und damit auch auf Enzyme	wirksam nur auf Enzyme
Temperatur (Teilchengeschwindigkeit) Konzentration von Enzym und Substrat	Temperatur (Denaturierung) pH-Wert (Denaturierung)	Effektoren, prosthetische Gruppen kompetitive Hemmung durch substratähnliche Stoffe nichtkompetitive Hemmung durch andere Stoffe

2. Die Abbildung stellt das Zusammenwirken mehrerer Enzyme zur Produktion des Stoffwechselprodukts P im Schema dar (Stoffwechselkaskade). Das Substrat S_1 wird an Enzym 1 gespalten. Es bildet sich das Zwischenprodukt Z_1, das sich mit einem weiteren Substrat S_2 ins aktive Zentrum des Enzyms 2 einlagert. Hier wird Zwischenprodukt Z_2 hergestellt, das von Enzym 3 zu Produkt P umgebaut wird.

Vier Regulationsmöglichkeiten sind erkennbar.
1. Das Produkt P ist Hemmstoff für Enzym 1. Als negativer Effektor konkurriert er mit dem Substrat um das aktive Zentrum. Damit reguliert die Produktkonzentration die Produktsynthese (Rückkopplung oder feedback).
2. Die Konzentrationen der Substrate 1 und 2 regulieren die Geschwindigkeit der Umsetzung an Enzym 2. Ist die Konzentration der beiden Substrate sehr groß, bestimmt die Anzahl der Enzyme 2 die Geschwindigkeit der Umsetzung.
3. Dockt der Effektor E_1 an Enzym 2 an, verändert sich das aktive Zentrum und Enzym 2 wird unwirksam (nichtkompetitive Hemmung). Die Konzentration von E_1 entscheidet, ob die Umsetzung nur verlangsamt wird (Blockade einiger Enzyme) oder abbricht (Blockade aller Enzyme).
(Hinweis: E_1 könnte ein Schwermetall-Ion (Hg^{2+}, Cd^{2+}) sein.)
4. Das aktive Zentrum von Enzym 3 ist nur zur Aufnahme von Zwischenprodukt 2 befähigt, wenn Effektor E_2 gebunden ist. E_2 könnte ein Metall-Ion (Zn^{2+}, Fe^{2+}) oder eine prosthetische Gruppe sein.
3. Im Herzen aktiviert Stickstoffmonooxid Enzyme. Im Schema wirkt nur E_2 als aktivierender Effektor. Nur wenn E_2 an Enzym 3 gebunden ist, ist das aktive Zentrum bindungsfähig. Stickstoffmonooxid wäre E_2.

5 Stoff- und Energieaustausch bei Tieren

zu **5.1** 1.

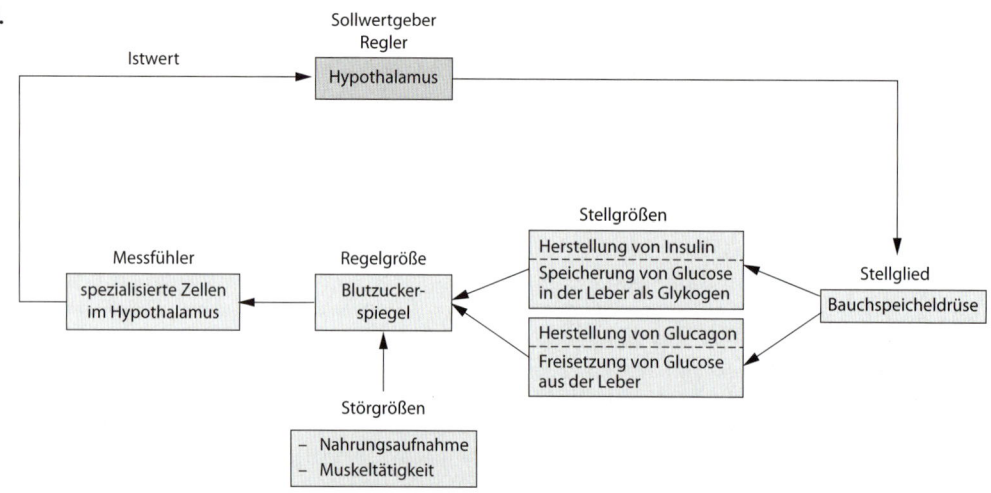

```
                        Sollwertgeber
                           Regler
       Istwert        ┌──────────────┐
    ──────────────────▶│ Hypothalamus │──────────────────┐
    │                  └──────────────┘                  │
    │                                                    │
    │                              Stellgrößen           │
    │                         ┌──────────────────────┐   │
    │                         │ Herstellung von Insulin│  ▼
    │ Messfühler   Regelgröße │ Speicherung von Glucose│  Stellglied
    │ ┌──────────┐ ┌────────┐ │ in der Leber als Glykogen│┌──────────────┐
    └─│spezialisierte│◀─│Blutzucker│◀──────────────────── │Bauchspeicheldrüse│
      │Zellen im │ │spiegel │ │ Herstellung von Glucagon │└──────────────┘
      │Hypothalamus│└────────┘ │ Freisetzung von Glucose │
      └──────────┘     ▲       │ aus der Leber          │
                       │       └──────────────────────┘
                    Störgrößen
                   ┌──────────────┐
                   │- Nahrungsaufnahme│
                   │- Muskeltätigkeit │
                   └──────────────┘
```

zu 5.4 1.

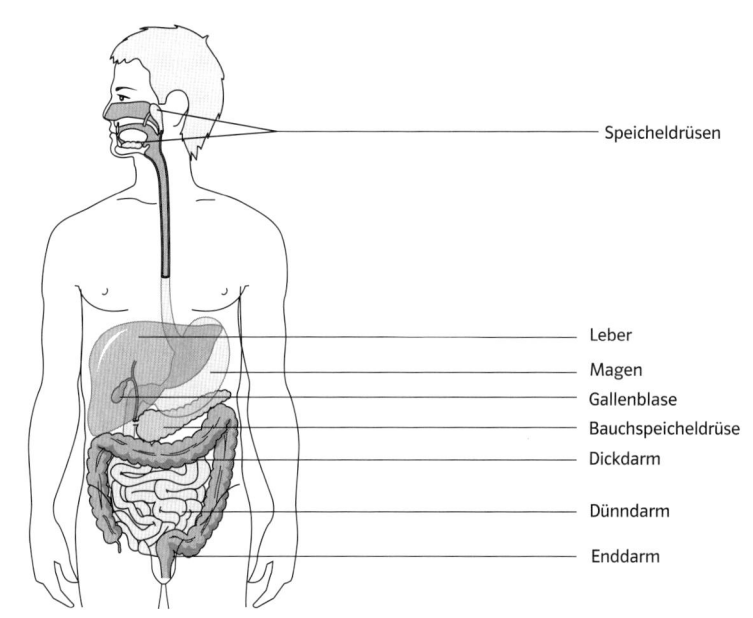

Speicheldrüsen
Leber
Magen
Gallenblase
Bauchspeicheldrüse
Dickdarm
Dünndarm
Enddarm

2. Proteine bauen unseren Körper auf und wirken als Enzyme bei allen Stoffwechselreaktionen. Ein frühzeitiger Rückgriff auf diese Substanzen als Energieträger würde zu Beeinträchtigungen im Stoffwechsel und zur Zerstörung des Organismus führen. Zuerst werden deshalb Kohlenhydrat- und Fettreserven verbraucht.
3. Alle Lebewesen benötigen Energie. Diese wird bei Eukaryoten durch die biologische Oxidation von Glucose (Zellatmung) im Mitochondrium gewonnen. Brötchen enthalten Stärke, ein Makromolekül aus Glucosebausteinen. Stärke ist jedoch nicht wasserlöslich und die Glucose ist nicht verfügbar. Stärke kann also nie direkt zum Ort der biologischen Oxidation, dem Mitochondrium, gelangen. Das wird erst durch Verdauung erreicht. Nährstoffe werden in diesem Prozess durch physikalische und chemische Vorgänge zu wasserlöslichen, vom Organismus resorbierbaren Molekülen umgewandelt.

zu 5.5 1. Aus der Nahrung gewinnt der Körper die Stoffe, die er einerseits zum Aufbau von sich selbst benötigt (besonders Proteine). Zum anderen benötigt er Stoffe aus der Nahrung zur Energiegewinnung (besonders Kohlenhydrate). Werden dauerhaft mehr Nährstoffe aufgenommen, als für diese beiden Aufgaben notwendig sind, kommt es zur Bildung von Reserven (besonders Fett). Das führt zur Erhöhung der Körpermasse. Im umgekehrten Fall kann der Körper auch diese Reserven abbauen, um seinen Energiebedarf zu decken. Die Körpermasse sinkt. Dabei kommt es bei langfristig andauerndem Hunger sogar zum Abbau von lebenswichtigen Proteinen.
Die Möglichkeiten zur Regulierung liegen also bei der Ernährung (weniger, mehr, fettarmer, fettreicher) und beim Energieverbrauch (mehr oder weniger Bewegung).
2. Der Abbau des Reservestoffes Fett ist das Ziel der Reduzierung der Körpermasse. Dazu eignet sich leichtes Training am Besten, weil hier die Fettverbrennung besonders hoch ist (= Fettverbrennungszone). Die Annahme hartes Training = hoher Energieverbrauch = starker Fettabbau ist falsch, weil der Köper bei stärkerer Belastung immer mehr auf den Energieträger Kohlenhydrate umschaltet, um schnell viel Energie bereitzustellen.
Hinweis: Da die Fettverbrennung immer an die Verbrennung von Kohlenhydraten gebunden ist, ist auf eine ausreichende Kohlenhydratzufuhr zu achten.
3. Es muss die Ursache für das Übergewicht vor dem Training zur Reduzierung der Körpermasse erkannt und beseitigt werden. Das heißt, langjährige, oft eingeschliffene Essgewohnheiten zu ändern und dauerhaft Sport zu treiben. Man muss also neue Gewohnheiten ausbilden. Das erfordert Selbstdisziplin und Durchhaltevermögen. Radikale Diätkuren führen dagegen nur zum bekannten Jojo-Effekt, weil der Körper seinen Energiehaushalt auf die „Notlage" einstellt.

zu 5.6

1.

- weiße Blutzellen – **Immunabwehr**
- Blutplättchen – **Blutgerinnung**
- Blutplasma – **Wärmeaustausch** Wasser
- **Funktionen des Blutes** → Transport:
  - Atemgase
    - O_2 rote Blutzellen
    - CO_2 rote Blutzellen, Blutplasma
  - Nährstoffe
    - Glucose
    - Aminosäuren
    - Fettstoffe
  - Mineralstoffe
  - Hormone
  - Abfallprodukte
  - Wasser

  (Nährstoffe, Mineralstoffe, Hormone, Abfallprodukte, Wasser } Blutplasma)

2. Der Blutdruck nimmt ab, weil das Wasser aus den Kapillaren gepresst wird. Das Volumen des Blutes und damit der Blutdruck nehmen ab. Die Proteine verbleiben im Blutplasma. Dadurch steigt ihre Konzentration im Blut und die Lösung wird hypertonischer gegenüber dem umliegenden Gewebe. Der osmotische Druck steigt und ein Teil des Wassers kehrt auf dem Weg zur Venole zurück ins Blut.

3. Der Blutdruck presst das Blutplasma durch die Poren der Kapillarwände wie durch ein Sieb. Große Proteinmoleküle „bleiben hängen", also im Blut zurück. Der Rest gelangt in die Gewebeflüssigkeit. Kleinere organische Moleküle, wie Glucose oder Aminosäuren, gelangen so in die Gewebeflüssigkeit, ohne die Zellen der Kapillarwand passieren zu müssen. Aufwendige Transportvorgänge durch Biomembranen entfallen. Über die Porengröße (Maschenweite des Siebes) ist es möglich, eine Stoffauswahl nach der Molekülgröße zu treffen (z. B. Blut-Hirn-Schranke).

zu 5.7

1. Die Sauerstoffbindungskurve zeigt einen s-förmigen Verlauf. Sie beginnt bei Null. Mit steigendem Sauerstoffpartialdruck im Blut steigt die Sauerstoffsättigung des Hämoglobins. Im mittleren Bereich ist der Kurvenverlauf sehr steil, im oberen Bereich flacht er ab. Bei dem Sauerstoffpartialdruck der Atemluft ist das Hämoglobin maximal mit Sauerstoff gesättigt. Eine weitere Erhöhung des Partialdrucks erhöht den Sauerstoffgehalt des Blutes fast nicht mehr. Beim Sauerstoffpartialdruck in der Lunge beträgt die Sauerstoffsättigung des Blutes 97 %. Das steile Mittelstück der Sauerstoffbindungskurve ist günstig für die Sauerstoffabgabe im Gewebe, da dort bei geringer Abnahme des Partialdrucks eine große Sauerstoffabgabe stattfinden kann.

2. Die Abnahme des Sauerstoffpartialdrucks in der Luft führt zu einem Sauerstoffmangel im Blut. Dieser kann durch einen Konzentrationsanstieg der roten Blutzellen im Blut ausgeglichen werden. Das Höhentrainingslager verursacht einen Anstieg von körpereigenem EPO und bedingt damit eine relative Zunahme der roten Blutzellen. Die Sauerstoffversorgung des Sportlers im Wettkampf ist damit erhöht, was zur Leistungssteigerung führt.

3. Durch EPO wird die Bildung neuer roter Blutzellen stimuliert und so der Blutverlust ausgeglichen. Durch die Transfusion des Eigenblutes oder auch Spenderblutes kurz vor dem Wettkampf wird das Volumen der roten Blutzellen von 2,3 Litern auf 2,7 Liter erhöht. Dadurch erhöht sich die aerobe Leistungsfähigkeit des Sportlers. Lebensgefährliche Risiken liegen bei dieser Methode in allergischen Reaktionen oder Infektionen bei Nutzung von Fremdblut sowie in einer erhöhten Viskosität des Blutes durch eine hohe Zellkonzentration beim Einsatz von EPO und eine damit verbundene Thrombosegefahr.

zu 5.8

1.

künstliche Niere	Bauchfelldialyse
medizinisches Verfahren zur Exkretion bei Nierenschädigung	
Einsatz einer Dialyselösung	
Stofftrennung durch Diffusion und Osmose an Membranen	
Reinigung außerhalb des Körpers an körperfremder Membran	Reinigung innerhalb des Körpers am Bauchfell als Membran
Durchführung durch medizinisches Fachpersonal	Durchführung durch den Patienten
geringes Infektionsrisiko	hohes Infektionsrisiko
Zusatz von Glucose und Salzen zum Blut nach der Reinigung	keine Zusätze

2. Da Harnstoff über die Exkretion aus dem Körper entfernt werden soll, darf die Dialyselösung keinen Harnstoff enthalten. So ist das Konzentrationsgefälle zwischen Blut und Lösung groß und der Harnstoff diffundiert in die Lösung. Dagegen sollten lebenswichtige Blutbestandteile, z. B. Mineralsalze, in der Dialyselösung in bluttypischer Konzentration enthalten sein. So finden kaum Übergänge statt. Das Ziel des Wasserentzuges könnte erreicht werden, indem die Osmolarität der Dialyselösung höher eingestellt wird als die des Blutes. Durch Osmose gelangt das Wasser aus dem nun hypotonischen Blut in die hypertonische Dialyseflüssigkeit. Für den Stoff, der zur Steigerung der Osmolarität verwendet wird, darf die Dialysemembran nicht permeabel sein.
(Hinweis: In der Praxis verwendet man Glucose.)

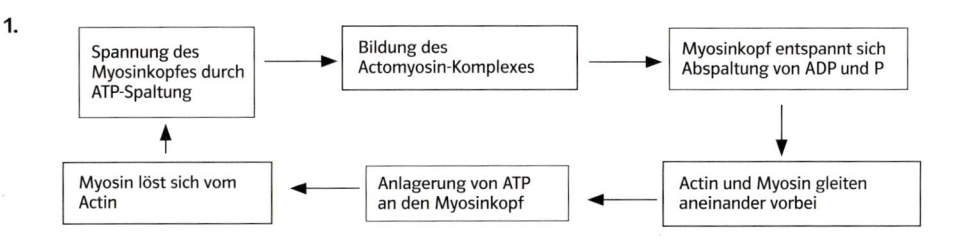

zu 5.9 1.

Spannung des Myosinkopfes durch ATP-Spaltung → Bildung des Actomyosin-Komplexes → Myosinkopf entspannt sich Abspaltung von ADP und P

↑ ↓

Myosin löst sich vom Actin ← Anlagerung von ATP an den Myosinkopf ← Actin und Myosin gleiten aneinander vorbei

2. Im Sarkomer wirken Zugkräfte. Die Actinfilamente übertragen diese zur Z-Scheibe, in der die Proteine verankert sind. Die Verletzung kann also die Zerstörung der Z-Scheibe durch zu hohe Zugbelastung sein. Denkbar ist auch ein Zerreißen der Actin- oder Myosinfilamente selbst.
(Hinweis: Ursache des Muskelkaters sind die Verletzungen der Z-Scheiben.)
3. Nach der Verletzung kommt es zum enzymatischen Abbau der zerstörten Teile. Die dadurch erhöhte osmotische Saugkraft der Muskelfasern bedingt einen Wassereinstrom. Das braucht Zeit. Der „Muskelkaterschmerz" zeigt also nicht die Verletzung, sondern zeitversetzt den Heilungsprozess an.

6 Zellatmung — Energie aus Nährstoffen

zu 6.1 1.

	Kraftfahrzeug	Mensch
Ausgangsstoffe	Benzin/Diesel	Glucose
	Sauerstoff	
Reaktionsprodukte	Kohlenstoffdioxid, Wasser	
Art der Energieumwandlung	chemische Energie → mechanische Energie und Wärmeenergie	chemische Energie → chemische Energie (ATP) und Wärmeenergie
Ort der Energieumwandlung	Verbrennungsmotor	Mitochondrium
Speicher der Ausgangsstoffe	im Tank	in Leber, Muskel (Fettgewebe)
Entsorgung der Reaktionsprodukte	in die Atmosphäre	

2. Wirkungsgrad η:
   η (Fahrzeug) = 6 MJ/38 MJ = 0,16   η (Zellatmung) = 630 kJ/1570 kJ = 0,40
   Der Wirkungsgrad der Zellatmung liegt mit 40 % wesentlich höher als der Wirkungsgrad eines Kfz mit 16 %. Es muss beachtet werden, dass bei der Zellatmung vorerst nur ATP gebildet wird und nachfolgende Umwandlungen in z. B. mechanische Energie im Muskel noch nicht berücksichtigt sind.
3. $NAD^+ + 2\,e^- + 2\,H^+ \rightarrow NADH + H^+$
   Das Coenzym Nicotinadenindinucleotid (NAD^+) nimmt zwei Elektronen (e^-) und zwei Protonen (H^+) auf und wird zum $NADH + H^+$. Da Elektronen aufgenommen werden, liegt eine Reduktion vor. $NADH + H^+$ ist also die reduzierte Form des Coenzyms. (Hinweis: Da $H^+ + e^-$ ein Wasserstoffatom H

ergeben, ist also die Aufnahme von Wasserstoffatomen eine Reduktion und die Abgabe von Wasserstoffatomen eine Oxidation.

NAD$^+$ + 2H → NADH + H$^+$ Reduktion   NADH + H$^+$ → NAD$^+$ + 2H   Oxidation

zu **6.4**
1. ATP ist die universelle Energiewährung in Zellen. Bei der Reaktion von ADP zu ATP wird Energie gespeichert, bei der Rückreaktion wird sie wieder frei und steht dann z. B. für Muskeltätigkeit, aktive Transporte u. a. zur Verfügung. Bilanz: Glykolyse 2 ATP, Citratzyklus 2 ATP, Endoxidation 34 ATP, gesamt: 38 mol ATP aus einem mol Glucose
2. Die Knallgasreaktion ist die Reaktion von Wasserstoff mit Sauerstoff zu Wasser. Die frei werdende Energie ist in Form einer Explosion und Wärme zu beobachten. Prinzipiell reagiert auch bei der Zellatmung Wasserstoff mit Sauerstoff. Der Wasserstoff ist hier aber im Glucosemolekül gebunden und wird schrittweise abgespalten (Glykolyse, Pyruvatoxidation, Citratzyklus) und auf Sauerstoff übertragen (Atmungskette). Der Wasserstoff wird zwischenzeitlich an Coenzyme (NAD$^+$, FAD) gebunden und weitergegeben. Der Prozess wird durch die vielen beteiligten Enzyme so gesteuert, dass ein Teil der frei werdenden Energie schrittweise in ATP gespeichert wird. Die Explosion bleibt aus.

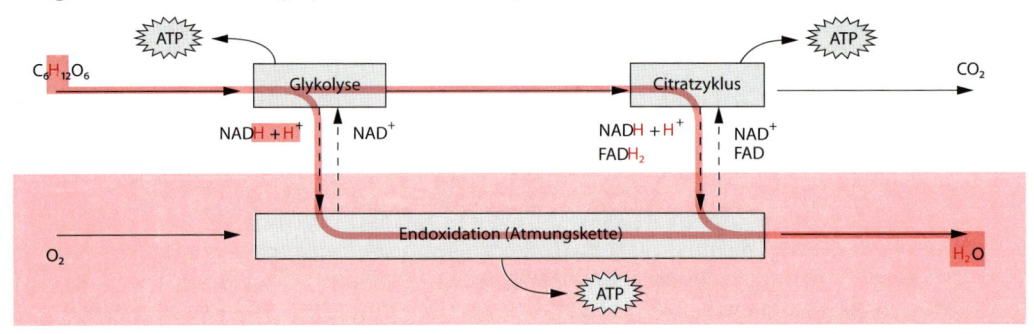

3. Ursache für die ATP-Bildung ist ein Protonengradient zwischen Matrix und Membranzwischenraum im Mitochondrium. Dieser Konzentrationsunterschied kann durch zwei Wasserbehälter auf unterschiedlichen Höhen verdeutlicht werden. Der pH-Unterschied kommt durch den Elektronentransport in der Membran zustande, der mit einem Protonentransport gekoppelt ist. Es bildet sich ein Membranpotenzial aus, das ein Maß für die so gespeicherte Energie ist. Im Modell wird das Wasser aus dem unteren Behälter mit einer Pumpe nach oben geschafft. Der Höhenunterschied steht für die gespeicherte Energie. Durch das Enzym ATP-Synthase diffundieren die Protonen zurück in die Matrix und bilden dabei ATP als energiereiches Molekül. Im Modell strömt das Wasser aus dem oberen Behälter über eine Turbine zurück in das untere Becken, und die Turbine liefert elektrische Energie.

zu **6.5**
1. Lactat ist das Produkt der Milchsäuregärung. Es entsteht, wenn kein Sauerstoff mehr als Elektronenakzeptor für die Atmungskette zur Verfügung steht. Die wasserstoffbeladenen Coenzyme (z. B. NADH + H$^+$) können also nicht mehr in der Atmungskette regeneriert werden. Die ATP-Bildung stagniert. Als „Ausweg" übertragen Enzyme den Wasserstoff von NADH + H$^+$ auf Pyruvat, das Produkt der Glykolyse, und bilden Lactat. So können sie wenigstens wieder in der Glykolyse weiterarbeiten und ATP bilden.

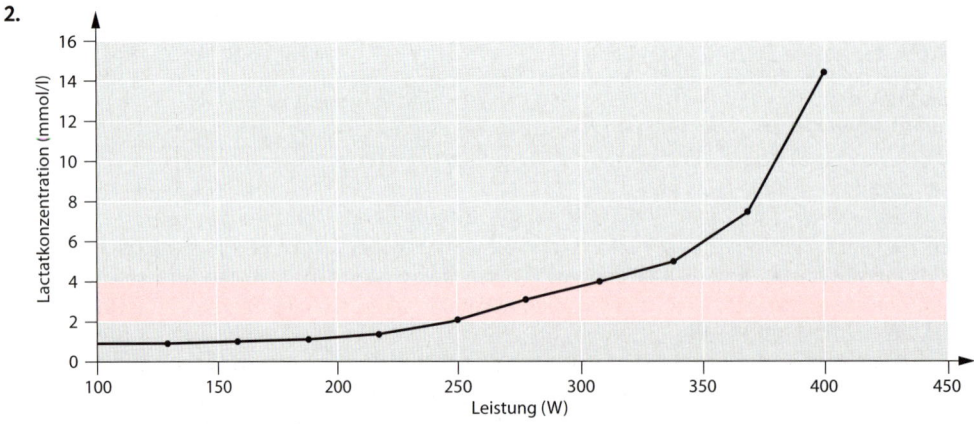

2.

3. Die „anaerobe Schwelle" liegt im mittleren Teil der Lactatkurve im Bereich zwischen langsamem und steilem Anstieg der Lactatkonzentration. Im Stoffwechsel kennzeichnet sie den Übergang von Zellatmung zur Gärung. Das heißt Energie kann nicht mehr durch Steigerung der Zellatmung gewonnen werden, weil Sauerstoff fehlt. Weitere Energiegewinnung ist nur durch Steigerung der Glykoseleistung und Regenerierung von $NADH + H^+$ möglich.
4. Bei einem guten Trainingszustand ist die Anzahl der roten Blutzellen erhöht. Es kann viel Sauerstoff gebunden und Energie für höhere Leistungen durch Zellatmung erwirtschaftet werden. Die Lactatkonzentration bleibt längere Zeit niedrig. Für genaue Aussagen über den Trainingsfortschritt sind dabei mehrere trainingsbegleitende Tests unter gleichen Testbedingungen notwendig.

zu 6.6
1. Glucose reagiert zu Beginn der Glykolyse mit ATP und wird phosphoryliert. Es wird Energie investiert, damit das Molekül für die folgenden Schritte reaktionsfähig wird. Bei Glycerol verhält es sich ebenso. Erst das entstehende Glycerol mit Phosphatrest kann weiter oxidiert werden.
2. Das Fettmolekül liefert 1 mol Glycerol und 3 mol Stearinsäure für den Energiestoffwechsel. Stearinsäure ($C_{17}H_{35}COOH$), ein C_{18}-Körper, wird in der Fettsäurespirale zu 9 C_2 zerlegt. Dafür sind 8 Umläufe notwendig.

Bilanz Fettsäurespirale:	Aktivierung der Fettsäure	→	−2 ATP
	8 $NADH + H^+$	→	24 ATP
	8 $FADH_2$	→	16 ATP
	Summe		38 ATP
Bilanz Citratzyklus:	9 C_2-Körper werden in den Citratzyklus eingespeist.		
	9 ×	→	9 ATP
	9 × 3 $NADH + H^+$	→	81 ATP
	9 × $FADH_2$	→	18 ATP
	Summe		108 ATP

1 Stearinmolekül liefert in Fettsäurespirale und Citratzyklus	→	**146 ATP**
Bilanz für ein Fettmolekül		
Abbau Glycerol	→	**22 ATP**
Abbau 3 Moleküle Stearinsäure		
3 × 146 ATP	→	**438 ATP**
gesamt	→	**460 ATP**

3. 1 mol Glucose liefert nur 38 mol ATP, 1 mol Fett liefert 460 mol ATP, also deutlich mehr.
Aus 1 g Glucose kann man 0,21 mol ATP gewinnen, aus 1 g Fett jedoch 0,51 ATP. Durch die Verwendung von Fett statt Glucose als Speicherstoff kann ein Lebewesen ca. die 2,4-fache Energie bezogen auf die Masse des Speichers deponieren.
(Hinweis: Das Speicherkohlenhydrat in Tieren ist nicht Glucose, sondern Glykogen. Da Glykogen aus Glucosebausteinen besteht, bleibt die Schlussfolgerung die gleiche.)

7 Stoff- und Energieumwandlung bei Pflanzen

zu 7.1
1. Die Weide wächst in den fünf Jahren, ihre Masse nimmt um 82 kg zu. (Hinweis: Das entspricht einer Trockenmassezunahme von 16,4 kg.) Die Masse kann aber nicht allein aus den Stoffen des Bodens kommen, denn dessen Masse nimmt nur um 60 g ab. Die Pflanze muss also 16,34 kg aus einer anderen Quelle bezogen haben. Die andere Quelle kann aufgrund der Versuchsanordnung nur Luft sein.
2. Die Massezunahme erfolgt durch die Aufnahme des Kohlenstoffdioxids aus der Luft und Umwandlung in organische Stoffe (fotoautothrophe Assimilation). Sonnenlicht ist die Energiequelle für diese energieverbrauchende (endotherme) Reaktion. Sie gibt zwar auch Kohlenstoffdioxid als Reaktionsprodukt der Zellatmung ab, aber in der Gesamtbilanz bildet eine Pflanze mehr organische Stoffe durch Fotosynthese, als sie zum Energiegewinn durch Zellatmung selbst verbraucht. Vorausgesetzt wird natürlich eine ausreichende Beleuchtung und ein gutes Mineralstoffangebot.
3. In dem verschlossenen Gefäß erlischt die Kerze, wenn der zur Verbrennung notwendige Sauerstoff verbraucht wird. Die Maus stirbt im verschlossenen Gefäß ebenfalls, wenn der Sauerstoff verbraucht ist. Für den Prozess der Zellatmung, der enzymatischen Verbrennung von Glucose, wird ebenfalls Sauerstoff benötigt. Im dritten verschlossenen Gefäß überlebt die Maus, wenn eine grüne Pflanze

vorhanden ist. Die stellt durch Fotosynthese mehr Sauerstoff her, als sie selbst durch Dissimilationsprozesse verbraucht. Diesen Sauerstoff nutzt die Maus.

zu **7.3**
1. Die Beschriftung können Sie mithilfe der Abb. 4 im Lehrbuch auf S. 121 überprüfen
   Transport von Wasser: Pfeil aus Leitbündel (Xylem) in die Hohlräume zwischen den Zellen, in Schwammgewebe und Palisadengewebe
   Pfeil aus der Spaltöffnung
   Transport von CO_2: Pfeil in die Spaltöffnung
   Pfeil in die Hohlräume zwischen den Zellen, in Schwammgewebe und Palisadengewebe
   Transport von O_2: entgegengesetzt dem Transport von CO_2
2. Wasser ist das wichtigste Transportmittel in Pflanzen. Der Wassertransport erfolgt durch die Wurzeln über die Sprossachse in die Blätter. Der Wassertransport wird durch die Verdunstung an den geöffneten Spaltöffnungen angetrieben (Verdunstungssog). Die Intensität des Verdunstungssogs und damit der Transpiration, ist vom Konzentrationsgefälle des Wasserdampfs zwischen dem Blattinneren und der Umgebungsluft abhängig. Hier liegt die Ursache für den notwendigen Kompromiss. Zu dem Zeitpunkt, an dem optimale Bedingungen für die Fotosynthese herrschen (viel Licht, hohe Temperatur) ist auch das Konzentrationsgefälle des Wasserdampfs besonders hoch. Einerseits sollten also alle Spaltöffnungen weit geöffnet sein, um genügend Kohlenstoffdioxid für die autotrophe Assimilation zur Verfügung zu stellen, andererseits führen die geöffneten Spaltöffnungen zu einem großen Wasserverlust, der besonders bei Trockenheit nicht ausgeglichen werden kann. „Verhungern" bedeutet in diesem Kontext, dass kein CO_2 für die Fotosynthese zur Verfügung steht (bei geschlossenen Spalten). „Verdursten" meint, dass die Pflanze mehr Wasser abgibt, als sie aus dem Boden aufnehmen kann (bei offen Spalten). Ein Kompromiss ist also notwendig.
3. Zum Öffnen der Spalten werden Ionen aktiv in die Schließzellen und deren Vakuolen transportiert. Dadurch werden das Cytoplasma und die Lösung in den Vakuolen hypertonisch. Die Zelle nimmt durch Osmose Wasser auf, und der Zellinnendruck (Turgor) steigt an. Bedingt durch Lage und Bau der beiden Schließzellen öffnet sich bei ihrer Verformung ein Spalt zwischen ihnen.

zu **7.4**
1. Die Fotosyntheseleistung ist dem Volumen des gebildeten O_2 proportional.
   Versuch 1: normale Fotosynthese — alle Faktoren vorhanden
   Versuch 2: keine Fotosynthese — durch das Abkochen wurden die Hydrogencarbonat-Ionen und CO_2 entfernt — ein Ausgangsstoff für Fotosynthese fehlt
   Versuch 3: verstärkte Fotosynthese — Hydrogencarbonat-Ionen wurden zugesetzt — ein Ausgangsstoff für Fotosynthese liegt in höherer Konzentration vor
   Versuch 4: keine Fotosynthese — Licht als Energiequelle fehlt
2. Es entsteht weniger O_2 als bei Versuch 1. Bei sonst gleichen Bedingungen ist die Temperatur niedriger. Alle biochemischen Reaktionen, auch die Fotosynthese, verlaufen also langsamer (RGT-Regel).

zu **7.6**
1.
   a Laubblatt
   b Leitbündel
   e Sprossachse mit Leitbündel
   f Spaltöffnungen
   c Leitungsbahnen in Sprossachse
   d Wurzel

2. z.B. Wurzelhaarzelle — Osmose; Xylem — Unterdruck, Kapillarkräfte; Phloem — Druckstrom; Laubblatt — Diffusion; Schließzellen — Diffusion

3. Im Leitbündel liegen Phloem- und Xylemstränge eng beieinander. In beiden befinden sich wässrige Lösungen. Werden Assimilate in grünen Pflanzenteilen gebildet, gelangen sie in Form von Saccharose durch aktive Transportvorgänge in die Zellen des Phloems. Die Lösung wird hypertonisch. Aus dem benachbarten Xylem gelangt Wasser durch Osmose in das Phloem. Das Volumen und damit der Druck der Lösung steigt im Phloem und sinkt im Xylem durch Wasserverlust. An den Orten der Pflanze, an denen Saccharose verbraucht wird, wird dieser Zucker aus dem Phloem entfernt. Die Lösung im Phloem wird nun hypotonisch gegenüber der im Xylem. Durch Osmose gelangt das Wasser nun zurück in das Xylem. Die Druckverhältnisse kehren sich um. Da sowohl Xylem als auch Phloem zusammenhängende Röhren sind, findet durch den Strom des Wassers (mit den gelösten Stoffen) innerhalb der Stränge ein Druckausgleich statt. Die Saccharose gelangt in der Regel vom Ort der Bildung zum Ort des Verbrauchs von Zuckern. Die Lösung im Xylem strömt entgegengesetzt.
4. Diese Lösung wird Ihnen nicht gefallen. Die Punkte der Aufgaben würden nicht mehr zusammengezählt, sondern die Aufgabe, bei der Sie am schlechtesten abgeschnitten haben, bestimmt die Note.

8 Fotosynthese — Solarenergie für das Leben

zu 8.2

1. Carotinoide, Chlorophyll a und Chlorophyll b sind Lichtsammelpigmente. Sie werden durch Licht unterschiedlicher Wellenlängen angeregt und transferieren diese Energie weiter auf andere Lichtsammelpigmente. Schließlich erreicht die Energie die Reaktionszentren, die stets Chlorophyll a enthalten. Nur diese können die Energie direkt in den Prozess der Fotosynthese einspeisen.

2.

Modellversuch	Fotosynthese
Regentropfen treiben Generator an. mechanische Energie → elektrische Energie	Licht wird zur Synthese organischer Stoffe verwendet. Lichtenergie → chemische Energie
Regentropfen befinden sich an verschiedenen Orten.	Weißes Licht besteht aus Licht verschiedener Wellenlängen.
Abb. 1 oben Nur bestimmte Tropfen treffen das Rotorblatt des Generators und führen zur Energieumwandlung. Abb. 1 unten Der Trichter sammelt viele Tropfen und leitet sie zum Rotorblatt. Dort wird mehr mechanische Energie in elektrische Energie umgewandelt.	Nur die Lichtenergie (Wellenlänge), die das Chlorophyll a am Reaktionszentrum anregt, wird zu chemischer Energie umgewandelt. Die verschiedenen Pigmente (Carotinoide und Chlorophylle) werden durch Licht unterschiedlicher Wellenlängen angeregt. Die Energie wird von Pigmentmolekül zu Pigmentmolekül auf die Reaktionszentren der FS I und II übertragen („molekularer Energietrichter"). Es wird mehr Lichtenergie in chemische Energie umgewandelt.

3. Das Licht im Längenbereich zwischen 530 bis 570 nm wird von den Fotosynthesepigmenten kaum absorbiert (und in chemische Energie umgewandelt) und bleibt vom Spektrum des weißen Lichtes erhalten. Licht dieser Wellenlängen nehmen wir als Farbe grün war.

zu 8.4

1. Das Schema finden Sie im Lehrbuch auf S. 133 in Abb. 2. Sie müssen erkennen, dass die Lichtreaktion das energiereiche ATP und das Reduktionsmittel (gebundner Wasserstoff im NADPH + H$^+$) für die Glucoseherstellung in den lichtunabhängigen Reaktionen zur Verfügung stellt und nach Verbrauch recycelt.
2. ⓐ Anregung der aus der Wasserspaltung stammenden Elektronen durch Lichtenergie im FS II
   ⓑ Elektronenwanderung in der Kette verschiedener Redoxsysteme (Redoxreaktionen) unter Energieabgabe
   ⓒ Bildung von ATP (siehe b) für die lichtunabhängigen Reaktionen
   ⓓ erneute Anregung der Elektronen durch Lichtenergie im FS I
   ⓔ Bindung der energiereichen Elektronen im NADPH + H$^+$, dem Reduktionsmittel für die lichtunabhängigen Reaktionen

3. Die ATP-Synthase ist ein Enzym, das ATP aus dem energiearmen ADP und P herstellt. Dabei wird die Energie genutzt, die in einem pH-Gradienten gespeichert ist. Die Protonen (H^+) diffundieren vom Ort hoher Konzentration (niedriger pH-Wert) zum Ort niedriger Konzentration (höherer pH-Wert). Sie fließen dabei durch die ATP-Synthase. Durch diesen Vorgang wird ATP gebildet. Der genutzte pH-Unterschied zwischen Thylakoidinnenraum und Stroma entsteht durch die Wasserspaltung und Protonentransporte während der lichtabhängigen Reaktion. Der pH-Unterschied zwischen Innen- und Außenraum des Thylakoids ist also eine Art Zwischenspeicher für Energie.

zu 8.5

1.

Diagramm des Calvinzyklus: $6\ CO_2 \rightarrow 12\ C_3$; $6\ C_5 \leftarrow 10\ C_3$; $12\ C_3 \rightarrow C_6H_{12}O_6$; mit $NADPH + H^+ \rightarrow NADP^+$, $ATP \rightarrow ADP + P$ aus den lichtabhängigen Reaktionen.

Reduktion: Umwandlung der Carbonsäuregruppe der PGS zur Aldehydgruppe durch das Reduktionsmittel $NADPH + H^+$.

Energie: Die notwendige Energie für die Reduktion stammt vom ATP und ist nun in den Bindungen der Aldehydgruppe gespeichert.

2. Bei der CO_2-Fixierung wird Kohlenstoffdioxid durch das Enzym Rubisco an einen phosphathaltigen Zucker mit 5 C-Atomen gekoppelt und damit der Aufbau des C_6-Gerüsts der Glucose begonnen. Oder kurz: Kohlenstoffdioxid wird „fotosyntheseverfügbar" gemacht.

3. Die Verknüpfung der beiden Reaktionen ist in der Grafik zu Lösung 1 eingetragen.

zu 8.6

1.

Fotosynthese	Chemosynthese
Stoffwechselprozess zur Herstellung energiereicher organischer Stoffe	
Energiequelle Sonnenlicht	Energiequelle chemische Reaktionen
Bildung von ATP und Reduktionsmitteln ($NADPH + H^+$)	
CO_2-Fixierung und Glucosebildung im Calvinzyklus	
bei Pflanzen und manchen Bakterien	bei Bakterien

2.

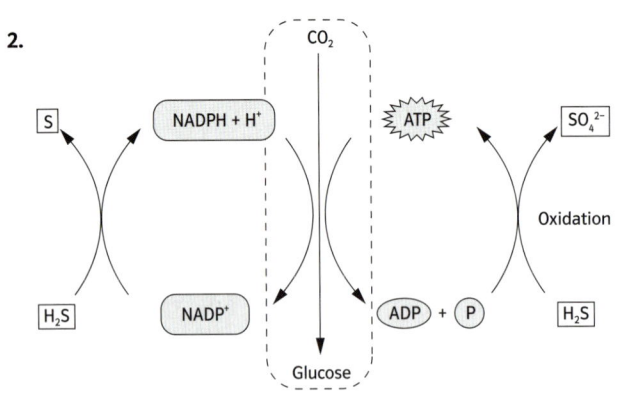

Schema: $H_2S \rightarrow S$ über $NADP^+ \rightarrow NADPH + H^+$; $CO_2 \rightarrow$ Glucose (Calvinzyklus, gestrichelt); $ADP + P \rightarrow ATP$; $H_2S \rightarrow SO_4^{2-}$ (Oxidation).

(Hinweis: Der Wasserstoff für das $NADPH + H^+$ könnte theoretisch auch wie bei der Fotosynthese aus H_2O gewonnen werden, stammt jedoch aus H_2S.)

3. Die gestrichelte Linie in Lösung 2 markiert den Calvinzyklus.

9 DNA — Träger der Erbinformationen — Lösungen — Genetik

zu 9.2

1.

	Adenin	Thymin	Guanin	Cytosin
Mensch	29,9	29,9	20,1	20,1
Rind	28,7	28,7	21,3	21,3
Grünalge	20,2	20,2	29,8	29,8
Weizen	26,9	26,9	23,1	23,1

2. Die DNA der Grünalgen „schmilzt" bei höheren Temperaturen als die menschliche, was in der größeren Anzahl an Wasserstoffbrückenbindungen zwischen den DNA-Einzelsträngen begründet liegt. Der Anteil der Guanin-Cytosin-Basenpaarungen mit dreifacher Wasserstoffbrückenbindung ist mit 59,6 % wesentlich höher als bei der menschlichen DNA (40,2 %).

zu 9.3

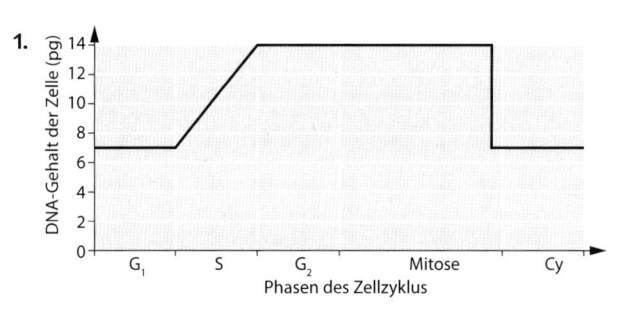

1.

2. Menschliche Körperzellen, die aus der Verschmelzung von zwei Keimzellen hervorgehen, enthalten etwa 7 pg DNA. In der S-Phase des Zellzyklus steigt der DNA-Gehalt allmählich durch Replikation auf den doppelten Wert an. Am Ende der S-Phase wiegt die DNA in einer Körperzelle daher etwa 14 pg. Alle Chromosomen bestehen jetzt aus zwei Chromatiden. Bei der anschließenden Mitose entstehen zwei Zellen mit einem DNA-Gehalt von jeweils 7 pg.

3. In den Keimzellen befindet sich die Hälfte der DNA-Menge der Körperzellen (aufgrund der zur Bildung der Keimzellen stattfindenden Meiose). Daher beträgt die Masse der Keimzell-DNA 3,5 pg.

zu 9.4

1. ^{15}N-Isotope tragen ein Neutron mehr in ihrem Kern als die natürlich vorkommenden ^{14}N-Isotope. ^{15}N-haltige DNA ist deshalb schwerer als ^{14}N-haltige und sinkt im Dichtegradienten weiter nach unten. Bakterien bauen den Stickstoff ihres Nährmediums in ihre DNA ein. So lässt sich die Ausgangs-DNA mit ^{15}N „markieren". Werden die Bakterien anschließend in ^{14}N-haltiges Nährmedium überführt, so enthalten die danach neu synthetisierten DNA-Abschnitte das leichtere Stickstoffisotop. Durch Analyse der DNA im Dichtegradienten lässt sich der Ablauf der DNA-Replikation nachvollziehen.

2. Ist der Gehalt an ^{14}C in dem Gewebe bekannt, kann eine Differenz zum ^{14}C-Gehalt der Luft errechnet werden. So lässt sich feststellen, wie viele ^{14}C-Isotope seit dem Absterben des Organismus zerfallen sind. Mit dem Wissen um die Halbwertzeit des ^{14}C-Isotops lässt sich dann der Todeszeitpunkt berechnen.

zu 9.5

1. Bei der Verpackung eines DNA-Fadens zu einem Chromosom wird seine Länge erheblich (um den Faktor 800) verkürzt. Dazu wird die Doppelhelix zunächst um kugelförmige Histon-Proteine aufgewickelt, wodurch das Nucleosom entsteht. Durch weitere Schleifenbildung und Aufspiralisierung dieser perlenkettenartigen Struktur entstehen Chromatinfasern, die weiter zu Chromatiden kondensieren. Das sichtbare Metaphase-Chromosom besteht aus zwei am Centromer miteinander verknüpften Chromatiden.

2. Im Verlauf des Zellzyklus laufen Prozesse ab, die eine unterschiedlich dichte Packung der DNA benötigen. In der Mitose findet eine gleichmäßige Aufteilung des genetischen Materials einer Mutterzelle auf zwei Tochterzellen statt. Dazu ist es sinnvoll, dass die DNA stark aufspiralisiert ist, sich also in einer gut zu transportierenden Form befindet. Das Chromosom wird deshalb auch als „Transportform" der DNA bezeichnet. Dem gegenüber steht die „Arbeitsform", bei der die Doppelhelix frei zugänglich ist, um abgelesen zu werden. Deshalb liegt die DNA in der Interphase entspiralisiert in Form von Chromatinfilamenten vor.

10 Genetischer Code und Proteinbiosynthese

zu 10.1

1. Bei Poly-C- bzw. Poly-G-Nucleotiden gibt es jeweils nur eine Möglichkeit, Tripletts zu bilden und Aminosäuren zu codieren: CCC: Prolin; GGG: Glycin. Wechseln sich zwei Nucleotide ab, gibt es, je nach Base, mit der das Triplett beginnt, zwei Kombinationsmöglichkeiten zur Bildung von Tripletts. Daraus resultiert die Kombination von zwei Aminosäuren: CGC – GCG – CGC – GCG – …: Arg – Ala – … oder GCG – CGC – GCG – CGC – …: Ala – Arg – …

2. Mit Poly-GCCC ergibt sich ein Peptid mit dem sich wiederholenden Sequenzmotiv Ala – Arg – Pro – Pro – Ala – Arg – Pro – Pro – … unabhängig vom Startpunkt. Die vier möglichen Anfangstripletts legen lediglich fest, an welcher Aminosäureposition mit der Sequenz begonnen wird. Dass das Triplett CCC für Prolin codiert, sieht man im ersten Experimentierergebnis. Nach Prolin folgt im Peptid entweder Prolin oder Alanin. Da GCC immer auf das Triplett CCC folgt, muss es für Alanin codieren, CCG ebenfalls für Prolin. Dass CGC für Arginin codiert, geht aus dem dritten Experiment hervor.

3. Dass der genetische Code nicht überlappend und kommafrei ist, lässt sich mit RNA-Molekülen aus zwei oder mehr abwechselnd vorkommenden Nucleotiden belegen. Da hieraus gleiche Kombinationen von Aminosäuren entstehen, können Leselücken und überlappendes Ablesen der RNA ausgeschlossen werden. Die Eindeutigkeit des Codes belegen die Experimente 3 und 5, da in beiden Fällen das gleiche Triplett CGC für die Aminosäure Arginin codiert. Die Redundanz belegen z. B. die Experimente 4 und 5. Die Tripletts CGA und CGC codieren beide für die Aminosäure Arginin. Lediglich die Universalität des genetischen Codes muss mit einem anderen Experiment belegt werden.

zu 10.3

1. Die Translation startet durch die Bindung der mRNA an die kleine Untereinheit des Ribosoms. Diese wandert entlang des mRNA-Strangs, bis sie auf das Startcodon AUG trifft. Durch die Basenpaarung der Start-tRNA (Met) mit dem Startcodon kommt es zur Anlagerung der großen Ribosomen-Untereinheit. Nun folgt die Verlängerung der Aminosäurekette. Dazu lagert sich in der noch freien tRNA-Bindungsstelle eine beladene tRNA mit ihrem Anticodon an das zum Startcodon in 3´-Richtung benachbarte Codon an. Durch Ausbildung einer Peptidbindung wird das Methionin der Start-tRNA mit der zweiten Aminosäure verbunden und auf die zweite tRNA übertragen. Die nun unbeladene Met-tRNA löst sich von der mRNA ab. Die mRNA rückt um drei Basen in 3´-Richtung weiter. Die gebundene tRNA gelangt dadurch in die erste tRNA-Bindungsstelle. Eine nächste beladene tRNA mit passendem Anitcodon bindet in der nun wieder freien tRNA-Bindungsstelle an das Codon auf der mRNA. Die Vorgänge von Anlagerung, Ausbildung einer Peptidbindung, Übertragung der Aminosäurekette und Ablösen der unbeladenen mRNA wiederholen sich, bis ein Stoppcodon auf der mRNA erreicht wird. Dann zerfällt das Ribosom in seine beiden Untereinheiten. Die fertige Polypeptidkette wird freigesetzt. Es kommt zum Kettenabbruch.

zu 10.4

1. Im Vergleich zur eukaryotischen ist die prokaryotische Zelle einfacher gebaut. Sie ist kaum kompartimentiert und enthält kein Cytoskelett, wohl aber Einfaltungen der Zellwand. (In der Regel ist bei Prokaryoten eine Zellwand aus Murein vorhanden.) Ribosomen sind in beiden Zelltypen enthalten, unterscheiden sich jedoch in ihrer Größe. Den Prokaryoten fehlen Mitochondrien, Plastiden und Dictyosomen. Ein wichtiges Kennzeichen der Procyte ist das Fehlen des Zellkerns. Die ringförmige DNA liegt frei im Cytoplasma. Es findet hier bei der Proteinbiosynthese keine räumliche Trennung zwischen Transkription und Translation statt.

2. Im Vergleich zu den Prokaryoten, bei denen Transkription und Translation gleichzeitig im Cytoplasma ablaufen, sind diese beiden Prozesse bei Eukaryoten räumlich und zeitlich getrennt. Die Transkription findet im Zellkern, die Translation im Cytoplasma statt. Die mRNA ist bei Prokaryoten schon während ihrer Synthese am codogenen Strang der DNA frei zugänglich. Da hier keine Prozessierung und kein Transport der mRNA aus dem Zellkern stattfinden müssen, können die Ribosomen am zuerst entstehenden freien 5`-Ende bereits ansetzen, während die Transkription der folgenden Abschnitte noch erfolgt. Ist das erste Ribosom ein Stück in Richtung 3´-Ende vorgerückt, setzt sich ein weiteres Ribosom an, sodass die mRNA gleichzeitig von mehreren Ribosomen in eine Polypeptidkette translatiert wird. (Hinweis: Bei Eukaryoten kommen solche Ribosomenketten, Polysomen genannt, ebenfalls vor.)

zu 10.5

1. Die Bakterien können verschiedene Zucker als Kohlenstoff- und Energiequelle nutzen. Lässt man *E. coli* in der gemischten Nährlösung wachsen, so baut das Bakterium zunächst den leichter verwertbaren Einfachzucker Glucose ab. Ist diese in der Nährlösung verbraucht, so tritt in der Bakterienkultur zunächst ein Wachstumsstillstand ein. Aus der beigefügten Kurve der Galactosidase-Konzentration kann man schließen, dass in dieser Phase erst nach einer gewissen Anlaufzeit genügend Enzyme zum Lactoseabbau vorhanden sind und dass die Enzymproduktion nach dem Operonmodell erst durch die Lactose induziert wird. Die Lactose-Moleküle binden dabei an einen Repressor, der die Transkription der Gene für die Galactosidase hemmt, und inaktivieren ihn. Dadurch wird die Enzymsynthese angeschaltet (Substratinduktion; vgl. Lehrbuch, S. 168, Abb. 1).
2. Das System der Substratinduktion wird im abbauenden Stoffwechsel benutzt. Solange kein Substrat vorhanden ist, blockiert ein aktiver Repressor das Operon. Auf diese Weise wird eine energieaufwendige, übermäßige Enzymproduktion vermieden.
3. Fehlsinn- oder Nichtsinn-Mutationen in den Strukturgenen führen zu spezifischen Defekten in den einzelnen Enzymen, sodass sich Zwischenprodukte eventuell anhäufen. Mutationen im Operator- oder im Regulatorgen betreffen die Synthese mehrerer Enzyme (und deren Regulation) und damit komplette Syntheseketten. Mutationen im Regulatorgen können auch auf andere Chromosomenbereiche wirken, während sich die Mutationen im Operatorgen nur auf die direkt benachbarten Strukturgene auswirken.

zu 10.6

1. Das Virus wird über Tröpfchen- oder Schmierinfektion über die Nasenschleimhäute des Menschen aufgenommen. Vermittelt durch sein Oberflächenprotein Hämagglutinin bindet das Virus an die Oberfläche einer Schleimhautzelle und wird dann von dieser mittels Endocytose aufgenommen. Innerhalb der Wirtszelle zerfällt das Capsid und die Viren-DNA wird freigesetzt, die im Kern der Wirtszelle von dieser transkribiert und dann im Cytoplasma translatiert wird. Die Proteine bauen sich im Cytoplasma der Wirtszelle zu einem neuen Virus zusammen. Die neu gebildeten Viren gelangen mithilfe der viralen Neuraminidase aus der Zelle. Die freigesetzten Viren können weitere Zellen infizieren.
2. Das Influenza-Virus wird durch Tröpfcheninfektion übertragen. Aus diesem Grund sind große Menschenaufläufe und enger Körperkontakt zu Menschen zu vermeiden. Handschlag, Küsse und Umarmungen sollten vermieden werden, da das Virus auch außerhalb von Menschen einige Stunden überleben kann. Die Hände sollten regelmäßig nach Kontakt mit Türklinken, Einkaufswagen, Treppengeländern usw. gewaschen werden, und man sollte sich möglichst nicht mit den Händen durch das Gesicht fahren.
Grippe-infizierte Personen sollten für eine Woche unter Quarantäne, ihre engsten Bezugspersonen unter Beobachtung gestellt werden.
3. Neuraminidasehemmer blockieren die Neuraminidase, sodass sich die Viren nicht von der Wirtszelle lösen können und sich nicht weiter im Körper ausbreiten. Die Infektion wird unterbrochen. Je früher man also den Vermehrungszyklus des Virus unterbricht, desto schneller kann der Patient genesen.

zu 10.9

1. In den Keimzellen von Mäusen, die eine Kit-Nullmutante und ein funktionsfähiges *Kit*-Gen tragen, sammeln sich RNA-Abschriften an, die bei der Befruchtung in die Wildtyp-Zygote gelangen und dort an das *Kit*-Gen oder seine Transkripte binden. Das vermindert die Expression von *Kit* und verursacht die weißen Fellregionen.
2. Es besteht zumindest die Möglichkeit, dass auch wenn in der Folgegeneration kein krankhaft verändertes Gen nachgewiesen werden kann, Krankheiten auf diesem Weg von Generation zu Generation übertragen werden könnten.

11 Neukombination von Genen bei der Fortpflanzung — Lösungen — Genetik

zu 11.1

1. Herstellung einer Mensch-Kuh-Hybrid-Zelle mittels therapeutischen Klonens:

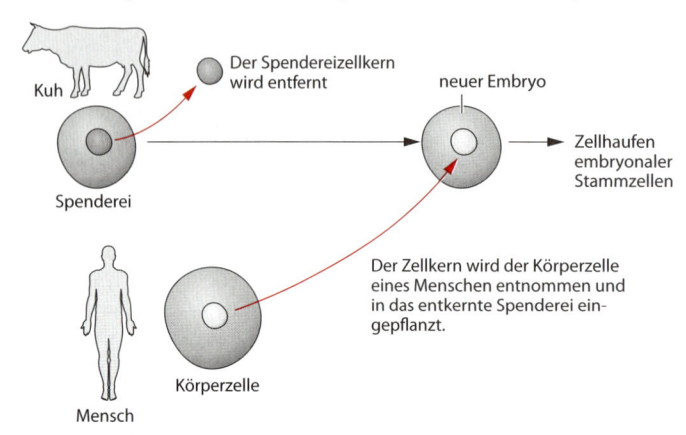

Aus einer menschlichen Zelle wird der diploide Zellkern entnommen und in eine entkernte teilungsfähige Eizelle einer Kuh überführt. Diese Zelle teilt sich so lange, bis ein Zellhaufen embryonaler Stammzellen entstanden ist. Diese Zellen können nun für Forschungs- oder Vermehrungszwecke verwendet werden.

2. Die auf diese Weise hergestellten embryonalen Stammzellen enthalten lediglich das Erbmaterial des Kernspenders, also menschliches Erbgut, das die Zellentwicklung steuert. Die fehlenden 0,1 % rühren daher, dass in der entkernten Eizelle der Kuh die Mitochondrien verbleiben, die ebenfalls Erbgut enthalten. Der Vorteil des Verfahrens liegt sicherlich in der besseren und schnelleren Verfügbarkeit der Eizellen und in dem Verzicht auf Zellen aus der menschlichen Keimbahn.

3. Die Vorteile, die Wissenschaftler in dem Verfahren sehen, wurden im Informationstext dargestellt. Gegner der Herstellung von Mensch-Kuh-Hybriden könnten ethische Probleme anmelden, da im Herstellungsprozess tierische Eizellen und menschliche Chromosomen zusammengebracht werden. Artgrenzen werden überschritten. Dies könnte die Abgrenzung zwischen Mensch und Tier untergraben.
Für die weltweite Wissenschafts-Community ergibt sich aus der Zulassung in Großbritannien ein möglicher Wettbewerbsvorteil britischer Forscher im Bereich der Stammzellenforschung.
Es muss also bei Entscheidungen für oder gegen das Verfahren zwischen einer Vielzahl von medizinischen, wissenschaftlichen, wirtschaftlichen und ethischen Aspekten abgewogen werden.

zu 11.2

1. Die Meiose dient der Reduktion eines diploiden auf einen haploiden Chromosomensatz. Diese Reduktion vollzieht sich in zwei Teilungsschritten. In der Meiose I findet zum einen ein Stückaustausch zwischen Nichtschwesterchromatiden homologer Chromosomen statt. Anschließend werden die homologen Chromosomen voneinander getrennt und zufallsmäßig auf die entstehenden Tochterzellen verteilt. In der Meiose II findet in jeder der neu gebildeten Zellen eine Trennung der Chromatiden jedes 2-Chromatid-Chromosoms statt. Das Ergebnis der Meiose sind somit haploide Keimzellen. Im männlichen Geschlecht sind dies 4 gleichförmige Spermienzellen. Bei der Frau finden die Zellteilungen inäquat (ungleich) statt, sodass am Ende der Meiose eine befruchtungsfähige Eizelle und 2 kleine Polkörperchen entstehen, die dann abgebaut werden.

2. Während der ersten Monate der eigenen Embryonalentwicklung werden aus Stammzellen ca. 400 000 Ureizellen im weiblichen Organismus gebildet, die bis zum 7. vorgeburtlichen Entwicklungsmonat die 1. meiotische Teilung bis zu einem späten Stadium der Prophase I beginnen. Alle weiblichen Keimzellen liegen bereits vorgeburtlich als Eizellen in der Prophase der Meiose vor. Sie verbleiben in diesem Stadium bis zur Pubertät. Bis zum Beginn der Pubertät sind nur noch 40 000 Eizellen vorhanden. Ein ständiger Nachschub aus Ureizellen findet während der weiblichen Gametenbildung nicht statt. Danach setzen bis zu den Wechseljahren monatlich 10 bis 50 Eizellen ihre meiotische Teilung fort, wobei jedoch im Allgemeinen nur eine Zelle die Entwicklung bis zum Eisprung schafft. Mit dem Eisprung beginnt die Eizelle die 2. meiotische Teilung. Beim Eindringen des Spermiums in die Eizelle befindet sich die Eizelle in der Metaphase II bzw. Anaphase II. Die Endstadien der Eizellbildung erfolgen in Anwesenheit des Spermakerns. Erst jetzt endet die 2. meiotische Teilung. Beim Mann beginnen die meiotischen Teilungen erst mit der Pubertät. Ein Meiosezyklus beträgt dort ca. 10 Tage und erfolgt immer wieder neu.

Lösungen — Genetik

zu 11.4 1. Auftreten und Verteilung der 4 Phänotypen in der F_2 (Verhältnis 9:3:3:1) lassen auf einen dihybriden Erbgang schließen. Nach MENDELs Vererbungsregeln ist der uniformen F_1-Generation der Genotyp *RrPp* zuzuordnen, d.h. der walnussförmige Kamm tritt immer dann auf, wenn von den beiden Genen sich mindestens 1 Allel dominant ausprägt. Der Einfachkamm tritt bei homozygot rezessivem Genotyp auf. Die homozygoten Eltern haben dann die Genotypen *RRpp* bzw. *rrPP*.

P: *RRpp* x *rrPP* F_2:

(Rp) (rP)

F_1: *RrRp*

	(RP)	(Rp)	(rP)	(rp)
(RP)	RRPP	RRPp	RrPP	RrPp
(Rp)	RRPp	RRpp	RrPp	Rrpp
(rP)	RrPP	RrPp	rrPP	rrPp
(rp)	RrPp	Rrpp	rrPp	rrpp

zu 11.5 1. Während der Meiose 1 kommt es häufig zu einem Stückaustausch zwischen homologen Chromosomen. Spezifische Enzyme katalysieren einen Bruch der jeweiligen DNA-Stränge, die dann über Kreuz wieder verknüpft werden (Crossingover). So können Allele zwischen „mütterlichen" und „väterlichen" Chromosomen ausgetauscht werden (intrachromosomale Rekombination).

2. Je weiter die beiden gekoppelten Gene auf dem Chromosom voneinander entfernt liegen, desto höher ist die Wahrscheinlichkeit, dass sich zwischen ihnen ein Crossingover ereignet, das zur Trennung der vorher gekoppelten Allele der beiden Gene und zum Kopplungsbruch führt. Das veranschaulichen auch die Ergebnisse des Experiments (hier eine grafische Darstellung der Tabellenwerte).

12 Gene und Merkmalsbildung

zu 12.2 1. Mutanten sind genetisch veränderte Lebewesen.

2. Mangelmutante 1 wächst auf Minimalnährböden, denen entweder Ornithin, Citrullin oder Arginin zugesetzt wurde. Die Typ-2-Mutante wächst nur bei Citrullin- oder Argininzusatz, die dritte Mutante nur, wenn dem Minimalnährboden Arginin zugesetzt wird.

3. In der Mangelmutante 1 verhindert ein Gendefekt die Synthese eines Enzyms, das Ornithin auf Minimalnährmedium herstellt. Ein Gendefekt hindert die Mangelmutante 2, ein Enzym zu synthetisieren, das Ornithin in Citrullin umwandelt. Mangelmutante 3 kann das Enzym nicht herstellen, das Citrullin in Arginin umwandelt. Daraus ergibt sich folgende Reihenfolge für die Stoffwechselabschnitte: Vorstufe → Ornithin → Citrullin → Arginin.

zu 12.3 1. und 2. Folgende acht Gametenkombinationen liegen vor: ABC, Abc, AbC, aBC, abC, aBc, Abc, abc. Es resultieren acht verschiedene Phänotypen mit der folgenden Häufigkeitsverteilung:

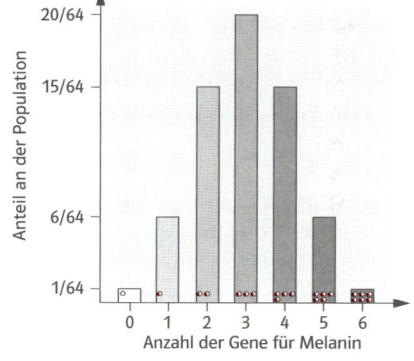

Anzahl dominanter Allele	Anteil von 64
0	1
1	6
2	15
3	20
4	15
5	6
6	1

Grafik zu Aufgabe 3   Tabelle zu Aufgabe 2

3. Bei einem dunkel- und einem hellhäutigen Elternteil sind in der Mehrzahl Kinder mit einer mitteldunklen Hautfarbe zu erwarten, da sich die Allele beider Elternteile kombinieren. Damit ein hellhäutiges und ein dunkelhäutiges Kind entstehen, muss bei der Rekombination der sehr unwahrscheinliche Fall eintreten, dass die beiden Kinder überwiegend die Allele für dunkel bzw. hell von den Eltern erhalten.
4. Die Erbinformation von eineiigen Zwillingen ist identisch. Das gilt auch für all die Gene, die für die Ausprägung der Hautfarbe verantwortlich sind. Deshalb müssten eineiige Zwillinge die gleiche Hautfarbe haben, was bei Leo und Ryan nicht zutrifft.

zu 12.4

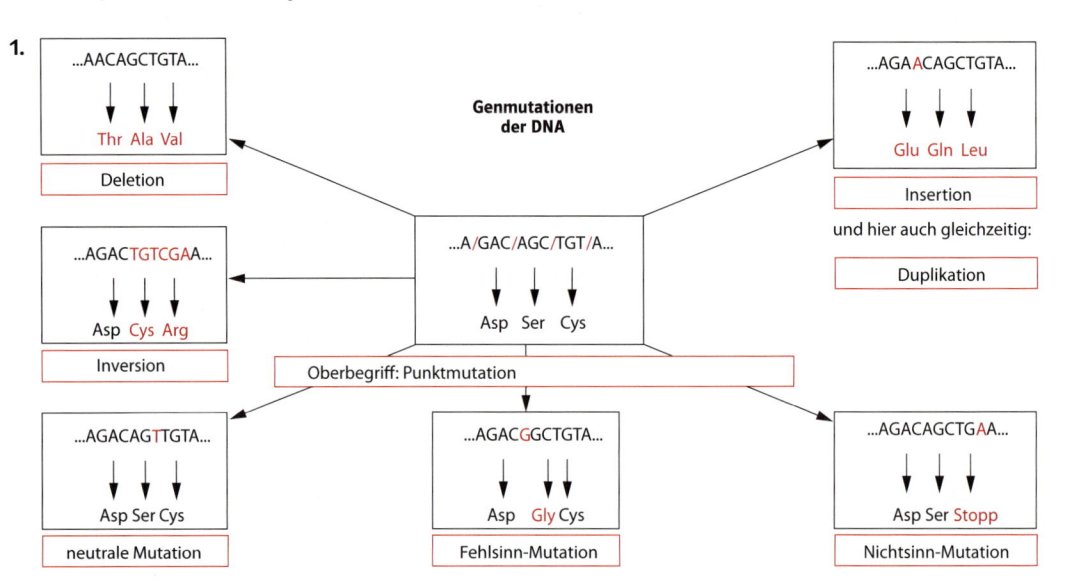

1.

```
                          Genmutationen
                             der DNA

    ...AACAGCTGTA...                          ...AGAACAGCTGTA...
         ↓ ↓ ↓                                    ↓    ↓  ↓
       Thr Ala Val                              Glu Gln Leu
        [Deletion]                               [Insertion]
                                          und hier auch gleichzeitig:
    ...AGACTGTCGAA...       ...A/GAC/AGC/TGT/A...        [Duplikation]
         ↓ ↓ ↓                   ↓   ↓   ↓
       Asp Cys Arg               Asp Ser Cys
        [Inversion]
                          [Oberbegriff: Punktmutation]

    ...AGACAGTTGTA...        ...AGACGGCTGTA...        ...AGACAGCTGAA...
         ↓ ↓ ↓                    ↓ ↓ ↓                    ↓ ↓ ↓
       Asp Ser Cys              Asp Gly Cys              Asp Ser Stopp
     [neutrale Mutation]      [Fehlsinn-Mutation]      [Nichtsinn-Mutation]
```

2. Deletion, Insertion und Inversion führen zu Änderungen in der Aminosäuresequenz. Dies hat zur Folge, dass die eigentlichen Proteine nicht gebildet werden können. Am unproblematischsten sind die neutralen Mutationen. Sie haben keinerlei Auswirkungen auf die Aminosäurezusammensetzung des resultierenden Peptids. Fehlsinn-Mutationen führen zu einer falschen Aminosäure im Polypeptid. Es hängt hier von der Aminosäure und ihrer Funktion für die Sekundär- oder Tertiärstruktur des Proteins ab, welche Folge diese Mutation hat. Eine Nichtsinn-Mutation führt zu einem Abbruch der Translation, sodass kein vollständiges Protein gebildet werden kann. Die Progerie wird durch eine Fehlsinn-Mutation hervorgerufen.
3. Für die Durchführung pränataler Diagnostik spricht, dass Krankheiten und deren Auftrittswahrscheinlichkeit schon vorgeburtlich erkannt werden können. Bei einer Unvereinbarkeit mit dem Leben (nur in wenigen Fällen eindeutig definiert) kann ein vorzeitiger Schwangerschaftsabbruch vorgenommen werden, der die Eltern psychisch entlastet. Bedeutender ist jedoch, dass die Eltern sich auf die Erkrankung ihres Kindes vorbereiten können und nicht bei der Geburt überrascht werden. So kann der Säugling direkt nach der Geburt optimal medizinisch versorgt werden. Manchmal kann auch schon vor Ausbruch der Krankheit eine Therapie eingeleitet werden, die den Beginn herauszögert oder die Ausprägung abschwächt. All dies sind jedoch nur Vorteile, solange es eine Therapie der Krankheit gibt. Auf Krankheiten, für die es keine Therapie gibt, ist auch ein pränataler Test nur bedingt sinnvoll. Die Eltern wissen zwar um die Erkrankung ihres Kindes, können jedoch nicht helfen. Dies kann dann eher noch zu psychischen Problemen bei den Eltern führen. Auch stellt die Diagnostik ein, wenn auch geringes, Risiko für das ungeborene Leben dar. Generell abzulehnen ist pränatale Diagnostik als Selektionsmethode, um Kinder mit besonderen Eigenschaften „auszuwählen". Dies gilt auch in Bezug auf Krankheiten, die mit dem Leben des Kindes vereinbar sind.

zu 12.6

1. Der Saatweizen ist hexaploid, enthält also sechs Chromosomensätze. Dabei sind die diploiden Chromosomensätze von drei Arten vereinigt. Diese Alloploidisierung fand in mehreren Schritten statt. Zunächst bastadisierten das Wildeinkorn (AA) und der wilde Spelzweizen (BB), anschließend polyploidisierten sie zum Wildemmer (AABB). Eine weitere Bastardisierung und Polyploidisierung mit Walch (DD) führte dann zur Bildung des Saatweizens (AABBDD).
2. Nur dann, wenn in der Meiose bei der Homologenpaarung alle Chromosomen einen Partner finden, werden befruchtungsfähige Keimzellen gebildet. Bei der Kreuzung unterschiedlicher Arten bilden

die haploiden Chromosomensätze der Partner keine (vollständige) Homologenpaarung aus. Die ungepaarten Chromosomen werden zufällig auf die Tochterzellen verteilt, wodurch unvollständige Chromosomensätze entstehen. Es muss hier also zunächst eine Vervielfältigung (Allopolyploidie) der Chromosomen stattfinden, damit sich wieder befruchtungsfähige Keimzellen bilden können.

3. Abb. 2 stellt den Anteil polyploider Pflanzen in Europa in Abhängigkeit von der geografischen Breite dar. Dabei stellt man fest, dass der Anteil polyploider Arten von Süden nach Norden und vom Flachland ins Gebirge hin zunimmt.
Daraus ist zu schließen, dass polyploide Arten anpassungs- und widerstandsfähiger an Extremstandorten sind, sodass sie sich in kälteren Gebieten besser ausbreiten konnten als die diploiden Pflanzen. In der nacheiszeitlichen Besiedelung hatten die Pflanzen so wohl auch einen Selektionsvorteil.

13 Entwicklungsgenetik

zu 13.1
1. 8-Zellstadium **ⓐ**, 2-Zellstadium **ⓑ**, Gastrula **ⓒ**, 4-Zellstadium **ⓓ**. Reihenfolge: **ⓑ** → **ⓓ** → **ⓐ** → **ⓒ**.
Die durch die Befruchtung ausgelöste Mitose beginnt mit zwei Zellteilungen, die durch die Zellpole der Zygote verlaufen (meridionale Teilung). Es entstehen erst zwei (Abb. 13.1**ⓑ**), dann vier gleich große Zellen (Blastomere; Abb. 13.1**ⓓ**). Diese teilen sich weiter, ohne dass das Plasma zunimmt. (Hinweis: Die Teilung zum 8-Zellstadium erfolgt äquatorial.) Es folgen weitere (meridionale und äquatoriale) Teilungen, bis das bewimperte Blastulastadium erreicht ist. Es liegt eine Hohlkugel aus Zellen vor, deren Schicksale bereits festgelegt sind. Es folgt die Gastrulation. Dabei werden durch Zellbewegungen und -verlagerungen die drei Keimblätter angelegt, aus denen später die Organe des Seeigels hervorgehen. Die gebildete Gastrula (Abb. 13.1**ⓒ**) besitzt einen Urdarm (Entoderm), der mit dem Urmund nach außen mündet. Die äußere Zellschicht wird zum Ektoderm, aus der Haut und Nervenzellen hervorgehen. Aus der Gastrula entwickelt sich die Pluteus-Larve.
2. Aus beiden Blastomeren geht je ein vollständiger, wenn auch, wie zu erwarten, verkleinerter Embryo hervor. In diesem frühen Zweizellstadium der Zellteilung sind die Zellen noch omnipotent, in ihrer Entwicklung noch nicht festgelegt.

zu 13.2
1. Bei beiden Experimenten wird einem Wildtyp bicoid-mRNA entnommen und an eine bestimmte Stelle einer bicoid-Mutante injiziert. Beim ersten Experiment wird die mRNA in den vorderen Bereich der bicoid-Mutante injiziert, dort wo sich die bicoid-mRNA auch bei Wildtyp-Eiern befindet. Im zweiten Versuch wird die mRNA in die Mitte des Eies transferiert.
Wird die bicoid-mRNA in den vorderen Bereich der Mutante injiziert, so entwickelt sich eine normalisierte Larve, die Kopf und Hinterteil und damit eine Polarität aufweist. Hier zeigt sich, dass die bicoid-mRNA essenziell für die Larvalentwicklung ist. Eine völlige Wiederherstellung ist schwierig, weil genau die richtige Menge von bicoid-mRNA injiziert werden müsste.
Wird die bicoid-mRNA in der Mitte des Eies injiziert, entwickelt sich eine Larve, die von der Eimitte aus zwei Vorderenden entwickelt. Dieses Experiment belegt, dass ein Gradient des *BCD*-Proteins für die Ausbildung der Polarität verantwortlich ist. Es löst in hohen Konzentrationen die Kopf- und Brustbildung der Larven aus.
2. Es würde sich eine Larve mit zwei Köpfen und sich jeweils daran anschließenden Brustsegmenten entwickeln.

zu 13.5
1. Bei der Nekrose gehen Zellen durch äußere Einflüsse (z. B. Verbrennungen, Vergiftungen, Strahlung oder mechanische Verletzungen) zugrunde. (Hinweis: Diese führen in größeren Bereichen des Gewebes zum Anschwellen der Zellorganellen.) Die Folge ist das Platzen der Zelle. Dadurch werden Stoffe aus dem Cytoplasma freigesetzt, die Fresszellen anlocken. (Es wird eine Entzündungsreaktion hervorgerufen.)
Bei der Apoptose läuft ein genetisch gesteuertes Programm ab. Die einzelnen betroffenen Zellen reagieren auf Signale von innen, auch wenn sich die Auslöser des Signals außerhalb der Zelle befinden. Die Zelle zerfällt in membranumschlossene Vesikel, die von Nachbar- oder Fresszellen eliminiert werden. (Hinweis: Dabei bleibt jeweils die Zellmembran unbeschädigt, sodass keine Entzündungsreaktion eintritt.)

2. Nekrosen resultieren aus aktiv von außen zugeführten Verletzungen. Der Zelltod wird somit durch Einfluss von außerhalb des Körpers hervorgerufen. Dem gegenüber ist die Apoptose ein programmierter Zelltod, der aus der Zelle heraus selbst ausgelöst wird.
3. Bei der extremitätenlosen Froschlarve, der Kaulquappe, entwickeln sich zunächst die Hinterbeine, dann die Vorderbeine und zuletzt bildet sich schrittweise der Ruderschwanz zurück. Die Schwanzrückbildung geschieht durch genetisch programmiertes Absterben der Schwanzzellen, also durch Apoptose, die einem genauen zeitlichen Ablauf folgt.
4. Der Sonnenbrand ist eine Nekrose: Die durch die UV-Strahlen der Sonne geschädigten Zellen schwellen an, sie platzen und es entsteht die mit der Entzündungsreaktion einhergehende Hautrötung.

zu 13.6

1. Auslöser des Gebärmutterhalskrebses ist eine Infektion mit humanen Papilomaviren, die durch Geschlechtsverkehr übertragen werden. In 9 von 10 Fällen verläuft die Infektion harmlos. Die virale DNA dringt in den Zellkern der Keimschichtepithelzellen der Gebärmutterschleimhaut ein und stimuliert die Zelle dazu, sich zu replizieren. Äußeres Zeichen der nun wachsenden Epithelschicht sind Genitalwarzen. In einem von zehn Fällen integriert sich die Virus-DNA jedoch in das Genom der Keimschichtepithelzellen und nutzt deren Mechanismen zur eigenen Vermehrung. Wesentlich für die Krebsentstehung sind dabei zwei Genprodukte. Das vom viralen E7-Gen codierte Protein schaltet ein Wirtsgen aus, das normalerweise die Zell-Replikation kontrolliert. Gleichzeitig blockiert das vom viralen E6-Gen codierte Protein die Funktion eines Schutzproteins der Wirtszelle, das normalerweise bei Zellen, die sich unnormal häufig teilen, den programmierten Zelltod auslöst. Beides führt zu unkontrollierter Zellteilung der Epithelzelle und ermöglicht, nach 10 bis 13 Jahren, durch weitere genetische Veränderungen die Tumorbildung.

14 Anwendungen und Methoden der Gentechnik

zu 14.1

1. Aus menschlichen Insulin produzierenden Zellen wird zuerst die mRNA für das Insulin-Gen durch Aufschluss der Zellen und Aufreinigung gewonnen. In vitro wird diese dann mittels des bakteriellen Enzyms Reverse Transkriptase in eine cDNA umgeschrieben. Diese wird dann mittels PCR vervielfältigt und mittels Restriktionsenzymen zurechtgeschnitten.
Gleichzeitig werden aus Bakterien durch Zellaufschluss und Reinigung Plasmide isoliert. Diese werden dann ebenfalls mit Restriktionsenzymen geschnitten und mit der geschnittenen cDNA zusammengegeben. Durch Zufügen des Enzyms Ligase werden die Insulin-Gene in die Plasmide integriert und in Bakterienzellen eingebracht, die dann menschliches Insulin produzieren. Dieses wird danach durch Aufschluss der Zellen gewonnen, gereinigt und zur Herstellung des Insulin-Präparats verwendet.
2. Im Vergleich zum menschlichen Insulin-Gen enthält die DNA von Bakterien keine nicht codierenden Bereiche. Als Prokaryot enthält das Bakterium deshalb auch keine Enzyme zum Spleißen von mRNA. Deshalb darf die ins Bakteriengenom eingefügte Insulin-Gensequenz nur codierende Bereiche enthalten. Mittels des Enzyms Reverse Transkriptase wird die mRNA des Insulin-Gens in eine entsprechende DNA-Sequenz umgeschrieben.
3. Müssten alle Diabetiker weltweit mit Insulin aus Bauchspeicheldrüsengewebe von Schlachttieren versorgt werden, wäre mit einer Insulinverknappung zu rechnen, zumal auch das stetige Bevölkerungswachstum und der veränderte Lebenswandel zu weiterem Anstieg führen werden.
Das Rinderinsulin zeigt drei, das Schweineinsulin nur zwei Unterschiede in der Aminosäuresequenz gegenüber dem Humaninsulin. Hinsichtlich der Funktion gibt es keine Unterschiede, wohl aber besteht die Gefahr allergischer Reaktionen. Bei gentechnisch hergestelltem Humaninsulin besteht diese Gefahr nicht.

zu 14.2

1. Zur Erstellung eines genetischen Fingerabdrucks werden Wiederholungssequenzen im nicht codierenden Bereich der DNA, sogenannte Short Tandem Repeats (STRs) herangezogen. Die Wiederholungshäufigkeit der 2 bis 6 Basenpaare großen Sequenzen ist charakteristisch für jede Person. Der Vergleich von etwa 6 verschiedenen STR-Sequenzen erlaubt eine eindeutige Charakterisierung. Für den genetischen Fingerabdruck wird zunächst DNA isoliert, dann werden die interessanten STR-Sequenzen mittels PCR vervielfältigt und die DNA-Fragmente mittels Gel-Elektrophorese getrennt. Der Vergleich der Bandenmuster diverser DNA-Proben klärt die Verwandtschaft der Probengeber auf.

zu 14.4

1. Der Einsatz von Gentests kann im Bereich der Früherkennung und damit für die frühe Behandlung bestimmter Krankheiten sehr sinnvoll sein. Andererseits kann die Veranlagung für Krankheiten ebenfalls für Versicherungsabschlüsse interessant sein bzw. im Rahmen von Einstellungsuntersuchungen, um die Belastbarkeit und Tauglichkeit des Arbeitnehmers zu überprüfen. Eine weitere Einsatzmöglichkeit sind sogenannte „life-style"-Tests, mit denen z. B. auf Gene getestet wird, denen für Musikalität eine besondere Bedeutung zugesprochen wird. Auch der Traumpartner ließe sich per Gentest suchen. Eine negative Auswirkung solcher Gentests könnte jedoch die Diskriminierung genetisch vorbelasteter Personen sein. Diese könnten aufgrund eines erhöhten Erkrankungsrisikos von Krankenkassen oder Arbeitgebern von Anfang an abgewiesen werden.

2. Sie können Ihre Überlegungen mit den Gesetzestexten und Entwürfen vergleichen, die Sie auf der Seite des Bundesgesundheitsministeriums http://www.bmg.bund.de unter dem Suchbegriff: „Gendiagnostikgesetz" finden.

2. DNA-Profile für polizeiliche Datenbanken werden zumeist mit Speicheltests erstellt. Hierbei könnte der Täter durch das Fahndungsraster fallen, weil sich das DNA-Muster seiner Mundschleimhaut (körpereigene Zellen) vom DNA-Muster des Tatort-Bluts, das z. B. Zellen eines Knochenmarkspenders enthält, unterscheidet. Der Verdacht gegen den Täter könnte sich zerschlagen, es sei denn, die Fahnder wüssten, dass er irgendwann eine Knochenmarkspende erhalten hat. Der Verdacht könnte sogar auf einen Unschuldigen fallen: jene Person, die dem tatsächlichen Täter Knochenmark gespendet hatte.

15 Humangenetik

zu 15.1

1.

Blutgruppe	Genotyp(en)
0	00
A	AA / A0
B	BB / B0
AB	AB

Personen im Stammbaum	Genotyp
3, 9, 11, 12, 15	00
1, 4, 6, 8, 10	A0
2, 7, 13, 14	B0
5	AB

2. Nach der dritten Mendel'schen Regel (Unabhängigkeits- bzw. Neukombinationsregel) spalten die vier Phänotypen im Verhältnis 9 : 3 : 3 : 1 auf. Unter der Annahme eines dihybriden Erbgangs müssten von 3 000 untersuchten Kindern statistisch rund 188 den Phänotyp 0 (Genotyp *aabb*) aufweisen.

3. Die Allele *A* und *B* sind gegenüber dem Allel *0* dominant. Da der Elternteil mit der Blutgruppe AB zwangsläufig eines von beiden Allelen an seine leiblichen Kinder weitergibt, können die Kinder nie die Blutgruppe 0 haben.

zu 15.2

1. *Xeroderma pigmentosum* wird rezessiv, das Marfan-Syndrom dominant vererbt. Kennzeichen für einen autosomal dominanten Erbgang: Mindestens ein Elternteil eines Merkmalsträgers ist selber Merkmalsträger, sodass die Krankheit in jeder Generation auftritt. Gesunde Kinder kranker Eltern vererben das Merkmal nicht an ihre Nachkommen. Kennzeichen für einen autosomal rezessiven Erbgang: Die Eltern von Merkmalsträgern sind nicht immer von der Krankheit betroffen.

2. Da das Marfan-Syndrom dominant vererbt wird, müssen alle Personen, die das Merkmal nicht tragen homozygot (*aa*) sein. Alle Merkmalsträger sind heterozygot (*Aa*) für das Merkmal. Die einzige Ausnahme bildet hier die Person 13, die entweder homozygoter (*AA*) oder heterozygoter (*Aa*) Merkmalsträger ist.

3. Die Vererbungslehre lässt darauf schließen, dass Inzest das Auftreten von Erbkrankheiten erhöht. Sehr viele Krankheiten werden autosomal rezessiv vererbt. Sie kommen nur zur Ausprägung, wenn das betreffende Allel homozygot vorliegt. Für viele Krankheiten sind die Menschen jedoch heterozygote Überträger. Zeugen eng verwandte Personen (Verwandte ersten Grades) Kinder miteinander, so ist die Gefahr ungleich größer, dass es bei den Kindern zur Ausprägung eines rezessiven Merkmals kommt.

zu **15.3** 1. Die erbliche Nachtblindheit wird X-chromosomal dominant vererbt. Alle gesunden Frauen tragen den Genotyp $X_n X_n$, die Männer $X_n Y$. Die kranken Frauen im Stammbaum weisen den Genotyp $X_N X_n$, die Männer $X_N Y$ auf. Die Ohrmuschelbehaarung wird Y-chromosomal vererbt. Die erkrankten Männer tragen den Genotyp XY_H, alle gesunden Männer XY_h. Die Frauen tragen alle den Genotyp XX.

2.

Merkmalsausprägung	ⓐ	ⓑ	ⓒ	ⓓ
bei Söhnen	50 % krank	gesund	50 % krank	gesund
bei Töchtern	50 % krank	krank	50 % Überträger	alle Überträger

16 Die Immunabwehr

zu **16.3** 1.

Blutgruppe (Phänotyp)	Antigen auf den roten Blutzellen	Antikörper im Plasma
A	A	Anti-B
B	B	Anti-A
AB	A und B	nicht vorhanden
0	keine	Anti-A und Anti-B

2.

	Anti-A	Anti-B
A	verklumpt	verklumpt nicht
B	verklumpt nicht	verklumpt
AB	verklumpt	verklumpt
0	verklumpt nicht	verklumpt nicht

3. Während des Geburtsvorgangs kann es zu einer Vermischung des bisher durch die Plazenta getrennten Blutes des Kindes mit dem der Mutter kommen. Dadurch werden im rh--Blut der Mutter Antikörper gegen das Antigen D gebildet, die von nun an im Blut enthalten sind. Im Gegensatz zu Blutzellen können aber Antigene die Plazentaschranke überwinden. Dies ist bedeutend bei einer erneuten Schwangerschaft mit einem Rh+-Fetus. Die dann über die Plazenta übertragenen Antiköper können nun die roten Blutzellen des Fetus zerstören. (Hinweis zu Ihrer Information: Heute injiziert man der Rh--Mutter zwischen der 28. und 30. Woche sowie in den ersten 72 Stunden nach der Geburt des ersten Rh+-Kindes Antikörper gegen D und verhindert so, dass das Immunsystem der Mutter selbst Antikörper bildet.)

zu **16.5** 1. Nachdem Antigene bei der unspezifischen Immunabwehr entdeckt wurden, phagocytieren dendritische Zellen und B-Zellen diese und präsentieren Antigenfragmente auf ihren MHC-II-Rezeptoren. Unreife T-Helferzellen, deren T-Zellrezeptor spezifisch für das präsentierte Antigen ist, binden mit ihrem CD4-Corezeptor an den MHC-II-Rezeptor. Die so aktivierten reifen T-Helferzellen stimulieren weitere das Antigen präsentierende B-Zellen über Cytokine zur Vermehrung und Differenzierung. Die daraus resultierenden Plasmazellen produzieren nun freie Antikörper, die an die Erregerzelle binden können. B-Gedächtniszellen werden gebildet. Cytotoxische T-Zellen binden unter Beteiligung des CD8-Corezeptors mit ihrem T-Zellrezeptor das im MHC I präsentierte Antigen, das von einem Viruspartikel stammt. Cytokine bewirken eine Differenzierung zu reifen cytotoxischen T-Zellen. Eine Körperzelle, die an ihrem MHC-I-Rezeptor ein Antigen gebunden hat, wird von den cytotoxischen T-Zellen als infiziert erkannt. Das von den Killerzellen ausgeschüttete Perforin durchlöchert die Zellmembran, weitere ausgeschüttete abbauende Enzyme leiten die Apoptose der Körperzelle ein. Darüber hinaus differenzieren sie sich zu Gedächtniszellen.

2. Beim erstmaligen Kontakt eines Organismus mit einem neuen Erreger besitzt sein Immunsystem keine Antikörper gegen die Antigene der Erreger. Die adaptive spezifische Immunantwort muss erst ihre Aktivierungsphase durchlaufen, bis Antikörper gegen den Erreger gebildet werden können. Aus diesem

Grund bricht die Krankheit bei Erstinfektion aus. Das adaptive Immunsystem kehrt nach einer durchlebten Infektion nicht in den Ausgangszustand zurück. Die spezifischen Antikörper bleiben dauerhaft auf Gedächtniszellen zurück. Dringt der gleiche Erreger erneut in den Organismus ein, vermehren sich diese Gedächtniszellen und produzieren in wesentlich kürzerer Zeit und höherer Konzentration Anitkörpermoleküle, die die eindringenden Erreger erfolgreich bekämpfen, sodass die Krankheit nicht wieder ausbricht.

3. Ein Antikörper besteht aus 4 Polypeptidketten, 2 leichten und 2 schweren. Sie haben bei einem bestimmten Antikörpertyp immer die gleiche Aminosäuresequenz. Leichte und schwere Ketten weisen einen variablen Abschnitt auf. Die variable Region ist aus jeweils unterschiedlichen Aminosäuresequenzen aufgebaut. Antikörper bilden eine Brücke zwischen Erregern und Immunzellen. Sie binden die Erreger über die Antigenbindungsstellen in der variablen Region. Die konstante Region weist eine Rezeptorbindungsstelle auf, an der die Immunzellen binden können.

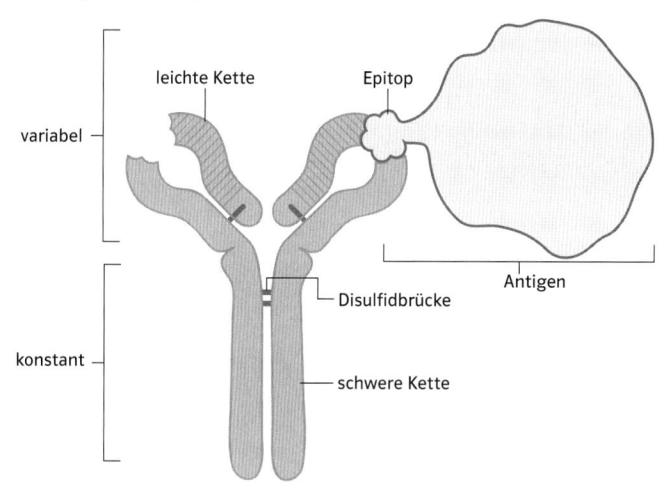

zu 16.6

1. Der Kurvenverlauf bei Person 1 zeigt eine nach der Impfung zunächst von Null ansteigende, dann nach etwa drei Wochen eine auf dem 100-%-Niveau konstante Konzentration an Antikörpern. Die Person wurde aktiv immunisiert, die Antikörper wurden durch ihr eigenes Immunsystem hergestellt. Zum Zeitpunkt der Impfung sind bei Person 2 100 % Antikörper vorhanden. Deren Konzentration nimmt kontinuierlich ab, woraus hervorgeht, dass dieser Person die Antikörper direkt injiziert wurden. Sie wurde passiv immunisiert.
2. Durch passive Immunisierung werden dem Patienten erregerspezifische Antikörper verabreicht, wodurch die Erreger in der Inkubationszeit durch eine hohe Konzentration an Antikörpern bekämpft werden können. Die passive Immunisierung überbrückt damit die Zeit, die der Körper benötigt, um durch die aktive Immunisierung angeregt, körpereigene Antikörper zu bilden. Nimmt nun die Konzentration der gespritzten Antikörper ab, so wird die Antikörperkonzentration durch die körpereigene Produktion hoch gehalten, sodass vorhandene Erreger sofort und über eine lange Zeit bekämpft werden können.
3.

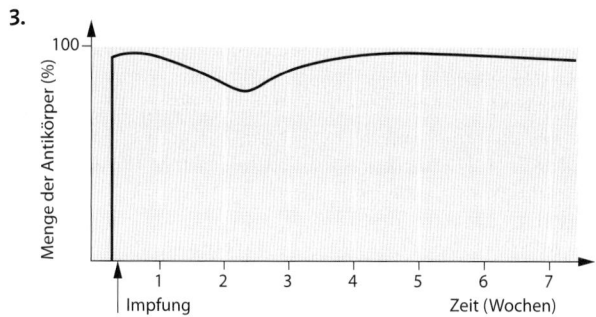

4. Bei einem langen Kuss tauschen die Partner ihre Bakterien aus. Dies löst die Primärantwort des Immunsystems und die Bildung von Gedächtniszellen aus. Bei einer späteren Infektion mit dem gleichen Erreger ist der Körper durch die schnelle und starke Sekundärreaktion geschützt.

17 Mechanismen der Evolution

Lösungen — Evolution

zu 17.2

1. Die Grafik zeigt, dass Männchen, die sich während der Paarung fressen lassen, etwa 90 % der Eier des Weibchens befruchten. Nur etwa 30 % dieser Weibchen paaren sich mit einem zweiten Männchen. Flüchtet das Männchen jedoch, befruchtet es nur 40 % der Eier, und 90 % dieser Weibchen paaren sich ein zweites Mal.
Wenn die Spinnenmännchen nur eine Partnerin im Leben finden, müssen sie bei dieser Paarung so viele Eier wie möglich befruchten. Wenn sie sich fressen lassen, dann können sie sich länger paaren, übertragen mehr Spermien und sind dadurch erfolgreicher als Männchen, die sich nicht fressen lassen.
2. Da sich Affen, wie fast alle Säugetiere, mehrmals im Leben fortpflanzen, steigt ihr Fortpflanzungserfolg (ihre reproduktive Fitness) mit dem Lebensalter. Dadurch ist die Langlebigkeit in der Evolution begünstigt. Außerdem betreiben sie mehrjährige Brutpflege mit hohem Erfolg.

zu 17.6

1. Die genetische Variabilität einer Gründerpopulation nimmt mit der Anzahl der Gründertiere schnell zu. Mit etwa 20 Tieren könnte man rund 95 % der Variabilität der natürlichen Population übernehmen. Aus Abb. 2 geht dann hervor, dass der Heterozygotiegrad schnell abnimmt, wenn die Population klein bleibt.
2. Die Probleme der Zoos bestehen u. a. darin, dass sie von den meisten gefährdeten Großtierarten nur kleine Populationen halten können. Nachzuchten verarmen genetisch mit zunehmender Anzahl von Generationen. Dadurch könnte die reproduktive Fitness immer weiter sinken. Dies lässt sich teilweise durch Austausch mit anderen Zoos beheben.
3. Von gefährdeten Arten sollten — wenn möglich — 15 bis 20 Tiere aus der Natur entnommen werden. Diese Gründerpopulation sollte dann möglichst schnell vermehrt werden, bevor die Allelvielfalt verloren geht. Dies ist u. a. auch durch Leihmütter aus verwandten, häufigeren Tierarten möglich. Weiterhin bilden die verschiedenen Zoos der Welt einen Verband, der Zuchttiere austauscht. Auch die künstliche Besamung von Weibchen in den Zoos mit Spermien von wildlebenden Männchen ist denkbar.

zu 17.7

1. In der Natur lassen sich keine Mutationen verhindern und normalerweise haben verschiedene Individuen auch unterschiedlichen Fortpflanzungserfolg. Außerdem wandern unter Naturbedingungen Tiere aus und ein. Die Forderung nach großen Populationen, um statistische Ergebnisse zu garantieren, widerspricht der Forderung, dass keine spezifische Auswahl des Partners stattfinden soll, denn in großen Verbreitungsgebieten (z. B. ganz Europa) findet keine vollständige Durchmischung des Genpools statt.
2. Die Hardy-Weinberg-Regel sagt aus, dass die Häufigkeiten von Allelen im Genpool bzw. die Häufigkeiten von Phänotypen in der Population über Generationen konstant bleiben, wenn die Voraussetzungen erfüllt sind. Die Häufigkeiten sollten von der Gleichung abweichen, wenn die Voraussetzungen nicht erfüllt sind, z. B. durch selektionsbedingtes Geringerauftreten eines Phänotyps und der entsprechenden Allele.
3. Wenn schon über Millionen Jahre konstante Umweltbedingungen herrschten, ist ein hohes Maß an Angepasstheit erreicht, sodass nahezu alle zufälligen genetischen Veränderungen ohne Selektionsvorteil sind.

zu 17.8

1. Durch Einsetzen und Kürzen erhält man $O/V = 3/r$. Je größer der Radius der Kugel ist, desto geringer ist die Oberfläche pro Volumeneinheit. Da größere Kugeln eine relativ kleinere Oberfläche besitzen als kleinere und eine größere Wärmemenge gespeichert haben, kühlen sie langsamer ab.
2. Unter Aktualismus oder Aktualitätsprinzip versteht man die Annahme, dass Gesetzmäßigkeiten, die heute gelten, auch in der Vergangenheit so gegolten haben. Da niemand in die Vergangenheit zurück kann, ist diese Annahme nicht beweisbar. Es spricht aber auch nichts gegen diese Annahme, sondern alle Erfahrung dafür. Hinter den Versuchen von BUFFON und den Beobachtungen von LEYELL steht genau dieses Prinzip.

zu 17.9

1. Würden die Naturwissenschaften übernatürliche, nicht belegbare Kräfte als Erklärung akzeptieren, wären alle Lösungsvorschläge nicht mehr kausal überprüfbar.
2. Die Rede lässt sich darauf aufbauen, dass zunächst die Grundregeln der Naturwissenschaften erläutert werden. Daraus lässt sich ableiten, dass die biblische Schöpfungsgeschichte nicht in den Bereich der Naturwissenschaften gehört. Darüber hinaus müssten dann die Schöpfungsgeschichten aller anderen Religionen auch unterrichtet werden, da auch sie nicht als falsch widerlegt werden können.

18 Konsequenzen der Evolution

Lösungen — Evolution

zu 18.1
1. Wenn ein Körper seine Form beibehält, aber größer wird, dann wächst sein Volumen und entsprechend seine Masse mit der dritten Potenz und alle Flächen mit der zweiten Potenz. Dies gilt auch für Lebewesen. Daraus folgt, dass bei einer Vogelart, die in der Evolution größer wird, die Flügelflächen pro Flächeneinheit eine immer größere Masse tragen müssen, was bedeutet, dass die Flügelflächenbelastung steigt. Wenn die Flächenbelastung gleich bleiben soll, muss die Flügelfläche schneller wachsen als der Restkörper.
2. Um gut tauchen zu können, sollte ein Vogel schwer sein und zum Antrieb unter Wasser möglichst kleine Flügel besitzen. Für die Flugfähigkeit ist genau das Gegenteil der Fall. Zwischen diesen Forderungen muss die einzelne Art, je nach ökologischen Ansprüchen, einen Kompromiss finden. Hervorragende Flieger wie die Albatrosse können nicht tauchen und besonders gute Taucher wie der Riesenalk und die Pinguine haben die Flugfähigkeit in der Evolution ganz verloren. (Hinweis: Die kleinen und mittelgroßen Alkenarten können gut tauchen, dies aber nicht so lange und so tief wie Pinguine. Dafür reicht ihre Flugfähigkeit aber noch aus, um ihre Nester in den steilen Brutfelsen zu erreichen.)

zu 18.3
1. Während des über 14 Tage laufenden Versuchs wurde in der ersten Woche eine geringe Zahl rotgestreifter Attrappen vorgegeben. In der zweiten Woche dagegen wurden die rotgestreiften Exemplare häufig und die ungestreiften selten. Wie der Kurve der Überlebensrate zu entnehmen ist, ist diese bei den rotgestreiften Attrappen, im Vergleich zu derjenigen der ungestreiften, wesentlich höher. In der zweiten Woche kehren sich diese Werte um. Daraus folgt, dass die jeweils seltenere Form bessere Überlebenschancen hat.
2. Die Häher lernen, welche Form häufiger ist und stellen ihr Suchbild auf diese Form ein. Wenn sie gezielt nach der häufigeren Beute suchen, finden sie die seltenere Form besonders selten. Da sie von der häufigeren Form in der gleichen Zeit mehr finden können, ist die konzentrierte Suche nach der häufigeren Beute im Sinne der Kosten-Nutzen-Bilanz sinnvoll.
3. Wie schon aus der Grafik ersichtlich, stellen die Räuber ihre Suche auf die Beuteform um, die in größerer Zahl vorhanden ist. Wenn durch längere Bejagung eine Form seltener wird als die andere, wird genau das passieren, eine Ausrottung einer Form ist dadurch sehr unwahrscheinlich.

zu 18.5
1. MÖLLER fing Rauchschwalbenmännchen und schnitt bei drei Teilgruppen ein Stück aus den Schwanzfedern. Dieses herausgeschnittene Stück klebte er Männchen aus einer anderen Gruppe in ihre Schwanzfedern ein. Dadurch besaß eine Gruppe verlängerte und die andere verkürzte Schwanzfedern. Bei einer weiteren Gruppe schnitt er ein Stück heraus und klebte es denselben Vögeln wieder ein (Kontrollgruppe 1). Tiere der Kontrollgruppe 2 fing er nur ein und ließ sie wieder fliegen. Anhand der Kontrollgruppen soll festgestellt werden, ob das Einfangen oder die geklebten Federn eine Auswirkung auf die Wahl der Weibchen haben.
2. Wenn die Weibchen ihre Partner nach der Schwanzfederlänge auswählen, sind diese gesund und wenig parasitiert, besitzen also ein gutes Immunsystem. Dieses Merkmal kann nicht gefälscht werden.
3. Mit langen Schwanzfedern finden die Männchen früher als andere eine Partnerin (Selektionsvorteil). Sie sind aber beim Beutefang erfolgloser (Selektionsnachteil). Dieser Widerspruch muss zu einem Kompromiss führen.

zu 18.7
1. Neue Haremshalter töten Jungtiere, deren Väter sie nicht sind. Der Geburtenabstand der Weibchen verkürzt sich dadurch. Die neuen Männchen töten hauptsächlich Jungtiere unter 10 Monaten und männliche Tiere.
2. Da in 60 % der Fälle neue Haremshalter die Gruppe weniger als 3 Jahre führen, würden die Weibchen bei einem Geburtenabstand von 15 Monaten und einem Zeitverlust durch das Aufziehen der Jungen des Vorgängers nur ein Junges für den Neuen produzieren, wenn dieser keinen Infantizid begeht. Verkürzt sich der Geburtenabstand, können sie in drei Jahren zwei Junge großziehen.
3. Durch eine Verweigerung würden die Weibchen drei Jahre keinen Nachwuchs bekommen und so ihre eigene Fitness senken.

19 Die Entstehung von Arten — Lösungen — Evolution

zu 19.1
1. Von den acht Frosch- bzw. Krötenarten laichen nur zweimal zwei Arten zur gleichen Zeit ab. Alle anderen nutzen jeweils eigene Zeitfenster, die sich nur wenig überschneiden. Sie unterliegen der zeitlichen Isolation. Die zeitgleich laichenden Arten wiederum nutzen verschiedene Gewässertypen und sind daher räumlich isoliert. Die wenigen Tiere verschiedener Arten, die zeitgleich im selben Gewässer sind, sind durch ihr Verhalten und ihre Rufe isoliert.
2. Da bei äußerer Befruchtung Bastardierungen leichter vorkommen können, ist räumliche oder zeitliche Trennung die sicherste Form der Isolation.

zu 19.2
1. Die Schnabellängen und Kopfzeichnungen der Kleiber sind in den alleinigen Vorkommensgebieten sehr ähnlich, unterscheiden sich aber im Überlappungsbereich stark bezüglich Schnabelgröße und Form des schwarzen Flecks.
2. Die gemeinsame Nische nach der Eiszeit führte zu Nahrungskonkurrenz. Unterschiede in der bevorzugten Nahrung können zu erhöhter reproduktiver Fitness geführt haben. Transformierende Selektion bezüglich Schnabelform- und länge sind Ursache der Unterschiede. Gleiches gilt möglicherweise für die Färbung (den schwarzen Augenstrich). Kleiber, die einen falschen Partner von der anderen Art für die Fortpflanzung wählten, hatten möglicherweise keinen oder weniger Nachwuchs als diejenigen, die den richtigen Partner an kleinen Unterschieden erkennen konnten. Dies führte zur Herausbildung stärkerer Zeichnungsunterschiede.

zu 19.4
1. Grafik 1 **a**) sagt aus, dass die frühesten Vorfahren der modernen Lungenfische vor etwa 320 Mio. Jahren lebten, sie besaßen nur wenige Merkmale der modernen Form. In den folgenden 100 bis 120 Mio. Jahren haben die Vorfahren etwa 80 % der heutigen Merkmale erworben und in den rund 250 Mio. Jahren danach die restlichen 20 %. Grafik 1 **b** beschreibt die Anzahl der Veränderungen pro Zeiteinheit und damit die Veränderungsgeschwindigkeit. Diese war, wie schon aus 1 **a**) ablesbar, zwischen 330 und 250 Mio. Jahre vor heute am höchsten und hat sich dann abgeschwächt.
2. Wenn durch Neumutationen ein bislang unerschlossener Lebensraum besiedelt wird, sind diese Pioniere noch nicht gut an den neuen Lebensraum angepasst. Sie können dann in der Folgezeit durch transformierende Selektion immer besser angepasst werden. Wird ihre Angepasstheit immer besser, sinkt die Evolutionsgeschwindigkeit. Bei optimaler Angepasstheit und konstanten Umweltbedingungen kommt es zu stabilisierender Selektion, und die Art verändert sich kaum noch.

20 Evolution als historisches Ereignis

zu 20.1
1. Unter der Einwirkung von kosmischer Strahlung entsteht in der oberen Atmosphäre radioaktives ^{14}C, das in Form von CO_2 von den Pflanzen aufgenommen und so in den Kohlenstoffkreislauf eingespeist wird. Über die Nahrungsketten enthalten so alle Lebewesen ^{14}C. Nach dem Tod der Organismen gelangt kein weiteres ^{14}C in den Körper, vorhandenes zerfällt mit der Zeit.
2. Die ^{14}C-Konzentration in der Atmosphäre wird durch die kosmische Strahlung permanent erhöht und gleichzeitig durch den radioaktiven Zerfall gesenkt. Beide Vorgänge laufen mit konstanter Geschwindigkeit ab. Dadurch wird sich in der Atmosphäre eine konstante ^{14}C-Konzentration einstellen, bei der pro Zeiteinheit gleiche Mengen gebildet werden und zerfallen (Fließgleichgewicht).
3. Nach 5730 Jahren sind 50 % des radioaktiven Kohlenstoffs zerfallen, nach 11460 Jahren sind noch 25 % erhalten und nach 17190 Jahren noch 12,5 %. Daraus ergibt sich die folgende Kurve:

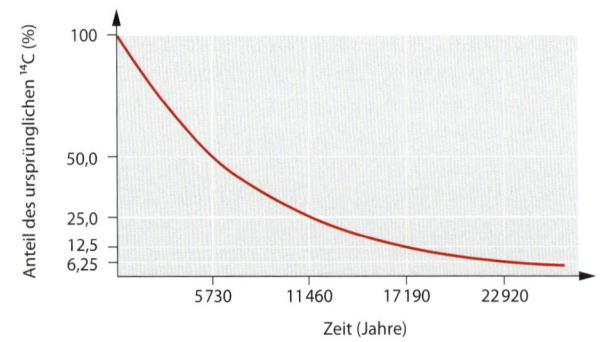

zu 20.4

1. Das Referat sollte folgende Aussagen enthalten: Die Ribosomen der Prokaryoten stimmen im Bau mit denen der Mitochondrien und Chloroplasten überein. Die innere Membran der Zellorganellen besitzt kein Cholesterol und stimmt mit der Prokaryotenmembran überein, während ihre äußere Membran derjenigen von Eucyten entspricht. Auch das DNA-Molekül und die Funktionsfähigkeit außerhalb von Zellen der Chloroplasten und Mitochondrien belegt ihre Herkunft aus Prokaryoten.

zu 20.6

1. Im Gegensatz zu modernen Fledermäusen trägt *Onychonycteris* noch an allen Fingern eine Kralle und besitzt relativ kleine Ohren, aber vergleichsweise große Augen. Dies spricht für Ursprünglichkeit und stärkere optische Orientierung.
2. Bei heutigen Fledermäusen ist das knöcherne Innenohr im Verhältnis zur Breite der Schädelbasis groß. Bei Flughunden, die sich nicht mit Ultraschall orientieren, ist das Innenohr kleiner. Da die Breite des knöchernen Innenohrs bei *Onychonycteris* derjenigen von modernen Flughunden entspricht, hat er vermutlich keine Ultraschallortung besessen, also war die Flugfähigkeit zuerst da.

zu 20.7

1. Da Mutationen mit einer konstanten Rate auftreten, ist die Anzahl der angesammelten Mutationen ein Hinweis auf die Zeit, die seit dem Auftrennen der betrachteten Arten von einem gemeinsamen Vorfahren vergangen ist. Damit sind die Werte auch ein Maß für verwandtschaftliche Nähe.
2. Da der kleinste TS-Wert zwischen Schimpanse und Bonobo liegt, müssen diese beiden Arten Ergebnis der jüngsten Aufspaltung sein ⓐ, ⓑ. Der Mensch ⓒ hat zu beiden den geringsten Abstand von den übrigen Arten. Der Abstand zum Orang-Utan ⓓ ist größer als der zum Gorilla ⓔ.
3. Für ein Ablesen der konkreten Zeitangaben muss man nur die waagerechten Linien des Stammbaums nach rechts zur Zeitachse verlängern. Die Aufspaltungen müssen demnach vor ca. 16, 9, 7 bzw. 2 Mio. Jahren stattgefunden haben.

21 Evolution des Menschen

zu 21.2

1. Die Abbildungen zeigen, dass die schräg nach vorne gerichtete Kraft der Beine in einen senkrechten Anteil, der den Körper aufrecht hält, und einen waagerechten Anteil, der den Körper vortreibt, zerlegt werden kann. Um den Vortriebsvektor möglichst groß werden zu lassen, müssen die Beine und damit der gesamte Körper möglichst schräg nach vorne ausgerichtet sein. Daraus folgt im Umkehrschluss, dass die aufrechte Körperhaltung die langsamste Gangart zur Folge haben muss.
2. Die aufrechte Körperhaltung führt zu einem besseren Überblick beim Sichern in der Savanne und ermöglicht durch die freien Hände den Transport von Gegenständen und die Benutzung von Werkzeugen. Außerdem bietet der aufrecht gehende Mensch der intensiven tropischen Sonneneinstrahlung weniger Fläche. Viele Steppentiere sichern auf zwei Beinen, aber alle flüchten vierbeinig. Die meisten sind besonders schnelle Fluchttiere. Ein Verlust an Geschwindigkeit hätte große Nachteile gehabt. Eine Evolution des aufrechten Gangs im sichereren Wald wäre eher denkbar.

zu 21.4

1. Menschengruppen, die noch in den ursprünglichen Verbreitungsgebieten leben, sind in der Nähe des Äquators stärker pigmentiert als in den gemäßigten Breiten.
2. UV-Strahlung führt einerseits zur Bildung von Vitamin D, das das Immunsystem und den Knochenbau fördert, andererseits kann sie Folsäure im Blut zerstören und so zu Unfruchtbarkeit von Frauen und zu Missbildungen bei Neugeborenen führen. Pigmente müssen also so viel Strahlung durchlassen, dass genug Strahlung eindringt, um ausreichend Vitamin D zu bilden, aber genug absorbieren, um Schäden durch Folsäuremangel zu verhindern. Dafür sind bei unterschiedlichen Strahlungsintensitäten unterschiedliche Pigmentierungsstärken nötig. (Hinweis: Pigmente schützen auch vor Hautkrebs.)

zu 21.6
1. Am Helm einer Rüstung von 1600 sind stabile Seitenteile fest montiert. Mit Zunahme der Beweglichkeit in der Waffentechnik hat man diese Teile im Laufe der Jahre sowohl verkleinert als auch durch Untergliederung in ein Schuppenband verwandelt. Dieses Schuppenband verliert im 19. bis 20. Jahrhundert seine Haltefunktion und wird nach oben und später sogar nach hinten geklappt. Als wieder ein Kinnriemen nötig wurde, behielt das Schuppenband seine Zierfunktion, und es wurde ein neuer Kinnriemen ergänzt. Aus einem Element mit Schutzfunktion wurde eines mit Halte- und dann mit Zierfunktion.
2. Da man Religionen und Kunst nicht an objektiven Kriterien als besser oder schlechter bewerten kann, unterscheiden sie sich von Volk zu Volk viel stärker als deren Werkzeuge, wie z. B. ihre Messer. Geräte werden an ihrer Alltagstauglichkeit gemessen und nach entsprechenden Erfindungen durch bessere ersetzt.

22 Beziehungen zwischen Organismen und Umwelt

zu 22.1
1. Die Stechpalme kommt hauptsächlich im westlichen Europa vor. In Skandinavien ist sie nur im küstennahen südlichen Bereich zu finden, während sie östlich der Linie Kopenhagen–Salzburg und nördlich/nordöstlich der Linie Wien–Sofia sowie in den Alpen fehlt. Im südlichen Griechenland, im südwestlichen Küstenbereich Italiens sowie südlich der nordiberischen Gebirgsketten ist sie kaum zu finden.
2. Das Vorkommen der Stechpalme wird beispielsweise durch die abiotischen Faktoren Niederschlag, Temperatur, Luftfeuchte, Bodenart, Wind und Licht bestimmt. Tiere als biotische Faktoren beeinflussen z. B. durch Samenverbreitung, Verbiss und Vertritt sowie durch Bodenbelüftung das Vorkommen der Stechpalme. (Hinweis: Die Differenzierung zwischen abiotischen und biotischen Faktoren ist oftmals unscharf. Beispielsweise sorgen Regenwürmer für die Durchlüftung des Bodens und damit für besseren Wuchs der Stechpalme. Regenwürmer sind eher ein biotischer Faktor, die Bodenluft dagegen ist eher ein abiotischer Faktor.) Es können weitere abiotische bzw. biotische Faktoren als Antworten genannt werden.
3. Die östliche Arealgrenze der Stechpalme verläuft annähernd entlang der 0 °C-Januar-Isotherme, was daraufhin deutet, dass die dort vorherrschenden Temperaturen verantwortlich für das Vorkommen der Stechpalme sind. Allerdings haben die Durchschnittstemperaturen vermutlich nur eine untergeordnete Bedeutung. Viel entscheidender sind die auftretenden hohen und niedrigen Extremtemperaturen, weil sie gegebenenfalls zu Letalschäden bei der Stechpalme führen. Dies spiegelt sich im Vorkommen der Art wider. (Hinweis: Tatsächlich ist für die östliche Arealgrenze jedoch nicht direkt die 0 °C-Januar-Isotherme verantwortlich, sondern die entlang derselben häufig auftretenden Tiefsttemperaturen von unter −15 °C im Winter.)

zu 22.2
1. Toleranz oder ökologische Potenz kennzeichnet die Lebensfähigkeit von Organismen in dem Bereich eines Umweltfaktors oder mehrerer Umweltfaktoren, in dem die Organismen längerfristig existieren können. Bezüglich der Toleranz unterscheidet man das Optimum, ein Präferenzbereich, sowie die sich daran anschließenden beiden Randbereiche bis hin zum physiologischen Stress (Pessimum, Plural: Pessima).
Der Präferenzbereich ist je nach Betrachtung bezüglich eines Umweltfaktors der Bereich größter Dichte oder Individuenzahl. Lebewesen zeigen in diesem Bereich häufig größtes Wachstum, höchste Fortpflanzungsfähigkeit, Überlebensfähigkeit usw.
In den Pessima liegen dagegen ungünstigste Wirkungsbereiche eines Umweltfaktors vor. Dort kann eine bestimmte Organismenart gerade noch existieren. Deshalb sind in diesen Randbereichen die Populationsdichten oder Individuenzahlen gering, und die Lebewesen zeigen in diesen Bereichen häufig geringes Wachstum, geringe Fortpflanzungsfähigkeit und Überlebensfähigkeit usw.
Außerhalb ihres Toleranzbereiches können die Organismen nicht mehr leben.
Hat ein Organismus oder eine Art gegenüber einem Umweltfaktor eine große Toleranzbreite, so wird der Organismus oder die Art als eurypotent bezeichnet. Hat der Organismus oder die Art dagegen eine geringe Toleranzbreite gegenüber einem Umweltfaktor, so werden sie als stenopotent bezeichnet. Haben sie gegenüber vielen Umweltfaktoren weite Toleranzbereiche, sind sie euryök, haben sie gegenüber vielen Umweltfaktoren enge Toleranzbereiche, bezeichnet man sie als stenök.

2.

Diagram: Überlebensrate (%) vs. Salzgehalt (%) für S. jarvisi, A. miersii und S. rectum. S. rectum zeigt Optimum bei ca. 4%, Präferenzbereich, Pessima, Minimum bei 2,5% und Maximum bei 4,5%.

3. Bezüglich des Salzgehalts (Salinität) besitzt *A. miersii* einen weiten Toleranzbereich (eurypotent gegenüber Salz = euryhalin), während *S. jarvisi* und *S. rectum* diesbezüglich eher einen engen Toleranzbereich (stenohalin) haben. Da der Salzgehalt in dem dargestellten Felstümpel an der Nordküste Jamaikas in den Monaten Mai bis Juli zwischen 0 % und ca. 8 % variiert, können sich dort nur die euryhalinen Larven von *A. miersii* dauerhaft entwickeln. Der enge Toleranzbereich bezüglich Salinität liegt bei *S. jarvisi* zwischen 0 % und ca. 1 % . Diese Art ist deshalb hauptsächlich in konstant salzarmen Süßwasserkleinstgewässern zu finden, beispielsweise in Gesteinsmulden, in Blattachseln und in Baumstämmen. *S. rectum* erträgt Wasser mit einem Salzgehalt zwischen 2,5 und 4,5 %. Damit leben Larven dieser Art eher in meeresnahen Kleinstgewässern mit annähernd konstantem Salzgehalt.

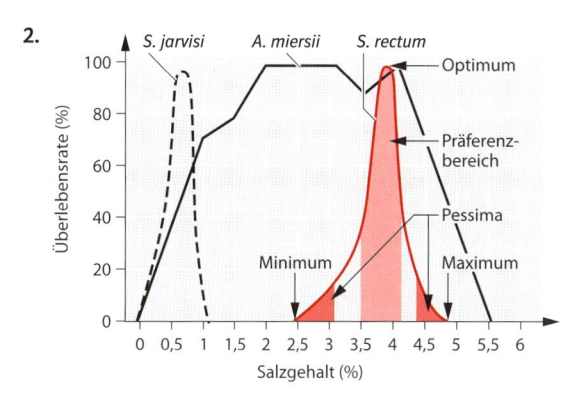

zu 22.3

1. Die stomatäre Wasserabgabe ist die regulierbare Wasserabgabe über die Stomata bzw. Spaltöffnungen. (Hinweis: Bei voller Öffnung der Stomata kann der Anteil der stomatären Transpiration über 90 % der Gesamttranspiration erreichen.) Die Öffnung der Stomata ist von Außenfaktoren abhängig, z. B. von Licht, Luftfeuchtigkeit und Temperatur.
Bei der cuticulären Transpiration erfolgt die Wasserabgabe durch Diffusion durch die Schichten der Epidermisaußenwand und durch die Cuticula. Die cuticuläre Transpiration kann daher als eine Diffusion durch ein hydrophobes Medium aufgefasst werden. Sie ist nicht regulierbar und im Vergleich zur stomatären Transpiration gering. Ihre Größe hängt von der Durchlässigkeit der Cuticula ab sowie von Außenfaktoren wie Lufttemperatur und Luftfeuchte. Mit zunehmender Lufttemperatur und abnehmender Luftfeuchte steigt die cuticuläre Transpiration an.

2. Kurve **a**: Der Kurvenverlauf ist dem der Evaporation nahezu identisch, allerdings ist die stomatäre Transpiration stets geringer als die Evaporation. Aus der Kurvenform lässt sich folgern, dass die stomatäre Transpiration hauptsächlich von den gleichen Faktoren abhängt wie die Evaporation, z. B. von der Lufttemperatur und der Luftfeuchtigkeit. Die stomatäre Transpiration der Pflanze wird aufgrund der guten Wasserversorgung bei **a** nicht eingeschränkt.
Kurve **b**: Wegen Wassermangels wird die Transpiration während der Mittagszeit eingeschränkt. Während dieser Tageszeit sind normalerweise die höchsten Temperaturen und damit die größte Transpiration zu verzeichnen. Die Spaltöffnungen werden deshalb teilweise bereits direkt nach dem Kurvenmaximum — kurz vor der Mittagszeit — geschlossen und teilweise bei geringeren Temperaturen am Nachmittag wieder geöffnet. Die Transpiration ist geregelt; sie ist nachmittags geringer als vormittags.
Kurve **c**: Aufgrund des noch stärkeren Wassermangels schließen sich die Spaltöffnungen noch früher und sind während der Mittagszeit vollständig geschlossen. Am Spätnachmittag öffnen sich einige Spaltöffnungen, und es findet erneut stomatäre Transpiration statt, die allerdings gering ist.
Kurve **d**: Aufgrund der langen Trockenperiode sind die Schließzellen komplett geschlossen. Es findet lediglich cuticuläre Transpiration statt. Die cuticuläre Transpiration nimmt von Sonnenaufgang bis zur Mittagszeit zu und dann bis zum Sonnenuntergang wieder ab. Dies korreliert sehr stark mit der Luftfeuchte und der Lufttemperatur, wobei erstere normalerweise in der Mittagszeit geringer und morgens und abends höher ist, während letztere in der Mittagszeit normalerweise vergleichsweise hoch und morgens und abends tiefer ist.

zu 22.4

1. Die Kopf-Rumpf-Länge korreliert sehr stark mit der Körpermasse. Große homoiotherme Tiere haben ein kleineres Oberflächen-Volumenverhältnis als kleinere. Das heißt, die Energieabgabe bezogen auf die Körpermasse ist bei großen homoiothermen Tieren geringer als bei kleinen. Deshalb ist es wahrscheinlich, dass die weiter im kühleren Norden Europas vorkommende Graurötelmaus eine größere Masse und eine größere Kopf-Rumpf-Länge als die Gemeine Rötelmaus hat.
Mit zunehmender Schwanzlänge oder zunehmender Länge anderer Körperanhänge wird die Abgabe von Wärmeenergie über die Körperoberfläche erhöht. Infolgedessen ist es energetisch für die weiter im Norden lebende Graurötelmaus effizienter, wenn sie über einen kürzeren Schwanz als die in Mitteleuropa vorkommende Graurötelmaus verfügt.

2. Große homoiotherme Tiere haben ein kleineres Oberflächen-Volumenverhältnis als kleinere und geben folglich bezogen auf die Körpermasse weniger Wärmeenergie über die Körperoberfläche ab. Infolgedessen ist der Sauerstoffverbrauch in Ruhe pro kg Körpermasse bei gleicher Außentemperatur (10 °C) bei der größeren Graurötelmaus geringer als bei der Gemeinen Rötelmaus.

zu 22.5

1. Die Verbreitung dieser *Gammarus*-Arten steht in Beziehung zur Salinität. *Gammarus duebeni* und *G. zaddachi* kommen hauptsächlich bei geringer Salinität vor, während *G. oceanicus* nur bei den höchsten Salinitäten zu finden ist. *G. salinus* und *G. locusta* sind an nahezu allen Standorten zu finden. Insgesamt kommen an den untersuchten Standorten gewöhnlich nur zwei Arten vor, wobei häufig eine Art im Vorkommen stark dominiert.

2. Das physiologische Optimum entspricht dem Optimum des Toleranzbereichs. D. h. dort sind die Lebensbedingungen für eine Organismenart bezogen auf einen abiotischen Faktor ohne Konkurrenz optimal. Das ökologische Optimum liegt stets innerhalb des Toleranzbereichs einer Art gegenüber einem Umweltfaktor. Dort sind die Lebensbedingungen für eine Organismenart bezogen auf einen abiotischen Faktor unter Konkurrenzbedingungen optimal. Das ökologische Optimum kann sich vom physiologischen Optimum unterscheiden.
Als ökologische Nische wird der Teil eines Nischenraumes bezeichnet, in dem eine Art leben kann. Der Nischenraum wird dabei als ein zusammengesetztes vieldimensionales Gebilde aufgefasst. Jede Dimension stellt dabei einen ökologischen Faktor wie Zeit, Nahrung, Temperatur usw. dar, der von der Art in bestimmter Weise toleriert wird. Von dieser Fundamentalnische wird die Realnische unterschieden, die ein Teil der Fundamentalnische ist. Die Realnische in einem konkreten Ökosystem (z. B. einem Buchenwald) kommt durch biotische Interaktionen wie z. B. Konkurrenz zwischen Arten, Parasitismus, Räuber-Beute-Verhältnisse usw. zustande.
Das Konkurrenzausschlussprinzip besagt: Wenn zwei Arten dieselben lebenswichtigen Ressourcen (z. B. bestimmtes Futter) nutzen, die nur beschränkt zur Verfügung stehen, wird die eine (unterlegene) Art durch die andere (überlegene) Art verdrängt (interspezifische Konkurrenz). Zwei Arten können also nach dieser Regel nicht denselben Ausschnitt einer Nischendimension einnehmen, falls dieser essenziell (lebensnotwendig) und limitierend ist.

3. Das Vorkommen dieser Arten im Limfjord lässt auf interspezifische Konkurrenz schließen. Da im Labor alle fünf Arten bei einer Salinität zwischen 23‰ und 27‰ dauerhaft gehalten werden konnten und im Freiland im Bereich dieser Salinität nur zwei Arten zu finden sind, ist hierbei von Konkurrenzausschluss auszugehen. Außerdem ist festzustellen, dass die Realnischen zumindest für die zwei Flohkrebsarten *G. duebeni* und *G. zaddachi* von deren Fundamentalnischen abweichen und wesentlich enger sind. Das ökologische Optimum dieser *Gammarus*-Arten ist dort, wo ihr absolutes Vorkommen am größten ist. So liegt es bei *G. salinus* bei einer Salinität von 7–8‰. Zu betonen ist, dass aus dem relativen Vorkommen nicht auf das absolute Vorkommen zu schließen ist. Über das physiologische Optimum kann ebenfalls keine Aussage abgeleitet werden.

zu 22.7

1. Mit zunehmender geografischer Breite nehmen bei den Hamsterarten die Körpergröße und die Körpermasse zu. So weisen von den drei Hamsterarten die im Süden Europas bzw. in Griechenland vorkommenden Grauhamster sowohl die geringste Kopf-Rumpf-Länge als auch die geringste Masse auf, während die am nördlichsten vorkommenden Feldhamster diesbezüglich die größten Werte aufweisen.

2. Werden von den Hamsterarten jeweils deren mittlere Kopf-Rumpf-Längen, die Schwanzlängen, die Ohrlängen und die Hinterfußlängen in Beziehung zu deren jeweiliger mittleren Körpermasse gesetzt, so ergibt sich, dass diese Werte mit dem Vorkommen der Hamsterarten korrelieren. Je weiter nördlich die Hamsterart vorkommt, desto kleiner werden deren Körperanhängsel und desto gedrungener wird deren Körperbau.

3. Tendenziell nimmt mit zunehmender geografischer Breite die Temperatur sowohl auf der Nord- als auch auf der Südhalbkugel ab. Die homoiothermen miteinander verwandten Hamsterarten sind in kälteren Klimaten größer und schwerer als in wärmeren, denn der Wärmeverlust über die Körperoberfläche größerer Tiere ist pro Einheit der Körpermasse geringer als bei kleinen Tieren. Die Körperanhänge (Ohren, Hinterfüße und Schwanz) bei den Hamsterarten sind mit abnehmender Temperatur bezogen auf die Körpermasse kleiner, und die Tiere weisen einen zunehmend gedrungenen Körperbau auf (geringere relative Kopf-Rumpf-Länge), sodass Wärmeverluste minimiert werden.

23 Wechselwirkungen innerhalb von Lebensgemeinschaften

zu 23.2

1. Die aufgeführten Arten des Etosha-Nationalparks lassen sich folgenden Trophiestufen zuordnen:
Primärproduzenten: Federgras, Akazien
Konsumenten 1. Ordnung: Giraffen, Zebras, Heuschrecken, Gnus
Konsumenten 2. und höherer Ordnung: Hyänen, Löwen, Perlhühner, Geier
Destruenten: Termiten, Dungkäfer
Primärproduzenten sind heterotrophe Organismen und erzeugen aus anorganischen Substanzen organische Stoffe durch Fotosynthese. Konsumenten 1. Ordnung sind Pflanzenfresser, die Konsumenten 2. und höherer Ordnung als Nahrung dienen; sie sind heterotroph. Die Zuordnung zu den einzelnen Trophiestufen ist bei den Primärproduzenten eindeutig, weil sie alle autotroph sind. Bei den Konsumenten ist dies nicht der Fall. Beispielsweise kann eine Hyäne Konsument 2. Ordnung sein, wenn sie Zebras frisst. Frisst die Hyäne dagegen kranke oder verletzte Konsumenten 2. Ordnung, dann wäre die Hyäne ein Konsument 3. Ordnung. Ähnliches gilt für viele andere in der Artenliste aufgeführte Konsumenten.

2. Beispielsweise sind folgende Nahrungsketten miteinander verknüpft:
Federgras → Heuschrecke → Perlhuhn → Hyäne → Löwe
↑
Akazie → Giraffe → Löwe → Geier
↑
Federgras → Gnu → Hyäne

3. Jedes Glied einer Nahrungskette entspricht einer Trophiestufe. Durch die Nahrungsketten wird Energie in Form von energiereichen organischen Substanzen von Trophiestufe zu Trophiestufe weitergeleitet. Nur ein kleiner Teil der auf die Erde treffenden Globalstrahlung kann von Primärproduzenten fotosynthetisch verarbeitet und als chemische Energie gespeichert werden (Bruttoprimärproduktion). Davon geht aufgrund von Atmung und natürlichem Absterben der Pflanzenteile dem System Nahrungskette Energie „verloren". Der übrig gebliebene Teil ist die sogenannte Nettoprimärproduktion der Pflanzen, die den folgenden Gliedern der Nahrungskette (Konsumenten) als chemische Energie zur Verfügung steht. Jedes Glied der Nahrungskette bzw. jede Trophiestufe gibt weitere Energie durch Atmung, Ausscheidungen und Absterben aus dem System ab. Außerdem können Organismen höherer Trophiestufen nicht den gesamten noch vorhandenen Energiegehalt der niedrigeren Trophiestufe nutzen (Holzanteil bei Pflanzen, Knochen, Fell usw.). Im Durchschnitt werden so nur etwa 10% der Energie von einer Trophiestufe zur nächsthöheren weitergegeben. Am Ende der Nahrungskette bleibt auf diese Weise nur ein kleiner Teil der anfänglichen chemischen Energie in der Nahrungskette übrig, der nicht ausreicht, ein weiteres Glied der Nahrungskette dauerhaft zu versorgen. Dieser übrig gebliebene Teil der chemischen Energie und die vorher der Nahrungskette verlorengegangene Energie stehen den Zersetzern zur Verfügung.

zu 23.4

1. Die *Anopheles-Mücke* sticht den Menschen und infiziert ihn mit Sporozoiten von *Plasmodium*. Diese vermehren sich in den Leberzellen, gelangen als Merozoiten in die Blutbahn und infizieren die roten Blutzellen. Hier vermehren sie sich durch viele Zellteilungen. Schließlich platzen die roten Blutzellen, und neue rote Blutzellen werden befallen. Nach wiederholtem Befall bilden sich geschlechtliche Stadien aus. Diese werden von der stechenden Mücke aufgenommen. Im Darm des Insekts kommt es zur Befruchtung und Entwicklung von Sporozoiten, die nach ihrer Freisetzung aus der Darmwand wieder auf den Menschen übertragen werden können.

2.

Name des Parasiten	Kennzeichen des Parasiten	Angaben zur Parasitose
Malariaerreger (*Plasmodium*-Arten)	periodischer, intra- und extrazellulärer Endoparasit	Der Erreger wird von *Anopheles*-Mücken übertragen. Er vermehrt sich in Leberzellen und roten Blutzellen und zerstört diese. Fieberschübe sind die Folge. Malaria kann tödlich enden.

3.

Malariaerreger	Fuchsbandwurm
Vorgänge im Endwirt	
Endwirt *Anopheles*-Mücken: Aufnahme der geschlechtlichen *Plasmodium*-Stadien durch Blut Erreger leben in den Darmzellen der Mücke und bilden nach Befruchtung Sporozoiten	Endwirt Fuchs: Aufnahme der Finnen des Fuchsbandwurms durch die Nahrung Würmer entwickeln sich im Darm und bilden Eier Eier gelangen ins Freie
Vorgänge im Zwischenwirt	
Zwischenwirt Mensch: Übertragung der Sporozoiten durch Mückenstich ungeschlechtliche Vermehrung in Leber und roten Blutzellen Bildung der geschlechtlichen Stadien	Zwischenwirt Maus: Aufnahme der Eier mit der Nahrung keine ungeschlechtliche Vermehrung Bildung von Finnblasen in der Leber
Fehlwirt	
	Mensch

zu 23.5

1. Die Symbiose kennzeichnet eine Form des engen Zusammenlebens zweier verschiedener Organismen, das im Allgemeinen für beide Partner Vorteile bringt und oft lebensnotwendig geworden ist. Die an der Symbiose beteiligten Partner werden als Symbionten bezeichnet.

2. Der Flechtenkörper lässt sich in mehrere Schichten unterteilen. Die obere und untere Rindenschicht wird durch ein dichtes Netz von Pilzfäden gebildet. Unterhalb der oberen Rindenschicht liegt die Markschicht, die sich in eine algenhaltige und eine algenfreie Markschicht unterteilen lässt. In der Algenschicht sind Algen mit einem lockeren Pilzgeflecht verwoben. Die algenfreie Markschicht besteht nur aus einem lockeren Pilzgeflecht. Den unteren Abschluss bildet ebenfalls eine Rindenschicht.

3. Algen sind autotroph und können durch Fotosynthese Assimilate produzieren, die der heterotrophe Pilz von den Algen erhält. Der Pilz wiederum versorgt aufgrund seines weit verzweigten Pilzfädengeflechts (Hyphen) die Algen mit Wasser und Mineralstoffen, die für die Algen insbesondere an Extremstandorten notwendig sind (vgl. Lösung 4).

4. Die Symbiose ermöglicht es den Algen und den Pilzen, zusammen an Standorten zu existieren, an denen sie jeweils ohne den Symbiosepartner nicht überleben könnten (vgl. Lösung 1). Das Pilzgeflecht beherbergt die Algen und speichert Wasser und Mineralstoffe, deren Mangel an extremen Standorten sonst ein begrenzender Umweltfaktor wäre.

Lösungen — Ökologie

zu 23.6

1. In Teich 1 ohne Libellenlarven nahm die Zahl der Kaulquappen nach einer anfänglichen Zunahme ab und betrug am 21. Tag noch 160 Kaulquappen. In Teich 2, in dem 33 Libellenlarven eingesetzt wurden, waren nach einer anfänglichen Zunahme der Kaulquappen nach 21 Tagen keine Kaulquappen mehr zu finden. In Teich 3, in dem 112 Kaulquappen eingesetzt wurden und bis auf 7 alle Libellenlarven entfernt wurden, nahm die Anzahl der Kaulquappen ab und stagnierte zwischen dem 6. und dem 22. Tag bei ungefähr 50 Kaulquappen. In Teich 4, in den zu den 95 vorhandenen Libellenlarven 234 Kaulquappen gegeben wurden, waren ab dem 6. Tag keine Kaulquappen mehr zu finden.
2. Diese Ergebnisse zeigten, dass die Libellenlarven letztlich dafür verantwortlich waren, dass Kaulquappen aus Teichen eliminiert werden, die für Kaulquappen ansonsten geeignet wären. Allerdings muss berücksichtigt werden, dass wenn die Zahl der Kaulquappen zu hoch war und die der Libellenlarven zu gering, nicht alle Kaulquappen innerhalb von 22 Tagen eliminiert werden konnten (Teich 3). Wenn keine Libellenlarven vorhanden waren, verringerte sich zwar die Anzahl Kaulquappen, aber nach 21 Tagen waren sie noch nicht eliminiert (Teich 1). Diese Verringerung kam vermutlich durch die Molchlarven zustande. Dieses Experiment liefert keine Informationen darüber, ob bei einer sehr hohen Molchlarvenpopulation die Kaulquappen ebenfalls eliminiert werden könnten. Während des Untersuchungszeitraumes konnten allerdings die Kaulquappen bei den real existierenden unbeeinflussten Molchlarvenzahlen nicht eliminiert werden (Teich 1), was ebenfalls dafür spricht, dass Libellenlarven für das Nichtvorkommen der Kaulquappen verantwortlich sind.
3. Libellenlarven und Molchlarven können koexistieren, weil die Anzahl der Kaulquappen nicht der limitierende Faktor für eine der beiden Arten ist, der zum Konkurrenzausschluss führt und weil sich Molchlarven und Libellenlarven vermutlich in ihren Nahrungsansprüchen unterscheiden.
1. Hypothese: Beispielsweise kann es sein, dass eine der beiden oder beide Arten noch andere Nahrungsquellen nutzen.
2. Hypothese: Molchlarven und/oder Libellenlarven nutzen jeweils nur Kaulquappenlarven bestimmter Größe als Nahrung. (Hinweis: Tatsächlich zeigte sich, dass Molchlarven nur kleine Kaulquappen fressen können.)

24 Dynamik von Populationen

zu 24.1

1.

Zeitpunkt	t_0	t_1	t_2	t_3	t_4	t_5	t_6
Zuwachs für r = 3 (lineares Wachstum)	–	60	60	60	60	60	60
Populationsgröße (N_t) (lineares Wachstum)	20	80	140	200	260	320	380
Zuwachs für r = 3 (expo. Wachstum)	–	60	240	960	3840	15360	61440
Populationsgröße (N_t) (expo. Wachstum)	20	80	320	1280	5120	20480	81920
Zuwachs für r = 3 (log. Wachstum)	–	59,4	228,74	782,00	1487,81	–2234,92	852,60
Populationsgröße (N_t) (log. Wachstum)	20	79,4	308,14	1090,14	2577,96	343,04	1195,64

(Anmerkung: Das Populationswachstum zum Zeitpunkt t_5 ist bei der logistischen Gleichung negativ, weil zum Zeitpunkt t_4 die Umweltkapazitätsgrenze bereits überschritten war.)

2. Lineares Wachstum von Populationen ist in der Natur eher ungewöhnlich, denn wenn Ressourcen zur Verfügung stehen, die ein Populationswachstum erlauben, so wird eine große Population absolut betrachtet mehr Nachkommen haben als eine kleine Population.
Exponentielles Wachstum von Populationen ist möglich, wenn die Populationsgröße weit unterhalb der Kapazitätsgrenze liegt. Das Wachstum hört auf, wenn die Kapazitätsgrenze überschritten wird.
Logistisches Wachstum von Populationen ist am wahrscheinlichsten. Denn kleine Populationen haben zunächst ein geringeres Wachstum als große Populationen, sodass das Wachstum zunächst zunimmt. Allerdings kehrt sich dieser Prozess mit zunehmender Annäherung an die Kapazitätsgrenze um; denn dort ist das Wachstum null. Oberhalb der Kapazitätsgrenze schrumpft die Population, weil die Population in dieser Größe nicht mehr lebensfähig ist. Deshalb ist negatives Wachstum vorhanden.
Insgesamt muss man für alle Wachstumsmodelle festhalten, dass sie auf sehr vielen Annahmen beruhen, die in der Natur so nicht aufrechtzuerhalten sind: Beispielsweise sterben durch Krankheit, Fraß etc. immer wieder Tiere. Durch Immigration und Emigration verändert sich die Populationsgröße stetig, das Geschlechterverhältnis ist selten ausgeglichen usw.

zu **24.3**

1. Bei allen drei Kurvenverläufen ist jeweils ein Zehnjahreszyklus zu erkennen. Auf ein Populationsmaximum folgt im Abstand von etwa 5 Jahren ein Minimum und wiederum 5 Jahre später ein erneutes Maximum usw. Es scheint so zu sein, dass die Lotka-Volterra Regeln 1 und 2 in diesem Beispiel zutreffen. So liegen die Maxima der Schneeschuhhasenpopulation immer vor den Maxima der Luchspopulation. Haben Schneeschuhhasen ihr Populationsminimum, so haben die Karibus ihr Populationsmaximum. Dies deutet darauf hin, dass die leicht zu erlegenden Schneeschuhhasen für den Luchs die Hauptnahrung darstellen. Ist die Schneeschuhhasendichte gering, so nimmt die Karibudichte ab. Anscheinend weicht der Luchs in Jahren mit geringer Schneeschuhhasendichte verstärkt auf die schwerer zu erlegenden Karibukälber aus. Die Schneeschuhhasenbestände erholen sich daraufhin wieder und dienen dem Luchs erneut als leichte Beute, woraufhin wiederum die Karibubestände größer werden.

2. Verschiedene dichteabhängige Faktoren sind für diese Fluktuationen der Schneeschuhhasenpopulation verantwortlich. Die Populationsabnahme erfolgt z. B. durch sozialen Stress, hohe Infektionsgefahr, das Entstehen von Nahrungsmangel und die Abnahme der Nahrungsqualität. Bei kleiner werdenden Populationsgrößen verändern sich diese Faktoren, sodass die Population der Schneeschuhhasen wieder größer werden kann.

zu **24.4**

1. Die Kartoffelkäfer können durch den Einsatz von Substanzen, die für sie giftig sind, z. B. durch ein Insektizid, dezimiert werden (chemische Schädlingsbekämpfung, siehe Konzept 24.4 im Lehrbuch).
Ebenfalls können Kartoffelkäfer durch verschiedene biologische Verfahren zurückgedrängt werden (biologische Schädlingsbekämpfung), z. B.
- durch das Anlegen von Hecken, wodurch Lebensräume für Kartoffelkäfer fressende Vögel geschaffen werden);
- durch die Einführung von Feinden, wie z. B. der nordamerikanischen Raupenfliegen;
- durch Pheromone, die die Käfer anlocken, sodass sie anschließend leicht gefangen werden können;
- durch Absammeln der Kartoffelkäfer auf den Pflanzen;
- durch das Selbstvernichtungsverfahren, bei dem sterile Kartoffelkäfermännchen ausgesetzt werden und sich mit Weibchen paaren, sodass diese keinen Nachwuchs haben und dadurch die Geburtenrate zurückgeht.

Die biologischen und chemischen Bekämpfungsmaßnahmen können auch kombiniert angewendet werden (integrierter Pflanzenschutz).

2. Die Populationen der Kartoffelkäfer und der Raupenfliegen verändern sich periodisch gemäß der Lotka-Volterra-Regeln 1 und 2. Auf eine hohe Kartoffelkäferdichte folgt phasenverschoben eine hohe Dichte an Raupenfliegen usw. (vgl. *1. Lotka-Volterra-Regel*). Die Populationsdichten der beiden Arten variieren beide um einen Mittelwert, der für den dargestellten Zeitraum jeweils in etwa gleich groß ist. Der Mittelwert der Populationsdichten ist beim Kartoffelkäfer höher als bei der Raupenfliege (vgl. *2. Lotka-Volterra-Regel*).

3. Vermutlich kann der Kartoffelkäfer durch die Raupenfliege nicht vollständig zurückgedrängt werden. Denn wenn der Kartoffelkäfer nahezu vollständig dezimiert wird, könnte die wirtspezifische Raupenfliege vermutlich nicht mehr ihren Wirt, den Kartoffelkäfer, finden. Dies könnte zur vollständigen Auslöschung der aus Nordamerika stammenden eingeführten Raupenfliege führen, da diese vermutlich nicht von außen zuwandern kann. Von daher ist eine geringe Dichte der Kartoffelkäferpopulation wünschenswert, da ansonsten das Parasit-Wirt-System zusammenbricht.

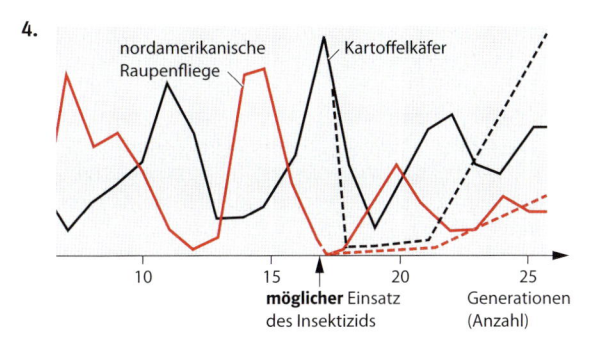

4. Vermutlich werden beide Populationen durch das Insektizid auf ein Minimum dezimiert. Die Beute- bzw. Kartoffelkäferpopulation erholt sich schneller als die Räuber- bzw. Raupenfliegenpopulation (*3. Lotka-Volterra-Regel*). Für den Kartoffelkäfer ergibt sich daraus aufgrund des auf Kartoffelfeldern hohen Nahrungsangebots zunächst ein exponentielles Wachstum, das aufgrund zunehmender Nahrungsverknappung und zunehmenden Populationswachstums der Raupenfliegen abnimmt. Langfristig wird sich zwischen diesen beiden Arten ein Gleichgewichtszustand einstellen, so wie er vor dem Pestizideinsatz vorhanden war. Da durch den Einsatz des Insektizids vermutlich nicht alle Kartoffelkäfer getötet werden, können resistente Kartoffelkäfer entstehen, die diese Resistenz an die Nachkommen weitergeben. Diese können nur getötet werden, indem die Dosis erhöht wird oder indem andere Gifte angewendet werden. Damit verbunden sind verschiedene möglicherweise negative Umwelteinflüsse. Daher sollte der Gifteinsatz möglichst vermieden werden

zu 24.5

1. Malthus nahm an: Die Bevölkerung des Menschen wird aufgrund der starken Geburtenrate exponentiell (1:2:4:8:16…) ansteigen. Diesem exponentiellen Bevölkerungswachstum kann die Nahrungsmittelproduktion nicht folgen, weil sie linear (1:2:3:4:5…) zunimmt. Die Konsequenzen daraus sind Nahrungs- und Platzmangel, der, wie im Infotext beschrieben, zu Massensterben und Kriegen führt.
2. Die Weltbevölkerung stieg von 1700 bis 1940 von 0,8 Mrd. auf ca. 2,2 Mrd. nur leicht an. Von da an fand ein nahezu exponentielles Wachstum statt. Im Jahr 2010 wird die Weltbevölkerung auf ungefähr 7 Mrd. geschätzt. Für die Zukunft gibt es von den Vereinten Nationen drei verschiedene Wachstumsprognosen. Bei der hohen Wachstumsprognose nimmt die Weltbevölkerung bis 2050 bei weiterhin hohen Zuwachsraten stark zu. Bei der mittleren Wachstumsprognose nimmt ebenfalls die Weltbevölkerung bis 2050 zu; allerdings nehmen die Zuwachsraten ab. Bei der niedrigen Wachstumsprognose nimmt die Bevölkerung bis ca. 2030 bei abnehmenden Zuwachsraten zu und danach verringert sich die Weltbevölkerung.
3. Hier können verschiedene Aspekte diskutiert werden, z. B.
   - Prognosen werden jeweils im Lichte des gegenwärtigen Forschungsstands gemacht. Viele Entwicklungen wie Züchtungen, gentechnische Verfahren, Bewässerungs- und Düngetechniken, Bodenaufbereitungsverfahren usw. waren früher nicht bekannt und führten zu Fehleinschätzungen.
   - Globale Klimaänderungen und Verschmutzungen (z. B. durch Öl und Radioaktivität) lassen sich schlecht vorhersagen und beeinflussen stark die Tragfähigkeitsgrenze.
   - Politische Situationen in einem Land können lokal und auch global betrachtet zu einer Verminderung oder Erhöhung der globalen Tragfähigkeitsgrenze führen.
   - Es ist noch nicht klar, inwieweit in Zukunft eine Ausweitung landwirtschaftlicher Nutzflächen möglich ist, inwieweit umgekehrt Kulturflächen durch Wüstenbildung, abnehmende Bodenfruchtbarkeit usw. verloren gehen und wie sich dies auf die Tragfähigkeit auswirkt.
   - Zur Sicherung des Energiehaushalts werden zusätzlich z. B. Zuckerrohr und Raps auf Flächen angebaut, die dann als Flächen für die Nahrungsmittelproduktion verloren gehen. Die Konsequenzen für die Bevölkerungsentwicklung sind unklar.
4. Individuelle Antworten möglich

Stoff- und Energiefluss in Ökosystemen

zu 25.1
1. Alge (Primärproduzent P) → Kleinkrebs (Primärkonsument K_1) → Hering (Sekundärkonsument K_2) → Schweinswal (Tertiärkonsument K_3)
2. Die Produktion sinkt von P zu K_1 um 86,1 % und von K_1 zu K_2 um 91 %. Die Faustregel, dass nur etwa 10 % der Energie weitergegeben werden, gilt also auch für die Produktion.
Die großen Verluste von Stufe zu Stufe treten auf, weil die produzierte Biomasse nicht vollständig in die verschiedenen Nahrungsketten eingeht. Die Tiere und Pflanzen benötigen selbst organische Stoffe (= Biomasse) zur Energiegewinnung, die Abfallprodukte werden ausgeschieden. Außerdem sterben Organismen und gehen so nicht in die weiteren Ernährungsebenen ein.
3. Die Stufe der Primärkonsumenten weicht von der pyramidalen Struktur ab. Es handelt sich um kleine Krebstiere mit einer hohen Vermehrungsrate. Das heißt, ihre geringe Biomasse zu einem Zeitpunkt wird durch eine schnelle Vermehrung über die Zeit ausgeglichen. Das zeigt die Darstellung der Produktion im Diagramm links sehr gut.
4. Die POPs reichern sich an, weil sie schwer abbaubar sind und sehr lange im Körper der Organismen bleiben. Zum einen wird über die Nahrung immer neues Gift aufgenommen, zum anderen erhöht sich die Konzentration im eigenen Körper. Die Stoffe werden (fast) nicht ausgeschieden und gehen so vollständig in die nächste Ebene. Deshalb kommt es zur Verzehnfachung des Giftgehalts im Vergleich zur restlichen Biomasse.

zu 25.3
1. Schwefel kommt in Proteinen vor. Sulfidbrücken fixieren die Tertiärstruktur von Proteinen und ermöglichen deren korrekte Funktion im Stoffwechsel.
2. In Lebewesen gibt es Schwefel in organischen Verbindungen. Über Abfälle (Laub, Kot u. ä.) und Leichen gelangen diese in den Boden. Die desulfurierenden Bakterien wandeln den organisch gebundenen Schwefel in Sulfid-Ionen (S^{2-}) um. Diese werden direkt oder schrittweise durch andere Bakterien zu Sulfat-Ionen (SO_4^{2-}) oxidiert. Sulfat-Ionen sind die Form des Schwefels, die Pflanzen aufnehmen können. Pflanzen bauen den Schwefel in organische Substanzen ein. Damit wird Schwefel auch für Tiere nutzbar.
3. Bei der Gründüngung gelangt mit den eingepflügten Pflanzen organische Substanz in den Boden. Die desulfurierenden Bakterien wandeln die von den Destruenten zerkleinerten Pflanzenreste in anorganische Schwefelverbindungen (Sulfid-Ionen) um, die dann weiter zu Sulfat-Ionen oxidiert werden. Sie schaffen also die Voraussetzung, dass wieder pflanzenverfügbare Schwefelverbindungen entstehen.
4. Markierungen: oxidierende Bakterien

zu 25.4
1.

```
                  energiereiche, organische
                         Stoffe
  Produzenten ─────────────────────────→ Konsumenten
       │                                    K₁  K₂  K₃
       │       energiereiche, organische         │
       │              Stoffe                     │
       │                                 energiereiche, organische
       │                                        Stoffe
       │                    ↓            ↙
       │              Destruenten
       │                    │
       │                    ↓
       │             Mineralisierer
       │             (Bakterien, Pilze)
       │                    │
       └←───────────────────┘
          anorganische Stoffe
```

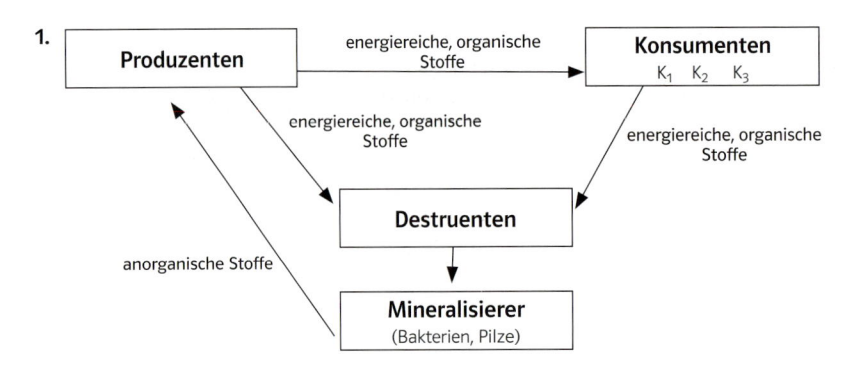

2. Organische Abfälle von Pflanzen und Tieren (z. B. Laub, Kot u. a.) gelangen in Landökosystemen auf den Boden und werden hier schrittweise von Bodenlebewesen zerkleinert (Destruenten). Den letzten Schritt übernehmen die Bakterien und Pilze (Mineralisierer). Sie stellen Kohlenstoffdioxid, Wasser und Mineralstoffe her, die zum Teil im Boden gespeichert werden können. Pflanzen nehmen diese anorganischen Stoffe wieder auf. Im Boden wird also der Stoffkreislauf geschlossen.
3. Abb. 2 zeigt die Remineralisation und die Mineralstoffaufnahme an der Pflanzenwurzel. Bakterien und Pilze bauen die Reste der abgestorbenen organischen Stoffe zu Mineralstoffen ab. Die frei werdenden Ionen gelangen zunächst in den Boden. Die Anionen können nun von den Pflanzenwurzeln direkt wieder aufgenommen werden. Die Kationen hingegen binden sich an Ton-Humus-Komplexe. In die Pflanzenwurzel gelangen sie durch den Austausch mit Wasserstoff-Ionen, die die Wurzel abgibt.

26 Einblicke in Ökosysteme

Lösungen — Ökologie

zu 26.1

1.

Stadt	Jahresdurchschnittstemperatur (°C)	Jahresniederschlag (mm)	Biom
Tahoua	29,0	364	Dornengehölze
Yichang	16,8	1179	Hartlaubgewächse
Moskau	5,0	688	gemäßigte Steppen
Mbandaka	24,5	1649	tropischer Regenwald
Essen	9,6	930	sommergrüne Laubwälder
Murmansk	0,1	376	Tundra

2. Die in der Abbildung dargestellten Biome werden vorwiegend durch das Klima beeinflusst. Biome können aber auch wesentlich durch Bodenfaktoren oder aber durch die Höhe über Normalnull beeinflusst werden. Beispielsweise stechen Galeriewälder, die auf Überschwemmungsböden von Flüssen wachsen, aus den umgebenden Steppen und Savannen heraus (Pedobiome). Gebirgslebensräume heben sich klimatisch aus den Großklimazonen heraus (Orobiome). Die Temperatur nimmt dort mit der Höhe ab, während für die Niederschlagsmengen kein so eindeutiger Gradient feststellbar ist. Gebirgslebensräume sind deshalb keine vertikale Wiederholung der Biome.

zu 26.3

1.

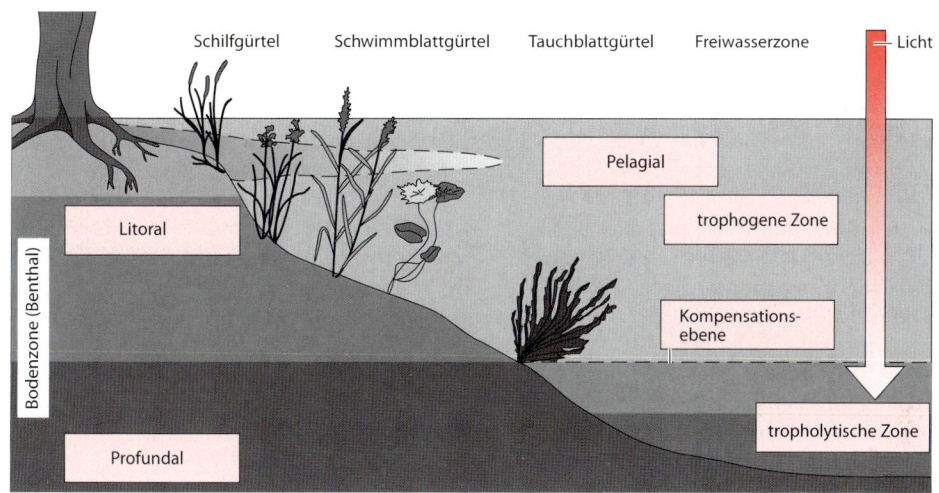

Das Benthal ist die Bodenzone eines Gewässers. Sie ist unterteilt in das Litoral (Ufer) und das Profundal (tiefe Bodenzone). Das Pelagial ist die Freiwasserzone, die unterteilt ist in die trophogene Zone (Nährschicht) und die tropholytische Zone (Zehrschicht).
Die Kompensationsebene trennt das Litoral und das Profundal sowie die trophogene und tropholytische Zone voneinander. Die Kompensationsebene ist dadurch gekennzeichnet, dass aufgrund der mit der Wassertiefe abnehmenden Lichtintensität oberhalb der Kompensationsebene, also im Litoral und in der trophogenen Zone, eine positive und unterhalb der Kompensationsebene, also im Profundal und in der tropholytischen Zone, keine positive Fotosynthesebilanz mehr möglich ist.

2. Durch den Nährstoffeintrag von Ammonium und Nitrat wird die Fotosyntheseleistung der oberflächennahen Pflanzen und insbesondere der Algen gefördert (Eutrophierung). Dadurch wird viel organische Substanz gebildet, die, wenn sie abstirbt, auf den Gewässergrund fällt und dort von aeroben Bakterien mineralisiert wird. Dabei wird viel Sauerstoff benötigt, sodass es zu Sauerstoffmangel kommen kann.

3. Grundvoraussetzung für die Beseitigung des Sauerstoffdefizits am Gewässergrund ist, dass kein weiteres belastetes Abwasser in den See geleitet wird. Folgende weitere Möglichkeiten gibt es z. B.:
– Belüftung des Sees führt zur Sauerstoffanreicherung und damit zu einem schnelleren bakteriellen Abbau der eingeleiteten organischen Substanzen,
– Absaugen des Tiefenwassers, Entfernung von Vegetation und Schlammentnahme führen zur Verringerung der organischen Substanz, die ansonsten unter Sauerstoffaufnahme abgebaut würde.

Lösungen — Ökologie

zu 26.4

1. Selbstreinigung meint, dass stark verunreinigte Fließgewässer durch die Lebenstätigkeit bestimmter Organismen einen niedrigeren Verschmutzungsgrad erreichen. Durch weiteren Abbau der organischen Substanz durch andere Arten kann sogar fast wieder der ursprüngliche Reinheitsgrad des Wassers erreicht werden.

2. Der Biochemische Sauerstoffbedarf (BSB_5) gibt die Menge an Sauerstoff an, die von Mikroorganismen zum aeroben biologischen Abbau von organischem Material im Verlaufe von 5 Tagen bei 20 °C im Dunkeln verbraucht wird. Der Biologische Sauerstoffbedarf dient zur Beurteilung des Verschmutzungsgrades von Abwasser.

3. Mit zunehmender Entfernung von der Abwasserzuleitung nehmen der Verschmutzungsgrad des Wassers, die Bakteriendichte und der BSB_5 ab, während der Sauerstoffgehalt des Wassers zunimmt. Bakterien nutzen die organische Substanz des Abwassers für die eigene Ernährung. An der Einleitungsstelle des Abwassers ist deshalb die Dichte der Bakterien hoch. Bakterien benötigen allerdings für den Abbau der organischen Substanz viel Sauerstoff, sodass der Sauerstoffgehalt entsprechend gering und der BSB_5 entsprechend hoch ist. Mit zunehmender Entfernung ändern sich die Verhältnisse, da die organische Substanz des Abwassers wegen des bakteriellen Abbaus geringer wird.

4. Prinzipiell sind die Auswirkungen eines Mineralstoffeintrags für ein Gewässer abhängig von der Menge der eingeleiteten Stoffe. Sie führen bei hohem und dauerhaftem Stoffeintrag sowohl beim See als auch beim Fließgewässer zur Eutrophierung mit den bekannten Folgen: erhöhtes Pflanzenwachstum — Absterben der Pflanzen — Sauerstoffzehrung durch Fäulnisprozesse — Umkippen des Gewässers. Fließgewässer haben allerdings den Vorteil, dass aufgrund der geringen Wassertiefe und der Fließgeschwindigkeit des Wassers der Sauerstoffgehalt des Wassers höher ist als beim See. Dadurch ist der Prozess der Sauerstoffzehrung durch Fäulnisprozesse unwahrscheinlicher als bei einem Stillgewässer. Zusätzlich wird die abgestorbene organische Substanz mit dem fließenden Wasser abtransportiert. Direkt am Ort des Stoffeintrags sind deshalb bei Fließgewässern je nach Fließgeschwindigkeit keine oder nur geringe Auswirkungen einer Eutrophierung zu erkennen. Ein Fließgewässer hat im Vergleich zum See ein höheres Selbstreinigungspotenzial (vgl. Aufgabe 1).

zu 26.5

1. Das fotosynthetisch wirksame Licht dringt in Abhängigkeit von seiner Lichtwellenlänge unterschiedlich tief in das Wasser ein. Insbesondere der langwellige Bereich mit einer Wellenlänge von mehr als 650 nm (rotes Licht) und das kurzwellige Licht von weniger als 450 nm Wellenlänge (blau-violettes Licht) dringt nur in die oberen Wasserschichten ein. Mit zunehmender Wassertiefe wird der Bereich des eindringenden fotosynthesewirksamen Lichtes in der Zone, in der Algen vorkommen, immer kleiner und liegt zwischen 440–580 nm Lichtwellenlänge (blau-grünes, grünes und gelbes Licht). Von da an verringert sich der Bereich des eindringenden Lichtes weiter, bis an der unteren Grenze der euphotischen Zone nur noch Licht mit der Wellenlänge von ca. 470–490 nm (blau-grünes Licht) ankommt.

2. In den oberen Wasserschichten kommen vermutlich vorwiegend die Grünalgen vor. Nur dort ist langwellige (ca. 680 nm) und kurzwellige sichtbare Strahlung (ca. 480 nm) vorhanden, bei der die Grünalgen ihre größte Fotosyntheserate haben. Die Braunalgen betreiben in nahezu allen Bereichen des fotosynthetisch wirksamen Lichtes in etwa gleichmäßig viel Fotosynthese. Ihr Hauptvorkommen liegt vermutlich deshalb direkt unter dem der Grünalgen und über dem der Rotalgen. Rotalgen haben ihre Hauptfotosyntheserate in einem Lichtwellenlängenbereich zwischen 440 und 580 nm. Dies ist der untere Bereich, in dem Algen vorkommen können. Ursache für die Verteilung ist die zwischenartliche Konkurrenz und dadurch bedingte Einnischung der Arten.

27 Die Biosphäre unter dem Einfluss des Menschen — Lösungen – Ökologie

zu 27.2

1. Die Sonnenstrahlung gelangt durch die Erdatmosphäre auf die Erdoberfläche. Hier erwärmt sie den Erdboden. Ein Teil der Strahlung wird jedoch wieder reflektiert. Diese Wärmestrahlung verlässt die Erde nicht vollständig, sondern wird an Wolken (Wasserdampf) und Spurengasen (z. B. CO_2 u. a.) in der Luft erneut zurück zur Erde reflektiert. Die Folge ist eine zusätzliche Erwärmung der Erde, der Treibhauseffekt.
2. Ohne den unter 1. beschriebenen natürlichen Effekt läge die Temperatur auf unserem Planeten ca. 30 °C niedriger. Eine Biosphäre, wie wir sie kennen, wäre unter diesen Bedingungen nicht möglich. Wasser läge als Eis vor.
   Durch die Industrialisierung wird die Konzentration von Treibhausgasen durch den Menschen erhöht. Dadurch ist eine Klimaveränderung im Gange. Sie führt eventuell zur globalen Erhöhung der Meeresspiegel, weil die Pole abschmelzen. Stürme werden energiereicher. Dürren und Überschwemmungen erreichen bisher nicht gekannte Ausmaße. Meeresströmungen verändern sich. Der Treibhauseffekt ist eine Bedingung für unsere menschliche Existenz, seine Verstärkung bedroht sie.
3. Abb. 1 zeigt das Abschmelzen der Gletscher. Das geschieht nicht nur in den Hochgebirgen sondern auch an den Polen in großem Ausmaß. Dabei verringern sich die Flächen auf der Erde, die Sonnenlicht gut zurückwerfen (Schnee reflektiert 40 % – 85 %). Flächen mit schlechteren Reflektionswerten entstehen neu (Boden 5 % – 35 %). Die vom Schnee frei werdenden Gebiete heizen sich stärker auf und die Temperatur erhöht sich. Die Erhöhung der Temperatur durch den Treibhauseffekt schafft schlechter reflektierende Flächen auf der Erde und trägt somit zur weiteren Erhöhung der Temperatur bei.

zu 27.3

1. Neobiota sind Lebewesen, die (in der Neuzeit seit 1492) durch den Menschen in Regionen außerhalb ihres ursprünglichen Verbreitungsgebiets gelangt sind und sich dort dauerhaft ansiedeln.
2. Die Tiere müssen in das neue Gebiet gelangen und freikommen (aussetzen, ausbrechen, verschleppen).
   – Die klimatischen Bedingungen der Region müssen ähnlich denen des Ursprungsgebiets sein.
   – Sie müssen ein breites Nahrungsspektrum haben.
   – Sie müssen freie ökologische Nischen finden und/oder konkurrenzstärker sein als einheimische Arten.
   Fazit: Konkurrenzstarke, eurypotente Lebewesen können bei Verschleppung in andere Gebiete leichter zu Neobiota werden.
3. Flüsse verbinden weit voneinander entfernte Landschaften. Tiere können sich in Flüssen leicht mit der Strömung, einige auch gegen sie verbreiten. Schiffe sind Transportmittel, mit denen anhaftende Wassertiere weit verbreitet werden können. Die großen Flusssysteme Europas sind durch Kanäle verbunden, natürliche Ausbreitungsschranken von Wassertieren sind also durchbrochen. Außerdem sind Seehäfen an den Flussmündungen Einfallsgebiete für Lebewesen aus anderen Kontinenten.
   (Hinweis: Viele Neobiota, die im Süßwasser leben, gelangen in den Ballastwassertanks der Hochseeschiffe unbeschadet über die Weltmeere.)

zu 27.4

1. In einem großen Gebiet gibt es mehr verschiedene Biotope als in einem kleinen. Das heißt die Umweltfaktoren liegen in den verschiedensten Ausprägungen vor (z. B. sehr feucht bis sehr trocken; nährstoffarme und nährstoffreiche Flächen; Wiesen, Wälder, Moore; Bäche, Flüsse, Seen, Teiche; usw.). Damit entstehen viele ökologische Nischen, die von unterschiedlichen Arten besetzt sind. Interspezifische und intraspezifische Konkurrenz wird dadurch vermindert. Die Folge davon sind vielfältige Nahrungsbeziehungen. Die Biomasseproduktion ist so hoch, dass auch große Raubtiere als Endkonsumenten noch existieren können.
2. Der Wolf braucht als Raubtier große zusammenhängende Lebensräume. Diese sind im Zuge der Industrialisierung, der intensiven Landwirtschaft und durch das dichte Verkehrswegenetz in Deutschland weitgehend zerteilt. Außerdem sind Wölfe Endkonsumenten und damit Konkurrenten des Menschen um Wild. Deshalb wurden Wölfe stark bejagt.
   (Hinweis: Dieses Problem besteht auch heute: Immer wieder werden besonders wandernde Wölfe illegal geschossen.)

3.

Lebensweise des Wolfes	Bedingungen in der Lausitz
große Territorien mit Rückzugsmöglichkeiten	hoher Waldanteil, geringe Bevölkerungsdichte, Truppenübungsplätze (z. T. gesperrt), Bergbau- bzw. Bergbaufolgelandschaft, z. T. Schutzgebiet
frisst große Huftiere	Wildreichtum
legt regelmäßig weite Strecken zurück	existierende Wolfsrudel in Polen
Fazit: Die Ansprüche des Wolfes an seinen Lebensraum werden weitgehend erfüllt. Es existieren Populationen, aus denen die Gründertiere einwandern.	

Der Wolf hat das Gebiet besiedelt, weil es, obwohl es zum großen Teil kein Schutzgebiet ist, alle biotischen und abiotischen Faktoren für seine Existenz bietet.

zu **27.5**
1. Das linke Diagramm zeigt das Bevölkerungswachstum im Verlauf der letzten Jahrzehnte. 1961 gab es ca. 3,1 Mrd., 1985 knapp 5 Mrd. und 2005 ca. 7,8 Mrd. Menschen. Die Tendenz ist auch hier weiterhin steigend. Seit 1985 liegt der Verbrauch der Erdbevölkerung über der ökologischen Kapazität.)
Das rechte Diagramm stellt die Entwicklung des ökologischen Fußabdrucks im Verlauf der letzten Jahrzehnte dar. Noch 1961 konnten die verbrauchten Ressourcen auf knapp der halben Fläche der Erde reproduziert werden. Doch 1985 war die ökologische Kapazität erreicht. Bereits 2005 verbrauchte die Menschheit etwa 30 % mehr, als unser Planet nachliefern kann. Die Tendenz ist weiterhin steigend.
Fazit: In den achtziger Jahren des letzten Jahrhunderts wurde die biologische Kapazität der Erde überschritten. Es werden mehr Ressourcen verbraucht, als die Erde nachliefern kann.
2. Einige Länder in Europa, Asien und Nordamerika verbrauchen mehr Ressourcen als sie regenerieren können. Bei anderen Ländern (z. B. in Südamerika, Afrika, aber auch Kanada und Russland) ist es umgekehrt. Einen Teil unseres Verbrauchs importieren wir aus diesen Ländern.
(Hinweis: Die Gläubigerländer sind oft bevölkerungsarm pro Fläche und oft weniger industrialisiert. Man kann aus der Karte keinen Schluss über die Lebensweise ziehen. Klar ist aber, dass ein afrikanischer Bauer weniger Ressourcen verbraucht als ein Arbeiter in Mitteleuropa. Aber gerade in den Industriestaaten beginnt ein Umdenken vieler Verbraucher, das durch den Anstieg der Nachfrage nach Bio-Lebensmitteln und ökologischen Produkten („Blauer Engel") dokumentiert wird.)
3. Essen Sie Fleisch, stehen Sie an der Spitze der Nahrungskette. Jede Stufe der trophischen Ebenen gibt ca. 90 % der Energie ab. Um 1 kJ Energie zu gewinnen, müssten Sie Rindfleisch essen, das 10 kJ Energie enthält. Das Rind muss dafür Pflanzen mit 100 kJ Energiegehalt fressen. Wer Fleisch ist, nutzt also nur ca. 10 % der fotosynthetisch gebundenen Energie. In den „Ecological Footprint" geht also ein höherer Anbauflächenanteil für Agrarprodukte ein, wenn Sie häufig Fleisch essen.

28 Reizaufnahme und Erregungsleitung — Lösungen — Neurobiologie

zu 28.1

1. Beschriftung von links oben im Uhrzeigersinn: Reiz, Rezeptor, sensorisches Neuron, Ganglion, Gehirn, Rückenmark, Interneuron, Motoneuron, Effektor, Reaktion
2. Dargestellt ist eine neuronale Bahn vom Rezeptor bis zum Effektor. Durch ein sensorisches Neuron wird innerhalb des peripheren Nervensystems hervorgerufen durch einen Reiz (heranfliegender Tennisball) die entsprechende Sinnesinformation an das Zentralnervensystem, das aus Rückenmark und Gehirn gebildet wird, übertragen. Durch ein oder mehrere Interneuronen innerhalb des Zentralnervensystems werden die Informationen integriert, d.h. verarbeitet, interpretiert und entsprechende Signale an ein Motoneuron weitergeleitet, das ein entsprechendes Kommando an den Effektor (Oberarm) weitergibt. Dadurch erfolgt die Reaktion; der Arm wird bewegt, um den Ball mit dem Tennisschläger zu treffen. Die Gesamtheit der Nerven, die die sensorischen und motorischen Signale zwischen dem Zentralnervensystem und dem Rest des Körpers übermitteln, wird als peripheres Nervensystem bezeichnet.
3. Vergleichen Sie Ihre Skizze mit der Abb. 2 im Lehrbuch auf S. 380.
(Hinweis: Menschliche Nervenzellen des peripheren Nervensystems sind im Vergleich zu anderen Nervenzellen, beispielsweise von Wirbellosen, mit einer isolierenden Myelinscheide umwickelt, die von besonderen Gliazellen, den Schwann'schen Zellen, gebildet wird.)
4. Dendriten: empfangen Informationen von anderen Neuronen
Zellkörper (Soma): enthält den Zellkern und alle Zellorganellen
Axonhügel: löst Aktionspotenziale aus, wenn der Schwellenwert überschritten wird
Axon: leitet Nervenimpulse vom Zellkörper (Soma) in Richtung der Endknöpfchen
Schwann'sche Zellen: bilden eine isolierende Hülle, die Myelinscheide (Markscheide) um die Axone
Ranvier'sche Schnürringe: Lücken zwischen den Schwann'schen Zellen, an denen Aktionspotenziale ausgebildet werden können
synaptische Endigungen: An ihnen werden Signale auf die Folgezelle übertragen, und sie bilden Synapsen mit einer Zielzelle

zu 28.4

1. Vergleichen Sie Ihre Lösung mit dem Lehrbuch, S. 384. Es wird die Spannung zwischen einer Elektrode im Axon und einer Vergleichselektrode außerhalb gemessen.
2. Da im Inneren der Nervenzelle eine geringere Na^+-Konzentration als im Außenmedium ist, erfolgt der Ausstrom aktiv unter Energieverbrauch durch die Natrium-Kalium-Pumpe.
Abbildung ⓐ zeigt, dass die Natrium-Kalium-Pumpe temperaturabhängig arbeitet. Je niedriger die Umgebungstemperatur ist, desto geringer ist der Na^+-Ausstrom.
Abbildung ⓑ zeigt, dass durch die Entfernung der K^+-Ionen im Inneren der Nervenzelle der Ausstrom von Na^+ verringert wird. Mit jedem entfernten K^+-Ion wird die Nervenzelle im Inneren negativer, sodass mehr Na^+ hineinströmen kann. Dies führt insgesamt zu einer Abnahme des Na^+-Ausstroms.
Abbildung ⓒ zeigt, dass die Na^+-K^+-Pumpe Energie in Form von ATP benötigt. Wird kein ATP synthetisiert, kommt es zur Verringerung des Na^+-Ausstroms.
3. Die Natrium-Kalium-Pumpe benötigt für ihre Arbeit, also den Transport von 3 Na^+-Ionen nach außen und 2 K^+-Ionen nach innen, Energie in Form von ATP. Wenn kein ATP vorhanden ist, kommt die Tätigkeit der Natrium-Kalium-Pumpe zum Erliegen. Die hypertonische intrazelluläre und die hypotonische extrazelluläre K^+-Konzentration der Nervenzelle gleichen sich durch K^+-Ausstrom an.
4. Das Ruhepotenzial entsteht, weil die Ionenzusammensetzung auf der intrazellulären Seite anders ist als auf der extrazellulären Seite und Zellmembranen für Ionen unterschiedlich permeabel sind. Im Inneren der Zelle stellen K^+-Ionen den Hauptteil an positiv geladenen Ionen, wohingegen Na^+-Ionen innen nur in geringer Menge vorkommen. Außerhalb der Zelle ist die Situation umgekehrt. Innerhalb der Zelle werden die meisten Anionen durch geladene Proteine, Sulfate, Carbonsäuren, andere Anionen und wenige Cl^--Ionen gestellt. Außerhalb der Zelle ist das Cl^--Ion das Hauptanion. Andere Anionen sind für die Entstehung des Membranpotenzials von untergeordneter Bedeutung. Die Zellmembran ist für K^+-Ionen im Ruhezustand 50-mal besser permeabel als für Na^+. Aufgrund der Größe der Anionen, können diese die Membranen nicht passieren, wodurch diese negativen Ladungsträger innerhalb der Zelle verbleiben. Der Konzentrationsunterschied und die hohe Permeabilität für K^+ sorgen für einen Nettoausstrom von K^+ aus der Zelle. Dadurch werden positive Ladungen abgegeben. Dies führt dazu, dass das Zellinnere im Vergleich zum Außenmedium zunehmend negativer wird. Die Konsequenz daraus ist, dass sich irgendwann ein Gleichgewichtspotenzial einstellt, dass sich also der K^+-Ausstrom und der K^+-Einstrom (aufgrund der zunehmend negativen Ladung im Zellinneren) kompensieren. Aufgrund der negativen Ladung im Zellinneren und der geringen Permeabilität für Na^+ strömen nun die Na^+-Ionen in das Zellinnere. Der stetige Na^+-Einstrom würde zu einer kontinuier-

lichen Zunahme der Na⁺-Konzentration und zu einer positiveren Ladung im Zellinneren führen, sodass dies einen weiteren Ausstrom von K⁺-Ionen zur Folge hätte; die Konzentrationsgradienten von K⁺ und Na⁺ würden verschwinden. Diesem Prozess wirkt die Natrium-Kalium-Pumpe, ein Membranprotein, unter Verbrauch von ATP entgegen. Die Pumpe pumpt Na⁺-Ionen aus der Zelle heraus und K⁺-Ionen in die Zelle hinein, und zwar im Verhältnis 3:2. Auf diese Weise wird ein Membranpotenzial aufrechterhalten, das als Ruhepotenzial bezeichnet wird.

zu 28.5

1. Das Membranpotenzial beträgt im Ruhepotenzial in der Regel –70 mV. In der Depolarisationsphase verändert es sich auf einen Wert von +50 mV, in der Repolarisationsphase auf einen Wert von ca. –80 mV, um dann nach der Hyperpolarisationsphase erneut ein Membranpotenzial von –70 mV zu haben.

2. Eine Nervenzelle im Ruhepotenzial wird durch einen Reiz depolarisiert, d. h. das Membranpotenzial wird geringer. Ist die Depolarisation groß genug, um das Schwellenpotenzial (im Regelfall 15–20 mV positiver als das Ruhepotenzial) zu überschreiten, wird ein Aktionspotenzial ausgelöst. Während der Depolarisationsphase öffnen sich spannungsabhängige Na⁺-Kanäle, sodass Na⁺ aufgrund des Konzentrationsgefälles und des Ladungsgradienten in die Zelle strömt. Die Zelle wird depolarisiert, wodurch sich noch mehr Na⁺-Kanäle öffnen und durch den Na⁺-Einstrom eine noch weitere Depolarisation erfolgt. Mit zunehmender Depolarisation schließen sich die Na⁺-Kanäle wieder, während sich die K⁺-Kanäle öffnen. Während der Repolarisationsphase strömen K⁺-Ionen aufgrund des Konzentrationsgefälles aus der Zelle. Auf die Repolarisationsphase folgt die Hyperpolarisationsphase, weil sich die K⁺-Kanäle nur langsam schließen und K⁺-Ionen weiterhin aus der Zelle herausströmen, obwohl das Ruhepotenzial unterschritten ist. Während dieser Phase kann kein weiteres Aktionspotenzial generiert werden (Refraktärzeit). Das Ruhepotenzial stellt sich unter Wirkung der Natrium-Kalium-Pumpe ein, wenn die K⁺-Kanäle geschlossen sind.

3. Durch Cyanid wird in der Atmungskette die Synthese von ATP blockiert, sodass die Na⁺-K⁺-Ionenpumpe ausfällt. Die Na⁺- und K⁺-Ionen sind intrazellulär und extrazellulär ungleich verteilt. Zunächst hat die fehlende ATP-Synthese wenig Auswirkungen auf das Ruhepotenzial und die Auslösbarkeit von Aktionspotenzialen. Das Ruhepotenzial nimmt sukzessive ab, denn Na⁺-Ionen und damit auch positive Ladungen strömen in das Neuron ein. Das Ruhepotenzial nimmt insgesamt ab, weil so ein Ladungsausgleich zwischen extra- und intrazellulärer Flüssigkeit stattfindet. Allerdings wandern auch K⁺-Kationen wieder aus dem Neuron heraus. Wird nun ein Aktionspotenzial ausgebildet, öffnen sich die Na⁺-Kanäle für kurze Zeit (Depolarisation), bis ein Membranpotenzialwert erreicht wird, bei dem sich diese Kanäle wieder schließen und die K⁺-Kanäle sich öffnen (Aktionspotenzial). Es folgt die Repolarisation. Da die Na⁺-K⁺-Ionenpumpe nicht mehr arbeitet, verringert sich jeweils das Konzentrationsgefälle von Na⁺-Ionen und K⁺-Ionen auf der intra- und extrazellulären Seite. Aus diesem Grund werden mit zunehmender Auslösung von Aktionspotenzialen der Na⁺-Einstrom und der K⁺-Ausstrom immer geringer. Dies hat zur Folge, dass Aktionspotenziale irgendwann nicht mehr auslösbar sind und das Ruhepotenzial immer geringer wird.

zu 28.7

1. In den Modellversuchen entsprechen/entspricht:
   – die stehenden Dominosteine dem Ruhepotenzial
   – die umkippenden Dominosteine dem durchlaufenden Aktionspotenzial
   – das Anschubsen dem Auslösen eines Aktionspotenzials
   – die Dominosteine in Reihe einem marklosen Axon
   – der aufgehängte Strohhalm dem myelinisierten Bereich eines markhaltigen Axons

   Daraus folgt, dass Modell ⓐ die kontinuierliche Erregungsleitung und Modell ⓑ die saltatorische Erregungsleitung darstellt.

2. Durchführung: Bauen Sie den Versuch skizzengemäß auf. Wählen Sie bei Versuch ⓑ den Abstand zwischen den Dominosteinen und Strohhalmen so, dass der erste Dominostein, wenn er umfällt, alle nachfolgenden Dominosteine zum Umfallen bringen kann.
   Tippen Sie den ersten Dominostein unterschiedlich stark an, bis er umkippt (Erregungsschwelle / Alles-oder-Nichts-Gesetz). Ein Mitschüler misst die Zeit vom ersten umfallenden Dominostein bis zum letzten. Vergleichen Sie die Ergebnisse bei Modell ⓐ und ⓑ. Sie erkennen die schnellere Fortleitung des Impulses bei ⓑ (saltatorische Erregungsleitung).

3. Diese Modellversuche zeigen, dass die Erregungsleitung bei der saltatorischen Erregungsleitung (Modellversuch **b**) schneller verläuft als bei der kontinuierlichen Erregungsleitung (Modellversuch **b**). Außerdem werden Erregungen nur in eine Richtung weitergeleitet. Die Versuche zeigen, dass eine Erregungsleitung nur dann stattfindet, wenn die Depolarisation der Membran über der Depolarisationsschwelle liegt (Antippen kräftig genug). Auch entsprechen die Modellversuche **a** und **b** jeweils dem „Alles-oder-Nichts-Prinzip". Denn bei den Versuchen bleiben jeweils die Stärke des Reizes bzw. die Erregungsleitungsgeschwindigkeit gleich, da in gleicher Zeit bei den Modellen jeweils gleich viele Steine umfallen. Bei diesen Modellen wird nicht dargestellt, welche ionalen Vorgänge für die Erregungsleitung von Bedeutung sind und dass es Refraktärzeiten gibt. Es fehlen die Vorgänge zur Wiederherstellung des Ausgangszustands.

29 Neuronale Verschaltungen

zu 29.1

1. Bei einem Reflex wird durch einen bestimmten Reiz bei allen Individuen einer Art dieselbe stereotype Reaktion hervorgerufen. Man unterscheidet zwei Reflexarten:
Beim Eigenreflex liegen Rezeptor und Effektor im gleichen Organ, während beim Fremdreflex Rezeptor und Effektor in verschiedenen Organen lokalisiert sind. Eigenreflexe werden in der Regel nur über eine Synapse geschaltet, sodass deswegen häufig von monosynaptischen Reflexen gesprochen wird. Fremdreflexe laufen dagegen über mehrere Synapsen, sodass sie als polysynaptische Reflexe bezeichnet werden. (Hinweis: Im Unterschied zu den Eigenreflexen hängt bei Fremdreflexen die Intensität der Reflexantwort von vorangehenden Reflexauslösungen ab. Bei häufiger Reizung des Reflexes nimmt daher die Intensität ab. Der Lidschlussreflex ist ein Fremdreflex, weil am Auge (Rezeptor) der Lidschluss herbeigeführt wird.)
2. Reiz: z. B. ein Insekt, das sich unerwartet nähert → Rezeptor: Sinneszellen im Auge → afferente Nervenbahnen → Zentralnervensystem → efferente Nervenbahnen → Effektor: Muskel, dessen Kontraktion den Lidschluss verursacht → Reaktion: Lidschluss
3. individuelles Ergebnis
4. Bei dem Versuch zeigten 50 % aller Kontaktlinsenträger keine Reaktion, 33 % zuckten mit den Wimpern und 17 % schlossen nach der Berührung der Wimpern ihr Augenlid. Bei den Nichtkontaktlinsenträgern reagierten 13 % überhaupt nicht, 47 % zuckten mit den Wimpern und 40 % schlossen ihr Augenlid nach der Berührung der Wimpern. Mit diesem Ergebnis wird gezeigt, dass Nichtkontaktlinsenträger häufiger auf den Reiz mit Lidschluss reagieren als Kontaktlinsenträger. Vermutlich hängt dies damit zusammen, dass Kontaktlinsenträger täglich Kontakt mit dem Auge haben und dadurch eine Gewöhnung (Adaptation) auftritt.
Für Abweichungen vom dargestellten Ergebnis gibt es mehrere Gründe, z. B. ein zu kleiner Stichprobenumfang, oder einige Probanden nähern sich häufig dem Auge, beispielsweise beim Wimperntuschen, sodass bei ihnen ebenfalls aufgrund von Gewöhnung keine Reaktion auftritt.

zu 29.3

1. Acetylcholin wird nach Erregung der präsynaptischen Membran eines cholinergen Neurons über Exocytose aus den Vesikeln in den synaptischen Spalt freigesetzt. Dort diffundiert es schnell zu den Acetylcholinrezeptoren der Na^+-Kanäle der postsynaptischen Membran. Die Bindung des Acetylcholins ist an diesen Rezeptoren reversibel. Während der Bindung öffnen sich die Na^+-Kanäle der postsynaptischen Membran, und es erfolgt der Na^+-Einstrom. Dadurch kommt es zu einem erregenden postsynaptischen Potenzial (EPSP). Durch das Enzym Acetylcholinesterase wird das Acetylcholin in Acetat und Cholin gespalten, und die Wirkung des ausgeschütteten Acetylcholins wird in Millisekunden beendet.
2. Wenn eine Reizung an der Präsynapse erfolgt, dann nimmt mit zunehmender Menge Physostigmin die Dauer der Potenziale an der postsynaptischen Membran zu. Am Axonhügel des postsynaptischen Neurons werden deshalb mit zunehmender Physostigminkonzentration mehr Aktionspotenziale generiert. Nach einer elektrischen Reizung des präsynaptischen Neurons bleibt die Menge des ausgeschütteten Acetylcholins durch Physostigmin unbeeinflusst. Erfolgt keine elektrische Reizung an der präsynaptischen Membran, dann findet keine Potenzialveränderung an der postsynaptischen Membran statt. Aus diesen Beobachtungen folgt, dass Physostigmin nicht die Öffnung der Na^+-Kanäle bewirkt, sondern lediglich die Wirkungsdauer des ausgeschütteten Acetylcholins verlängert.

Hypothese: Eine solche Verlängerung erfolgt durch die kompetitive Hemmung der Acetylcholinesterase. Physostigmin passt gemäß dem Schlüssel-Schloss-Prinzip in das aktive Zentrum des Enzyms genau wie Acetylcholin. Dadurch wird der enzymatische Abbau von Acetylcholin durch Acetylcholinesterase umso geringer, je mehr Physostigmin im synaptischen Spalt enthalten ist.

3. Bei denjenigen, die die Bohne schlucken, wird die Bohne mit dem Wirkstoff verdaut oder aber es wird ein Brechreiz ausgelöst und der Wirkstoff wird ausgespuckt, ohne dass er Wirkung zeigt. Bei der Verdauung wird der Wirkstoff (Hinweis: enzymatisch in der Leber) abgebaut.
Diejenigen aber, die die Bohne im Mundraum verstecken und nicht schlucken, nehmen den Wirkstoff langsam auf, da er sich durch den Speichel löst. Dadurch gelangt er schnell in den Blutkreislauf, er wird im Körper verteilt, und es kommt zu Muskelkrämpfen, die zum Tod führen können.

zu 29.4

1. Transmitterstoffe, die auf die Postsynapse exzitatorisch wirken, sind beispielsweise Acetylcholin und Glutamat. Sie bewirken eine Depolarisation, indem z. B. Ionenkanäle geöffnet werden, die zum Einstrom von Kationen, z. B. von Na^+- und Ca^{2+}-Ionen führen.
Transmitterstoffe, die auf die Postsynapse inhibitorisch wirken, sind beispielsweise γ-Aminobuttersäure (GABA) und Glycin. Sie bewirken eine Hyperpolarisation, indem z. B. Ionenkanäle geöffnet werden, die zum Einstrom von Cl^--Ionen oder zum Ausstrom von K^+-Ionen führen. (Einige Transmitterstoffe, wie z. B. Serotonin und Dopamin, können manchmal erregend oder hemmend wirken.)

2. Als Summation wird die Addition der postsynaptischen Potenziale bezeichnet. Findet die Übertragung an einer Synapse zeitlich kurz hintereinander statt, spricht man von einer zeitlichen Summation. Dabei wird die Membran erneut durch ein postsynaptisches Potenzial depolarisiert, bevor dieses Membranpotenzial aufgrund einer vorhergehenden Stimulierung zurück auf das Ruhepotenzial gegangen ist. Wird das postsynaptische Neuron durch mehrere Synapsen gleichzeitig stimuliert, sodass sich die postsynaptischen Potenziale addieren und auf diese Weise das Membranpotenzial stärker erhöhen, spricht man von einer räumlichen Summation.

3. Nach 4 ms wird am Neuron **b** ein EPSP generiert, weil sich die Aktionspotenziale an Neuron **a** nach 2 ms und 4 ms miteinander zeitlich summieren. Ein einzelnes Aktionspotenzial hätte nicht zu diesem EPSP geführt. Nach 8 ms werden sowohl vom Neuron **c** als auch vom Neuron **b** Aktionspotenziale weitergeleitet. Diese beiden Aktionspotenziale heben sich gegenseitig auf, da das Aktionspotenzial von **c** hemmend wirkt und das von **a** erregend. Deshalb ist nach 8 ms kein EPSP bei Neuron **b** zu erkennen. Nach 12 ms ist dort wieder ein EPSP festzustellen, da sich die Aktionspotenziale der Neuronen **a** und **d** räumlich summieren. Alleine hätten jeweils die nach 12 ms gemessenen Aktionspotenziale der Neuronen **a** und **d** nicht zum EPSP bei Neuron **b** geführt, da das Schwellenwertpotenzial am Axon **b** nicht überschritten worden wäre. Obwohl sowohl an den Neuronen **a**, **d** und **c** nach 16 ms ein Aktionspotenzial zu messen ist, ist am Neuron **b** zu diesem Zeitpunkt kein EPSP festzustellen. Wieder heben sich die Aktionspotenziale der Neuronen **a** und **c** in ihrer Wirkung auf. Das Aktionspotenzial an Neuron **d** zu diesem Zeitpunkt vermag kein EPSP bei Neuron **b** hervorzurufen, da am Axonhügel das Schwellenwertpotenzial wieder nicht überschritten wird.

zu 29.6

1. Durch α-Conotoxine werden die Rezeptoren in der postsynaptischen Membran für Acetylcholin blockiert, und die rezeptorgebundenen Na^+-Kanäle werden nicht geöffnet. In der postsynaptischen Muskelzelle unterbleibt der Na^+-Einstrom, und somit findet keine Depolarisation an der Muskelfasermembran statt. Dadurch kommt es beim Menschen zu Lähmungserscheinungen, weil die Muskelkontraktion verhindert wird. Bei μ-Conotoxinen werden die Na^+-Kanäle blockiert, sodass ebenfalls kein Na^+-Einstrom stattfinden kann. Dadurch kann an der Muskelfasermembran kein Aktionspotenzial generiert werden. Es kommt ebenfalls zu Lähmungserscheinungen. Die ω-Conotoxine bewirken bei einem Aktionspotenzial einen verringerten Ca^{2+}-Ioneneinstrom ins synaptische Endknöpfchen. Dadurch wird das Verschmelzen von transmittergefüllten Vesikeln mit der präsynaptischen Membran und damit die Transmitterausschüttung in den synaptischen Spalt vermindert. Auf diese Weise wird die Öffnung der Na^+-Kanäle vermindert, und es kann somit nur ein geringeres EPSP an der postsynaptischen Membran angeregt werden. Dieses führt zu einem Taubheitsgefühl und zu einer Beeinträchtigung der sensorischen Wahrnehmung.

2. Die Gegengifte für α- und ω-Conotoxine könnten folgende Wirkungsweisen haben:
Das Gegengift von α-Conotoxin sollte das Enzym Acetylcholinesterase blockieren. Auf diese Weise würde keine Spaltung des Acetylcholins (Ach) erfolgen, was zur Erhöhung der Ach-Konzentration im synaptischen Spalt führt. Aufgrund der reversiblen Bindung von α-Conotoxinen an die Ach-Rezeptoren an der postsynaptischen Membran wird so die Wirkung von α-Conotoxin herabgesetzt.

Die Wirkung von ω-Conotoxinen könnte herabgesetzt werden durch Stoffe mit Acetylcholin-Wirkung — beispielsweise Nicotin —, die in den synaptischen Spalt gelangen. Dadurch kann es zur Depolarisation der postsynaptischen Membran kommen und das Taubheitsgefühl verschwindet.

zu 29.8

1. Elektrische Synapse: Erregung der Präsynapse →(elektrische Übertragungen, Ionenübergang)→ Erregung der Postsynapse

   Chemische Synapse: Erregung der Präsynapse →(Transmitterfreisetzung, und -diffusion und Bindung an Ionenkanäle)→ Erregung der Postsynapse

2. Während bei den chemischen Synapsen zwischen Post- und Präsynapse ein ungefähr 20 nm weiter synaptischer Spalt liegt, grenzen bei elektrischen Synapsen jeweils die beiden beteiligten Neuronen über Gap Junctions im Abstand von 3,5 nm aneinander. Bei den elektrischen Synapsen besitzen die Membranen der beiden beteiligten Neuronen jeweils aus sechs Proteineinheiten bestehende Poren, die sich gegenüberstehen. Durch diese Poren können unselektiert Ionen und organische Stoffe in beide Richtungen transportiert werden, während bei den chemischen Synapsen durch den von der Präsynapse ausgeschütteten Transmitterstoff an der Postsynapse bestimmte Kanäle geöffnet werden. Dadurch können nur bestimmte Ionen und Ladungen in die Postsynapse gelangen; der Stromfluss kann also nur in eine Richtung — von der Prä- in die Postsynapse — erfolgen.

3. In den Abbildungen der Spalten **a** und **b** ist dargestellt, dass jeweils nach der Erregung eines präsynaptischen Neurons ein Aktionspotenzial an der Postsynapse erfolgt. Bei **a** tritt an der Postsynapse das Aktionspotenzial um ca. 0,3 ms verzögert auf, während bei **b** das Aktionspotenzial direkt im Anschluss, also ohne Totzeit, erfolgt. Dies deutet daraufhin, dass es sich bei **a** um die chemische und bei **b** um die elektrische Synapse handelt. Die Erregungsweiterleitung erfolgt bei der elektrischen Synapse schneller als bei der chemischen, da es dort keinen synaptischen Spalt gibt und dieser folglich nicht mittels Transmitterstoffen überwunden werden muss (siehe oben).

30 Sinne und Wahrnehmung

zu 30.2

1. Merkel-Zellen messen die Druckintensität und die Reizwirkungsdauer.
   Meissner-Körperchen messen die Geschwindigkeit, mit der der Reiz einwirkt.
   Vater-Pacini-Körperchen sind zur Wahrnehmung von Vibrationen geeignet.

2. Material: zwei spitze Bleistifte oder ein Stechzirkel, Lineal
   Durchführung: Man drückt beim Mitschüler sehr vorsichtig den Stechzirkel oder zwei spitze Bleistifte in enger werdenden Abständen in die verschiedenen Hautpartien. Wenn gerade zwei Druckpunkte nicht mehr getrennt wahrgenommen werden, misst man die Entfernung zwischen den Bleistiftspitzen oder zwischen den Zirkelschenkeln. Auf diese Weise hat man die sogenannte Zweipunktschwelle oder die simultane Raumschwelle ermittelt.

3. Die Ergebnisse fallen unterschiedlich aus. Als Richtwerte gelten:
   Zungenspitze 1–2 mm, Zeigefinger 3 mm, Handballen 13 mm, Handrücken 32 mm, Nacken 55 mm, Rücken 65 mm.

4. Je enger die Tastpunkte beieinander liegen, desto exakter können wir Dinge damit ertasten bzw. feinere Berührungen wahrnehmen. Um z. B. Nahrung genauer im Mund zu analysieren und um Gegenstände zu erfühlen, sind die Tastpunkte auf der Zungenspitze und auf der Fingerkuppe dichter beieinander als beispielsweise auf dem Rücken.

zu **30.4** 1.

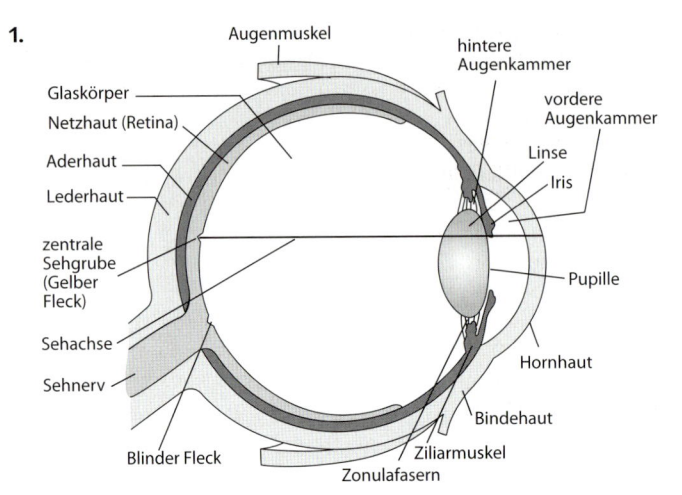

Beschriftung der Augenanatomie: Augenmuskel, Glaskörper, Netzhaut (Retina), Aderhaut, Lederhaut, zentrale Sehgrube (Gelber Fleck), Sehachse, Sehnerv, Blinder Fleck, Zonulafasern, Ziliarmuskel, Bindehaut, Hornhaut, Pupille, Iris, Linse, vordere Augenkammer, hintere Augenkammer.

2. Stäbchen bestehen aus einem gestreckten Zellkörper und einer Synapse. Im Stäbchen liegen viele Membranstapel. Darin liegt der Sehpurpur, das Rhodopsin. Im Zellkörper befinden sich zahlreiche Mitochondrien und der Zellkern. Daran schließt sich das transmittergefüllte Endknöpfchen an.
3. Bei Dunkelheit liegt Rhodopsin in einem inaktivierten Zustand vor. cGMP, ein sekundärer Botenstoff, ist an die Natriumkanäle gebunden, wodurch diese Kanäle in einem geöffneten Zustand gehalten werden. Dadurch strömt Natrium in die Zelle, die Zellmembran des Stäbchens wird depolarisiert, und das Membranpotenzial sinkt auf −30 mV. Dadurch kommt es an den Endknöpfchen der Stäbchen im Dunkeln zur Ausschüttung von Transmittermolekülen.
Bei Belichtung werden das Rhodopsin und dadurch das G-Protein (Transducin) aktiviert. Das aktivierte Transducin bewirkt den enzymatischen Abbau des sekundären Botenstoffs cGMP. Dadurch kann sich kein cGMP weiter an die Natriumkanäle binden, woraufhin diese sich schließen. Der Natriumeinstrom unterbleibt, und es kommt zu einer Hyperpolarisation der Stäbchenmembran. Das Membranpotenzial fällt auf −70 mV; der Transmitterstoff wird nicht mehr freigesetzt.

zu **30.5** 1. Es kann ein Schwindelgefühl entstehen. Nach dem Stoppen glaubt, man bewege sich entgegen der vorherigen Drehrichtung.
2. Das Drehsinnesorgan besteht aus drei rechtwinklig zueinander angeordneten Bogengängen, zwei Vorhofsäckchen und der schneckenförmigen Cochlea, die Teil des Gehörsystems ist.
Die Bogengänge bilden das Drehsinnesorgan, sind mit Flüssigkeit gefüllt und haben an ihrer Basis jeweils eine Verdickung. In jeder dieser Verdickungen befinden sich Haarsinneszellen, deren Cilien in eine gallertartige Masse ragen. Die Haarsinneszellen der Bogengänge leiten elektrische Impulse über einen Nerv weiter zum Gehirn.
3. Dadurch, dass der Stuhl langsam in eine zunehmende Drehbewegung versetzt wird, kann die Flüssigkeit aufgrund ihrer Viskosität der Drehbewegung folgen. Die Gallertmasse wird aus der Ruhelage nicht abgelenkt, sodass die Haarsinneszellen nicht gereizt werden.
4. Die Drehtäuschung im Experiment kommt dadurch zustande, dass die Flüssigkeit aufgrund ihrer Trägheit in den Bogengängen nach dem Stoppen der Drehung weiter fließt und die Gallertmasse mit den Haarsinneszellen verbiegt.

zu **30.6** 1. Die Statocyste ist ein mit Cilien ausgekleideter Hohlraum, der von dicht aneinanderliegenden Rezeptorzellen gebildet wird. Auf den Cilien einiger Rezeptorzellen befinden sich kleine Körnchen, die sogenannten Statolithen. Je nach Lage des Krebses wird auch die Lage der Statocyste und damit auch die Position der Statolithen auf den Cilien der Rezeptorzellen verändert. Die Statolithen befinden sich aufgrund der Schwerkraft stets am niedrigsten Punkt des Hohlraums. Auf diese Weise werden so durch die Statolithen die im Hohlraum tiefstgelegenen Rezeptorzellen gereizt und Aktionspotenziale ausgelöst. Diese werden dann über Nervenfasern zum Gehirn weitergeleitet, wo sie verarbeitet werden.

2. Wenn ein Flusskrebs entlang seiner Längsachse gekippt wird, stimulieren die Statolithen die Rezeptorzellen der Statocyste, auf denen sie aufgrund der Schwerkraft aufliegen. Bei diesen Rezeptoren werden dann Aktionspotenziale ausgelöst. Dabei ist an den Rezeptorzellen, an denen die Aktionspotenziale gemessen werden, festzustellen, dass je nach Lage der Tiere sich die Häufigkeit/Frequenz der Aktionspotenziale ändert (Abb. 2). Anscheinend hat jede Rezeptorzelle ihre maximale Frequenz an Aktionspotenzialen bei jeweils anderer Orientierung des Krebses.
3. Der Aufbau der Statocyste und die Experimente zeigen, dass die Statocyste ein Gleichgewichtsorgan ist. Im ersten Experiment wurde deutlich, dass Krebse in Abhängigkeit von der Körperlage ihre Beine bewegen. Diese Reaktion ist eine Kompensationsbewegung, die dazu dient, die Krebse in eine horizontale Körperlage zu bringen. Die Körperlage ermitteln Krebse mithilfe ihrer Statolithen. Fehlen sie, wie in Experiment 2, dann torkeln die Krebse umher, weil keine entsprechenden Impulse/Aktionspotenziale zum Gehirn weitergeleitet werden. Werden während der Häutung von Krebsen Metallkörner als Statolithen in die Statocyste gefüllt, dann können die Krebse mit einem Magneten, wie im dritten Experiment, fehlgeleitet werden. Die Statolithen werden zum Rücken gezogen, wodurch den Krebsen irrtümlicherweise vermittelt wird, dass sie sich in Rückenlage befinden.

31 Nervensysteme

zu 31.1

1.

Frosch	Mensch
gleicher Grundaufbau: Großhirn, Zwischenhirn, Mittelhirn, Kleinhirn, Nachhirn, Rückenmark	
Hirnteile sind linear geordnet	nicht alle Hirnteile linear, Kleinhirn liegt seitlich Großhirn ist wesentlich größer als die anderen Hirnteile
Großhirn ist verhältnismäßig klein	Großhirn überwölbt andere Hirnteile

2. Abb. 1 auf Seite 414 im Lehrbuch stellt die Zentralisierung von Nervenzellen bei Nervensystemen verschiedener Tierstämme dar. Abb. 1 im Arbeitsbuch zeigt den Vergleich der Hirne von Frosch und Mensch. Ähnlich wie die Tendenz zur Anhäufung von Nervenzellen zu Ganglien und schließlich Gehirnen, zeigt auch der Vergleich der beiden Gehirne eine Zentralisierung: Das Großhirn dominiert das Hirn beim Menschen.
3. Auge (Netzhaut) → Sehnerv → **Thalamus** → **Großhirnrinde** → **Thalamus** → **Pons** → **verlängertes Rückenmark** → **Rückenmark** → vordere Nervenwurzel (motorisches Neuron) → Spinalnerv → Muskel
(Hinweis: Die fett gedruckten Teile gehören zum ZNS)

zu 31.2

1. z. B.:

	Sympathicus	Parasympathicus
Bau	Nervenbahnen des vegetativen (= autonomen) Nervensystems	
	Ursprung der Nerven	
	oberer und mittlerer Teil des Rückenmarks	Hirnstamm und unterer Teil des Rückenmarks
	Ganglien	
	neben dem Rückenmark (Grenzstrang)	auf den Zielorganen
Funktion	regulieren das innere Milieu sind nicht oder schwer vom Willen beeinflussbar	
	Neurotransmitter	
	Noradrenalin	Acetylcholin
	Wirkung	
	bereitet auf Leistungen vor	führt zur Erholung

2. Die Bauchspeicheldrüse produziert die Hormone Insulin und Glucagon zur Regulierung des Blutzuckerspiegels. Insulin führt zur Senkung des Blutzuckerspiegels, die Leistungsfähigkeit sinkt. Glucagon führt zur Erhöhung des Blutzuckerspiegels, die Leistungsbereitschaft steigt. Der Sympathicus sollte also die Insulinproduktion der Bauchspeicheldrüse hemmen und die Glucagonproduktion anregen.
(Hinweis: Bei der Regulierung des Blutzuckerspiegels spielen auch die Hormone der Nebennieren und der Schilddrüse eine Rolle.)
3. Beobachtung 1: Reizung über Nervenfaser 1 sorgt für höhere Herzfrequenz: → Nervenfaser 1 gehört zu Sympathicus
Beobachtung 2: Reizung über Nervenfaser 2 sorgt für niedere Herzfrequenz: → Nervenfaser 2 gehört zu Parasympathicus
Beobachtung 3: Herz 2 reagiert zeitversetzt genau wie das erste Herz, ohne dass es über Nervenfasern gereizt wurde → Die Information kann nur über die Kochsalzlösung zum zweiten Herzen gelangt sein. Es muss sich also um Stoffe (keine elektrischen Impulse) handeln.
Noradrenalin erhöht die Herzfrequenz, Acetylcholin senkt sie. Beide Neurotransmitter werden von Herz 1 produziert und gelangen über die Kochsalzlösung in Herz 2. Hier lösen sie die entsprechende Reaktion etwas später aus.

zu 31.3

1. Der Hippocampus ist beim Menschen notwendig, um Gedächtnisinhalte aus dem Kurzzeitgedächtnis ins Langzeitgedächtnis zu überführen. Menschen, bei denen beide Hippocampi entfernt oder zerstört wurden, haben Amnesie, weil sie keine neuen Erinnerungen ablegen können. Alte Erinnerungen bleiben jedoch meist erhalten. Der Hippocampus ist somit eine Hirnstruktur, die Erinnerungen generiert, während die Gedächtnisinhalte an verschiedenen anderen Stellen in der Großhirnrinde gespeichert werden. Die Amygdala oder der Mandelkern ist die Hirnstruktur, die für Angst und für das Angstgedächtnis wichtig ist. Eine Fehlfunktion der Amygdala kann beim Menschen beispielsweise zu Gedächtnisstörungen, zur Unfähigkeit der emotionalen Einschätzung von Situationen, zu Autismus, Depressionen und Phobien führen. Die Amygdala verknüpft Ereignisse mit Emotionen und speichert diese.
2. Ein erhöhter CO_2-Gehalt in der Luft bewirkt eine Erhöhung des CO_2-Gehalts im Gewebe der Labormäuse. Dieses CO_2 bildet mit der extrazellulären Flüssigkeit Kohlensäure, die zu einer Erniedrigung des pH-Werts führt. Ein zunehmend saures Milieu in der Zellumgebung des Ionenkanals ASIC1a der Neuronen der Amygdala führt zu einer Erregung und deshalb bei den Mäusen zu einer Panikreaktion.
3. Ein erhöhter CO_2-Gehalt der Luft zeigt den Organismen mithilfe der Amygdala an, dass die lebensnotwendige Atemluft verbraucht ist bzw. dass sie zu wenig Sauerstoff enthält. Der komplizierte Verschaltungsapparat der Amygdala verfügt über einen eigenen Sensor für Gefahren. Der Kohlenstoffdioxidsensor ASIC1a spricht direkt das Angstzentrum an und erlaubt auf diese Weise eine schnelle Reaktion in einer vermeintlich lebensbedrohenden Situation.

32 Hormonelle Regelung und Steuerung

zu 32.1

1. Insulin ist ein Peptidhormon, Ethinylestradiol gehört zu den Steroidhormonen. Über den Mund aufgenommen ist Insulin unwirksam, da die Proteine im Magen-Darm-Trakt von körpereigenen Enzymen abgebaut werden, bevor sie ihre Wirkung entfalten können.
2. Aufgrund ihrer Fettlöslichkeit können Steroidhormone wie das Ethinylestradiol Zellmembranen durchdringen. Sie bilden mit Enzymen innerhalb der Zelle Hormon-Protein-Komplexe aus, die im Zellkern spezifische Gene aktivieren. Peptidhormone wie das Insulin können hingegen die Zellmembran nicht passieren. Sie docken deshalb an für sie spezifische Rezeptorproteine in der Zellmembran an und bilden einen Hormon-Rezeptor-Komplex. Hier endet die eigentliche Beteiligung des Hormons. Die Konformationsänderung des Rezeptormoleküls durch das Andocken des Hormons führt jedoch innerhalb der Zelle zu einer Freisetzung sekundärer Botenstoffe, die dann innerhalb der Zelle durch die Aktivierung von Enzymen viele Reaktionen auslösen.
3. Die Bildung des sekundären Botenstoffs in der Zielzelle durch die Anlagerung des Peptidhormons an seinen Rezeptor und die darauf folgende Aktivierung diverser Enzymmoleküle läuft schrittweise ab. Bei jedem Teilschritt aktiviert jedes aktivierte Enzymmolekül wiederum eine Vielzahl weiterer Moleküle. Es findet also eine biochemische Signalverstärkung statt.

Lösungen — Neurobiologie

zu 32.2

1.

Gemeinsamkeiten	Unterschiede
Hormonsystem und Neuronen produzieren und lagern chemische Botenstoffe für eine spätere Freisetzung.	Neuronen haben relativ feste Verbindungen (Telefon), Hormone senden Informationen im ganzen Körper (Fernsehen).
Hormonsystem und Neuronen werden stimuliert und setzen dann ihre Botenstoffe frei.	Neuronale Verbindungen sind schnell (Millisekunden), hormonelle sind langsam (Sekunden/Minuten).
Es gibt eine große Vielfalt an chemischen Stoffen, die als Transmitter oder Hormone fungieren oder beide Funktionen übernehmen.	Neuronale Nachrichten sind über Aktionspotenziale binär, hormonelle variieren graduell in ihrer Stärke.
Die Botenstoffe reagieren mit spezifischen Rezeptormolekülen in den Zielzellen.	Hormonelle Reaktionen können nicht willkürlich ausgelöst werden, neuronale z.T. schon.
Die gleichen Substanzen fungieren als sekundäre Botenstoffe.	

zu 32.3

1. Axolotl bleiben ihr ganzes Leben im Wasser und vermehren sich in einem Stadium, das Kiemen besitzt, also dem Larvenstadium der Amphibien entspricht. Spritzt man ihnen winzige Mengen an Thyroxin ein, verlieren sie die Kiemen, bilden Lungen aus und verwandeln sich in Landtiere. Dabei verlieren sie den Flossensaum am Schwanz, der sich gleichzeitig abrundet. Auch der Kopf und die Augen verändern ihre Form.

2. Unter der Einwirkung von Thyroxin führen Axolotl die Metamorphose zum Landtier durch und bilden die entsprechenden Merkmale aus. Dies ist nur möglich, wenn die für diese Merkmale verantwortlichen Gene von Anfang an im Tier vorhanden sind und unter der Wirkung des Thyroxins abgelesen werden. Diese Erbinformationen können von den Vorfahren der Axolotl aber nur beim Übergang zum Landleben erworben worden sein. Daraus folgt, dass die Vorfahren der Axolotl Landbewohner waren, die sekundär wieder zum Leben im Wasser übergegangen sind.

zu 32.4

1. Das vom Hypothalamus abgegebene GnRH wirkt auf die Hypophyse ein und sorgt dort für die Ausschüttung von FSH und LH. Diese lassen im Eierstock ein Ei heranreifen und bringen es zum Eisprung. Darüber hinaus fördert FSH die Bildung von Östrogen in den Eierstöcken. Unter dem Einfluss des Östrogens wird eine neue Gebärmutterschleimhaut aufgebaut. Nach dem Eisprung wandelt sich der entleerte Follikel unter Einfluss des LH zum Gelbkörper um. Dieser bildet nun die Gelbkörperhormone (Progesterone). Sie bewirken das Weiterwachsen der Gebärmutterschleimhaut und bereiten damit die Einnistung der Eizelle vor. Ist die Eizelle nicht befruchtet worden, verkümmert der Gelbkörper und die Progesteronbildung geht zurück. Östrogen und Progesteron wirken rückkoppelnd auf den Hypothalamus, der dann an der Ausschüttung von GnRH gehindert wird.

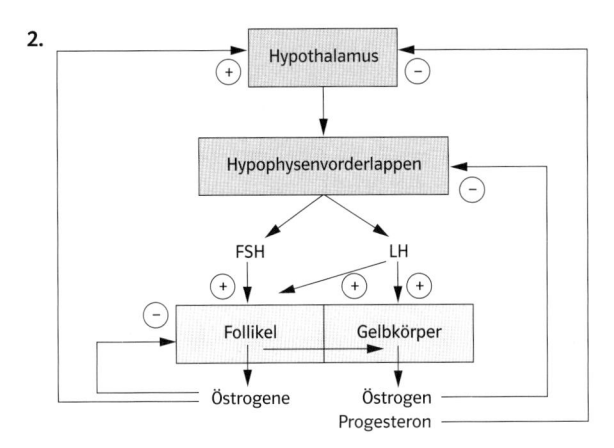

2.

```
         ┌─────(+)→ Hypothalamus ←(-)─────┐
         │              │                  │
         │              ↓                  │
         │    Hypophysenvorderlappen ←(-)──┤
         │         │        │              │
         │        FSH       LH             │
         │      (+)│     (+)│(+)           │
         │(-)      ↓        ↓              │
         │     Follikel  Gelbkörper        │
         │         │        │              │
         └─ Östrogene    Östrogen ─────────┘
                         Progesteron
```

3. Die negative Rückkopplung ist zentrales Element dieser Regelung: Im weiblichen Zyklus ist die Aktivierung des Hypophysenvorderlappens durch Ausschüttung von GnRH aus dem Hypothalamus dafür verantwortlich, dass alle Eireifungs- und Entwicklungsprozesse ablaufen können. Ist dieser Prozess einmal angelaufen, so sorgen die in diesem Vorgang freigesetzten Östrogene und Progesterone dafür, dass eine weitere GnRH-Freisetzung nicht stattfindet. Sie wirken der Freisetzung entgegen.

zu **32.6**
1. In dem vorliegenden Experiment werden männliche Küken auf drei Versuchsgruppen aufgeteilt. Die erste Versuchsgruppe dient als Kontrolle. Die Küken bleiben unbehandelt und entwickeln sich zu normalen Hähnen mit typischen Kennzeichen (normaler Kamm und Kehllappen, krähen, besteigen Hennen und sind aggressiv). Den Tieren der zweiten Versuchsgruppe werden die Hoden entfernt. Sie entwickeln sich zu Hähnen, die kleine Kämme und Kehllappen haben, nur kraftlos krähen, keine Hennen besteigen und nicht aggressiv sind. Aussehen und Verhalten sind also nicht „hahntypisch". Den Tieren der dritten Gruppe werden zwar auch die Hoden entfernt, dann jedoch Hodengewebe wieder im Unterleib eingepflanzt. Die so behandelten Küken entwickeln sich zu „normalen" Hähnen.
2. Kastrierte Hähne erlangen durch Einpflanzung von Hodengewebe ihr männliches Äußeres und männliche Verhaltensweisen. Im Hodengewebe befinden sich Hormone, die die körperliche Entwicklung und Verhaltensweisen hin zum Hahn steuern.
3. Da das implantierte Hodengewebe nicht mehr durch Nerven versorgt wird, lässt sich aus den Beobachtungen schließen, dass diese Verhaltens- und Entwicklungseffekte durch Hormone ermöglicht werden müssen, die direkt in das Blut abgegeben werden.

33 Verhaltensforschung und Verhaltensweisen

zu **33.2**
1. Der Kluge Hans wurde unter drei Bedingungen getestet:
   a das Pferd konnte den Versuchsleiter sehen und dieser kannte das Ergebnis
   b das Pferd konnte den Versuchsleiter sehen, dieser kannte das Ergebnis nicht
   c das Pferd trug Scheuklappen und konnte den Versuchsleiter, der die Lösung kannte, nicht sehen.
   Ergebnis: Hans konnte das richtige Ergebnis nur dann angeben, wenn er den Versuchsleiter sehen konnte und dieser das Ergebnis kannte. Das Tier muss dem Versuchsleiter angesehen haben, wann es das richtige Ergebnis erreicht hatte.
2. In Doppelblindstudien, die man besonders häufig in der Medizin und in der Psychologie verwendet, weiß weder der Versuchsleiter noch der Untersuchte, ob er zur Versuchs- oder zur Kontrollgruppe gehört. Dadurch ist eine Beeinflussung durch den Experimentator ausgeschlossen.

zu **33.3**
1. Dargestellt ist die Zeit bis zum Einrollen des Eies, abhängig von der Attrappengröße für drei verschieden gefärbte bzw. gemusterte Eier. Ein Vergleich der Punkte A, B und C bezieht sich auf Eier, die gleich groß sind. Unter diesen Bedingungen werden die gefleckten Attrappen am frühesten eingerollt, die ungefleckten später. Die Zeit bis zum Einrollen kann als Maß für die „Attraktivität" des Eies gewertet werden. Die Eier der Punkte D, B und E werden alle nach der gleichen Zeit eingerollt, scheinen also gleichermaßen „attraktiv" zu sein. Die fehlende Qualität durch Grundfarbe oder fehlende Musterung wird durch Größenzunahme kompensiert.
2. Man könnte meinen, der Kuckuck hat seit Jahrtausenden Attrappenversuche mit seinen Wirtsvögeln durchgeführt und den gleichen Zusammenhang herausgefunden. Kuckuckseier stimmen in der Grundfarbe und der Musterung nicht immer völlig mit den Eiern der Wirtsvögel überein, sind dann aber meist etwas größer als diese.

zu **33.4**
1. Das Risiko gefressen zu werden ist für helle Falter in verschmutzten Wäldern größer als für schwarze Tiere. Umgekehrt überleben die weißen Falter in sauberen Wäldern besser. In allen Fällen ist die Überlebensrate in der Nähe von Astgabeln am besten.
2. Das gezielte Aufsuchen des Ruheplatzes in der Nähe von Astgabeln führt zu einem besseren Überleben, d.h. diese Verhaltensweise hat einen Überlebensvorteil.

zu **33.5**
1. Der Vorbildgesang besteht aus sechs Elementen, die in der Tonhöhe zwischen 1 und 3 kHz liegen. Zwei Elemente bilden jeweils eine Untereinheit. Der Gesang vom 20.9.57 hat Ähnlichkeiten mit den ersten

beiden Elementen, trifft den Tonverlauf jedoch nicht genau. Am 22.10.57 tauchen Elemente auf, die den Elementen 3 und 4 im Vorbildgesang ähneln. Erst am 24.12.57 werden die Teile 1 bis 4 kombiniert. Die vollständige Strophe wird erst am 21.4.58 erreicht.
2. Da junge Amseln den als Nestling gehörten Gesang übernehmen, muss es in dieser Zeit eine Lernphase geben. Hören sie unter anderen Gesängen auch den von Amseln, so erkennen sie diesen als arteigen. Da sie ohne jegliches Vorbild auch dem Amselgesang ähnliche Strophen erzeugen, muss die Grundstruktur des Amselgesangs angeboren sein, kann aber von anderen, erlernten Gesängen überlagert werden. Da Amseln erst ein Jahr nach dem Hören des Vorbildgesangs anfangen, selbst zu singen und dieser Gesang dem Vorbild immer ähnlicher wird, müssen Jungamseln den eingeprägten Gesang mit dem selbst gesungenen vergleichen und ihn dem Vorbild immer mehr anpassen. In dieser Phase wird das Singen erlernt.

34 Lernen

zu 34.2
1. In der Skinner-Box sind Scheiben, auf die die Taube picken kann und auf die Bilder projiziert werden können. Die Bildfolge zeigt, dass im mittleren Feld ein Symbol vorgegeben wird. Danach bekommt die Taube rechts und links zwei weitere Symbole, von denen eins mit dem ersten übereinstimmt. Pickt sie auf dieses, bekommt sie eine Belohnung.
2. In der Lernphase zeigt man Tauben Bilder zweier Künstler und belohnt beim Picken auf eine bestimmte von 2 Tasten. Wenn die Tauben dies beherrschen, projiziert man im zweiten Schritt den Tauben unbekannte Bilder der Künstler. Unter diesen Versuchsbedingungen müssen die Tauben nicht mehr das Bild erkennen, sondern den Stil des Künstlers erfassen. Ähnliche Wahlversuche macht man parallel dazu mit Studenten.

zu 34.3
1. Da nach Textaussage ungeprägte Gehirne erst nach 20 Tagen mit dem Einschmelzen nicht genutzter Synapsen beginnen, sind die Gehirne dieser Küken am wenigsten verändert. Da für das Erlernen eines monotonen Tones wahrscheinlich weniger Synapsen nötig sind als für den natürlichen Lockruf der Henne, waren für den einfachen Ton mehr Synapsen ungenutzt und daher eingeschmolzen worden. Auch beim Menschen werden Gehirnstrukturen vermutlich durch frühkindliche Eindrücke beeinflusst.
2. Die Kenntnis der sensiblen Phasen und der Irreversibilität des Eingeprägten sollte Anlass sein, Kinder und Jugendliche in dieser Zeit möglichst mit positiven Vorbildern zu konfrontieren.

zu 34.5
1. Damit Tiere etwas voneinander lernen, müssen sie zumindest zeitweise zusammenleben, sich gegenseitig beobachten und lernfähig sein. Das Letztgenannte ist besonders bei Allesfressern gegeben, die sich immer wieder auf häufig wechselnde Futterangebote einstellen müssen.
2. In Affengruppen müssen die im Rang niedrig stehenden Individuen immer aufmerksam beobachten, was die Ranghohen machen, da diese sie jederzeit von ihrem Platz vertreiben können. Hochrangige Tiere müssen sich aber nicht um die Niederrangigen kümmern. Diese Aufmerksamkeit in der Gruppe sorgt dafür, dass rangniedere Tiere von den Oberen lernen, aber umgekehrt nicht.
3. Die biologische Grundlage der Kulturfähigkeit ist, dass Lebewesen erlernte Inhalte von Generation zu Generation übernehmen. Auf der Grundlage dieser Definition handelt es sich bei den angesprochenen Verhaltensweisen um einfache Kulturformen.

zu 34.6
1. An Versuchspersonen wurde gleichzeitig gemessen, wann ein Bereitschaftspotenzial für ein Verhalten im Gehirn nachweisbar ist, wann die Muskeln der Hand dieses Verhalten ausführen und wann die ausführende Person das Gefühl hat, sich bewusst für diese Handlung entschieden zu haben. Das Bereitschaftspotenzial ist etwa 550 ms vor der Ausführung der Handlung messbar, und der Person wird die Entscheidung rund 200 ms vor der Bewegung bewusst. Die meisten Menschen glauben, dass ihr Bewusstsein, also ihre bewusste Entscheidung für ein Verhalten, die Ursache für dieses Verhalten ist. Diese Vorstellung ist nach den Versuchen nur schwer haltbar, da den Versuchsleitern die Entscheidung schon vor den Versuchspersonen bekannt war und die zeitlich spätere bewusste Entscheidung nicht die Ursache für das davor liegende Bereitschaftspotenzial sein kann. Daher muss die Rolle des Bewusstseins und der Entscheidungsfreiheit neu überdacht werden.

35 Kommunikation und Sozialverhalten — Lösungen – Verhalten

zu 35.1

1.

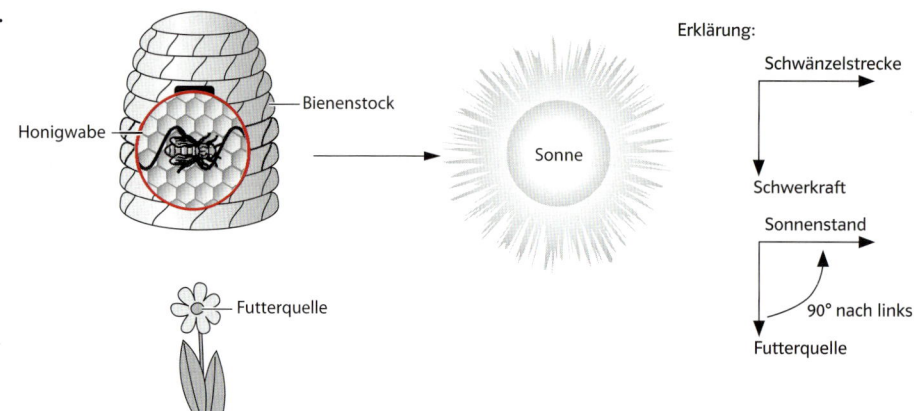

Da die Tanzrichtung 90° nach rechts zur Schwerkraft verläuft, muss die Sonne 90° nach links von der Futterrichtung liegen.

2. Eine Hypothese ist, dass die Schwänzeltanzrichtung den anderen Bienen die Richtung zur Futterquelle mitteilt. Die zweite Hypothese nimmt an, dass die Richtung mithilfe von Duftstoffen gefunden wird. Wenn die erste Hypothese richtig ist, müssen fast alle Bienen die richtige Richtung einschlagen, stimmt die zweite, könnten die Bienen nicht gerichtet abfliegen, da es im Zielgebiet keine Duftquelle gibt.

3. Da die Bienenattrappe keinen Duft verströmte und auch vom Zielgebiet kein Duft ausgeht, die Bienen aber gerichtet abfliegen, kann nur die 1. Hypothese stimmen.

zu 35.2

1. Weißes Licht enthält alle Farben, also auch Rot. Unter diesen Versuchsbedingungen reflektieren die Bäuche der Männchen rotes Licht und unterscheiden sich in der Intensität der Farbe. Da grünes Licht keinen Rotanteil enthält, reflektieren die Bäuche der Männchen kein Licht und sind daher schwarz.

2. Während die Weibchen sich bei weißem Licht deutlich stärker dem intensiver gefärbten Männchen zuwenden, können sie die Intensität des roten Flecks bei grüner Beleuchtung nicht so gut unterscheiden. Sie müssen also Rot sehen und unterscheiden können. Wenn sie sich so entscheiden, wählen sie das Männchen mit besserem Gesundheitszustand aus.

zu 35.3

1. Blaufußtölpelmännchen haben blaue Füße, deren Farbintensität umso stärker ist, je besser sie mit Futter versorgt sind. Weibchen wählen ihren Partner nach der Farbintensität der Füße aus und reagieren auf eine Verschlechterung der Fußfarbe ihres Partners damit, dass sie kleinere Eier legen.

2. Wenn die Weibchen ihre Partner nach der Fußfärbung auswählen, bekommen sie mit großer Wahrscheinlichkeit einen erfolgreichen Fischjäger, der besser als andere in der Lage ist, die Jungen zu versorgen. Verschlechtert sich die Färbung der Füße, weist dies auf eine Abnahme der Futterversorgung hin. Das könnte an der Gesundheit des Partners oder an der Abnahme der Fischbestände liegen.

3. Große Eier zu legen, aus denen sicher Junge schlüpfen, die aber womöglich nicht gefüttert werden können, stellt eine sehr hohe körperliche Belastung für das Weibchen dar, die es vielleicht nicht überlebt. Mit kleineren Eiern sinkt zwar der Fortpflanzungserfolg momentan, langfristig steigt er jedoch dadurch, dass das Weibchen überlebt.

zu 35.5

1. Abb. 1 beschreibt, dass mit zunehmender Gruppengröße die Konkurrenz der Gruppenmitglieder um Nahrung zunimmt. Mit der Zunahme der Gruppengröße sinkt aber die Gefährdung durch Raubtiere. Der Nachteil der Nahrungskonkurrenz kann durch den Vorteil der Sicherheit ausgeglichen werden. Der Schnittpunkt der Kurven beschreibt die optimale Gruppengröße, wo Nach- und Vorteile sich ausgleichen.

2. Wie die zweite Grafik zeigt, bilden Javamakaken auf der feindfreien Insel Simeulue Gruppen bis zu 15 Tiere aus, während sie auf Sumatra Gruppenstärken von bis zu 42 Tieren erreichen. Die theoretischen Überlegungen stimmen also gut mit den Beobachtungen überein.

zu 35.6

1. Haussperlingsmännchen entwickeln mit zunehmendem Alter einen immer größeren dunklen Kehlfleck, dessen Größe zusätzlich von der Körperkondition des Individuums abhängt. Künstlich gefälschte Kehlflecke werden erkannt, da Tiere mit großem Kehlfleck häufig zum Kampf herausgefordert werden, diesen dann aber nicht gewinnen können, da ihre Kondition nicht der Fleckengröße entspricht.
2. Da die Größe des Kehlflecks sowohl mit der Kondition als auch mit dem Lebensalter steigt, ist sie ein „ehrliches" Signal. Dieses Signal ist nicht fälschbar.

zu 35.8

1. Vampirfledermäuse geben bereitwillig Nahrung an hungrige Verwandte ab. Die Bereitschaft nimmt mit steigendem Verwandtschaftsgrad zu. Mit nicht verwandten Tieren teilen Vampire nur, wenn sie diese gut kennen und wissen, dass die Empfänger sich revanchieren. Die beobachteten Verhaltensweisen stimmen gut mit den theoretischen Überlegungen überein.
2. Für diese Verhaltensentscheidungen müssen die Tiere einerseits den Verwandtschaftsgrad zu den Partnern erkennen und andererseits verschiedene Individuen unterscheiden können und sich erinnern, wie deren Verhalten war.

Anhang

Operatoren

aus: Einheitliche Prüfungsanforderungen in der Abiturprüfung Biologie
(Beschluss der Kultusministerkonferenz vom 01.12.1989 i.d.F. vom 05.02.2004)

Operator	Beschreibung der erwarteten Leistung
Ableiten	Auf der Grundlage wesentlicher Merkmale sachgerechte Schlüsse ziehen
Analysieren und Untersuchen	Wichtige Bestandteile oder Eigenschaften auf eine bestimmte Fragestellung hin herausarbeiten. Untersuchen beinhaltet ggf. zusätzlich praktische Anteile.
Auswerten	Daten, Einzelergebnisse oder andere Elemente in einen Zusammenhang stellen und ggf. zu einer Gesamtaussage zusammenführen
Begründen	Sachverhalte auf Regeln und Gesetzmäßigkeiten bzw. kausale Beziehungen von Ursachen und Wirkung zurückführen
Beschreiben	Strukturen, Sachverhalte oder Zusammenhänge strukturiert und fachsprachlich richtig mit eigenen Worten wiedergeben
Beurteilen	Zu einem Sachverhalt ein selbstständiges Urteil unter Verwendung von Fachwissen und Fachmethoden formulieren und begründen
Bewerten	Einen Gegenstand an erkennbaren Wertkategorien oder an bekannten Beurteilungskriterien messen
Darstellen	Sachverhalte, Zusammenhänge, Methoden etc. strukturiert und gegebenenfalls fachsprachlich wiedergeben
Diskutieren Synonym wird verwendet: Erörtern	Argumente und Beispiele zu einer Aussage oder These einander gegenüberstellen und abwägen
Erklären	Einen Sachverhalt mithilfe eigener Kenntnisse in einen Zusammenhang einordnen sowie ihn nachvollziehbar und verständlich machen
Erläutern	Einen Sachverhalt veranschaulichend darstellen und durch zusätzliche Informationen verständlich machen
Ermitteln	Einen Zusammenhang oder eine Lösung finden und das Ergebnis formulieren
Hypothese entwickeln Synonym wird verwendet: Hypothese aufstellen	Begründete Vermutung auf der Grundlage von Beobachtungen, Untersuchungen, Experimenten oder Aussagen formulieren
Interpretieren Synonym wird verwendet: Deuten	Fachspezifische Zusammenhänge in Hinblick auf eine gegebene Fragestellung begründet darstellen
Nennen Synonym wird verwendet: Angeben	Elemente, Sachverhalte, Begriffe, Daten ohne Erläuterungen aufzählen
Protokollieren	Beobachtungen oder die Durchführung von Experimenten detailgenau zeichnerisch einwandfrei bzw. fachsprachlich richtig wiedergeben
Skizzieren	Sachverhalte, Strukturen oder Ergebnisse auf das Wesentliche reduziert übersichtlich grafisch darstellen
Stellung nehmen	Zu einem Gegenstand, der an sich nicht eindeutig ist, nach kritischer Prüfung und sorgfältiger Abwägung ein begründetes Urteil abgeben
Überprüfen bzw. Prüfen	Sachverhalte oder Aussagen an Fakten oder innerer Logik messen und eventuelle Widersprüche aufdecken
Vergleichen	Gemeinsamkeiten, Ähnlichkeiten und Unterschiede ermitteln
Zeichnen	Eine möglichst exakte grafische Darstellung beobachtbarer oder gegebener Strukturen anfertigen
Zusammenfassen	Das Wesentliche in konzentrierter Form herausstellen

Anforderungsbereiche

aus: Einheitliche Prüfungsanforderungen in der Abiturprüfung Biologie
(Beschluss der Kultusministerkonferenz vom 01.12.1989 i. d. F. vom 05.02.2004)

Der Anforderungsbereich I umfasst
- die Verfügbarkeit von Daten, Fakten, Regeln, Formeln, mathematischen Sätzen usw. aus einem begrenzten Gebiet im gelernten Zusammenhang
- die Beschreibung und Verwendung erlernter und eingeübter Arbeitstechniken und Verfahrensweisen in einem begrenzten Gebiet und in einem wiederholenden Zusammenhang

Im Fach Biologie gehören dazu
- die Reproduktion von Basiswissen (Kenntnisse von Fakten, Zusammenhängen und Methoden)
- die Nutzung bekannter Methoden und Modellvorstellungen in vergleichbaren Beispielen
- die Entnahme von Informationen aus Fachtexten und Umsetzen der Informationen in einfache Schemata (Stammbäume, Flussdiagramme o. ä.)
- die schriftliche Darstellung von Daten, Tabellen, Diagrammen, Abbildungen mithilfe der Fachsprache
- die Beschreibung makroskopischer und mikroskopischer Beobachtungen
- die Beschreibung und Protokollierung von Experimenten
- das Experimentieren nach Anleitung und die Erstellung mikroskopischer Präparate
- die sachgerechte Benutzung bekannter Software

Der Anforderungsbereich II umfasst
- selbstständiges Auswählen, Anordnen, Verarbeiten und Darstellen bekannter Sachverhalte unter vorgegebenen Gesichtspunkten in einem durch Übung bekannten Zusammenhang
- selbstständiges Übertragen des Gelernten auf vergleichbare neuartige Fragestellungen, veränderte Sachzusammenhänge oder abgewandelte Verfahrensweisen

Im Fach Biologie gehören dazu
- die Anwendung der Basiskonzepte in neuartigen Zusammenhängen
- die Übertragung und Anpassung von Modellvorstellungen
- die sachgerechte, eigenständig strukturierte und aufgabenbezogene Darstellung komplexer biologischer Abläufe im Zusammenhang einer Aufgabenstellung
- die Auswahl bekannter Daten, Fakten und Methoden zur Herstellung neuer Zusammenhänge
- die gezielte Entnahme von Informationen aus vielschichtigen Materialien oder einer wissenschaftlichen Veröffentlichung unter einem vorgegebenen Aspekt
- die abstrahierende Darstellung biologischer Phänomene wie die zeichnerische Darstellung und Interpretation eines nicht bekannten mikroskopischen Präparats
- die Anwendung bekannter Experimente und Untersuchungsmethoden in neuartigen Zusammenhängen
- die Auswertung von unbekannten Untersuchungsergebnissen unter bekannten Aspekten
- die Beurteilung und Bewertung eines bekannten biologischen Sachverhalts
- die Unterscheidung von Alltagsvorstellungen und wissenschaftlichen Erkenntnissen

Der Anforderungsbereich III umfasst
- planmäßiges und kreatives Bearbeiten vielschichtiger Problemstellungen mit dem Ziel, selbstständig zu Lösungen, Deutungen, Wertungen und Folgerungen zu gelangen
- bewusstes und selbstständiges Auswählen und Anpassen geeigneter erlernter Methoden und Verfahren in neuartigen Situationen

Im Fach Biologie gehören dazu
- die Entwicklung eines eigenständigen Zugangs zu einem biologischen Phänomen, z. B. die Planung eines geeigneten Experimentes oder Gedankenexperimentes
- die selbstständige, zusammenhängende Verarbeitung verschiedener Materialien unter einer selbstständig entwickelten Fragestellung
- die Entwicklung eines komplexen gedanklichen Modells bzw. eigenständige Modifizierung einer bestehenden Modellvorstellung
- die Entwicklung fundierter Hypothesen auf der Basis verschiedener Fakten, experimenteller Ergebnisse, Materialien und Modelle

- die Reflexion biologischer Sachverhalte in Bezug auf das Menschenbild
- die materialbezogene und differenzierte Beurteilung und Bewertung biologischer Anwendungen
- die Argumentation auf der Basis nicht eindeutiger Rohdaten: Aufbereitung der Daten, Fehleranalyse und Herstellung von Zusammenhängen
- die kritische Reflexion biologischer Fachbegriffe vor dem Hintergrund komplexer und widersprüchlicher Informationen und Beobachtungen

Kompetenzbereiche

Im Unterricht ist es wichtig, dass der Lernstoff „optimal hängen bleibt" und sicher in neuen Situationen angewendet werden kann. Hierzu sollen Sie im Fach Biologie zahlreiche Fähigkeiten, also Kompetenzen, erwerben. Unter Kompetenzen versteht man die erlernbaren Fähigkeiten und Fertigkeiten, bestimmte Probleme zu lösen. Darüber hinaus bezeichnen sie die Bereitschaft, die erlernten Fähigkeiten und Erkenntnisse sinnvoll zu nutzen. Im Unterricht und schließlich in der Abiturprüfung können Sie Ihre erlernten biologischen sowie naturwissenschaftlichen und allgemeinen Kompetenzen anwenden.

Die Kompetenzbereiche sind aufgeteilt in Fachwissen (F), Erkenntnisgewinnung (E), Kommunikation (K) und Bewertung (B).

Fachwissen (F)
Gegenstände können sein:
- Lebewesen
- biologische Phänomene
- Fachbegriffe
- Prinzipien

Dazu sollen Sie Fakten kennen und den Basiskonzepten zuordnen können.

Erkenntnisgewinnung (E)
Zu den Methoden der Erkenntnisgewinnung gehören:
- Beobachten
- Vergleichen
- Experimentieren
- Modelle nutzen
- Recherchieren

Sie sollen die Arbeitstechniken anwenden können.

Kommunikation (K)
Zu diesem Bereich gehören:
- Umgang mit Fachtexten
- Verfassen eigener Texte zu naturwissenschaftlichen Themen
- Mitteilung von Fachinhalten zu biologischen Themen (z. B. Referat, Präsentation, usw.

Sie sollen Informationen sach- und fachbezogen erschließen und austauschen können.

Bewertung (B)
Dazu gehören:
- Bewertungen erkennen und analysieren
- zu eigenen Bewertungen kommen
- die Handlungsrelevanz von Bewertungen erkennen

Sie sollen biologische Sachverhalte in verschiedenen Kontexten erkennen und bewerten können.

Die nebenstehende Tabelle (S. 233) gibt Ihnen — auch wenn sie für den mittleren Schulabschluss verabschiedet wurde — einen Überblick darüber, welche Fähigkeiten bei den verschiedenen Kompetenzen erwartet werden, . Dabei ist das Fachwissen die gegenstandsbezogene Basis. Durch den Erwerb der übrigen Kompetenzen wird es zu einem lebendigen Teil der angestrebten Bildung. Dem tragen auch Klausur- und Abituraufgaben Rechnung. Deshalb finden Sie in diesem Buch eine Vielzahl von Aufgaben zum Erwerb und Einüben von Fähigkeiten aus allen Kompetenzbereichen.

		Anforderungsbereiche		
		I	II	III
Kompetenzbereiche	Fachwissen (F)	Basiskonzepte kennen und mit bekannten Beispielen beschreiben, Kenntnisse wiedergeben und mit Konzepten verknüpfen.	Biologisches Wissen in einfachen Kontexten verwenden, neue Sachverhalte konzeptbezogen beschreiben und erklären, biologische Sachverhalte auf verschiedenen Systemebenen erklären, bekannte biologische Phänomene mit Basiskonzepten, Fakten und Prinzipien erläutern.	Biologisches Wissen in komplexeren Kontexten neu verwenden, neue Sachverhalte aus verschiedenen biologischen oder naturwissenschaftlichen Perspektiven erklären, Systemebenen für Erklärungen eigenständig wechseln.
	Erkenntnisgewinnung (E)	Versuche nach Anleitung durchführen, Versuche sachgerecht protokollieren, Arbeitstechniken sachgerecht anwenden, Untersuchungsmethoden und Modelle kennen und verwenden, kriterienbezogene Vergleiche beschreiben, Modelle sachgerecht nutzen, Modelle praktisch erstellen.	Biologische Fachfragen stellen und Hypothesen formulieren, Experimente planen, durchführen und deuten, Beobachtungen und Daten auswerten, biologiespezifische Arbeitstechniken in neuem Zusammenhang anwenden, Unterschiede und Gemeinsamkeiten kriterienbezogen analysieren, Sachverhalte mit Modellen erklären.	Eigenständig biologische Fragen und Hypothesen finden und formulieren, Daten hypothesen- und fehlerbezogen auswerten und interpretieren, Organismen ordnen anhand selbst gewählter Kriterien, Arbeitstechniken zielgerichtet auswählen oder variieren, Hypothesen erstellen mit einem Modell, Modelle kritisch prüfen im Hinblick auf ihre Aussagekraft und Tragfähigkeit.
	Kommunikation (K)	Eigene Kenntnisse und Arbeitsergebnisse kommunizieren, Fachsprache benutzen, Informationen aus leicht erschließbaren Texten, Schemata und anderen Darstellungsformen entnehmen, verarbeiten und kommunizieren.	Darstellungsformen wechseln, Fachsprache in neuen Kontexten benutzen, Fachsprache in Alltagssprache und umgekehrt übersetzen, Alltagsvorstellungen und biologische Sachverhalte unterscheiden.	Verschiedene Informationsquellen bei der Bearbeitung neuer Sachverhalte zielführend nutzen, eigenständig sach- und adressatengerecht argumentieren und debattieren sowie Lösungsvorschläge begründen.
	Bewertung (B)	Biologische Sachverhalte in einem bekannten Bewertungskontext wiedergeben, Bewertungen nachvollziehen, bekannte Bewertungskriterien zu Gesundheit, Menschenwürde, intakte Umwelt, Nachhaltigkeit beschreiben.	Biologische Sachverhalte in einem neuen Bewertungskontext erläutern, Entscheidungen bezüglich Mensch oder Natur in einem neuen Bewertungskontext erkennen und beschreiben, Sachverhalt in Beziehung setzen mit Werten zu Gesundheit, Menschenwürde, intakte Umwelt, Nachhaltigkeit.	Biologische Sachverhalte in einem neuen Bewertungskontext erklären, Fremdperspektiven einnehmen und Verständnis entwickeln für andersartige Entscheidungen, eigenständig Stellung nehmen, gesellschaftliche Verhandelbarkeit von Werten begründend erörtern.

aus: Kultusministerkonferenz: Bildungsstandards im Fach Biologie für den Mittleren Schulabschluss — Beschluss vom 16.12.2004

Basiskonzepte

Basiskonzepte strukturieren den Kompetenzbereich Fachwissen. Ein Verständnis für diese Grundprinzipien, die viele Einzelphänomene verbinden, entwickelt sich allmählich im Unterricht.

Im Lehrbuch und in diesem Buch finden Sie in allen Themengebieten immer wieder Verweise auf die entsprechenden Basiskonzepte. Diese finden Sie in der Randspalte, gekennzeichnet mit einem Symbol ☼. Hierdurch erlernen Sie mehr und mehr, Lerninhalte zu gliedern, zu vernetzen und neue Sachverhalte selbstständig zu erarbeiten und einzuordnen.

Zusammenfassend helfen Basiskonzepte, ein aktives Wissensnetz zu erzeugen und Fachkompetenzen auf- und auszubauen. Darüber hinaus werden Brücken zu anderen Fächern und zum Alltag geschaffen.

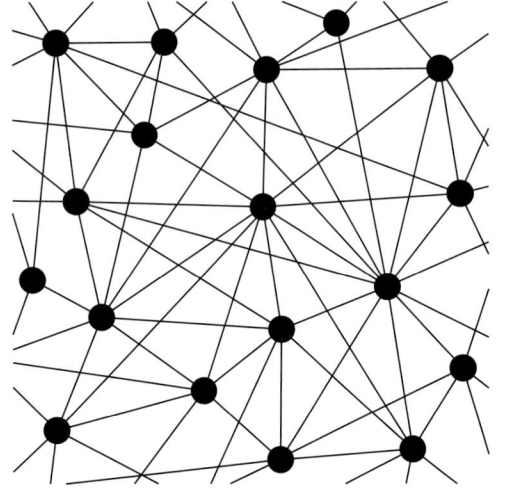

Lernen ist wie Netze knüpfen …
… und je dichter das Netz ist, desto mehr behält man.

Ein Beispiel, das den Erkenntnisweg verdeutlicht, ist das Prinzip des Gegenspielers aus dem Basiskonzept „Struktur und Funktion":
Bekannt durch Bewegungen des eigenen Körpers (Beuger und Strecker des Oberarms), kann man es zunächst auf alle Bewegungen der Skelettmuskulatur der Säugetiere übertragen. In nächster Instanz kann dieses Phänomen auf die Gliedmaßen des Menschen, auf die Fortbewegung der Vierfüßer sowie auf die Flugbewegung der Vögel angewendet werden. Ein weiteres Beispiel von Antagonismus zeigt sich in der Regulation der Blutzuckerkonzentration. Die Gegenspieler Insulin und Glucagon spiegeln das Prinzip auf der Ebene der Hormone wider. Antagonist heißt wörtlich „der gegenhandelnde". Selbst in der Literatur findet man dieses Prinzip. Der Antagonist steht den Protagonisten gegenüber. Das ist häufig der Ausgangspunkt für ein interessantes Hin und Her.

☼ Struktur und Funktion

Das Prinzip des Gegenspielers

Beispiele:

Beuger und Strecker

Strecker (Trizeps)
Strecker aktiv verkürzt, Beuger passiv gedehnt

Beuger (Bizeps)
Beuger aktiv verkürzt, Strecker passiv gedehnt

Glucagon
- fördert den Glykogenabbau und die Glucosebildung
- schleust Proteine und Fette in die Glucosesynthese ein
- sorgt für die Freisetzung von Glucose aus der Leber
→ erhöht die Glucosekonzentration im Blut

Insulin
- fördert die Glucoseaufnahme in den Zellen
- bewirkt die Speicherung von Glucose
- sorgt für die die Glykogensynthese in der Leber
- fördert den Verbrauch von Glucose
→ verringert die Glucosekonzentration im Blut

Kompartimentierung
- Lebende Systeme bestehen aus abgegrenzten, funktionell unterschiedlichen Reaktionsräumen.
- In Zellen werden die Reaktionsräume von Membranen umschlossen.
- Auch in anderen Biosystemen gibt es abgeschlossene Bereiche, in denen Prozesse ungestört ablaufen können.
- Derartige Biosysteme sind die Organisationsebenen Moleküle, Organellen, Zelle, Gewebe, Organ, Organismus, Populationen, Arten, Ökosysteme, Biosphäre.

Stoff- und Energieumwandlung
- Lebewesen können nur existieren, indem sie ihrer Umwelt ständig Stoffe und Energie entnehmen, diese umwandeln und in anderer Form wieder abgeben.
- Lebewesen sind offene Systeme in einem Fließgleichgewicht.
- Wesentlicher Vorgang für die Existenz fast aller Lebewesen ist die Fotosynthese.
- Dissimilationsprozesse stellen Energie für die Lebewesen bereit.

Information und Kommunikation
- Lebewesen nehmen Information auf, speichern und verarbeiten sie und kommunizieren miteinander.
- Voraussetzungen sind eine gemeinsame Sprache und geeignete Aufnahme-, Speicher- und Abgabemechanismen.
- Information ist in der Biologie eine Signalfolge, die beim Empfänger eine Reaktion hervorruft.
- Kommunikation ist eine wechselseitige Informationsübertragung.

Geschichte und Verwandtschaft
- Es ist zu unterscheiden zwischen der stammesgeschichtlichen und der individuellen Entwicklung
- Ähnlichkeit und Vielfalt von Lebewesen sind das Ergebnis stammesgeschichtlicher Entwicklungsprozesse.
- Nicht nur Lebewesen, auch Arten oder Ökosysteme entwickeln sich.
- Aus diesem Konzept ergeben sich enge Verknüpfungen der anderen Basiskonzepte untereinander.

Struktur und Funktion
- Lebewesen und Lebensvorgänge sind an Strukturen gebunden.
- Einen Zusammenhang von Struktur und Funktion gibt es in der Natur nur bei Lebewesen.
- Die Form passt zur Funktion.
- Das Erfassen, Ordnen und Wiedererkennen von Strukturen ist die Grundlage für das Verständnis der Funktion.

Steuerung und Regelung
- Organismen und Lebensgemeinschaften halten viele Zustandsgrößen in engen Grenzen.
- Typisch für eine Regelung ist eine negative Rückkopplung
- Modellbeispiel dafür ist der Regelkreis (z. B. im Unterschied zur Aufschaukelung oder dem Ausschluss).
- Durch Steuerung kann die Intensität oder Richtung von Vorgängen geändert werden.

Reproduktion
- Lebewesen haben eine begrenzte Lebensdauer. Daraus folgt:
- Lebewesen haben im Gegensatz zur Natur die Fähigkeit zur Selbstvervielfältigung.
- Dabei sind Vermehrung und Fortpflanzung zu unterscheiden.
- Durch die Abfolge von Generationen ergibt sich die Möglichkeit zur Veränderung und Evolution.

Variabilität und Angepasstheit
- Lebewesen sind bezüglich Bau und Funktion an ihre Umwelt angepasst.
- Angepasstheit wird durch Variabilität ermöglicht und durch Selektion bewirkt.
- Variabilität bedeutet, dass sich Zellen, Individuen, Programme und Funktionen, Strukturen und Strategien unterscheiden.
- Grundlage der Variabilität bei Lebewesen sind Mutation, Rekombination und Modifikation.

Klausur: Gendefekte können auch Überlebensvorteile bieten

Die Malaria ist eine vorwiegend in tropischen und subtropischen Gebieten auftretende, auch Sumpf- oder Wechselfieber genannte Krankheit. Nach Schätzungen der Weltgesundheitsorganisation WHO erkranken an ihr weltweit jährlich bis zu 500 Millionen Menschen. Die fieberhafte Infektionskrankheit wird durch Einzeller der Gattung *Plasmodium* hervorgerufen, die einen komplizierten Entwicklungszyklus durchlaufen. Sichelzellenanämie ist eine Erbkrankheit, die in der ursprünglichen Bevölkerung Zentralafrikas überdurchschnittlich häufig auftritt. Erkrankte Personen weisen rote Blutzellen in charakteristischer Sichelform auf, deren Anteil bei durch körperliche Anstrengung verursachtem Sauerstoffmangel stark zunimmt. Solche roten Blutzellen können nicht normal zum Sauerstofftransport beitragen. Langfristig kann sich die Erkrankung in Blutzersetzung, Milz- und Leberschäden äußern. Homozygot erkrankte Personen wiesen früher eine deutlich erhöhte Sterblichkeitsrate auf, vor allem während der Pubertät. Heterozygote Personen haben eine höhere Lebenserwartung.

Aufgaben

1 a Stellen Sie den Generationswechsel des Erregers (Material 1) dar und erläutern Sie in Bezug dazu den Verlauf der Fieberkurve eines Malariapatienten (Material 2).
  b Erläutern Sie, wodurch es 1945 in Deutschland zu einer Malariaepidemie kommen konnte (Materialien 1 und 3).
  c Erläutern Sie die in Material 4 dargestellte Überlebensstrategie von *Plasmodium*, mit der der Einzeller der menschlichen Immunabwehr entgeht.
  d Stellen Sie eine Hypothese auf, warum trotz gegenseitiger Beeinträchtigungen weder Wirt noch Parasit ausgestorben sind.

2 a Analysieren Sie den Stammbaum (Material 5) und geben Sie den Vererbungsmodus der Sichelzellenanämie an.
  b Erläutern Sie die molekularbiologischen Ursachen der Sichelzellenanämie unter Verwendung der Materialien 6 und 9. Geben Sie die Folgen dieser Veränderung für den Malariaerreger an.
  c Vergleichen Sie die Verbreitung der Krankheiten Sichelzellenanämie und Malaria mithilfe von Material 7. Erklären Sie unter Einbezug der Daten aus Material 8 diesen Sachverhalt.
  d Vergleichen Sie den Heterozygotenvorteil der Träger des Sichelzellengens mit dem „Überlebensvorteil", der in Material 10 beschrieben ist.

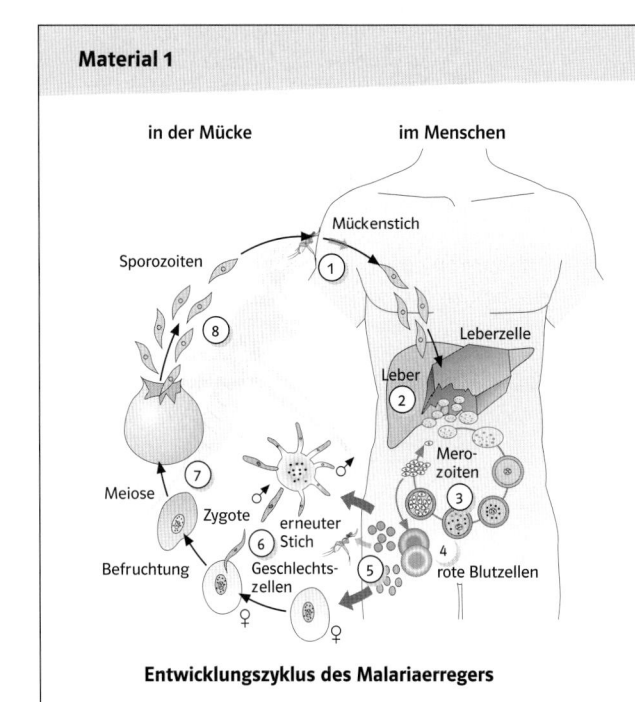

Material 1

Entwicklungszyklus des Malariaerregers

in der Mücke — im Menschen

Mückenstich (1), Sporozoiten, Leberzelle (2), Merozoiten (3), rote Blutzellen (4), Geschlechtszellen (5), erneuter Stich (6), Zygote, Befruchtung, Meiose (7), (8)

- Der die Malaria erzeugende Einzeller (*Plasmodium*) wird durch den Stich der *Anopheles*-Mücke auf den Menschen übertragen (1).
  Die Sporozoiten, die infektiösen Stadien parasitisch lebender Sporentierchen, gelangen auf dem Blutweg in die Leberzellen; sie können dort über 2 bis 3 Jahre hinweg unentwickelt bleiben oder sofort in die ungeschlechtliche Vermehrung eintreten (2).
- In den Leberzellen entstehen durch zahlreiche Vielfachteilungen sogenannte Merozoiten (3).
- Die Merozoiten dringen in die roten Blutzellen ein und machen dort ebenfalls zahlreiche Vielfachteilungen durch; beide Vermehrungsschritte, in der Leber und in den roten Blutzellen, können sich mehrfach wiederholen; beim Zerfall der roten Blutzellen bilden sich Substanzen, die die Fieberanfälle hervorrufen (4).
- Aus einigen Merozoiten entstehen männliche und weibliche Geschlechtszellen, die bevorzugt in den peripheren Blutbahnen vorkommen, sodass sie beim Stich der Mücke eingesaugt werden (5).
- Im Magen-Darm-Kanal der Mücke werden die Keimzellen frei, reifen und verschmelzen (6).
- Die entstehenden, beweglichen Zygoten durchbohren die Darmwand und wachsen an der Außenseite zu sogenannten Oocysten heran, in deren Innerem zahlreiche Sporozoiten gebildet werden (7).
- Diese wandern durch die Hämolymphe zur Speicheldrüse der Mücke (8).

Material 2

Fieberkurve eines Malariapatienten

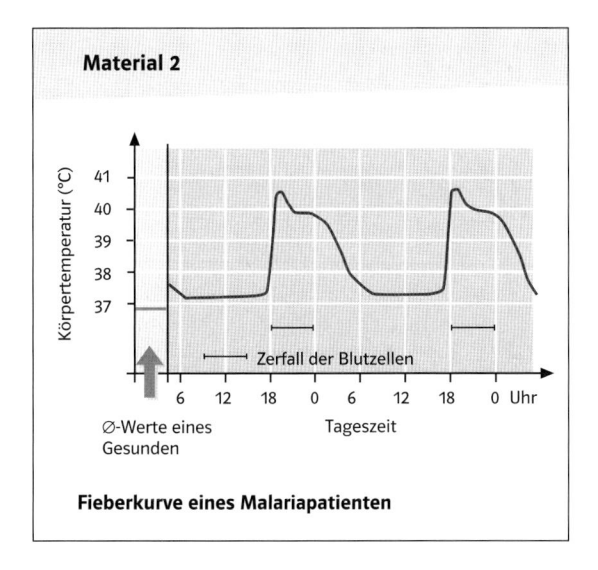

Körpertemperatur (°C) auf der y-Achse (37–41), Tageszeit (6, 12, 18, 0, 6, 12, 18, 0 Uhr) auf der x-Achse. Ø-Werte eines Gesunden bei ca. 37 °C. Markierungen „Zerfall der Blutzellen" an den Fieberspitzen.

Material 3

Malaria in Deutschland

Im Sommer des Jahres 1945 gab es in Südwestdeutschland eine Malariaepidemie. Über drei Wochen war es extrem heiß mit konstanten Temperaturen von über 25 °C. Die Hitzeperiode begünstigte die Entwicklung von *Plasmodium* ebenso, wie die der in den zahlreichen Wassertümpeln (Bombentrichter und Gewässer in den Rheinauen) vorkommenden Mücken. Zu der Zeit kehrten viele malariakranke Soldaten heim. Die *Anopheles*-Mücke ist auch in Deutschland heimisch.

Material 4

knobs

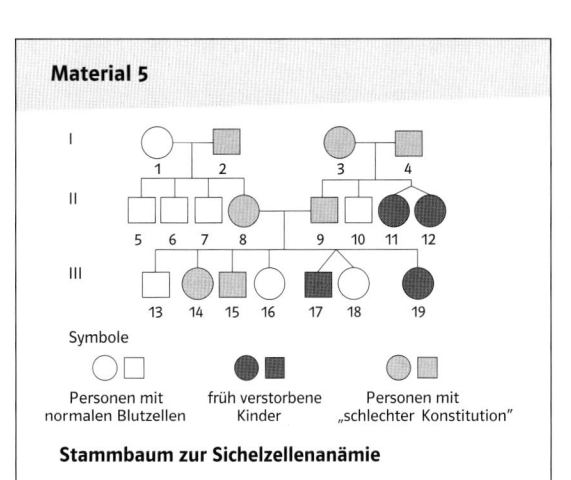

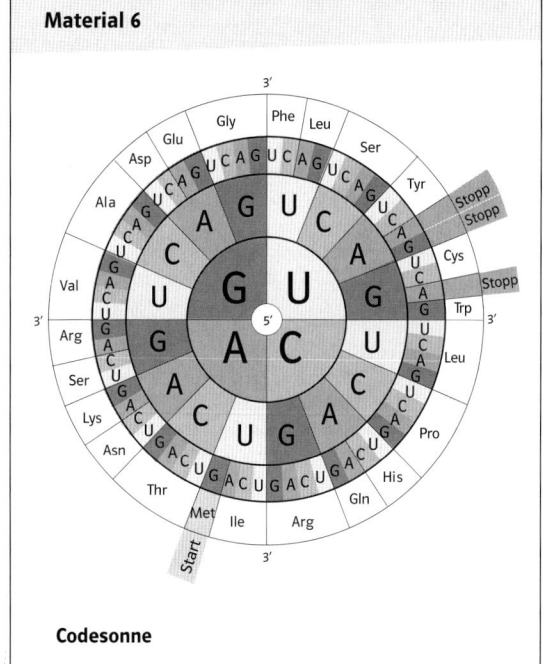

Elektronenmikroskopische Aufnahmen zeigen, dass sich die Oberfläche der roten Blutzellen einige Zeit nach dem Befall verändert: Knopfartige Höcker („knobs"), in denen Proteine mit variabler Aminosäuresequenz verankert sind, entstammen dem parasitären Stoffwechsel, und erst diese Strukturen werden von der Immunabwehr erkannt. Der dadurch eingeleiteten Zerstörung der roten Blutzellen entgeht der Parasit, wenn die Blutzellen durch die in den „knobs" verankerten Proteine an den Kapillarwänden oder an anderen Blutzellen andocken und mit ihnen verkleben.

Material 5

Stammbaum zur Sichelzellenanämie

Symbole:
- ○ □ Personen mit normalen Blutzellen
- ● ■ früh verstorbene Kinder
- ◐ ▨ Personen mit „schlechter Konstitution"

Generation I: 1, 2, 3, 4
Generation II: 5, 6, 7, 8, 9, 10, 11, 12
Generation III: 13, 14, 15, 16, 17, 18, 19

Material 6

Codesonne

(Codesonne zur Übersetzung von mRNA-Codons in Aminosäuren; 5'→3' von innen nach außen; Aminosäuren: Gly, Glu, Asp, Ala, Val, Arg, Ser, Lys, Asn, Thr, Met (Start), Ile, Arg, His, Gln, Pro, Leu, Cys, Trp, Stopp, Tyr, Ser, Phe, Leu)

Material 7

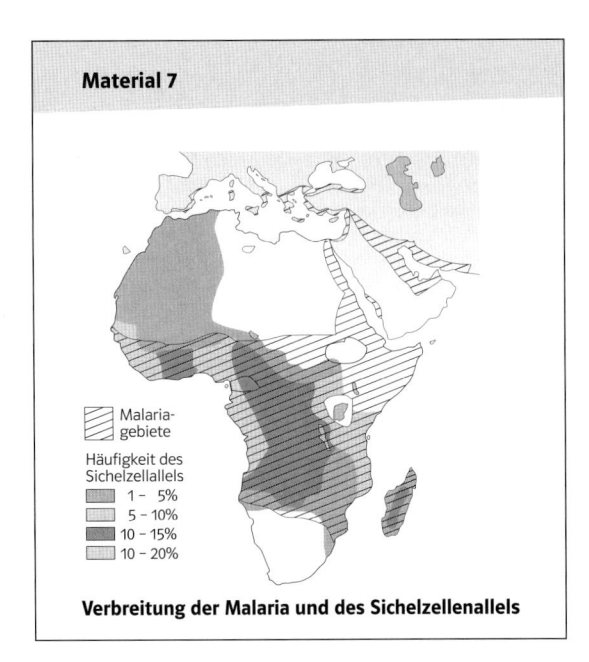

Verbreitung der Malaria und des Sichelzellenallels

Legende:
- Malariagebiete
- Häufigkeit des Sichelzellallels
  - 1 – 5%
  - 5 – 10%
  - 10 – 15%
  - 10 – 20%

Material 8

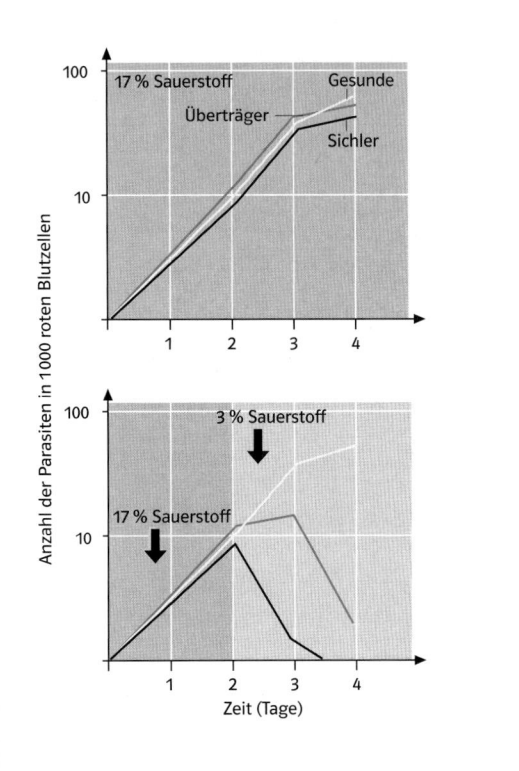

Vermehrung von *Plasmodien* im menschlichen Blut bei normalem Sauerstoffgehalt und bei Sauerstoffmangel (der Sauerstoffgehalt wurde nach 2 Tagen von 17 % auf 3 % reduziert)

Oberes Diagramm (17 % Sauerstoff): Gesunde, Überträger, Sichler
Unteres Diagramm: 17 % Sauerstoff → 3 % Sauerstoff nach 2 Tagen

Achsen: Anzahl der Parasiten in 1000 roten Blutzellen / Zeit (Tage)

Material 9

Das Hämoglobinmolekül ist Sauerstoffüberträger im Blut der Wirbeltiere. Es besteht aus zwei α-Ketten (141 Aminosäuren) und zwei β-Ketten (146 Aminosäuren). Die Aminosäuresequenz in den ersten neun Positionen der β-Kette ist unten angegeben. Bei reinerbigen Sichlern kommt es häufig zur Verstopfung der Kapillaren insbesondere in der Milz. Bei mischerbigen Sichlern ist mehr als die Hälfte der roten Blutzellen normal. Bei Sauerstoffmangel bildet das Sichlerhämoglobin lange spitze Kristalle, sodass sich die Erythrocyten verformen. Defekte Zellen werden durch Phagocytose entfernt.

	1	2	3	4
normal	Val	His	Leu	Thr
Sichler	Val	His	Leu	Thr

5	6	7	8	9
Pro	Glu	Glu	Lys	Ser
Pro	Val	Glu	Lys	Ser

Veränderungen der Hämoglobinmoleküle

Material 10

In Papua-Neuguinea ist eine bestimmte Oberflächenvariante der roten Blutzellen auffallend häufig, die keine Auswirkungen auf den Stoffwechsel hat: Betroffenen Personen fehlt ein als Gerbich-Antigen bezeichnetes Blutgruppenmerkmal. Das zugehörige Eiweiß Glycophorin C dient normalerweise dem Malariaerreger als Andockstelle und Invasionspforte. Es scheint für *Plasmodium falciparum* absolut notwendig zu sein. Die Malariagefahr ist im Küstengebiet von Papua-Neuguinea groß, und das an sich seltene Blutgruppenmerkmal „Gerbich-negativ" kommt dort bei fast jedem zweiten Bewohner vor.

Gerbich-Antigen

Gendefekte können auch Überlebensvorteile bieten

		Erwartung	I	II	III	Punkte
6/23.4	1a	In der Mücke findet geschlechtliche Fortpflanzung statt, im Menschen ungeschlechtliche Vermehrung. Die Entwicklungsstadien in Bezug zur Fieberkurve zeigen, dass der Fieberanstieg mit dem Zerfall der roten Blutzellen verbunden ist. In der Zwischenzeit sinkt das Fieber.	10	4		14
	b	Für die Entwicklung der Mücke sind sowohl Tümpel als auch bestimmte Temperaturen (mindestens 3 Wochen über 25 °C) notwendig. Infizierte Menschen sind Träger der Merozoiten bzw. Geschlechtszellen. Malaria-Vorkommen ist an die Gesamtheit der Faktoren gebunden (Mat. 4).	6	8		14
	c	Wirtszellen zeigen am Anfang keine Parasiten-Antigene und werden demzufolge nicht vom Immunsystem erkannt. Werden die „knobs" ausgebildet, können die Blutzellen durch Verkleben der Immunabwehr entgehen. Durch die variablen Proteinanteile der „knobs" müssen immer neue Antikörper gebildet werden (Zeitvorsprung).	3	5	4	12
	d	Wirte und Parasiten haben sich in einer Koevolution aufeinander abgestimmt. Keiner erleidet einen derartigen Nachteil, dass er ausstirbt.		2	8	10
		max. Punktzahl				50
2/17.4	2a	Die Stammbaumanalyse zeigt eine autosomal-rezessive Vererbung der Sichelzellenanämie. Früh verstorbene Kinder weisen darauf hin, dass das Sichelzellenallel homozygot letal ist. Heterozygote haben Beeinträchtigungen.	4	9		13
	b	Austausch einer Aminosäure beim Sichlerhämoglobin: statt Glutaminsäure ist an Position 6 Valin. Ursache ist der Austausch einer Base (Punktmutation). Durch das veränderte Hämoglobin können die Blutzellen entweder nicht von den Parasiten befallen werden oder die Parasiten werden durch die Phagocytose mitvernichtet.	5	8		13
	c	Die Verbreitungsgebiete von Malaria und Sichelzellenanämie überlappen sich in Zentralafrika. Ferner kommt Malaria entlang des Nils, in Südeuropa und Vorderasien vor. Die Sichelzellenanämie findet man auch in Westafrika. Bei hohem O_2-Gehalt (17%) vermehren sich die Plasmodien in allen drei Erythrocytentypen gleich gut. Sinkt der O_2-Gehalt (unter Belastung), sterben vor allem die Plasmodien in den roten Blutzellen der Sichler, aber auch der Überträger. Heterozygote Sichler haben einen besonderen Selektionsvorteil in Malariagebieten, da sie einerseits seltener als Gesunde an Malaria erkranken (Erreger können sich in ihrem Blut nicht gut vermehren), andererseits sind sie noch so leistungsfähig, dass sie ihre Gene an ihre Nachkommen weitergeben können. Aus diesem Grund sind die heterozygoten Sichler vor allem in Malariagebieten anzutreffen.	4	8	4	16
	d	In Malariagebieten überleben Heterozygote die Infektionen, wenn sie sich nicht starker körperlicher Anstrengung oder Sauerstoffmangel aussetzen. Die Sichelzellenanämie ist eine schwerwiegende Erkrankung, während das Fehlen eines Blutgruppenmerkmals für die Bewohner Papua-Neuguineas in Malariagebieten ohne Einschränkungen Überlebensvorteile bringt.		4	4	8
		max. Punktzahl				50
		Summen	32	48	20	100

Bildquellennachweis

U1 Corbis (DLILLC), Düsseldorf; **11.1** FOCUS (Harris/SPL), Hamburg; **14.1** iStockphoto (Alex Dykes), Calgary, Alberta; **15.1** Arco Images GmbH (F. Rauschenbach), Lünen; **17.1** Corbis (Visuals Unlimited), Düsseldorf; **18.1** FOCUS (Lounatmaa/SPL), Hamburg; **19.1** shutterstock (Nataly Lukhanina), New York, NY; **19.2** Alamy Images (Grant Heilmann Photography/Runk/Schoenberger), Abingdon, Oxon; **19.2; 19.3** Ullstein Bild GmbH (Peter Arnold Inc.), Berlin; **20.1** Prof. Dr. Hartwig Wolburg, Tübingen; **20.2** FOCUS (Alexis Rosenfeld/SPL), Hamburg; **22.2** Okapia (Ca. Biological/Phototake), Frankfurt; **29.1** Klett-Archiv (Aribert Jung), Stuttgart; **30.1a** shutterstock (Losevsky Pavel), New York, NY; **30.1b** Okapia (Hans Reinhard), Frankfurt; **30.1c** Okapia (J. Sierra/OSF), Frankfurt; **31.2** Klett-Archiv (Ralf Küttner), Stuttgart; **33.2** Klett-Archiv (Ralf Küttner), Stuttgart; **35.1** Alamy Images (WaterFrame), Abingdon, Oxon; **38.1** Bridgeman Art Library Ltd., Berlin; **43.1a** Fotolia LLC (Sorensen), New York; **43.1b** shutterstock (Nicholas Rjabow), New York, NY; **45.1** shutterstock (Monkey Business Images), New York, NY; **46.1** Ullstein Bild GmbH (Bridgemanart), Berlin; **48.1** Okapia (Norbert Lange), Frankfurt; **48.2** Ullstein Bild GmbH (Peter Arnold), Berlin; **50.1a; 50.1c** FOCUS (Wheeler/SPL), Hamburg; **50.1b** Okapia (Norbert Lange), Frankfurt; **50.1d** Corbis (Visuals Unlimited), Düsseldorf; **50.1e** Ullstein Bild GmbH (Ed Reschke), Berlin; **50.1f** Klett-Archiv (Nature + Science AG), Stuttgart; **55.1** Imago (Karsten Koch), Berlin; **59.1** FOCUS (McTurk/SPL), Hamburg; **69.2** Klett-Archiv (Matthias Nolte), Stuttgart; **70.1** DSMZ – Deutsche Sammlung von Mikroorganismen und Zellkulturen GmbH; **;71.1** Picture-Alliance (Wolfgang Kumm), Frankfurt; **74.1a; 74.1b; 74.1c; 74.1d** Klett-Archiv (Aribert Jung), Stuttgart; **76.1** Wikimedia Foundation Inc. (C. Lauter/http://creativecommons.org/licenses/by-sa/2.0/deed.de), St. Petersburg FL; **79.1** Institut für Rechtsmedizin, LMU München (Anslinger), München; **80.1** Corbis (Christian Liewig), Düsseldorf; **80.2** all images direct (Jochen Tack), Deisenhofen; **86.2** Juniors Bildarchiv, Ruhpolding; **87.1** PantherMedia GmbH (Susanne Krofta), München; **88.1** Okapia (C. Allan Morgan/P. Arnold), Frankfurt; **90.1a** Bayerische Staatsammlung für Paläontologie, München; **90.1b** Mauritius Images (Gerard Lacz), Mittenwald; **94.2** iStockphoto (Tammy Wolfe), Calgary, Alberta; **96.1** Juniors Bildarchiv, Ruhpolding; **97.2** iStockphoto (Rex Lisman), Calgary, Alberta; **97.3** f1 online digitale Bildagentur (Roy Morsch/AGE), Frankfurt; **98.3** blickwinkel (F. Hecker), Witten; **98.4** Biosphoto (Popinet Sylvestre), Berlin; **102.1** blickwinkel (E. Menz), Witten; **107.1** Fotolia LLC (Yai), New York; **108.1** Fotolia LLC (Vaide Seskauskiene), New York; **109.1** shutterstock (Nancy), New York, NY; **110.1** Ullstein Bild GmbH (Peter Arnold Inc.), Berlin; **111.1** Okapia (Jürgen Vogt-Mössingen), Frankfurt; **111.2** Ullstein Bild GmbH (United archives), Berlin; **116.1** Corbis (Visuals Unlimited), Düsseldorf; **119.2a** shutterstock (Andreas Gradin), New York, NY; **119.2b** Corbis RF (RF), Düsseldorf; **119.2c** Fotosearch Stock Photography (Eyewire RF), Waukesha, WI; **120.1a** Länge, Dr. Helmut, Stuttgart; **120.1b** Fotolia LLC (mhp), New York; **121.1** PIXTAL, New York NY; **122.2** laif (Ralf Kreuels), Köln; **129.1a** Sammlung Gesellschaft für Ökologische Forschung, München; **129.1b** Sammlung Gesellschaft für Ökologische Forschung (Françoise Funk-Salamì), München; **130.1** Getty Images (Gallo Images/Danita Delimont), München; **130.2** Getty Images (Workbook Stock/Picavet), München; **131.1** blickwinkel (H. Schmidbauer), Witten; **133.1** Fotolia LLC (Carolin Heiming), New York; **141.1** Okapia (Gary Meszaros/NAS), Frankfurt; **143** Fotolia LLC (Connfetti), New York; **155.1** f1 online digitale Bildagentur (Aflo), Frankfurt; **158.1A; 158.1B** Okapia (NAS/Michael Tweedie), Frankfurt; **161.1** Corbis (Mediscan), Düsseldorf; **162.1A; 162.1B** Arco Images GmbH (NPL), Lünen; **165.1** Reinhard-Tierfoto, Heiligkreuzsteinach; **167.1** Fotolia LLC (Siegfried Schnepf), New York

Textquellennachweis

Seite 77:
© 2008 The Nobel Committee for Physiology or Medicine 2008, Karolinska Institutet, 171 77 Stockholm